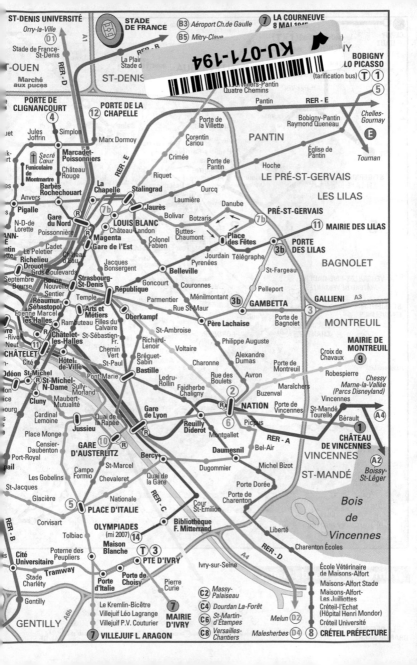

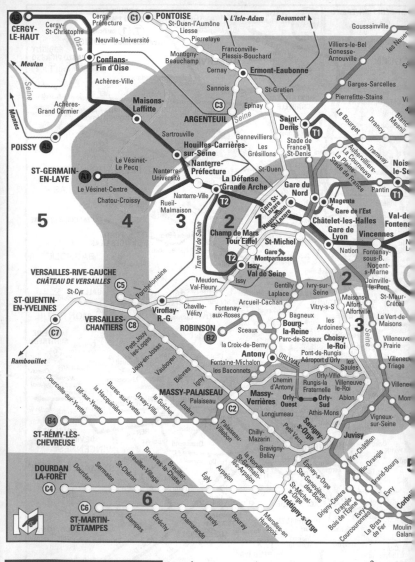

CERGY-LE-HAUT Ⓐ5 — Cergy-St-Christophe — Cergy-Préfecture Ⓒ1 — **PONTOISE** — St-Ouen-l'Aumône Liesse — Pierrelaye — *L'Isle-Adam* — *Beaumont* — Goussainville

Neuville-Université

Meulan

Conflans-Fin d'Oise — Achères-Ville — Montigny-Beauchamp — Franconville-Plessis-Bouchard — **Ermont-Eaubonne** — Villiers-le-Bel Gonesse-Arnouville

Oise

Achères-Grand Cormier — Cernay — Sannois — St-Gratien — Garges-Sarcelles

Maisons-Laffitte — Ⓒ3 — Epinay — Pierrefitte-Stains

Seine

POISSY Ⓐ5 — Sartrouville — **ARGENTEUIL** — Gennevilliers — Les Grésillons — **Saint-Denis** — Ⓣ1 — Le Bourget — Drancy

5 **4** **Houilles-Carrières-sur-Seine** — Stade de France St-Denis — Aubervilliers La Courneuve La Plaine Stade de France — **Nois le-Se**

Le Vésinet-Le Pecq — **Nanterre-Préfecture** — St-Ouen

ST-GERMAIN-EN-LAYE Ⓐ1 — Le Vésinet-Centre — Nanterre-Université — Tramway — Pantin — Ⓣ1

Chatou-Croissy — Rueil-Malmaison — Nanterre-Ville — **La Défense Grande Arche** — Ⓣ2 — **Gare du Nord** — **Magenta** — **Val-de Fonta**

3 **2** **1** — Gare St-Lazare Haussmann St-Lazare — **Châtelet-les-Halles** — Gare de l'Est

Tram Val de Seine — **Champ de Mars Tour Eiffel** — **St-Michel** — Gare de Lyon — **Vincennes**

Ⓣ2 — **Gare Montparnasse** — Nation — Fontenay-sous-B.

VERSAILLES-RIVE-GAUCHE *CHÂTEAU DE VERSAILLES* Ⓒ5 — **Issy-Val de Seine** — Issy — Meudon-Val-Fleury — Nogent-sur-Marne — Joinville-le-Pont

St-Cyr — Porchefontaine — Chaville-Vélizy — Gentilly Laplace — Ivry-sur-Seine — Maisons-Alfort-Alfortville — St-Maur-Créteil

ST-QUENTIN-EN-YVELINES — **Viroflay-R.-G.** — Fontenay-aux-Roses — Arcueil-Cachan — Vitry-s-S — **2** — **3** — Le Vert-de-Maisons

Ⓒ7 — **VERSAILLES-CHANTIERS** Ⓒ8 — **ROBINSON** Ⓑ2 — Sceaux — Bagneux — **Bourg-la-Reine** — Les Ardoines — Villeneuve-Prairie

Rambouillet — Petit Jouy les-Loges — la Croix-de-Berny — Parc-de-Sceaux — **Choisy-le-Roi** — Villeneuve-Triage

Jouy-en-Josas — **Antony** — Pont-de-Rungis Aéroport d'Orly — les Saules — Villeneuve-St-Georges

Courcelle-sur-Yvette — Vauboyen — Bièvres — Fontaine-Michalon les Baconnets — ORLYVAL — Villeneuve-le-Roi — Mom

Gif-sur-Yvette — la Hacquinière — Bures-sur-Yvette — Orsay-Ville — Igny — Chemin d'Antony — Rungis-la-Fraternelle — Ablon — Vigneux-sur-Seine

B4 **ST-RÉMY-LÈS-CHEVREUSE** — le Guichet — **MASSY-PALAISEAU** — Palaiseau — Lozère — **Massy-Verrières** — **Orly-Ouest** — **Orly-Sud** — Athis-Mons — **Juvisy**

Ⓒ2 — Palaiseau-Villebon — Longjumeau — **Savigny-s-Orge** — Yry-Châtillon — Ris-Orangis

Chilly-Mazarin — Petit Vaux — Grand-Bourg — **5**

DOURDAN LA-FORÊT Ⓒ4 — Dourdan — Sermaise — St-Chéron — Breuillet-Village — Bruyères-le-Chatel — Gravigny-Balizy — La Norville-St-Germain-lès-Arpajon — Epinay-s-Orge Bois de Bois — Grigny-Centre — Orangis-Bois de l'Epine — Evry — Evry — **Corbe**

6 — Breuillet-Chatel — Égly — Arpajon — Ste-Geneviève-des-Bois — Orangis-Bois de l'Epine — Le Bras-de-Fer

Ⓒ6 — **ST-MARTIN-D'ETAMPES** — Étampes — Étréchy — Lardy — Bouray — St-Michel-s-Orge — Courcouronnes — Moulin Galan

Chamarande — Marolles-en-Hurepoix — **Brétigny-s-Orge**

Tramway T2 Val de Seine

LA DÉFENSE GRANDE ARCHE ① Ⓐ — Puteaux — Belvédère — Suresnes-Longchamps — Les Coteaux — Les Milons ⑩ — Parc de Saint-Cloud — Musée de Sèvres ⑨ — Brimborion — Meudon-sur-Seine — Les Moulineaux — Jacques-Henri Lartigue — Ⓒ **ISSY-VAL DE SEINE**

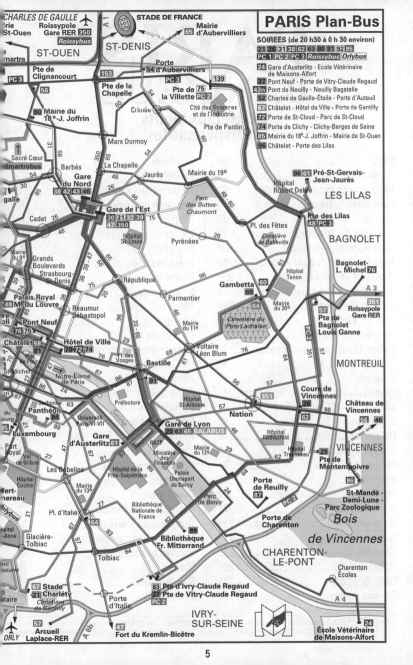

PARIS Plan-Bus

PARIS
BANLIEUE
Renseignements indispensables

© ÉDITIONS L'INDISPENSABLE 16-18 rue de l'Amiral Mouchez 75014 Paris - Tel: 01 45 65 48 48 - Internet : www.massin.fr
Dépôt légal : EI-M03A7 - Reproduction même partielle interdite - Modèle déposé - ISBN 2 7072 0231 2
Imprimé en France par IME Baume-les-Dames

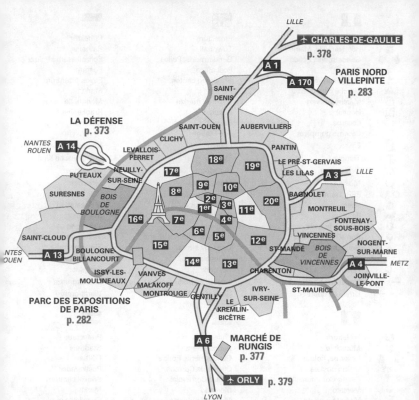

French | English | German

	Français	English	Deutsch
	Préfecture	Prefecture	Präfektur
	Hôtel de Ville, Mairie	Townhall	Rathaus
	Gendarmerie, Police	Gendarmerie, Police	Polizeikaserne, Polizei
	Poste	Post office	Postamt
	Centre commercial	Shopping center	Einkaufszentrum
	Marché découvert	Market	Markt
	Marché couvert	Covered market	Markthalle
	Hôpital	Hospital	Krankenhaus
	Caserne	Barracks	Kaserne
	Caserne pompiers	Fire Station	Feuerwehr
	Église	Church	Katholische Kirche,
	Temple	Temple	Evangelische Kirche
	Synagogue	Synagogue	Synagoge
	Mosquée	Mosque	Moschee
	RER, Tramway	RER, tramway	RER, Haltestelle tram
	Métro	Underground	Metrostation
	Batobus	Batobus	Batobus
	Station de taxis	Taxi rank	Taxistand
	Borne d'appel taxis	Taxi rank with telephone	Taxistand mit Telefon
	Sens Unique	One way street	Einbahnstraße
	Rue piétonne	Pedestrian Mail	Fußgängerstraße
	Parking	Car park	Parkplatz
	Limite arrondissement	Limit of arrondissement	Distriktgrenze
	Limite de quartier	Limit of district	Viertelgrenze

Italian | Spanish | Dutch

	Italiano	Español	Nederlands
	Prefettura	Prefectura	Prefectuur
	Municipio	Ayuntamiento	Stadhuis
	Caserma, Polizia	Gendarmeria, Policia	Politie
	Ufficio postale	Oficina de Correos	Postkantoor
	Centro Commerciale	Centro Comercial	Winkel centrum
	Mercato	Mercado	Markt
	Mercato coperto	Mercado cubierto	Overdekte markt
	Ospedale	Hospital	Ziekehuis
	Caserma	Cuartel	Kazerne
	Vigili del Fuoco	Parque de Bomberos	Brandweer
	Chiesa	Iglesia	Katholieke kerk
	Tempio	Templo	Protestantse kerk
	Synagoga	Synagoga	Synagoge
	Moschea	Mezquita	Moskee
	RER, tramway	RER, tramway	RER, tram
	Metropolitana	Metro	Metro station
	Batobus	Batobus	Batobus
	Stazione di taxis	Estacion de taxis	Taxistandplaatsen
	Stazione di taxis	Estacion de taxis con telefono	Taxi praatpaal
	Strada a senso unico	Sentido único	Straat met eenrichtingsverkeer
	Strada Pedonale	Calle Peatonal	Voetgangersgebied
	Parcheggio	Aparcamiento	Parking
	Limite di circoscrizione	Límite de distrito	Grens van arrondissement
	Limite di quartiere	Límite de barrio	Grens van wijk

Dans le but d'améliorer la qualité de nos produits, nous vous serions reconnaissants de nous adresser par courrier vos remarques ainsi que la description de modifications qui pourraient intervenir sur les cartes et index décrits dans le présent ouvrage.
ÉDITIONS L'INDISPENSABLE 16-18 rue de l'Amiral Mouchez 75014 PARIS

PARC ASTÉRIX
Tel: 0 826 30 10 40
(0,15 Euro/minute)
A 1 sortie PARC ASTÉRIX
(36 km)

✈ **CHARLES-DE-GAULLE**
Tel : 01 48 62 12 12 (23 km)
A 1
RER ligne **B3** stations :
AÉROPORT CH. DE GAULLE 1
AÉROPORT CH. DE GAULLE 2 TGV
ou **BUS** RATP ligne ***ROISSYBUS***
(liaison directe départ Rue SCRIBE)

A 104 → **PARIS NORD VILLEPINTE**
RER ligne **B3** station : PARC DES EXPOSITIONS

ℹ **OFFICE DE TOURISME ET DES CONGRÈS DE PARIS**
Tel : 0 892 68 3000 (0,34 Euro /minute)
Web : www.parisinfo.com

STADE DE FRANCE
Métro ligne **13** station : SAINT-DENIS
PORTE DE PARIS
RER ligne **D1** station : STADE DE FRANCE
ST-DENIS
ou **RER** ligne **B** station : LA PLAINE-
STADE DE FRANCE

GRANDE ARCHE DE LA DÉFENSE
RER ligne **A** ou **Métro** ligne **1**
station : LA DÉFENSE
GRANDE ARCHE

PARC DES PRINCES
Métro ligne **9**
station :
Porte de
St-Cloud

CHÂTEAU DE VERSAILLES
Tel: 01 30 83 77 77
A13 sortie 5 puis **D 182** (15 km)
ou **D 910** (13 km)
ou **RER** ligne **C5** station : VERSAILLES-RIVE-GAUCHE
CHÂTEAU DE VERSAILLES
lignes **C7** **C8** station : VERSAILLES-CHANTIERS

PARIS EXPO
Métro ligne **12**
station : Porte de Versailles

DISNEYLAND-PARIS
Tel: 0 825 30 60 30 (0,15 Euro /minute)
A 4 sortie DISNEYLAND PARIS (40 km)
ou **RER** ligne **A4**
station : CHESSY-
MARNE LA VALLÉE

✈ **ORLY** (12 km)
Tel : 01 49 75 15 15
RER ligne **B4** station : ANTONY
puis ***ORLYVAL*** direct ORLY
ou **BUS** RATP ligne ***ORLYBUS***
(liaison directe départ Place DENFERT-ROCHEREAU)

INFORMATIONS SNCF :
tel : 36 35 *(0,34 Euro/minute)*

PRÉFECTURE DE POLICE

POLICE HEADQUARTERS / DIRECCIÓN DE POLICIA
Tél. : 01 53 73 53 73 - 01 53 71 53 71
Serveur Vocal 08 91 01 22 22 (0,025 € la minute)
www.prefecture-police-paris.interieur.gouv.fr
cabcom.prefecturepoliceparis@interieur.gouv.fr

CABINET DU PREFET DE POLICE
9, boulevard du Palais 75195 PARIS CEDEX 04 - Escalier I

• Cabinet du Préfet

• Secrétariat particulier - Secrétariat de permanence

Service de la Communication

Ce Service est chargé de concevoir et de coordonner, en liaison avec les Directions, l'ensemble des actions de communication de l'Institution vers le public, les médias, les différents partenaires et les personnels de la Préfecture de Police.

Secrétariat - Tél. : 01 53 71 28 76

Sous-Direction des Services Administratifs

• 1er bureau
Associations, distinctions honorifiques et récompenses, affaires disciplinaires, établissements recevant du public, sécurité civile, sanitaire et environnementale, hospitalisations d'office, questionnaires budgétaires parlementaires, nationalité, étrangers, affaires juridiques (CNIL, CADA,…), délégations de signature, organisation des services, affaires diverses.

• 2e bureau
Affaires évoquées concernant la police des lieux publics, des débits de boissons et des établissements de spectacles, la circulation générale et contraventions, la criminalité, réunions , manifestations, et les nuisances.

• 3e bureau
Affaires évoquées concernant les périls d'immeubles, les expulsions et réquisitions locatives.

• 4e bureau
Soutien des services rattachés au Cabinet (gestion des ressources humaines, budget, immobilier). Services Généraux (Courrier Général, archives du Cabinet, enregistrement des arrêtés, diffusion des circulaires, centre de transmissions, sécurité des locaux).

Service Information-Sécurité

Le Service, créé le 17 juin 1982 par le Préfet de Police de Paris, est composé de policiers ayant une grande expérience de la criminalité.

- Il est chargé d'une mission d'information des administrés (particuliers, commerces et entreprises particulièrement vulnérables, administrations) dans le domaine de la protection technique de la malveillance. Pour ce faire, il assure :

- Une permanence téléphonique, tous les jours du lundi au vendredi de 9h00 à 18h30.

- Des consultations avec visite d'une salle d'exposition sur la sécurité des principaux sites qu'il traite (pavillons, appartements, immeubles, locaux commerciaux, etc.). Le Service Information-Sécurité, reçoit uniquement sur rendez-vous du lundi au vendredi de 9h00 à 17h30 au
163, avenue d'Italie - 75013 Paris
Tél : 01 40 79 71 57 - Fax : 01 40 79 77 53
E-mail : prefpol.sis@interieur.gouv.fr

Le S.I.S. réalise des audits de sécurité-sûreté concernant des sites publics ou parapublics sensibles. La mission du S.I.S est gratuite.

Musée
4 rue de la Montagne-Ste-Geneviève 75005 Paris -
2e étage - Tél : 01 44 41 52 50

Ouvert du lundi au vendredi de 9 h à 17 h , le samedi
de 10 h à 17 h (sauf fêtes légales).
Fermeture le dimanche.

Archives et Bibliothèque
Conservation des archives - Recherches et
communication de documents historiques
Bibliothèque - Consultation sur place.
Tél. : 01 44 41 52 57
Ouvert du lundi au vendredi de 9 h à 17h

LABORATOIRE CENTRAL
39, bis rue de Dantzig 75015 PARIS
Tél. : 01 55 76 20 00 - Fax : 01 55 76 27 05
e-mail : prefpol.dlc@interieur.gouv.fr - site Internet : www.lcpp.fr

Ouverture de l'accueil : du lundi au jeudi de 8 h 45 à
17 h, le vendredi de 8 h 45 à 16 h 30

• Mesures de la qualité des milieux (eaux, sols, air)

• Activités de police scientifique appliquées aux
explosions et aux incendies

• Essais de matériels et de matériaux industriels,
analyses de produits chimiques

• Contrôles préventifs des risques d'incendie et de
la vie courante liés à l'usage d'appareils électriques
ou électroniques

2 permanences assurées 24h/24 :

• Déminage

• Interventions et enquêtes immédiates en cas
d'explosions (attentats, gaz), d'incendies,
d'émanations dangereuses ou toxiques,
déversements de produits chimiques ou radioactifs,
intoxications oxycarbonées.

Ces permanences de sécurité sont accessibles
seulement aux services de police et de secours.

S'adresser à la Salle d'Information et de
Commandement de la DPUP de Paris
(SIC 75 : 01 53 73 94 00)

INSPECTION GÉNÉRALE DES SERVICES
Hôtel de Police 30, rue Hénard 75012 Paris
Tél. 01 56 95 11 00

• Inspection des services actifs
Audits et études

• Cabinets d'enquêtes administratives et
judiciaires.

SECRÉTARIAT GÉNÉRAL DE LA ZONE DE DÉFENSE DE PARIS
9, boulevard du Palais 75195 PARIS CEDEX 04

ÉTAT MAJOR DE ZONE

Pôle coordination opérationnelle

• Centre Opérationnel de Zone (cellule de veille
opérationnelle 24h/24 chargée de recueillir toutes
informations intéressant la défense et la sécurité
civiles dans la région Île-de-France et d'alerter les
autorités compétentes - Tél. : 01 53 71 34 27).

• Bureau des techniques opérationnelles :
informatique et sécurité des systèmes d'information ;
cartographie.

Pôle défense civile et économique

• Bureau de la défense civile : plan vigipirate ;
élaboration des plans de protection des sites et
secteurs d'importance vitale ; habilitations du
personnel de la Préfecture de Police ; stages IHEDN

• Bureau de la défense économique : élaboration
des plans de continuité de la vie économique
(électricité, hydrocarbures, eau…)

Pôle transports et circulation

• Elaboration et coordination des plans de
circulation en cas de crise à Paris et en Île-de-France.

• Participation aux cellules de crises activées en
cas de déclenchement des plans (Plan neige verglas,
Parceval, Transports de Matières Dangereuses,
Transports de Matières radioactives, décès massifs)

• Préparation et animation des exercices de mise
en oeuvre de ces plans

• Suivi de l'activité du CRICR

Pôle protection des populations
12 quai de Gesvres - 75004 Paris
Tél. : 01 49 96 36 50

- Bureau des sapeurs-pompiers : plan zonal NRBC ; formation des sapeurs-pompiers, Fond d'aide à l'investissement (FAI).

- Bureau des associations de sécurité civile : dispositifs de premiers secours, concours des associations.

- Bureau de la planification : veille sanitaire ; plans contre les risques sanitaires (pandémie grippale) ; plans contre les risques urbains (risque d'effondrement des réseaux) ; plans contre les risques majeurs (Orsec, inondations) ; cellule risque inondations Paris Île-de-France ; gestion des plans "canicule" et du plan d'urgence hivernal ; conseil départemental de sécurité civile

Bureau de l'administration et du soutien

- Gestion des ressources humaines, budget, logistique, travaux…

SECRÉTARIAT GÉNÉRAL POUR L'ADMINISTRATION
9, boulevard du Palais 75195 PARIS CEDEX 04 - Escalier I - 1er et 3e étages
Cabinet du préfet - Secrétariat général
Tél. : 01 53 71 37 83

DIRECTION DES RESSOURCES HUMAINES
1 et 3, rue de Lutèce et 9 boulevard du Palais - 75195 Paris cedex 04
Escalier C - 3e étage
Tél. : 01 53 71 53 71 et 01 53 73 53 73

Missions d'appui transversales :
Préfecture de Police - Escalier C - 3e étage

Contrôle de gestion

Cellule information communication courrier

Unité informatique et télécommunications

Cellule logistique

Sous-direction des Personnels :
Préfecture de Police - Escalier C - 3e étage

- Unité de gestion des dossiers, de l'archivage et des cartes professionnelles d'identité (*PP - escalier C - 3e étage*)

- Service d'accueil de la Préfecture de Police (*PP - rez-de-chaussée - voûte Nord*)

- Mission gestion prévisionnelle des effectifs, des emplois et des compétences (*PP - escalier C - 3e étage*)

- Bureau du recrutement (*11, rue des Ursins - 75004 Paris*)

- Service de gestion des personnels de l'administration générale (*PP - escalier C - 3e étage*)

  - bureau de la gestion des carrières des personnels administratifs et des contractuels.

  - bureau de la gestion des personnels techniques et spécialisés.

  - bureau du dialogue social et des affaires statutaires et indemnitaires.

  - bureau des rémunérations et des pensions des personnels AG.

- Service de gestion des personnels de la police nationale (*PP- escalier C - 3e étage*)

  - bureau de la gestion des carrières et du dialogue social.

  - bureau des rémunérations et des pensions PN.

  - bureau des affaires générales et budgétaires.

Sous-direction de l'Action Sociale :
9 boulevard du Palais - 75195 Paris cedex 04

- Service des politiques sociales
22 rue Faidherbe 75011 Paris
Tél. : 01 56 06 17 17

- Bureau du logement.

- Bureau de l'accompagnement social.

- Structure d'accueil de la petite enfance.

- Bureau de la restauration sociale.

- Structure de consultations et de soutien psychologique.

- Section des prestations d'action sociale (secrétariat de la CLAS).

- Section des affaires générales.

- Service des Institutions Sociales Paritaires -
Fondation Louis Lépine
1 rue Massillon 75004 Paris
Tél. : 01 53 71 43 62

- Bureau du temps libre et de l'économie sociale.

- Bureau de la solidarité financière et des moyens.

- Bureau de la comptabilité.

- Section communication.

- Secrétariat des instances de la Fondation Louis-Lépine.

- Section des affaires générales.

Service de la Formation :
22 rue Faidherbe - 75011 Paris
Tél. : 01 56 06 16 00

- Bureau des politiques de formation.

- Centre de formation de la Préfecture
de Police.

- Délégation régionale au recrutement et à la
formation de Paris (71, *rue Albert - 75013 Paris*)

Service de Santé :

- Coordination fonctionnelle
Hôpital des gardiens de la paix :
35 boulevard Saint-Marcel - 75013 Paris
Tél. : 01 55 43 32 50/40

- Service de la médecine statutaire
et de contrôle :
3 rue Cabanis - 75014 Paris
Tél. : 01 53 73 65 00

- Service de la Médecine de prévention :
Hôpital des gardiens de la paix :
35 boulevard Saint-Marcel - 75013 Paris
Tél. : 01 44 08 08 14

Hôpital des Gardiens de la Paix :
35 boulevard Saint-Marcel - 75013 Paris
Tél. standard : 01 44 08 08 44

DIRECTION DES FINANCES, DE LA COMMANDE PUBLIQUE ET DE LA PERFORMANCE
1 et 3, rue de Lutèce et 9 boulevard du Palais - 75195 Paris cedex 04
Tél. : 01 53 71 53 71 et 01 53 73 53 73

Mission du Contrôle de Gestion

Service de l'Achat et de la Commande Publique

Sous-direction des Affaires Financières :

- 1er bureau - Budget de l'Etat

- 2e bureau - Budget spécial

DIRECTION OPERATIONNELLE DES SERVICES TECHNIQUES ET LOGISTIQUES
4, rue Jules Breton 75013 Paris

Sous-Direction du Soutien Opérationnel

- Département des Services d'Etat Major
4, rue Jules Breton 75013 Paris
Tél. : 01 40 79 74 07

- Département des services spécialisés et des écoles

Service Air
29, rue Henri Farmann 75015 Paris
Tél. : 01 55 98 20 05

Brigade Fluviale
Quai Saint-Bernard 75005 Paris - Tél. : 01 55 43 28 63

Unité du Contrôle Technique
10, rue Camille Desmoulins 75011 Paris
Tél. : 01 44 08 57 85

Ecoles - Tél. : 01 40 79 65 10

Motos : 1, rue du Pont des halles
94550 Chevilly-la-Rue

Conduite Sécurité : 114 boulevard Macdonald
75019 Paris

- Département du Soutien Opérationnel
4, rue Jules Breton 75013 Paris

- Mission Technologie de la Sécurité Intérieure
4 Rue Jules Breton 75013 Paris

Sous-Direction des Systèmes d'Information et de Communication
4, rue Jules Breton :

- Département Relation Client - Tél. : 01 40 79 76 71

- Département Infrastructures et Postes de Travail
Tél. : 01 40 79 68 68

- Département Exploitation - Tél. : 01 40 79 72 50

- Département Architecture et Méthode
Tél. : 01 55 43 64 10

- Département Gestion des Moyens
24/26 boulevard de l'hôpital
Tél. : 01 40 79 71 60

- Département Etudes et Projets Logiciels
Tél. : 01 55 43 64 10

- Département Radiocommunications Opérationnelles
Tél. : 01 55 43 64 64

Sous-Direction du Soutien Technique
4, rue Jules Breton :

Garage Central - Tél. : 01 40 79 74 88

- Département Equipements Protection et Sécurité
27, avenue Claude Vellefaux 75010 Paris
Tél. : 01 53 72 25 72

- Bureau des Moyens Mobiles - Tél. : 01 40 79 73 87
Garage Nord : 114, bld Macdonald 75019 Paris

Garage Sud : 1, rue du Pont des halles
94550 Chevilly-la-Rue - Tél. : 01 40 79 74 88

Imprimerie : 114, bld Macdonald 75019 Paris
Tél. : 01 40 79 66 23

Sous-Direction de l'Administration et de la Modernisation
4, rue Jules Breton

- Bureau Finances Commande Publique
Tél. : 01 53 73 21 64

- Bureau Gestion du Personnel

Tél. : 01 40 79 73 98

- Bureau management et Formation
Tél. : 01 40 79 71 54

- Bureau des Moyens Généraux

Tél. : 01 40 79 73 96

SERVICE DES AFFAIRES IMMOBILIÈRES
1 et 3, rue de Lutèce et 9 boulevard du Palais - 75195 Paris cedex 04
Tél. : 01 53 73 20 35 Telex : 01 53 73 57 05

Sous-Directeur, chef du service
Tél. : 01 53 73 40 92

Adjoint au chef du service
Tél. : 01 53 73 40 92

Département Modernisation Moyens et Méthodes

- Ressources Humaines et Modernisation

Tél. : 01 53 73 50 07

- Gestion financière et juridique

Marchés publics

Tél. : 01 53 73 51 66

- Economie de la construction

Tél. : 01 53 73 34 07

- Contrôle de gestion

Tél. : 01 53 73 45 81

Département Stratégie

- Gestion du patrimoine et du foncier

Tél. : 01 53 73 34 75

- Stratégie et prospective immobilière

Tél. : 01 53 73 52 73

- Etudes

Tél. : 01 53 73 49 13

Département Construction et Travaux

- Mission des grands projets

Tél. : 01 53 73 30 70

- Mission territoriale

Tél. : 01 53 73 31 46
La mission territoriale comprend 4 secteurs couvrant Paris et les 3 départements de la petite couronne parisienne.

Département Exploitation des Bâtiments

- Maintenance générale

Tél. : 01 53 73 34 57

- Entretien technique des bâtiments

Tél. : 01 53 73 50 29

- Hygiène, sécurité et environnement

Tél. : 01 53 73 52 88

- Gestion des immeubles centraux

Tél. : 01 53 73 42 42

SERVICE DES AFFAIRES JURIDIQUES ET DU CONTENTIEUX

Direction du Service :
Tél. : 01 56 06 18 13

Contentieux de la responsabilité générale
(indemnisations)
Tél. : 01 56 06 18 22

Contentieux des expulsions locatives
(indemnisations)
Tél. : 01 56 06 18 17

Contentieux des manifestations, fourrières,
déplacements (indemnisations) :
Tél. : 01 56 06 18 23

DIRECTION DE LA POLICE GÉNÉRALE
Ile de la Cité - 1, rue de Lutèce - 75195 Paris cedex 04

1er Bureau

11, rue des Ursins 75004 Paris

• Naturalisations, réintégrations.

• Acquisition de la nationalité française -
Tél. : 01 53 71 30 15

• Libération des liens d'allégeance:
Escalier F - 4e étage - Galerie Nord.

2e Bureau

• Passeports, cartes nationales d'identité et permis
de chasser : Escalier F - 1e étage - Palier.

• Cartes nationales d'identité et passeports : 12/14
quai de Gesvres - Rez-de-chaussée.

• Délivrance des passeports, cartes nationales
d'identité et cartes grises :

Antennes de la Préfecture de Police dans chaque
mairie d'arrondissement, sauf

pour le 11e : 71, bd Voltaire,
pour le 12e : 191, rue de charenton,
pour le 13e : Centre de Police 144, bd de l'Hôpital,
pour le 18e : 5, rue Achille Martinet,
pour le 19e : 14, rue Augustin-Thierry.

Cellule de renseignements téléphoniques :
Tél. : 01 58 80 80 80
www.prefecture-police-paris.interieur.gouv.fr

3e Bureau : Cartes grises

Escalier D - Rez-de-chaussée
Secrétariat : Tél. : 01 53 71 33 64

• Immatriculation des véhicules terrestres à moteur,
à l'exception des cyclomoteurs.

• Cartes W et WW.

• Cartes export.

• Transits temporaires.

• Certificats de situation.

• Gestion des dossiers des véhicules accidentés,
véhicules économiquement irréparables.

• Litiges en matière de carte grise.
Cellule de renseignements : Tél. : 01 58 80 80 80
3ème bureau : Tél. : 01 53 71 31 31

4e Bureau

36, rue des Morillons - 75015 Paris

Armes, sociétés de surveillance et de gardiennage,
agents privés de recherche, transferts de fonds,
vidéo-surveillance, enquêtes administratives ,
agents immobiliers, professions foraines.

5e Bureau : Permis de conduire

• Délivrance des permis de conduire (primata,
duplicata, permis internationaux) ;

• Echange des permis étrangers ;

• Conversion des permis militaires :
Escalier E - salle Arsène Poncet

Cellule de renseignements téléphoniques
Tél. : 01 58 80 80 80

• Suspension, retrait des permis de conduire,
gestion des points, mesures administratives
consécutives à un examen médical ;

• Application de la réglementation relative aux auto-
écoles - organisation du brevet pour l'exercice de la
profession d'enseignement de la conduite automobile
et de la sécurité routière :
11 rue des Ursins - 75004 Paris

• Répartition des places pour l'examen du permis
de conduire :
44 rue La Quintinie - 75015 Paris

• Visite médicale des conducteurs - commission
interdépartementale d'appel :
20-32 rue de Bellevue - 75019 Paris

6e Bureau : titres de séjour

• Artisans, commerçants, industriels

• Regroupement familial
Escalier E - Bureau 1509

• Étudiants

13 rue Miollis 75015 Paris - Métro Cambronne

Pour le renouvellement des cartes de séjour,
prendre rendez-vous sur Internet : www.prefecture-
police-paris.interieur.gouv.fr
ou par téléphone au 08 21 00 19 75

7e Bureau

Centres de réception des étrangers:

Pour une première demande de titre de séjour, sans
rendez-vous , pour les résidents des 11,12,13,14,19
et 20èmes arrondissements : Hôtel de Police 114/116
avenue du Maine 75014 Paris - Métro : Gaîté

Pour les résidents des 1,2,3,4,5,6,7,8,9,10,15,16,17
et 18èmes arrondissements : Hôtel de Police, 19/21
rue Truffaut 75017 Paris - Metro : place de Clichy ou
la Fourche.

Pour un renouvellement, sur rendez-vous uniquement :
s'adresser au 01 53 21 25 50 pour obtenir un rendez-
vous.

Ressortissants de l'Union Européenne ou de l'Espace Économique Européen : écrire à la cellule postale - 7e bureau de la Police Générale 9, boulevard du Palais - 75195 Paris cedex 04

8e Bureau

Mesures administratives d'éloignement - Escalier E - 5e étage - Galerie Ouest Tél. : 01 53 71 30 95 - 01 53 71 41 83

Interprètes : 163 rue de Charenton 75012 Paris - Tél. : 01 53 17 54 60

9e Bureau

• Titres de séjour des ressortissants d'Afrique : Salle Maghreb 1 et Maghreb 2 Rez-de-chaussée.

• Ressortissants Algériens 36 rue des Morillons - 2e étage - 75015 Paris

10e Bureau

• Titres de séjour des ressortissants d'Asie

Escalier F - rez-de-chaussée

• Visas préfectoraux et documents de circulation (toutes nationalités) Escalier E - rez-de-chaussée

• Demandeurs d'asile (toutes nationalités). 218, rue d'Aubervilliers - 75019 Paris

Bureau des Moyens et de la Modernisation

Régie de recettes Escalier E - 1er étage - Palier.

Section de la Documentation et de la Correspondance

Dossiers des ressortissants étrangers et correspondances diverses Escalier F - 3e étage

Tous les renseignements étrangers :

Tél. : 08 91 01 22 22. www.prefecture-police-paris-interieur.gouv.fr

DIRECTION DES TRANSPORTS ET DE LA PROTECTION DU PUBLIC
12 Quai de Gesvres 75004 Paris (Angle de la rue Saint-Martin)

• Directeur Tél. : 01 53 51 27 14

• Secrétariat particulier Tél. : 01 53 71 27 17 - 01 49 96 33 51 01 49 96 33 50 - 01 49 96 35 63

• Secrétariat administratif Tél. : 01 49 96 33 52 - 01 49 96 33 53 01 49 96 34 66 - 01 49 96 33 61 01 49 96 33 54 - 01 49 96 33 58

• Chargé de mission Tél. : 01 49 96 33 60

• Pôle gestion et relations humaines Tél. : 01 49 96 33 34/35/52/61 - 01 49 96 36 17

• Pôle modernisation et gestion des moyens Tél. : 01 49 96 33 37/53/54/58 - 01 49 96 34 66

• Unité informatique et télécommunication Tél. : 01 49 96 33 56/59

SOUS-DIRECTION DE LA PROTECTION SANITAIRE ET DE L'ENVIRONNEMENT
12, quai de Gesvres 75004 Paris (Angle de la rue Saint-Martin)
Tél. 01.53.73.53.71/73

Sous-Directeur - Tél. 01.53.71.27.32 Secrétariat - Tél. 01.49.96.35.64/88

Unité des Personnels, de la Formation et des Actions de communication

Structure d'appui chargée de la gestion des personnels de la sous-direction et des actions en matière de formation.

Bureau de la Police Sanitaire et de l'Environnement

12/14, quai de Gesvres 75004 PARIS

Pôle débits de boissons

• La police administrative des débits de boissons

(bars, restaurants et établissements de vente à emporter et de tout lieu recevant du public et diffusant de la musique amplifiée)

• L'enregistrement des déclarations relatives aux licences de débits de boissons et la délivrance des récépissés correspondants Tél : 01.49.96.33.75/77 - 01.49.34.09.10/77 01.49.96.33.93/95/96

Pôle hygiène et environnement

• La police sanitaire des restaurants et autres commerces d'alimentation en lien avec la Direction Départementale des Services Vétérinaires de Paris ;

• La police sanitaire des animaux ;

16

- La délivrance des autorisations concernant les opérations mortuaires.

- La police administrative des installations classées pour la protection de l'environnement ;

- Le secrétariat du Conseil départemental de l'environnement et des risques sanitaires et technologiques de Paris (CODERST).

Service Technique Interdépartemental d'Inspection des Installations Classées

Ce service assure à Paris et dans les départements de la petite couronne parisienne le contrôle des installations classées pour la protection de l'environnement.

Bureau des Actions de Santé Mentale

3, rue Cabanis - 75014 Paris

Il assure :

- l'instruction et le contrôle des hospitalisations d'office

- la gestion des cas signalés

- l'instruction des demandes de recherche dans l'intérêt des familles

Infirmerie Psychiatrique (IPPP)

3, rue Cabanis 75014 Paris
Tél. : 01.53.73.66.07/11

Accueille temporairement les personnes prises en charge par les services de police dont les troubles mentaux peuvent compromettre la sûreté des personnes ou portent atteinte de façon grave à l'ordre public.

Bureau des Actions contre les Nuisances

12, 14 quai de Gesvres - 75004 Paris
Tél. : 01.49.96.34.17/18/19/20

- lutte contre les nuisances sonores (bruits de voisinage) ;

- lutte contre les nuisances olfactives ;

- autorisations de chantiers de nuit.

Mission des Actions Sanitaires
12/14 quai de Gesvres - 75004 Paris

- prévention des risques sanitaires, procédures d'alerte en liaison avec le dispositif de veille sanitaire et préparation des mesures en cas de crise sanitaire ;

- organisation de la permanence des soins et relations avec les professions de santé ;

- CODAMUPS (comité départemental de l'aide médicale urgente de la permanence des soins et des transports sanitaires)

SOUS-DIRECTION DE LA SÉCURITÉ DU PUBLIC
12, quai de Gesvres 75004 Paris (Angle de la rue Saint-Martin)
Tél. : 01.53.71.27.16 - 01.49.96.34.35

Sous-Directeur Tél. : 01.53.71.27.16
Adjointe au sous-Directeur Tél. : 01.49.96.34.38
Secrétariat Tél. : 01.49.96.34.35

Service des Architectes de Sécurité (SAS)

(Compétent sur Paris intra-muros exclusivement)
Secrétariat Tél. : 01.49.96.35.56

Ce service participe à l'analyse des différents dossiers concernant les établissements suivis par les bureaux ci-dessous de la sous-direction. Il reçoit le public tous les mardis après-midi à partir de 16 heures. Il assure un service d'astreinte pour les périls d'immeubles.

Bureau des permis de construire et ateliers (BPCA)

Tél. : 01.49.96.34.43/34.45

- Avis du Préfet de Police sur les aspects sécurité incendie et accessibilité des demandes de permis de construire transmises par la Ville ou la Préfecture de Paris.

- Prévention des risques d'incendie dans les ateliers et entrepôts

Bureau de la sécurité de l'habitat (BSH)

Tél. : 01.49.96.34.65/34.59

Périls :

- gestion des signalements de péril

- visite de l'architecte de sécurité, injonctions aux propriétaires de réaliser des travaux, mise en œuvre des procédures de péril prévues par les articles L 511-1 et s. du code de la construction et de l'habitation, exécution d'office des travaux.

- risques d'incendie dans les immeubles d'habitation de Paris : prescriptions et injonctions aux propriétaires ou responsables.

- délivrance des autorisations relatives à l'utilisation sur les chantiers des engins de levage et de stockage.

Bureau des établissements recevant du public (BERP)

Tél. : 01.49.96.35.06

- police administrative des établissements recevant du public (à l'exception des hôtels)

- police administrative des immeubles de grande hauteur

- accessibilité des personnes handicapées dans les ERP

• instruction des dossiers de manifestations exceptionnelles dans les espaces privés ou publics sous l'angle des risques d'incendie et de panique

• homologation des enceintes sportives.

Bureau des Hôtels et Foyers (BHF)

• police administrative relative à la salubrité, à la sécurité et à l'accessibilité applicable aux hôtels et foyers,

• suivi des contrôles et visites de la commission de sécurité.

Service commun de contrôle

• contrôle sur place des établissements suivis par la sous-direction, concernant la salubrité et la sécurité incendie des hôtels et foyers.

• la sécurité incendie dans les ERP, dans les ateliers et entrepôts.

• les immeubles d'habitation.

SOUS-DIRECTION DES DEPLACEMENTS ET DE L'ESPACE PUBLIC
Escalier D - 1er étage

Sous-Directeur - Tél. : 01.53.71.27.41
Secrétariat Tél. : 01.53.71.27.41

Bureau de la réglementation de l'espace public
Escalier D - 1er étage

• application des textes réglementaires en matière de police de la circulation et du stationnement dans le champ de compétence du Préfet de Police

• contrôle administratif et pouvoir de substitution en matière de circulation et de stationnement

• étude technique et juridique des projets d'aménagement de voirie

• délivrance des autorisations exceptionnelles en matière de transports ou de stationnement

Bureau du commerce et de l'espace public
Escalier D - 1er étage

• avis ou autorisations pour les occupations du domaine public à des fins festives, sportives ou commerciales et pour les épreuves motorisées dans les enceintes sportives.

• autorisations pour les manifestations aériennes ou nautiques

• autorisations d'exploitation des établissements flottants

• autorisations de survol à basse altitude

Bureau des taxis et des transports publics

36, rue des Morillons 75015 PARIS 4ème étage
Tél. : 01.55.76.20.15

Réglementation générale des voitures publiques (taxis et voitures de grande remise). Contrôle des conducteurs et des véhicules. Photocopie des rapports d'accidents corporels.

Bureau des Objets Trouvés et des Fourrières (BOTF)

36, rue des Morillons et
39, rue de Dantzig 75015 PARIS
Tél. : 01.55.76.20.00

Scellés judiciaires. Agrément des dépanneurs Objets trouvés. Fourrières et préfourrières

• Parcs de préfourrières :

Balard - 1, rue Ernest Hemingway
75015 Paris - Tél. : 01.45.58.70.30

Foch - Parc public Etoile-Foch
2ème sous-sol vis à vis 8 av Foch
75016 Paris - Tél. : 01.53.64.11.80

Les Halles - Parc Public St-Eustache 75001 Paris
4ème sous-sol - Tél. : 01.40.39.12.20

Pantin - 15, rue de la Marseillaise
75019 Paris - Tél. : 01.44.52.52.15

Pouchet - 8 bld du Bois le Prêtre - 75017 Paris

Bercy - rue du Gén. De Langle de Cary
75012 Paris - Tél. : 01.53.46.69.20

• Parcs de fourrières :

La Courneuve - 92 av. Jean Mermoz
93120 La Courneuve - Tél. : 01.48.38.31.63

Clichy - 32 quai de Clichy - Tél. : 01.47.31.22.15

Mac Donald - 221 bd Macdonald
75019 Paris - Tél. : 01.40.37.79.20

Bonneuil - ZI de la Haie Griselle
11, rue des Champs
94380 Bonneuil-sur-Marne
Angle RN 19 - Tél. : 01.45.13.61.40

Statistiques de Sécurité Routière et de circulation à Paris.

Enquêtes PCSR - suivi de la politique locale de sécurité routière

Plan départemental d'actions de sécurité routière.

DIRECTION DÉPARTEMENTALE DES SERVICES VÉTÉRINAIRES DE PARIS
en charge des affaires vétérinaires d'Ile-de-France

**20 à 32, rue de Bellevue 75019 Paris
Tél. : 01 53 38 77 68 - Télécopie : 01 53 38 77 70
Messagerie : ddsv75@agriculture.gouv.fr**

Sécurité sanitaire des aliments

• Inspection de salubrité des produits alimentaires animaux et d'origine animale (viandes, produits à base de viande, abats, issues et produits dérivés ; volailles, gibiers, poissons, mollusques et crustacés ; œufs, lait et produits laitiers). Etudes techniques et contrôle des conditions de préparation, fabrication, entreposage, transport et mise en vente de ces produits : ateliers de fabrication, entrepôts frigorifiques, commerces alimentaires. Contrôle de l'hygiène dans les restaurants commerciaux et de collectivités.

• Agrément des véhicules de transport des denrées animales ou d'origine animale.

• Agrément des établissements pratiquant la mise sur le marché de denrées animales ou d'origine animale.

• Enquêtes relatives aux toxi-infections alimentaires collectives et plaintes.

Secteurs d'activité en sécurité sanitaire des aliments

Inspection et surveillance de tous les établissements, à l'exception des restaurants de collectivités, soumis au contrôle et enquêtes diverses.

Certification

Signature et contrôle des certificats d'exportation des animaux et des denrées d'origine animale

Restauration collective

• Contrôle et surveillance des restaurants de collectivités, des restaurants et cantines universitaires et scolaires, sanitaires et sociaux, administratifs, d'entreprise et pénitentiaires.

Protection et santé animales et environnement

• État sanitaire et protection humanitaire des animaux : police sanitaire des maladies contagieuses animales, contrôles des commerces, marchés, expositions, concours, mouvements et exportation d'animaux vivants.
Inspection de certaines catégories d'installations classées pour la protection de l'environnement.
Contrôle des pratiques et des établissements d'expérimentation animale.

• Unité de prévention des nuisances animales
Enquêtes de dératisation et relatives aux nuisances animales.

Coordination régionale d'Île-de-France

Dans les domaines d'activité des services vétérinaires.

LABORATOIRE CENTRAL DES SERVICES VÉTÉRINAIRES
23, avenue du Général de Gaulle - 94704 Maisons-Alfort

INSTITUT MÉDICO-LÉGAL

2, place Mazas - 75012 Paris

Tél. : 01 44 75 47 00

Il est chargé de recevoir les corps dont l'identité n'a pu être établie ou devant donner lieu à une expertise médico-légale, ou ne pouvant être gardés au lieu du décès.

DIRECTION DE L'ORDRE PUBLIC ET DE LA CIRCULATION

9, boulevard du Palais - 75195 PARIS cedex 04 - Tél : 01 53 71 28 92

Etat-Major
Tél. : 01 53 71 28 72

Sous-Direction de l'Ordre Public (S.D.O.P.)
Tél. : 01 53 71 27 62

- Salle d'Information et de Commandement Ordre Public (SIC OP) - Tél. : 01 53 73 90 00

- Salle d'Information et de Commandement Circulation (SIC circulation)
Tél. : 01 53 73 93 00

- Secrétariat Opérationnel de l'Ordre Public et de la Circulation (SOOPC) - Tél. : 01 53 71 28 09

- Section des Effectifs Opérationnels (SEO)
Tél. : 01 53 71 48 05

- Unité des Barrières (UB) - Tél. : 01 44 18 69 53

Sous-Direction de la Protection des Institutions, des Gardes et des Transferts (S.D.P.I.G.T.)

Tél. : 01 55 43 63 51

TN P.I. - Tél - Tél : 01 55 43 63 63

- Service de Surveillance et de Protection (SSP)
Tél. : 01 55 43 63 38

Unité Mobile d'Intervention et de Protection (UMIP) Tél. : 01 55 43 65 00 (jour et nuit)

Unité Générale de Protection (UGP) :
  Base 1 - Tél. : 01 40 72 22 86
  Base 2 - Tél. : 01 55 43 63 19
  Nuit - Tél. : 01 40 72 22 41

- Service de Garde de l'Elysée (SGE)
Tél. : 01 53 89 03 29

- Service de Garde des Services Centraux (SGSC)
Tél. : 01 53 73 30 19

Compagnie de Garde de l'Hôtel Préfectoral (CGHP)
Tél. : 01 53 71 44 93

Compagnie de Garde du Dépôt (CGD)
Tél. : 01 53 73 47 14

- Service de Garde du Centre de Rétention Administrative (SGCRA) - Tél. : 01 43 53 79 05

Compagnie des Transferts, Escortes et Protections (COTEP) - Tél. : 01 43 53 79 22

Sous-Direction de la Circulation et de la Sécurité Routières (S.D.C.S.R.)
Tel : 01 53 71 42 99

- Bureau de l'Education et de l'Information Routières (BEIR) - Tél. : 01 53 60 55 24

- Service de Répression de la Délinquance Routière (SRDR) - Tél. : 01 53 60 55 14

  Unité de Traitement Judiciaire des Délits Routiers (UTJDR) : Tél. : 01 53 60 53 05

  Compagnie de Police Routière (CPR)
  Tél. : 01 53 60 53 04

  Section de Contrôle des Infractions Routières (SCIR) - Tél. : 01 53 60 52 99

  Section des Taxis et Transports de Personnes (STTRP) - Tél. : 01 53 60 52 94

- Services des Compagnies Centrales de Circulation (SCCC) - Tél. : 01 53 60 55 13

- Services des Compagnies Motocyclistes (SCM)
Tél. : 01 53 71 28 59

- Services de Circulation du Périphérique (SCP)
Tél. : 01 53 61 63 24

- Service d'Etudes d'Impact (SEI)
Tél. : 01 44 52 57 70

Sous-Direction de l'Administration et des Moyens (S.D.A.M.) Tél. : 01 53 71 28 45

- Service d'Inspection Technique d'Etudes et de Discipline (SITED) - Tél. : 01 53 71 55 65
- Service de Gestion des Ressources Humaines (SGRH) - Tél. : 01 53 71 35 11
- Service de la Formation Continue (SFC) Tél. : 01 53 60 54 03
- Service du Traitement de l'Information (STI) Tél. : 01 53 60 54 63

  Unité de Documentation, Synthèse, Organisation et Méthode (UDSOM) Tél. : 01 53 60 54 27

  Unité des Technologies des Systèmes d'Information et de Communication (UTSIC) Tél. : 01 53 60 54 69

  Unité de Conception et de Diffusion Infographique (UCDI) - Tél. : 01 53 71 36 82

- Service Central des Finances et de la Logistique. (SCFL) - Tél. : 01 53 60 53 60
- Agent Chargé de la Mise en Œuvre des règles d'hygiène et de sécurité (ACMO) Tél. : 01 53 60 53 59

1er District :
1, 2, 8, 9, 16, 17e arr. : 46 bd Bessières - 75017 Paris - Tél. : 01 53 11 26 81

2e District :
3, 4, 10, 11, 12, 18, 19, 20e arr. : 30-34 rue Hénard - 75012 Paris - Tél. : 01 56 95 13 67

3e District :
5, 6, 7, 13, 14, 15e arr. : 114-116 avenue du Maine - 75014 Paris - Tél. : 01 53 74 15 05.

DIRECTION DE LA POLICE URBAINE DE PROXIMITÉ
Escalier C - Rez-de-Chaussée - 1er, 2e étage - 01 53 71 28 60 - Métro : Cité

DIRECTION DE LA POLICE URBAINE DE PROXIMITÉ

Etat-Major

- Secrétariat Administratif et Opérationnel
- Unité des Transmissions et Diffusions
- Unité d'Ordre et d'Emploi
- Unité de Documentation
- Unité des Liaisons Extérieures

Salle d'Information et de Commandement

- Unité des Opérations Générales

- Commandement Régional Transports
- Police Secours 17

Secrétariat Général

- Secrétariat
- Relations Publiques
- Service du Courrier
- Etat-Major

SOUS-DIRECTION DE LA GESTION OPÉRATIONNELLE ET DES RESSOURCES HUMAINES

Secrétariat

Service de Gestion Opérationnelle des Personnels et des Equipements

- Unité de gestion des personnels
- Unité de gestion des affectations temporaires
- Unité de gestion des services centraux et détachés
- Unité de gestion des équipements
- Unité du budget et de l'immobilier

- Régie des amendes et consignations
- Armurerie
- Magasin fournitures

Service de Prospective d'Inspection et de Discipline

- Secrétariat
- Discipline - inspection - prospective
- Études

Service de la Formation
71, rue Albert 75013 Paris. Tél. : 01 53 60 57 03

- Secrétariat
- Unité de gestion des stages
- Unité animation de coordination activités physiques et professionnelles
- Unité de formation opérationnelle des unités spécialisées

Unité Informatique et Bureautique
27, boulevard Bourdon 75004 Paris
Tél. : 01 40 29 23 20

Unité de Coordination et d'emploi des Adjoints de Sécurité
95 rue Manin 75019 Paris - Tél. : 01 53 38 83 50

- Affaires générales
- Bureau de gestion des adjoints de sécurité
- Unité de gestion des effectifs
- Secrétariat médical

Unité de Soutien aux Effectifs et de Prévention Agent Chargé de la Mise en Oeuvre des règles d'hygiène et de sécurité
71, rue Albert 75013 Paris. Tél. : 01 53 60 53 48

SERVICE RÉGIONAL DE POLICE DES TRANSPORTS

Secrétariat

- Pôle d'Analyse et de Gestion Opérationnelle

Salle de Commandement Transport

- Pôle de Liaisons Opérationnelles Transports

Brigade des Réseaux Ferrés : Service de Sécurisation Générale des Réseaux.

- 1ère Compagnie.
- 2ème Compagnie.

  Gare du Nord
  Tél. : 01 55 31 58 74

  Gare de l'Est
  Tél. : 01 44 89 61 10

  Gare Saint-Lazare
  Tél. : 01 45 22 26 81

  Gare de Lyon
  Tél. : 01 53 02 94 01

  Gare Montparnasse
  Tél. : 01 42 79 40 50

- Compagnie de Nuit.

Service de l'Accueil, de la Recherche et de l'Investigation Judiciaire.

Unité d'accueil et de traitement judiciaire en temps réel (UATJTR).

- Unité / Poste Nord.
- Unité / Poste Est.
- Unité / Poste Saint-Lazare.
- Unité / Poste Lyon.
- Unité / Poste Montparnasse.
- Unité / Poste Austerlitz.
- Unité Châtelet-les-Halles.
- Unité de Nuit.

Unité de Recherche, d'Investigation et d'Anti-délinquance.

Brigade Anti-Criminalité en civil.

Groupe de Recherche et d'Investigation

SOUS-DIRECTION DES SERVICES SPÉCIALISÉS

Compagnie de Sécurisation : Radio 25-52
46, Boulevard Bessières 75017 Paris
Tél. : 01 53 11 25 12

Brigade Anti-Criminalité secrétariat de nuit :
46, Boulevard Bessières 75017 Paris
Tél. : 01 53 11 25 19 (nuit)

Service du Stationnement Payant et des Enlèvements
Tél. : 01 53 41 13 80

- Stationnement payant :
5, rue Achille Martinet - 75018 Paris

- Enlèvements

Service de Traitement du Contentieux et des Contraventions
26 rue Serpollet - 75020 Paris
Tél. : 01 40 31 48 00

- Secrétariat
- Service central des contraventions
- Cellule centrale des procédures d'immobilisations
- Centre d'identification des véhicules

Brigade d'Aide aux Personnes Sans Abri
1bis av. de la Pte de la Villette - 75019 Paris
Tél. : 01 55 26 53 00

Unité Cynophile
ENPP Avenue de Redoute de Gravelle -
75012 Paris - Tél. : 01 43 53 88 20

Musique des Gardiens de la Paix
79 av. Philippe Auguste - 75011 Paris
Tél. : 01 55 25 27 27

Service Central des Accidents
Exploitation des Accidents - Statistiques

Impasse du Marché aux Chevaux 75005 Paris
Tél. : 01 44 08 57 70

• Secrétariat

• Exploitation des Accidents - Statistiques
15, rue Lacordaire - 75015 Paris
Tél. : 01 53 95 42 20

Unité de Sécurité Alimentaire de Santé et de Protection Animalo
20, rue de Bellevue 75019 Paris
Tél. : 01 53 38 77 68

SOUS-DIRECTION DE LA POLICE TERRITORIALE

• Secrétariat

Unité de Soutien aux Investigations Territoriales
3-5, rue Riquet - 75019 Paris
Tél. : 01 53 26 44 70

Service de Prévention d'Etude et d'Orientation Anti-Délinquance

• Secrétariat
• Unité d'analyse de la délinquance

• Unité de prévention :
  - Cellule jeunes
  - Cellule générale
• Unité de police administrative
• Contrat Parisien de Sécurité
• Unité de Documentation et d'Organisation

Service de la Coordination de la Police Technique et Scientifique
16-18 rue Raymond Queneau 75018 PARIS
Tél. : 01 53 26 47 73

1er SECTEUR : 7e, 8e, 9e, 15e, 16e, 17e arr.
250, rue de Vaugirard - 75015 Paris - Métro : Vaugirard

• **7e arrondissement**
(Commissariat Central)
9 rue Fabert
Tél. : 01 44 18 69 07
Métro : Invalides

Département de Police de Quartier et de Voie Publique

- **Service de la Police de Quartier**
(Commissariat Central)

- **Unités de Police de Quartier**

U.P.Q. 1 (St-Thomas d'Aquin)
10 rue Perronet
Tél. : 01 45 49 67 70
Métro : St-Germain des Prés

U.P.Q. 2 (Ecole Militaire - Invalides)
33 ter, avenue Duquesne
Tél. : 01 40 62 70 10
Métro : Saint-François Xavier

U.P.Q. 3 (Gros Caillou)
6 rue Amélie
Tél. : 01 44 18 66 10
Métro : La Tour-Maubourg

- **Service de la Voie Publique**
(Commissariat Central)

- **S.A.R.I.J.**
(Commissariat Central)

• **8e Arrondissement**
(Commissariat Central)
1 av. du Général Eisenhower
Tél. : 01 53 76 60 00
Métro : Champs Elysées - Clemenceau

Département de Police de Quartier et de Voie Publique

- **Service de la Police de Quartier**
(Commissariat Central)

- **Unités de Police de Quartier**

U.P.Q. 1 (Champs Elysées)
5 rue Clément Marot
Tél. : 01 53 67 78 00
Métro : Alma-Marceau

U.P.Q. 2 (Faubourg du Roule)
210 rue du Faubourg St-Honoré
Tél. : 01 53 77 62 20
Métro : St Philippe du Roule

U.P.Q. 3 (Madeleine)
31 rue d'Anjou
Tél. : 01 43 12 83 83
Métro : Madeleine

U.P.Q. 4 (Europe)
1, rue de Lisbonne
Tél. : 01 44 90 82 90
Métro : Villiers

- Service de la Voie Publique
(Commissariat Central)

- S.A.R.I.J.
210, rue du Faubourg St-Honoré
Tél. : 01 53 77 62 20

**• 9e arrondissement
(Commissariat Central)**
14 bis rue Chauchat - Tél. : 01 44 83 80 80
Métro : Richelieu Drouot

**Département de Police de Quartier
et de Voie Publique**

- Service de la Police de Quartier
21 rue du Faubourg Montmartre
Tél. : 01 44 83 82 32
Métro : Grands Boulevards

- Unités de Police de Quartier

U.P.Q. 1 (St Georges)
5, rue de Parme
Tél. : 01 49 70 82 60
Métro : Place de Clichy

U.P.Q. 2 (Faubourg Montmartre)
21, rue du Faubourg Montmartre
Tél. : 01 44 83 82 32
Métro : Grands Boulevards

U.P.Q. 3 (Rochechouart)
50 rue de la Tour d'Auvergne
Tél. : 01 49 70 87 17
Métro : Anvers

- Service de la Voie Publique
(Commissariat Central)

- S.A.R.I.J.
5 rue de Parme - Tél. : 01 49 70 82 60

**• 15e arrondissement
(Commissariat Central)**
250 rue de Vaugirard - Tél. : 01 53 68 81 00
Métro : Vaugirard

**Département de Police de Quartier
et de Voie Publique**

- Service de la Police de Quartier
(Commissariat Central)

- Unités de Police de Quartier

U.P.Q. 1 (St-Lambert)
(Commissariat Central)

U.P.Q. 2 (Javel - Grenelle)
38-40 rue Linois
Tél. : 01 45 78 37 00
Métro : Charles Michels

U.P.Q. 3 (Necker)
45 bd Garibaldi
Métro : Ségur

- Service de la Voie Publique
(Commissariat Central)

- S.A.R.I.J.
(Commissariat Central)

**• 16e Arrondissement
(Commissariat Central)**
58/62 avenue Mozart
Tél. : 01 55 74 50 00
Métro : Ranelagh

**Département de Police de Quartier
et de Voie Publique**

- Service de la Police de Quartier
(Commissariat Central)

- Unités de Police de Quartier

U.P.Q. 1 (Auteuil)
74 rue Chardon Lagache
Tél. : 01 53 92 51 00
Métro : Chardon-Lagache

U.P.Q. 2 (Muette)
2 rue Bois le Vent
Tél. : 01 44 14 64 64
Métro : La Muette

U.P.Q. 3 (Porte Dauphine)
75 rue de la Faisanderie
Tél. : 01 40 72 22 79
Métro : Porte Dauphine

U.P.Q. 4 (Chaillot)
4 rue du Bouquet de Longchamp
Tél. : 01 53 70 61 80
Métro : Boissière

- Service de la Voie Publique
(Commissariat Central)

- S.A.R.I.J.
75 rue de la Faisanderie - Tél. : 01 40 72 22 50

**• 17e arrondissement
(Commissariat Central)**
19 - 21 rue Truffaut
Tél. : 01 44 90 37 17
Métro : Place de Clichy

**Département de Police de Quartier
et de Voie Publique**

- Service de la Police de Quartier
(Commissariat Central)

- Unités de Police de Quartier

U.P.Q. 1 (Commissariat Central)

U.P.Q. 2 (Monceau)
3, avenue Gourgaud
Tél. : 01 44 15 83 10
Métro : Péreire

- Service de la Voie Publique
(Commissariat Central)

- S.A.R.I.J.
(Commissariat Central)

2e SECTEUR : 1er, 2e, 3e, 4e, 10e, 18e, 19e arr.
27, boulevard Bourdon - 75004 Paris - Tél : 01 40 29 23 50 - Métro : Bastille

**• 1er arrondissement
(Commissariat Central)**
45 place du Marché St-Honoré
Tél. : 01 47 03 60 00
Métro : Pyramides

**Département de Police de Quartier et de Voie
Publique**

- Service de la Police de Quartier
24 rue des Bons-Enfants
Tél. : 01 44 55 38 00
Métro : Palais-Royal

Unités de Police de Quartier

U.P.Q. 1 (Les Halles)
10 rue Pierre Lescot
Tél. : 01 44 82 74 00
Métro : Châtelet les Halles

U.P.Q. 2 (Palais Royal)
24 rue des Bons-Enfants
Tél. : 01 44 55 38 00
Métro : Palais-Royal

U.P.Q. 3 (Vendôme)
Tél. : 01 47 03 60 10
(Commissariat Central)

- Service de la Voie Publique
(Commissariat Central)

- S.A.R.I.J.
10 rue Pierre Lescot
Tél. : 01 44 82 74 00

**• 2e arrondissement
(Commissariat Central)**
18 rue du Croissant
Tél. : 01 44 88 18 00
Métro : Sentier

- Service de la Police de Quartier
(Commissariat Central)

- Unité de Police de Quartier
U.P.Q. 1 (Commissariat Central)

- Service de la Voie Publique
(Commissariat Central)
Tél. : 01 44 88 18 30

- S.A.R.I.J.
18 rue du Croissant
Tél. : 01 44 88 18 00

**• 3e arrondissement
(Commissariat Central)**
4-6, rue aux Ours
Tél. : 01 42 76 13 00
Métro Etienne Marcel

**Département de Police de Quartier
et de Voie Publique**

- Service de Police de Quartier
(Commissariat Central)

- Unité de Police de Quartier
(Commissariat Central)

- Service de la Voie Publique
(Commissariat Central)

- S.A.R.I.J.
(Commissariat Central)

**• 4e arrondissement
(Commissariat Central)**
27 boulevard Bourdon
Tél. : 01 40 29 22 00
Métro : Bastille

**Département de Police de Quartier
et de Voie Publique**

- Service de la Police de Quartier
(Commissariat Central)

- Unité de Police de Quartier
(Commissariat Central)

- Service de la Voie Publique
(Commissariat Central)

- S.A.R.I.J.
(Commissariat Central)
Tél. : 01 40 29 22 00

• 10e arrondissement
(Commissariat Central)
26 rue Louis Blanc
Tél. : 01 53 19 43 10
Métro : Louis Blanc

Département de Police de Quartier et de Voie Publique

- Service de la Police de Quartier
(Commissariat Central)

- Unités de Police de Quartier

U.P.Q. 1 (St-Vincent de Paul)
179 Faubourg St-Denis
Tél. : 01 44 89 64 70
Métro : Gare du Nord

U.P.Q. 2 (Porte St-Denis)
45 rue Chabrol
Tél. : 01 45 23 80 00
Métro : Poissonnière

U.P.Q. 3 (Porte St-Martin)
45: rue Chabrol
Tél. : 01 45 23 80 00
Métro : Poissonnière

U.P.Q. 4 (St-Louis)
40 av. Claude Vellefaux
Tél. : 01 44 52 74 80
Métro : Colonel Fabien

- Service de la Voie Publique
(Commissariat Central)

- S.A.R.I.J.
14 rue de Nancy
Tél. : 01 48 03 89 00

• 18e arrondissement
(Commissariat Central)
79-81, rue de Clignancourt
Tél. : 01 53 41 50 00
Métro : Marcadet-Poissonniers

Département de Police de Quartier et de Voie Publique

- Service de la Police de Quartier

- Unités de Police de Quartier

U.P.Q. 1 (Clignancourt)
122-124, rue Marcadet
Tél. : 01 53 41 85 00
Métro : Jules Joffrin

U.P.Q. 2 (Goutte d'Or)
50 rue Doudeauville
Tél. : 01 53 09 24 70
Métro : Marcadet-Poissonniers

U.P.Q. 3 (Chapelle)
18, rue Raymond Queneau
Tél. : 01 53 26 47 50
Métro : Porte de la Chapelle

- Service de la Voie Publique
(Commissariat Central)

- S.A.R.I.J.
34 rue de la Goutte d'Or
Tél. : 01 49 25 48 00
Métro : Barbès-Rochechouart

• 19e arrondissement
(Commissariat Central)
3-9 rue Erik Satie
Tél. : 01 55 56 58 00
Métro : Ourcq

Département de Police de Quartier et de Voie Publique

- Service de Police de Quartier
(Commissariat Central)

- Unités de Police de Quartier

U.P.Q. 1 (Villette Pont de Flandres)
37 rue de Nantes
Tél. : 01 53 26 81 50
Métro : Crimée

U.P.Q. 2 (Amérique)
14, rue Augustin Thierry
Tél. : 01 56 41 30 00
Métro : Place des Fêtes

U.P.Q. 3 (Combat)
10 rue Pradier
Tél. : 01 44 52 79 30
Métro : Pyrénées

- Service de la Voie Publique
(Commissariat Central)

- S.A.R.I.J.
(Commissariat Central)

3e SECTEUR: 5e, 6e, 11e, 12e, 13e, 14e, 20e arr.
144, boulevard de l'Hôpital - 75013 Paris - Tél 01 40 79 05 05 - Métro Place d'Italie

• 5e arrondissement

(Commissariat Central)

4 rue de la Montagne Sainte-Geneviève
Tél. : 01 44 41 51 00
Métro : Maubert Mutualité

**Département de Police de Quartier
et de Voie Publique :**

- Service de Police de Quartier
(Commissariat Central)

- Service de la Voie Publique
(Commissariat Central)

- S.A.R.I.J. (Commissariat Central)

**• 6e arrondissement
(Commissariat Central)**
Mairie 78 rue Bonaparte
Tél. : 01 40 46 38 30
Métro : St-Sulpice

**Département de Police de Quartier
et de Voie Publique**

- Service de Police de Quartier
14 rue de l'Abbaye
Tél. : 01 44 41 47 47
Métro : St-Germain des Prés

- Unités de Police de Quartier

U.P.Q. 1 (Odéon - ND des Champs)
12 rue Jean Bart
Tél. : 01 44 39 71 70
Métro : St-Placide

U.P.Q. 2 (St-Germain des Prés)
14 rue de l'Abbaye
Tél. : 01 44 41 47 47
Métro : St-Germain des Prés

- Service de la Voie Publique
(Commissariat Central)- **S.A.R.I.J.**
12 rue Jean Bart
Tél. : 01 44 39 71 70

**• 11e arrondissement
(Commissariat Central)**
12 - 14 passage Charles Dallery
Tél. : 01 53 36 25 00
Métro : Voltaire

**Département de Police de Quartier
et de Voie Publique**

- Service de la Police de Quartier
(Commissariat Central)

- Unités de Police de Quartier

U.P.Q. 1 (Folie Méricourt)
19 passage Beslay
Tél. : 01 49 29 59 60
Métro : Parmentier

U.P.Q. 2 (Dallery)
12/14 passage Charles-Dallery
Tél. : 01 53 36 25 80
Métro : Voltaire

U.P.Q. 3 (Ste-Marguerite)
10 rue Léon Frot
Tél. : 01 58 39 38 60
Métro : Charonne

- Service de la Voie Publique
(Commissariat Central)

- S.A.R.I.J.
12/14 passage Charles-Dallery
Tél. : 01 53 36 25 34
Métro : Voltaire

**• 12e arrondissement
(Commissariat Central)**
80 avenue Daumesnil
Tél. : 01 44 87 50 12
Métro : Gare de Lyon

**Département de Police de Quartier
et de Voie Publique**

- Service de la Police de Quartier
(Commissariat Central)

- Unités de Police de Quartier

U.P.Q. 1 (Bel Air)
36 rue du Rendez-Vous
Tél. : 01 53 33 85 15
Métro : Picpus

U.P.Q. 2 (Quinze-Vingts)
80 avenue Daumesnil
Tél. : 01 44 87 51 94
Métro : Gare de Lyon

U.P.Q. 3 (Picpus-Bercy)
30 rue Hénard
Tél. : 01 56 95 12 81
Métro : Montgallet

U.P.Q. 4 (Bercy)
22 rue de l'Aubrac
Tél. : 01 53 02 07 10
Métro : Cour Saint-Emilion

- Service de la Voie Publique
(Commissariat Central)

- S.A.R.I.J. (Commissariat Central)

27

- **13e arrondissement**
(Commissariat Central)
144 bd de l'Hôpital
Tél. : 01 40 79 05 05
Métro : Place d'Italie

**Département de Police de Quartier
et de Voie Publique**

- **Service de la Police de Quartier**
(Commissariat Central)
Tél. : 01 40 79 05 40

- **Unité de Police de Quartier**
(Commissariat Central)

- **Service de la Voie Publique**
(Commissariat Central)

- **S.A.R.I.J.** (Commissariat Central)

- **14e arrondissement**
(Commissariat Central)
114-116 av. du Maine
Tél. : 01 53 74 14 06
Métro : Gaîté
**Département de Police de Quartier
et de Voie Publique**

- **Service de la Police de Quartier**
(Commissariat Central)

- **Unités de Police de Quartier**

U.P.Q. 1 (Montparnasse - Plaisance)
114-116 avenue du Maine
Tél. : 01 53 74 11 21
Métro : Gaîté

U.P.Q. 2 (Montsouris)
50 rue Rémy Dumoncel
Tél. : 01 40 64 70 60
Métro : Mouton-Duvernet

- **Service de la Voie Publique**
(Commissariat Central)

- **S.A.R.I.J.** (Commissariat Central)

- **20e arrondissement**
(Commissariat Central)
48 avenue Gambetta
Tél. : 01 40 33 34 00
Métro : Gambetta

**Département de Police de Quartier
et de Voie Publique**

- **Service de la Police de Quartier**
(Commissariat Central)

- **Unités de Police de Quartier**

U.P.Q. 1 (Belleville)
46 rue Ramponeau
Tél. : 01 44 62 83 50
Métro : Couronnes

U.P.Q. 2 (Père Lachaise)
46 av. Gambetta
Tél. : 01 40 33 34 60
Métro : Gambetta

U.P.Q. 3 (Charonne)
48 rue Saint-Blaise
Tél. : 01 53 27 38 40
Métro : Porte de Montreuil

- **Service de la Voie Publique**
(Commissariat Central) : 01 44 93 34 11

- **S.A.R.I.J.**
66 rue des Orteaux
Tél. : 01 44 93 85 20
Métro : Maraîchers

DIRECTION DE LA POLICE JUDICIAIRE
36, quai des Orfèvres 75001 Paris - Escalier A - 2e étage - Métro Cité

Etat-Major Tél. : 01 53 73 46 02

D.S.D.C. Tél. : 01 53 73 45 74

Parquet du Tribunal de Police
Immeuble "Le Brabant"
11, rue de Cambrai - 75019 Paris
Tél. : 01 53 26 26 50

Identité Judiciaire
3 quai de l'Horloge 75001 Paris
Tél. : 01 53 73 20 15 - Métro : Cité

S.E.D.J. 12 - 14 quai de Gesvres 75004 Paris
Tél. : 01 49 96 33 14 - Métro : Châtelet

Antenne de Contrôle Pénal (S.E.D.J.)
3 quai de l'Horloge 75001 Paris
Tél. : 01 53 73 33 82- Métro : Cité

SOUS-DIRECTION DES BRIGADES CENTRALES

Brigade Criminelle
36 quai des Orfèvres 75001 Paris
Tél. : 01 53 73 46 91 - Métro : Cité

Brigade des Stupéfiants
36 q. des Orfèvres 75001 Paris
Tél. : 01 53 73 21 57 - Métro : Cité

«INFO DROGUE POLICE»
Numéro Vert : 0800 142 152

Brigade de Recherche et d'Intervention
36 quai des Orfèvres 75001 Paris

Tél. : 01 53 73 35 22 - Métro : Cité

Brigade de Répression du Banditisme
3 rue de Lutèce 75004 Paris
Tél. : 01 53 73 47 08 - Métro : Cité

Brigade de Répression du Proxénétisme
3 rue de Lutèce 75004 Paris
Tél. : 01 53 73 20 60 - Métro : Cité

Brigade de Protection des Mineurs
12 quai de Gesvres 75004 Paris
Tél. : 01 49 96 32 49 - Métro : Châtelet

SOUS-DIRECTION DES SERVICES TERRITORIAUX

DIVISIONS DE POLICE JUDICIAIRE

1ere DIVISION DE POLICE JUDICIAIRE

46, bd Bessières 75017 Paris - Tél. : 01 53 11 23 00 - Métro Porte Saint-Ouen
Cette Division couvre les 1er, 2e, 3e, 4e, 8e, 9e, 16e, 17e arr

2e DIVISION DE POLICE JUDICIAIRE

26-28, rue Louis Blanc - 75010 Paris Tél : 01 53 19 44 60 - Métro : Louis Blanc
Cette Division couvre les 10e, 11e, 12e, 18e, 19e, 20e arr

3e DIVISION DE POLICE JUDICIAIRE

114-116, avenue du Maine 75014 Paris - Tél : 01 53 74 12 06 - Métro : Gaîté
Cette Division couvre les 5e, 6e, 7e, 13e, 14e, 15e arr

SERVICES DEPARTEMENTAUX DE POLICE JUDICIAIRE

Hauts de Seine
92, rue Henry Barbusse 92000 Nanterre
Tél. : 01 41 37 74 00

Seine-Saint-Denis
Hôtel de Police
Rue de Carency

93000 Bobigny
Tél. : 01 41 60 31 10

Val de Marne
11 à 19 bd Jean-Baptiste Oudry 94000 Créteil
Tél. : 01 45 13 33 88

GROUPES D'INTERVENTIONS REGIONAUX

G.I.R. de Paris
30, rue Hénard - 75012 Paris
Tél. : 01 56 95 12 98

G.I.R. de la Seine-Saint-Denis :
Immeuble "L'Européen" - 1-3, promenade Jean
Rostand - 93000 Bobigny
Tél. : 01 48 95 76 76

G.I.R. des Hauts-de-Seine :
Immeuble "Challenge 92" - 87, av. Fr. Arago
92000 Nanterre. Tél. : 01 41 91 17 60

G.I.R. du Val-de-Marne :
19, bd J.-B. Oudry - 94000 Créteil
Tél. : 01 45 13 33 50

SOUS-DIRECTION DES AFFAIRES ÉCONOMIQUES ET FINANCIÈRES

122 - 126, rue du Château des Rentiers 75013 Paris - Métro Nationale
Etat-Major de la Sous-Direction - Tél. : 01 55 75 20 08/11

Brigade Financière (B.F.)
Tél. : 01 55 75 21 19

Brigade de Répression de la Délinquance Astucieuse (B.R.D.A.)
Tél. : 01 55 75 24 50/52

Brigade des Fraudes aux Moyens de Paiement (B.F.M.P.)
Tél. : 01 55 75 22 94/23 26

Brigade de Répression de la Délinquance Economique (B.R.D.E.)
Tél. : 01 55 75 22 62/45

Brigade de Recherches et d'Investigations Financières (B.R.I.F.)
Tél. : 01 55 75 25 26

Groupement Régional d'Enquêtes Economiques (G.R.E.E.)
Tél. : 01 55 75 20 04

Brigade d'Enquêtes sur les Fraudes aux Technologies de l'Information (B.E.F.T.I.)
Tél : 01 55 75 26 19

Brigade de Répression de la Délinquance contre la Personne (B.R.D.P.)
Tél. : 01 55 75 24 87/10

ORGANISATIONS PROFESSIONNELLES ASSOCIATIONS ET ŒUVRES DU PERSONNEL DE LA PREFECTURE DE POLICE

Association Sportive de la Police de Paris
Siège Social: Maison de Police du 5e Arr.
4 rue de la Montagne Ste-Geneviève
75005 Paris - Tél. : 01 42 34 54 00

• Centre d'Education Physique
et sportive Rugby
204 avenue Jean-Jaurès 93500 Pantin
Tél. : 01 48 35 28 06

• Ecole d'Escrime
Centre de Police du 5e arrondissement
4 rue de la Montagne
Sainte-Geneviève 75005 Paris

• Ecole de Hand-ball Gymnase Paul Valéry
boulevard Soult 75012 Paris

• Ecole de Judo et disciplines associées
Centre de Police du 5e arrondissement
4 rue de la Montagne
Sainte-Geneviève 75005 Paris

et au Gymnase de l'ASPP
16 rue du Gabon 75012 Paris

• Ecole de Rugby
204 avenue Jean Jaurès 93500 Pantin
Tél. : 01 48 35 28 06

• Ecole de Volley-Ball
Stade Léo-Lagrange, boulevard Poniatowski 75012 Paris.

Association des Parents d'Enfants Handicapés et d'Handicapés des Personnels de Police et du Ministère de l'Intérieur
11 r. des Ursins 75004 Paris 4e étage
Tél. : 01 43 54 55 78

International Police Association
21 rue Eugène Carrière 75018 Paris
Tél. : 01 42 28 45 40

Hôpital des Gardiens de la Paix
35 bd St-Marcel 75013 Paris
Tél. : 01 44 08 08 44
Télécopie: 01 43 46 09 67

Mutuelle Générale de la Police
Siège National 8 rue Thomas Edison
94027 Créteil cedex - Tél. : 0810 000 182

Mutuelle Générale de la Police
Proximité, 3 place du Puits de l'Ermite - 75005 PARIS
Tél. : 0810 000 182

Centre Médico Chirurgical
17 rue du Four 75006 Paris
Tél. : 01 40 51 11 20

Société Mutualiste du Personnel de la Police Nationale
Section Locale Assurance Maladie n° 555
138 avenue Jean Lolive 93507 Pantin cedex
Tél. : 01 49 15 96 08

Œuvre des Orphelins de la Préfecture de Police
7 boulevard du Palais 75004 Paris
Tél. : 01 53 73 36 25

Association des Anciens Combattants de la Police Nationale
36 rue des Morillons 75015 Paris
Tél. : 01 45 30 32 54

COMMISSARIATS D'ARRONDISSEMENT

Paris police stations
Comisarias de Paris

Arr.	Plan	Adresse	Téléphone	Métro
1	K 14	45 place du Marché Saint-Honoré	01 47 03 60 00	Pyramides
2	K 16	18 rue du Croissant	01 44 88 18 00	Bourse
3	L 17	4-6 rue aux Ours	01 42 76 13 00	Rambuteau
4	N 17	27 boulevard Bourdon	01 40 29 22 00	Bastille
5	O 16	4 rue Montagne Ste-Geneviève	01 44 41 51 00	Maubert-Mutualité
6	O 14	78 rue Bonaparte	01 40 46 38 30	Saint-Sulpice
7	L 10	9 rue Fabert	01 44 18 69 07	Invalides
8	K 11	1 avenue du Gal Eisenhower	01 53 76 60 00	Ch.-Elysées-Clem.
9	J 15	14 bis rue Chauchat	01 44 83 80 80	Richelieu-Drouot
10	H 19	26 rue Louis Blanc	01 53 19 43 10	Louis Blanc
11	M 21	12 - 14 passage Charles Dallery	01 53 36 25 00	Voltaire
12	Q 23	80 avenue Daumesnil	01 44 87 50 12	Gare de Lyon
13	S 18	144 boulevard de l'Hôpital	01 40 79 05 05	Place d'Italie
14	R 12	114-116 avenue du Maine	01 53 74 14 06	Gaîté
15	Q 9	250 rue de Vaugirard	01 53 68 81 00	Vaugirard
16	N 4	58 avenue Mozart	01 55 74 50 00	Ranelagh
17	G 12	19-21 rue Truffaut	01 44 90 37 17	Place de Clichy
18	F 16	79 rue de Clignancourt	01 53 41 50 00	Marcadet-Poissonniers
19	G 12	3-9 rue Erik Satie	01 55 56 58 00	Ourcq
20	J 25	48 av. Gambetta	01 40 33 34 00	Gambetta

COMMISSARIATS DE BANLIEUE

Suburban police stations
Comisarías del extrarradio

Dépt.	Plan	Ville / Adresse	Téléphone
94		**Alfortville** Place Salvador Allende 94140	01 43 53 89 10
92		**Antony** 50, Avenue Galliéni 92160	01 55 59 06 60
92		**Asnières-sur-Seine** 12, Rue du Château 92600	01 41 11 83 10
93	CQ 97	**Aubervilliers** 22, Rue Léopold Réchossière 93300	01 48 11 17 00
93		**Aulnay-sous-Bois** 26, Avenue Louis Barrault 93600	01 48 19 30 00
92		**Bagneux** 1, Rue des Mathurins 92220	01 55 48 07 50
93	DB 102	**Bagnolet** 4, Rue Malmaison 93170	01 41 63 26 40
93		**Bobigny** 45, Rue de Carency 93000	01 41 60 26 70
92		**Bois-Colombes** 75, Rue Adolphe Guyot 92270	01 55 66 00 80
94		**Boissy-Saint-Léger** 4, Boulevard Léon Révillon 94470	01 56 32 30 50
93		**Bondy** 26, Avenue Henri Barbusse 93140	01 48 50 30 00
92	DI 76	**Boulogne-Billancourt** 24, Avenue André Morizet 92100	01 41 31 64 00
92		**Bourg-la-Reine** 7, Place Condorcet 92340	01 55 52 17 20

COMMISSARIATS DE BANLIEUE

Dépt.	Plan	Ville / Adresse	Téléphone
94		**Cachan** 15, Rue Marx Dormoy 94230	01 49 08 51 00
94		**Champigny-sur-Marne** Place Rodin 94500	01 45 16 84 00
94	DL 100	**Charenton-le-Pont** 26, Rue de Conflans 94220	01 43 53 61 20
92		**Châtenay-Malabry** 28, Rue du Docteur Le Savoureux 92290	01 40 91 25 00
94		**Chennevières-sur-Marne** 8, Rue du Général de Gaulle 94430	01 49 62 69 00
94		**Choisy-le-Roi** 9, Avenue Léon Gourdault 94600	01 48 90 15 15
92		**Clamart** 1, Avenue Jean Jaurès 92140	01 41 46 13 00
92	CS 85	**Clichy** 94, Rue Martre 92110	01 55 46 94 00
92		**Colombes** 5, Rue du 8 Mai 1945 92700	01 56 05 80 20
92		**Courbevoie** 9, Rue Auguste Beau 92400	01 41 16 85 00
94		**Créteil** 19, Boulevard Jean Baptiste Oudry 94000	01 45 13 40 78
93		**Drancy** 6, Rue de la République 93700	01 41 60 81 40
93		**Épinay-sur-Seine** 40, Rue de Quétigny 93800	01 49 40 17 00
94	DF 110	**Fontenay-sous-Bois** 26, Rue Guérin Leroux 94120	01 48 75 82 00
93		**Gagny** 13, Rue Parmentier 93220	01 43 01 33 50
92		**Gennevilliers** 19, Avenue de la Libération 92230	01 40 85 14 31
92	DK 80	**Issy-les-Moulineaux** 58-60, Rue du Général Leclerc 92130	01 41 09 18 18
94	DN 97	**Ivry-sur-Seine** Place Marcel Cachin 94200	01 49 59 33 00
93		**La Courneuve** 51, Rue de la Convention 93120	01 43 11 77 30
92	B 3	**La Défense** 9, Place de la Défense - Puteaux 92800	01 47 75 51 00
92		**La Garenne-Colombes** 53, Rue Sartoris 92250	01 56 83 71 80
93		**Le Blanc-Mesnil** 8, Rue Lecocq 93150	01 48 14 29 30
94	DO 91	**Le Kremlin Bicêtre** 167, Rue Gabriel Péri 94270	01 45 15 69 00
93		**Le Raincy** 9, Boulevard de l'Ouest 93340	01 43 01 35 00
93	CX 101	**Les Lilas** 55-57, Boulevard Eugène Decros 93260	01 41 83 67 00
92	CV 83	**Levallois-Perret** 36, Rue Rivay 92300	01 55 90 01 20
94		**L'Haÿ-les-Roses** 18, Avenue Jules Gravereaux 94240	01 49 08 26 00
93		**Livry-Gargan** 2, Avenue du Consul Général Nordling 93190	01 41 70 18 30
94		**Maisons-Alfort** 70, Avenue de la République 94700	01 43 53 66 00
92	DL 84	**Malakoff** Place du 14 Juillet 92240	01 55 58 08 00
92		**Meudon** 9, Place de Stalingrad 92190	01 41 14 08 00
93		**Montfermeil** 24, Rue Utrillo 93370	01 41 70 34 80
93	DB 105	**Montreuil** 20, Boulevard Paul Vaillant Couturier 93100	01 49 88 89 00
92	DL 87	**Montrouge** 32, Avenue de la République 92120	01 46 56 34 00
92		**Nanterre** 54-56, Rue du 19 Mars 1962 92000	01 55 69 46 50
93		**Neuilly-sur-Marne** 34, Boulevard du Maréchal Foch 93330	01 56 49 10 10
92	CW 78	**Neuilly-sur-Seine** 28, Rue du Pont 92200	01 55 62 07 20
94	DH 112	**Nogent-sur-Marne** 3, Avenue De Lattre De Tassigny 94130	01 45 14 82 00
93		**Noisy-le-Grand** 1 Bis, Avenue Émile Cossoneau 93160	01 55 85 80 00
93		**Noisy-le-Sec** 2, Rue de Neuilly 93130	01 48 10 12 50

COMMISSARIATS DE BANLIEUE

Suburban police stations
Comisarías del extrarradio

Dépt.	Plan	Ville / Adresse	Téléphone
93	CV 100	**Pantin** 14-16, Rue Eugène et Marie-Louise Cornet 93500	01 41 83 45 00
92	CX 75	**Puteaux** 2, Rue Chante Coq 92800	01 55 91 91 40
93		**Rosny-sous-Bois** 20, Rue Lech Walésa 93110	01 48 12 28 30
92		**Rueil-Malmaison** 168, Avenue Paul Doumer 92500	01 47 16 26 00
92	DF 72	**Saint-Cloud** 27, Rue Dailly 92210	01 41 12 84 00
93	CK 92	**Saint-Denis** 15, Rue Jean Mermoz 93200	01 49 71 80 00
94	DG 102	**Saint-Mandé** 3, Avenue de Liège 94160	01 49 57 97 30
94		**Saint-Maur-des-Fossés** 42, Rue Delerue 94100	01 55 97 52 00
93	CS 90	**Saint-Ouen** 15, Rue Dieumegard 93400	01 41 66 27 00
92		**Sceaux** 48, Rue de Bagneux 92330	01 41 13 40 00
93		**Sevran** 1 Bis, Place Gaston Bussière 93270	01 41 52 16 40
92		**Sèvres** 8, Avenue de l'Europe 92310	01 41 14 09 00
93		**Stains** 47, Avenue Marcel Cachin 93240	01 49 71 33 50
94		**Sucy-en-Brie** 9, Avenue Georges Pompidou 94370	01 49 82 84 84
92	DA 73	**Suresnes** 1, Place Moutier 92150	01 46 25 03 00
94		**Thiais** 77, Rue Victor Basch 94320	01 48 84 30 50
92	DL 83	**Vanves** 38, Rue Antoine Fratacci 92170	01 45 29 36 85
94		**Villejuif** Rue Henri Luisette 94800	01 45 59 79 00
92		**Villeneuve-la-Garenne** 17, Rue du Fond de la Noue 92390	01 47 92 76 10
94		**Villeneuve-Saint-Georges** 162, Rue de Paris 94190	01 45 10 13 50
93		**Villepinte** 1, Avenue Jean Fourgeaud 93420	01 49 63 46 10
94	DF 104	**Vincennes** 23, Rue Raymond du Temple 94300	01 41 74 54 54
94		**Vitry-sur-Seine** 14-20, Avenue Youri Gagarine 94400	01 47 18 35 00

QUARTIERS DE PARIS

Arr.	Quartier	Nom	Arr.	Quartier	Nom
1	1	Saint-Germain-l'Auxerrois	11	41	Folie Méricourt
1	2	Les Halles	11	42	Saint-Ambroise
1	3	Palais-Royal	11	43	Roquette
1	4	Place Vendôme	11	44	Sainte-Marguerite
2	5	Gaillon	12	45	Bel-Air
2	6	Vivienne	12	46	Picpus
2	7	Mail	12	47	Bercy
2	8	Bonne-Nouvelle	12	48	Quinze-Vingts
3	9	Arts-et-Métiers	13	49	Salpêtrière
3	10	Enfants-Rouges	13	50	Gare
3	11	Archives	13	51	Maison-Blanche
3	12	Sainte-Avoie	13	52	Croulebarbe
4	13	Saint-Merri	14	53	Montparnasse
4	14	Saint-Gervais	14	54	Montsouris
4	15	Arsenal	14	55	Petit-Montrouge
4	16	Notre-Dame	14	56	Plaisance
5	17	Saint-Victor	15	57	Saint-Lambert
5	18	Jardin des Plantes	15	58	Necker
5	19	Val de Grâce	15	59	Grenelle
5	20	Sorbonne	15	60	Javel
6	21	Monnaie	16	61	Auteuil
6	22	Odéon	16	62	Muette
6	23	Notre-Dame des Champs	16	63	Porte Dauphine
6	24	Saint-Germain-des-Prés	16	64	Chaillot
7	25	Saint-Thomas d'Aquin	17	65	Ternes
7	26	Invalides	17	66	Monceau
7	27	Ecole Militaire	17	67	Batignolles
7	28	Gros Caillou	17	68	Epinettes
8	29	Champs-Elysées	18	69	Grandes Carrières
8	30	Faubourg du Roule	18	70	Clignancourt
8	31	Madeleine	18	71	Goutte d'Or
8	32	Europe	18	72	La Chapelle
9	33	Saint-Georges	19	73	La Villette
9	34	Chaussée d'Antin	19	74	Pont de Flandre
9	35	Faubourg Montmartre	19	75	Amérique
9	36	Rochechouart	19	76	Combat
10	37	Saint-Vincent-de-Paul	20	77	Belleville
10	38	Porte Saint-Denis	20	78	Saint-Fargeau
10	39	Porte Saint-Martin	20	79	Père-Lachaise
10	40	Hôpital Saint-Louis	20	80	Charonne

SAPEURS-POMPIERS

Le premier numéro de téléphone est strictement réservé aux demandes de secours.

Arr.	Plan	Caserne / Adresse	Tél. Secours	Tél. Caserne
		Etat-Major Brigade de Sapeurs-Pompiers.............................		01 47 54 68 18
		1er GROUPEMENT		
		Commandant de Groupement et P.C		
18	E 14	12 rue Carpeaux...		01 53 11 83 18
		7e Compagnie		
9	G 14	**Blanche** 28 rue Blanche	01 48 74 56 20	01 40 23 20 28
1	K 14	**Saint-Honoré** 10 rue Sainte Anne....................	01 42 61 03 93	01 42 61 03 26
		9e Compagnie		
18	E 14	**Montmartre** 12 rue Carpeaux	01 46 27 35 55	01 53 11 83 28
17	G 12	**Boursault** 27 rue Boursault...........................	01 45 22 36 77	01 45 22 43 13
	CS 84	**Clichy** 137 boulevard Jean-Jaurès 92110	01 47 37 11 30	01 41 40 74 28
	CS 90	**Saint-Ouen** 89 rue du Dr-Bauer 93400............	01 40 11 12 56	01 41 66 49 28
		10e Compagnie		
10	H 18	**Chateau-Landon** 188 quai de Valmy	01 40 35 74 58	01 53 35 24 28
19	F 21	**Bitche** 1 quai de l'Oise	01 40 36 86 03	01 44 65 94 48
	CU 100	**Pantin** 93 - 95 Rue Cartier Bresson 93500.......	01 48 45 06 37	01 48 45 60 41
		12e Compagnie		
20	J 25	**Ménilmontant** 47 rue Saint-Fargeau..............	01 40 31 72 47	01 40 31 44 18
20	N 25	**Charonne** 93 rue des Pyrénées	01 43 71 53 66	01 43 71 51 22
		13e Compagnie		
		Aulnay-sous-Bois 156 rte de Mitry 93600	01 43 83 76 28	01 41 52 81 28
		Le Blanc-Mesnil 76 av. A. Briand 93150...........	01 48 67 32 80	01 48 65 84 28
		Drancy 9 rue Roger Salengro 93700................	01 48 32 02 63	01 48 32 02 64
		Tremblay-en-France Av. du Général Pouderoux 93290 .	01 48 60 69 48	01 48 60 61 10
		14e Compagnie		
		Clichy-sous-Bois 2 allée du Chêne-Pointu 93390	01 45 09 40 00	01 45 09 79 28
		Bondy 8 Av. de Verdun 93140	01 48 47 01 33	01 41 55 54 28
		Livry-Gargan 43 avenue Voltaire 93190...........	01 43 83 56 40	01 43 83 58 26
		24e Compagnie		
	DB 105	**Montreuil-sous-Bois** 11 avenue Pasteur 93200	01 42 87 00 02	01 41 58 24 28
		Neuilly-sur-Marne 9 avenue du Perche 93330	01 43 08 09 41	01 43 08 14 34
		Villemomble 1 rue des Haies 93250................	01 45 28 73 05	01 48 12 04 28
		26e Compagnie		
	CJ 90	**Saint-Denis** Chemin du Fort de la Briche 93200	01 48 13 85 18	01 48 13 85 28
	CR 96	**Aubervilliers** 47-49 rue de la Commune		
		de Paris 93300...	01 43 52 03 42	01 49 37 74 28
		La Courneuve 24 rue de la Convention 93120............	01 48 36 32 61	01 49 92 84 28
		Pierrefitte 3-5 rue Etienne Dolet 93380	01 48 26 43 65	01 49 71 54 08
		2e GROUPEMENT		
		Commandant de Groupement et P.C		
13	V 20	16 avenue Boutroux		01 45 82 58 18
		1ère Compagnie		
12	P 22	**Chaligny** 26 rue de Chaligny	01 43 72 51 52	01 56 06 14 28
12	R 22	**Nativité** 5 place Lachambaudie......................	01 43 43 53 75	01 56 95 24 28
	DF 104	**Vincennes** 2 rue de l'Eglise 94300..................	01 58 64 13 28	01 58 64 13 28

SAPEURS-POMPIERS

Le premier numéro de téléphone est strictement réservé aux demandes de secours.

Arr.	Plan	Caserne / Adresse	Tél. Secours	Tél. Caserne
		2e Compagnie		
13	U 20	**Masséna** 39 boulevard Masséna	01 45 83 80 80	01 45 83 82 66
		Ivry 1 esplanade G. Marrane 94200	01 46 72 36 54	01 46 72 64 34
5	P 17	**Poissy** 48 - 50 rue du Cardinal Lemoine	01 43 54 41 64	01 43 54 26 15
		8e Compagnie		
1	L 16	**Rousseau** 21 rue du Jour	01 42 36 60 03	01 45 08 34 28
10	J 18	**Château-d'Eau** 50 rue du Château-d'Eau	01 40 40 03 33	01 40 03 98 28
		11e Compagnie		
4	N 18	**Sévigné** 7 rue de Sévigné	01 42 72 17 84	01 44 61 50 28
11	L 20	**Parmentier** 89-91 avenue Parmentier	01 43 57 58 69	01 49 29 64 28
		15e Compagnie		
		Champigny-sur-Marne		
		16 rue de Dunkerque 94500	01 48 81 03 97	01 55 98 54 28
	DL 111	**Nogent-sur-Marne** 108 bis Grande-Rue		
		Charles de Gaulle 94130	01 48 73 07.58	01 53 99 15 28
		Noisy-le-Grand		
		1 à 5 avenue Médéric 93160	01 43 04 20 18	01 55 85 15 20
		17e Compagnie		
		Créteil 10-18 rue de l'Orme-Saint-Siméon 94000	01 49 80 28 18	01 49 80 28 17
	DL 108	**Joinville-le-Pont** 16 rue de Paris 94340	01 48 83 25 40	01 55 12 32 88
		Maisons-Alfort 4-6 rue Pasteur 94700	01 43 78 28 10	01 53 48 34 28
		Villeneuve-Saint-Georges		
		97 avenue Anatole-France 94190	01 43 89 02 49	01 43 89 03 91
		22e Compagnie		
		Rungis 382 avenue de Stalingrad 94669 Chevilly-Larue	01 47 26 90 20	01 56 30 86 28
		Choisy-le-Roi 56-58 rue Jules Valles 94600	01 48 84 09 47	01 48 52 33 40
		Villejuif 46-48 avenue de Verdun 94800	01 47 26 39 60	01 47 26 18 19
		Vitry-sur-Seine 2 rue de Meissen 94400	01 46 80 27 23	01 46 80 32 39
		23e Compagnie		
		Saint-Maur-des-Fossés		
		17 avenue Louis Blanc 94100	01 48 83 14 39	01 49 76 64 28
		Sucy-en-Brie 48 route de la Queue-en-Brie 94370	01 45 90 21 32	01 45 90 11 40
		Villecresnes 69, rue de Mandres 94440	01 45 99 08 74	01 45 98 90 33
		3e GROUPEMENT		
		Commandant de Groupement et P.C.		
		Courbevoie 12-14 rue Henri-Régnault 92400	01 49 04 74 28	(Fax) 01 43 33 01 20
		3e Compagnie		
13	R 15	**Port-Royal** 55 boulevard de Port-Royal	01 45 35 18 18	01 53 55 23 28
	DN 88	**Montrouge** 53 rue de la Vanne Montrouge 92120	01 46 56 18 18	01 58 07 05 28
14	S 11	**Plaisance** 45 avenue Villemain	01 45 43 00 51	01 45 43 51 77
		4e Compagnie		
6	O 13	**Colombier** 11 rue du Vieux-Colombier	01 45 48 32 90	01 53 63 54 28
6	M 15	**La Monnaie** face 11 quai de Conti	01 43 54 89 10	01 53 10 24 28
7	L 9	**Malar** 7 rue Malar	01 47 05 41 99	01 45 55 08 81

SAPEURS-POMPIERS

Le premier numéro de téléphone est strictement réservé aux demandes de secours.

Arr.	Plan	Caserne / Adresse	Tél. Secours	Tél. Caserne
		5e Compagnie		
17	G 7	**Champerret** 3 boulevard de l'Yser	01 45 72 30 65	01 45 72 41 36
16	K 6	**Dauphine** 8 rue Mesnil	01 45 53 80 11	01 45 53 84 68
	CU 81	**Levallois-Perret** 1 avenue Georges Pompidou 92300	01 47 58 51 14	01 40 89 64 28
		6e Compagnie		
15	P 7	**Grenelle** 6 place Violet	01 45 78 74 52	01 56 77 34 28
16	O 4	**Auteuil** 2-4 rue Francois-Millet	01 42 88 51 81	01 42 88 76 20
	DK 80	**Issy-les-Moulineaux** 75 boulevard Gallieni 92130	01 46 42 33 24	01 41 09 97 28
		16e Compagnie		
	DH 76	**Boulogne** 55-57 rue Gallieni 92100	01 46 05 12 86	01 46 08 84 28
		Garches 18 rue des Jardins 92380	01 47 41 05 36	01 47 41 21 37
		Meudon 5 rue Charles-Liot 92190	01 45 34 16 06	01 45 34 02 86
	DF 71	**Saint-Cloud** 40 avenue du Maréchal-Foch 92210	01 47 71 05 20	01 55 39 39 28
		Sèvres 15 rue Fréville-le Vingt 92310	01 45 34 08 71	01 45 34 05 79
		21e Compagnie **Plessis-Clamart** 287-289 avenue du Général de Gaulle 92140	01 46 31 18 18	01 40 83 74 28
		Antony 2 av. A. Guillebaud 92160	01 46 66 07 51	01 46 66 09 90
		Bourg-la-Reine 20 rue Ravon 92340	01 47 02 09 38	01 46 63 09 48
		Clamart 234 avenue Victor-Hugo 92140	01 46 42 01 86	01 41 09 75 28
		27e Compagnie **Gennevilliers** 136 - 140 R. Henri Barbusse 92230	01 47 94 18 14	01 40 85 34 28
		Asnières 4 rue du Capitaine-Bossard 92600	01 47 99 05 01	01 47 99 71 19
		Colombes 20 rue Hoche 92700	01 42 42 14 56	01 42 42 00 63
		Gennevilliers-Port 19 route de la Seine 92230	01 47 94 73 99	01 41 47 94 28
	CY 75	**28e Compagnie** **Puteaux** 106 rue de Verdun 92800	01 45 06 00 20	01 58 47 29 28
		Courbevoie La Défense, 12-14 rue Henri-Régnault 92400	01 43 33 01 20	01 49 04 74 28
		Nanterre (Ctre de Secours) 8 rue de l'Industrie 92600	01 47 21 23 79	01 41 91 54 28
		Rueil-Malmaison 112 route de l'Empereur 92631	01 47 49 18 18	01 47 49 47 09

MAIRIES
(par arrondissement)

4	N 17	**Mairie de Paris** 4 place de l'Hôtel de Ville	01 42 76 40 40	Hôtel de Ville
1	M 15	4 place du Louvre.................................	01 44 50 75 01	Louvre-Rivoli, Pt-Neuf
2	K 15	8 rue de la Banque..............................	01 53 29 75 02	Bourse
3	L 18	2 rue Eugène Spuller...........................	01 53 01 75 03	Temple
4	N 17	2 place Baudoyer.................................	01 44 54 75 04	Hôtel de Ville, St-Paul
5	P 16	21 place du Panthéon...........................	01 56 81 75 05	Luxembourg
6	O 14	78 rue Bonaparte................................	01 40 46 75 06	Saint-Sulpice
7	M 12	116 rue de Grenelle.............................	01 53 58 75 07	Varenne, Solférino
8	I 11	3 rue de Lisbonne...............................	01 44 90 75 08	Europe
9	J 15	6 rue Drouot......................................	01 71 37 75 09	Richelieu-Drouot
10	J 18	72 rue du Faubourg Saint-Martin..........	01 53 72 10 10	Château d'Eau
11	M 21	Place Léon Blum.................................	01 53 27 11 11	Voltaire
12	Q 23	130 avenue Daumesnil..........................	01 44 68 12 12	Dugommier
13	S 17	1 place d'Italie....................................	01 44 08 13 13	Place d'Italie
14	S 13	2 place Ferdinand Brunot......................	01 53 90 67 14	Mouton-Duvernet
15	Q 9	31 rue Péclet......................................	01 55 76 75 15	Vaugirard
16	L 5	71 avenue Henri Martin........................	01 40 72 16 16	Rue de la Pompe
17	G 12	16 rue des Batignolles..........................	01 44 69 17 17	Rome
18	E 16	1 place Jules Joffrin............................	01 53 41 18 18	Jules Joffrin
19	G 21	5 place Armand Carrel..........................	01 44 52 29 19	Laumière
20	L 24	6 place Gambetta................................	01 43 15 20 20	Gambetta

ADMINISTRATIONS

Arr.	Plan	**Nom** / Adresse	Téléphone	Métro
7	L 11	**Assemblée Nationale** Palais Bourbon, 126 rue de l'Université	01 40 63 60 00	Ass.-Nationale
1	L 14	**Conseil Constitutionnel** 2 r. Montpensier............	01 40 15 30 00	P.-Royal-M. du Louvre
1	L 14	**Conseil d'Etat** 1 place du Palais Royal	01 40 20 80 00	P.-Royal-M. du Louvre
1	N 16	**Palais de Justice** 4 boulevard du Palais	01 44 32 50 50	Cité
8	J 11	**Présidence de la République** Palais de l'Élysée, 55 rue du Faubourg-Saint-Honoré	01 42 92 81 00	Ch.-Elysées-Clem.
7	N 12	**Premier ministre** Hôtel de Matignon 57 rue de Varenne.................	01 42 75 80 00	Rue du Bac
6	O 14	**Sénat** Palais du Luxembourg 15 rue de Vaugirard..	01 42 34 20 00	Odéon

Arr.	Plan		Pays / Adresse **A** Ambassades - **C** Consulats	Téléphone	Métro
16	M 3	A	**Afghanistan** 32 avenue Raphaël	01 45 25 05 29	La Muette
7	L 10	A	**Afrique du Sud** 59 quai d'Orsay	01 53 59 23 23	Invalides
16	J 8	A	**Albanie** 57 av. Marceau	01 47 23 31 00	George-V
8	I 10	A	**Algérie** 50 rue de Lisbonne	01 53 93 20 20	Monceau
19	H 20	C	**Algérie** 48 rue Bouret	01 53 72 07 07	Bolivar
		C	**Algérie** 17 rue Hector Berlioz 93000 Bobigny	01 41 50 58 58	Bobigny-P. Picasso
		C	**Algérie** 49 rue du 8 Mai 1945 92000 Nanterre	01 47 25 12 71	
		C	**Algérie** 25 quai Eugène Turpin 95300 Pontoise	01 30 73 27 75	
		C	**Algérie** 6, av. Président Salvador Allende 94400 Vitry sur Seine	01 46 80 78 00	
8	K 10	A	**Allemagne** 13-15 av. Fr-D. Roosevelt	01 53 83 45 00	Fr.-D.-Roosevelt
16	I 58	C	**Allemagne** 28 rue Marbeau	01 53 83 46 40	Pte Maillot
16	M 4	A	**Andorre** 51bis rue de Boulainvilliers	01 40 06 03 30	La Muette
16	J 7	A	**Angola** 19 avenue Foch	01 45 01 58 20	Ch.-de-Gaulle-Etoile
16	I 7	C	**Angola** 40 rue Chalgrin	01 45 01 96 94	Argentine
8	I 8	A	**Antigua et Barbuda** 43 av. de Friedland	01 53 96 93 96	Ch.-de-Gaulle-Etoile
8	I 8	C	**Antigua et Barbuda** 43 av. de Friedland	01 53 89 02 30	Ch.-de-Gaulle-Etoile
8	I 9	A	**Arabie Saoudite** 5 avenue Hoche	01 56 79 40 00	Courcelles
	CY 79	C	**Arabie Saoudite** 29 rue des Graviers 92200 Neuilly sur Seine	01 47 47 62 63	Pont de Neuilly
16	K 7	A	**Argentine** 6 rue Cimarosa	01 44 34 22 00	Boissière
16	K 7	C	**Argentine** 1 impasse Kléber	01 44 34 22 00	Boissière
17	G 10	A	**Arménie** 9 rue Viète	01 42 12 98 00	Wagram
15	N 7	A	**Australie** 4 rue Jean Rey	01 40 59 33 00	Bir-Hakeim
7	L 10	A	**Autriche** 6 rue Fabert	01 40 63 30 63	Invalides
7	O 11	C	**Autriche** 17 av. de Villars	01 40 63 30 90	St-François-Xavier
7	M 8	A	**Azerbaidjan** 209, rue de l'Université	01 44 18 60 20	Pont de l'Alma
7	M 13	C	**Bahamas** 5 rue de Beaume	01 42 86 03 60	Rue du Bac
16	K 7	A	**Bahrein** 3bis place des États-Unis	01 47 23 48 68	Boissière
16	P 2	A	**Bangladesh** 39 rue Erlanger	01 46 51 90 33	Mich.-Ange-Molitor
10	I 16	C	**Barbade** Tropic Travel 48 r. des Petites Ecuries	01 47 70 82 83	Bonne Nouvelle
17	I 8	A	**Belgique** 9 rue de Tilsitt	01 44 09 39 39	Ch.-de-Gaulle-Etoile
16	J 7	A	**Bénin** 87 avenue Victor Hugo	01 45 00 98 82	Victor Hugo
6	P 12	C	**Bénin** 89 rue du Cherche-Midi	01 42 22 31 91	Falguières
16	M 3	A	**Biélorussie** ou **Belarus** 38 bd Suchet	01 44 14 69 79	Monceau
8	I 10	A	**Birmanie** 60 rue de Courcelles	01 42 25 56 95	Courcelles
16	M 7	A	**Bolivie** 12 avenue du Président Kennedy	01 42 24 93 44	Passy
17	G 8	A	**Bosnie-Herzegovine** 174 rue de Courcelles	01 42 67 34 22	Péreire
16	K 8	C	**Bostwana** 88 avenue d'Iéna	01 47 20 08 23	Kléber
8	L 9	A	**Brésil** 34 cours Albert-1er	01 45 61 63 00	Alma-Marceau

AMBASSADES, CONSULATS

Arr.	Plan		Pays / Adresse **A** Ambassades - **C** Consulats	Téléphone	Métro
16	J 8	A	**Brunei** 7 rue de Presbourg	01 53 64 67 60	Monceau
7	L 9	A	**Bulgarie** 1 avenue Rapp	01 45 51 85 90	Alma-Marceau
8	I 10	A	**Burkina Faso** 159 boulevard Haussmann	01 43 59 90 63	St-Ph.-du-Roule
19	H 24	A	**Burundi** 10-12 rue de l'Orme	01 45 20 60 61	Pré-Saint-Gervais
16	L 4	A	**Cambodge** 4 rue Adolphe Yvon	01 45 03 47 20	Av. Henri Martin
16	P 2	A	**Cameroun** 73 rue d'Auteuil	01 47 43 98 33	Porte d'Auteuil
16	P 2	C	**Cameroun** 73 rue d'Auteuil	01 46 51 89 00	Porte d'Auteuil
8	K 9	A	**Canada** 35 avenue Montaigne	01 44 43 29 00	Alma-Marceau
17	G10	A	**Cap-Vert** 80 rue J. d'Abbans	01 42 12 73 50	Wagram
16	O 3	A	**Centrafricaine (République)** 30 rue des Perchamps	06 15 68 78 33	Eglise d'Auteuil
7	M 10	A	**Chili** 2 avenue de la Motte-Picquet	01 44 18 59 60	La Tour-Maubourg
7	M 10	C	**Chili** 64 bd de La Tour Maubourg	01 47 05 46 61	La Tour-Maubourg
8	K 9	A	**Chine** 11 avenue George V	01 47 23 34 45	Alma-Marceau
	DL 80	C	**Chine** 9 avenue Victor Cresson 92130 Issy les Moulineaux	01 47 36 35 18	Mairie d'Issy
16	K 7	A	**Chypre** 23 rue de Galilée	01 47 20 86 28	Boissière
8	K 11	A	**Colombie** 22 rue de l'Elysée	01 42 65 46 08	Ch.-Elysées-Clem.
8	J 9	C	**Colombie** 12, rue de Berri	01 53 93 91 91	George-V
16	I 5	A	**Comores (Îles)** 20 rue Marbeau	01 40 67 90 54	Porte Maillot
16	J 7	A	**Congo** 37 bis rue Paul Valéry	01 45 00 60 57	Victor Hugo
8	L 9	A	**Congo (Rép. Démocratique du)** (Ex- Zaïre) 32 cours Albert 1er	01 42 25 57 50	Alma-Marceau
	F 6	A	**Corée du Nord** 47, rue Chauvaux 92200 Neuilly-sur-Seine	01 47 47 53 85	Les Sablons
7	M 10	A	**Corée du Sud** 125 rue de Grenelle	01 47 53 01 01	Varenne
15	P 6	A	**Costa Rica** 78 avenue Emile Zola	01 45 78 96 96	Ch. Michels
16	J 6	A	**Côte-d'Ivoire** 102 avenue R. Poincaré	01 53 64 62 62	Victor Hugo
16	L 6	A	**Croatie** 39 avenue Georges Mandel	01 53 70 02 80	Trocadéro
16	L 7	C	**Croatie** 42 rue du Lübeck	01 53 70 02 87	Iéna
15	N 8	A C	**Cuba** 16 rue de Presles	01 45 67 55 35	Dupleix
16	J 8	A	**Danemark** 77 avenue Marceau	01 44 31 21 21	Ch.-de-Gaulle-Etoile
16	K 5	A	**Djibouti** 26 rue Emile Ménier	01 47 27 49 22	Porte Dauphine
8	I 10	A	**République Dominicaine** 45 r. de Courcelles	01 53 53 95 95	Jasmin
17	G 7	C	**République Dominicaine** 24 rue Vernier	01 55 37 10 30	Pte de Champerret
16	J 8	A	**Égypte** 56 avenue d'Iéna	01 53 67 88 30	Iéna
16	J 6	C	**Égypte** 58 avenue Foch	01 45 00 77 10	Victor Hugo
16	K 7	A	**El Salvador** 12 rue Galilée	01 47 20 42 02	Boissière
7	L 10	A	**Émirats Arabes Unis** 2 Bd Tour Maubourg	01 44 34 02 00	Rue de la Pompe
8	I 10	A	**Équateur** 34 avenue de Messine	01 45 61 10 21	Miromesnil
8	I 10	C	**Équateur** 34 avenue de Messine	01 45 61 10 04	Miromesnil
15	P 10	C	**Érythrée** 1 rue de Staël	01 43 06 15 56	Sèvres Lecourbe
8	K 9	A	**Espagne** 22 avenue Marceau	01 44 43 18 00	Alma-Marceau

AMBASSADES, CONSULATS

Arr.	Plan		Pays / Adresse A Ambassades - C Consulats	Téléphone	Métro
17	G 10	C	**Espagne** 165 boulevard Malesherbes	01 44 29 40 00	Wagram
8	K 9	A	**Estonie** 46 rue Pierre Charron	01 56 62 22 00	George-V
8	K 11	A	**États-Unis** 2 avenue Gabriel	01 43 12 22 22	Concorde
1	K 12	C	**États-Unis** 2 rue Saint-Florentin	0 810 26 46 26	Concorde
7	N 8	A	**Éthiopie** 35 avenue Charles Floquet	01 47 83 83 95	Ecole Militaire
7	L 10	A	**Finlande** 2, rue Fabert	01 44 18 19 28	Invalides
16	M 3	A-C	**Gabon** 26 bis avenue Raphaël	01 44 30 22 30	La Muette
8	I 13	A	**Gambie** 117, rue Saint Lazare	01 72 74 82 61	Saint-Lazare
16	J 6	A	**Georgie** 104 Av. R. Poincarré	01 45 02 16 16	Victor Hugo
16	I 5	A	**Ghana** 8 villa Saïd	01 45 00 09 50	Porte Dauphine
8	K 12	A	**Grande-Bretagne et Irlande du Nord** 35 rue du Faubourg Saint-Honoré	01 44 51 31 00	Madeleine
8	J 12	C	**Grande-Bretagne et Irlande du Nord** 16 rue d'Anjou	01 44 51 31 00	Madeleine
16	J 8	A	**Grèce** 17 rue Auguste Vacquerie	01 47 23 72 28	Kléber
16	K 7	C	**Grèce** 23 rue Galilée	01 47 23 72 23	Boissière
17	H 7	A	**Guatemala** 2 rue Villebois Mareuil	01 42 27 78 63	Ternes
16	J 5	A-C	**Guinée** 51 rue de la Faisanderie	01 47 04 81 48	Porte Dauphine
8	H 11	A	**Guinée Équatoriale** 29 bd Courcelles	01 56 88 54 54	Villiers
9	I 13	A	**Guinée Bissau** 94 rue Saint-Lazare	01 48 74 36 39	Saint-Lazare
17	H 9	A	**Haiti** 10 rue Théodule Ribot	01 47 63 47 78	Courcelles
17	G 10	C	**Haiti** 35 av. de Villiers	01 42 12 70 50	Villiers
16	J 6	A	**Honduras** 8 rue Crevaux	01 47 55 86 45	Victor Hugo
15	R 9	A	**Hongrie** 7-9 square de Vergennes	01 56 36 07 54	Vaugirard
6	O 14	C	**Hongrie** 92 rue Bonaparte	01 56 81 02 30	St-Sulpice
16	L 4	A	**Inde** 15 rue Alfred Dehodencq	01 40 50 70 70	La Muette
16	M 4	C	**Inde** 15 rue Albéric Magnard	01 40 50 71 71	La Muette
16	L 5	A	**Indonésie** 47-49 rue Cortambert	01 45 03 07 60	La Muette
16	J 5	A-C	**Irak** 53 rue de la Faisanderie	01 45 53 33 70	Porte Dauphine
16	L 7	A	**Iran** 4 avenue d'Iéna	01 40 69 79 00	Iéna
16	I 7	A	**Irlande** 4 rue Rude	01 44 17 67 00	Ch.-de-Gaulle-Etoile
16	J 7	A	**Islande** 8 avenue Kléber	01 44 17 32 85	Kléber
8	J 10	A	**Israël** 3 rue Rabelais	01 40 76 55 00	Fr.-D.-Roosevelt
8	J 8	C	**Israël** 64 avenue Marceau	01 53 57 82 75	George V
7	N 12	A	**Italie** 51 rue de Varenne	01 49 54 03 00	Rue du Bac
16	M 4	C	**Italie** 5 boulevard Emile Augier	01 44 30 47 00	La Muette
16	J 6	C	**Jamaique** 60 avenue Foch	01 45 00 62 25	Victor Hugo
8	I 9	A	**Japon** 7 avenue Hoche	01 48 88 62 00	Courcelles
	CY 79		**Jordanie** 80 boulevard Maurice Barrès 92200 Neuilly sur Seine	01 55 62 00 00	Les Sablons
8	J 9	A-C	**Kazakhstan** 59, rue Pierre Charron	01 45 61 52 00	F.-D.-Roosevelt
16	K 8	A	**Kenya** 3 rue Freycinet	01 56 62 25 25	Boissières
8	I 9	A	**Koweit** 25 rue de Chateaubriand	01 47 23 54 25	Ch.-de-Gaulle-Etoile
16	K 6	A	**Laos** 74 avenue Raymond Poincaré	01 45 53 02 98	Victor Hugo

41

AMBASSADES, CONSULATS

Arr.	Plan		Pays / Adresse A Ambassades - C Consulats	Téléphone	Métro
16	J 5	A-C	**Lettonie** 6 villa Saïd....................................	01 53 64 58 10	Porte Dauphine
16	J 7	A	**Liban** 42 rue Copernic..................................	01 40 67 75 75	Victor Hugo
16	J 6	C	**Liban** 123 avenue de Malakoff	01 40 67 26 36	Victor Hugo
17	G 10	A	**Libéria** 12 place du Gal Catroux...................	01 47 63 58 55	Malesherbes
16	K 5	A	**Libye** 2 rue Charles Lamoureux	01 45 53 40 70	Porte Dauphine
16	K 5	C	**Libye** 2 rue Charles Lamoureux	01 47 20 59 29	George V
17	H 11	A	**Lituanie** 22 boulevard de Coucelles............	01 40 54 50 50	Villiers
7	M 9	A	**Luxembourg** 33 avenue Rapp.....................	01 45 55 13 37	Alma-Marceau
16	J 5	A	**Macédoine** 5 rue de la Faisanderie..............	01 45 77 10 50	Porte dauphine
16	M 3	A	**Madagascar** 4 avenue Raphaël....................	01 45 04 62 11	La Muette
16	K 5	A	**Malaisie** 2 bis rue de Benouville.................	01 45 53 11 85	Av. Foch
8	J 8	A	**Malawi** 20 rue Euler..................................	01 47 20 20 27	Ch.-de-Gaulle-Etoile
6	P 12	A	**Mali** 89 rue du Cherche-Midi......................	01 45 48 58 43	Vaneau
20	K 25	C	**Mali** 64 rue Pelleport.................................	01 48 07 85 85	Pelleport
8	J 9	A	**Malte** 92 avenue des Champs-Élysées...........	01 56 59 75 90	George-V
16	M 6	A	**Maroc** 5 rue Le Tasse	01 45 20 69 35	Passy
15	S 8	C	**Maroc** 12 rue de la Saïda...........................	01 56 56 72 00	Pte de Versailles
17	F 10	A-C	**Maurice (Île)** 127 rue Tocqueville................	01 42 27 30 19	Malesherbes
16	K 4	A	**Mauritanie** 5 rue de Montévideo.................	01 45 04 88 54	Pte Dauphine
6	P 12	C	**Mauritanie** 89 rue du Cherche-Midi	01 45 48 23 88	Falguière
16	L 7	A	**Mexique** 9 rue de Longchamp....................	01 53 70 27 70	Iéna
2	K 15	C	**Mexique** 4 rue N.-D.-des-Victoires...............	01 42 86 56 20	Bourse
16	J 6	A	**Modalvie** 1 rue Sfax.................................	01 40 67 11 20	Victor Hugo
16	M 3	A	**Monaco** 22 boulevard Suchet......................	01 45 04 74 54	La Muette
	N 5	A	**Mongolie** 5 avenue Robert Schuman 92100 Boulogne-Billancourt	01 46 05 28 12	Pte d'Auteuil
17	G 7	A	**Mozambique** 82 rue Laugier......................	01 47 64 91 32	Porte Champerret
16	J 5	A	**Namibie** 80 avenue Foch............................	01 44 17 32 65	Pte Dauphine
17	I 7	A	**Népal** 45 bis rue des Acacias.....................	01 46 22 48 67	Argentine
16	J 6	A	**Nicaragua** 34 av. Bugeaud........................	01 44 05 90 42	Victor Hugo
16	K 5	A	**Niger** 154 rue de Longchamp	01 45 04 80 60	Porte Dauphine
16	K 5	A	**Nigéria** 173 avenue Victor Hugo..................	01 47 04 68 65	Victor Hugo
8	K 10	A	**Norvège** 28 rue Bayard..............................	01 53 67 04 00	Fr.-D.-Roosevelt
16	J 6	A	**Nouvelle-Zélande** 7 ter rue L. de Vinci........	01 45 01 43 43	Victor Hugo
16	K 8	A	**Oman** 50 avenue d'Iéna.............................	01 47 23 01 63	Iéna
8	J 12	A	**Ouzbékistan** 22 avenue d'Aguesseau	01 53 30 03 53	Fr.-D.-Roosevelt
8	J 9	A	**Pakistan** 18 rue Lord Byron.......................	01 45 62 23 32	Ch.-de-Gaulle-Etoile
15	R 7	A	**Palestine (Délégation générale de)** 14 rue du Cdt Léandri	01 48 28 66 00	Convention
15	P 10	A-C	**Panama** 145 avenue de Suffren....................	01 45 66 42 44	Ségur
7	M 10	A	**Paraguay** 1 rue Saint-Dominique	01 42 22 85 05	Solférino
7	O 11	A	**Pays-Bas** 7 rue Eblé.................................	01 40 62 33 00	St-François-Xavier
16	K 7	A	**Pérou** 50 avenue Kléber	01 53 70 42 00	Kléber
8	J 12	C	**Pérou** 25 rue de l'Arcade...........................	01 42 65 25 10	Madeleine

AMBASSADES, CONSULATS

Arr.	Plan		Pays / Adresse **A** Ambassades - **C** Consulats	Téléphone	Métro
16	N 4	A	**Philippines** 4 Hameau de Boulainvilliers..........	01 44 14 57 00	Ranelagh
7	M 11	A	**Pologne** 1-3 rue de Talleyrand..........................	01 43 17 34 00	Invalides
7	M 11	C	**Pologne** 5 rue de Talleyrand..............................	01 43 17 34 22	Invalides
16	K 5	A	**Portugal** 3 rue de Noisiel..................................	01 47 27 35 29	Porte Dauphine
17	H 10	C	**Portugal** 6 rue Georges Berger	01 56 33 81 00	Monceau
	DI 109	C	**Portugal** 4 av. des Marronniers 94130 Nogent-sur-Marne	01 45 14 27 27	Nogent-sur-Marne
7	L 10	A	**Qatar** 57 quai d'Orsay	08 92 70 77 00	Alma-Marceau
16	I 6	A	**Québec (Délégation générale du)** 66 rue Pergolèse	01 40 67 85 00	Porte Maillot
7	M 9	A	**Roumanie** 5-7 rue de l'Exposition....................	01 47 05 10 46	Ecole Militaire
16	K 4	A-C	**Russie** 40-50 boulevard Lannes	01 45 04 05 50	Porte Dauphine
17	H 9	A	**Rwanda** 12 rue Jadin	01 42 27 36 31	Courcelles
8	J 10	A	**Saint-Marin** 22 rue d'Artois............................	01 47 23 04 75	St-Ph.-du-Roule
8	J 10	C	**Saint-Marin** 50 rue du Colisée	01 43 59 82 89	St-Ph.-du-Roule
16	K 8	A	**Saint-Siège** 10 av. du Président Wilson............	01 53 23 01 50	Alma-Marceau
8	I 11	C	**Sao-Tome-et-Principe** 144 bd Haussmann	01 42 89 67 24	Miromesnil
7	L 10	A	**Sénégal** 14 avenue Robert Schuman	01 47 05 39 45	Invalides
16	K 7	C	**Sénégal** 22 rue Hamelin................................	01 44 05 38 48	Boissière
16	N 4	A	**Seychelles** 51 avenue Mozart..........................	01 42 30 57 47	Ranelagh
8	J 9	C	**Seychelles** 38 av. Georges V	01 47 20 26 26	George-V
16	J 5	A	**Singapour** 12 square avenue Foch	01 45 00 33 61	Porte Dauphine
16	N 4	A	**Slovaquie** 125 rue du Ranelagh	01 44 14 56 00	Ranelagh
16	M 5	A	**Slovénie** 28 rue Bois le Vent..........................	01 44 96 50 60	La Muette
16	J 8	A	**Somalie** 26 rue Dumont d'Urville....................	01 45 00 76 51	Kléber
16	M 4	A	**Soudan** 11 rue A. Dehodencq	01 42 25 55 73	La Muette
16	J 5	A	**Sri Lanka** 16 rue Spontini	01 55 73 31 31	Porte Dauphine
7	N 11	A	**Suède** 17 rue Barbet de Jouy	01 44 18 88 00	Varenne
7	M 10	A	**Suisse** 142 rue de Grenelle	01 49 55 67 00	Invalides
7	N 12	A	**Syrie** 20 rue Vaneau......................................	01 40 62 61 00	Vaneau
16	L 6	A	**Tanzanie** 13 avenue R. Poincaré......................	01 53 70 63 66	Trocadéro
16	K 6	A	**Tchad** 65 rue des Belles Feuilles	01 45 53 36 75	Pte Dauphine
7	N 8	A	**République Tchèque** 15 av. Ch. Floquet..........	01 40 65 13 00	Chp-de-Mars
6	M 14	C	**République Tchèque** 18 rue Bonaparte	01 44 32 02 00	St-Germ.-des-Prés
16	L 6	A	**Thaïlande** 8 rue Greuze..................................	01 56 26 50 50	Trocadér
17	F 9	A	**Togo** 8 rue Alfred Roll	01 43 80 12 13	Péreire
7	N 11	A	**Tunisie** 25 rue Barbet de Jouy	01 45 55 95 98	St-François-Xavier
16	K 7	C	**Tunisie** 17 rue de Lübeck	01 53 70 69 10	Boissière
	CV 99	C	**Tunisie** 1 avenue Jean Lolive 93500 Pantin	01 48 91 61 00	Hoche
16	J 6	A	**Turkménistan** 13 rue Picot..............................	01 47 55 05 36	Monceau
7	O 10	A	**Ukraine** 21 avenue de Saxe	01 43 06 07 37	Ségur
7	O 10	C	**Ukraine** 21 avenue de Saxe	01 56 58 13 70	Ségur
16	I 7	A	**Uruguay** 15 rue Le Sueur................................	01 45 00 81 37	Argentine

AMBASSADES, CONSULATS

Arr.	Plan		Pays / Adresse **A** Ambassades - **C** Consulats	Téléphone	Métro
8	H 9	C	**Vanuatu** 9 rue Daru	01 40 53 82 25	Courcelles
16	K 7	A	**Venezuela** 11 rue Copernic	01 45 53 29 98	Boissière
16	K 7	C	**Venezuela** 8 impasse Kléber	01 47 55 00 11	Boissière
16	Q 3	A	**Vietnam** 62 rue Boileau	01 44 14 64 00	Exelmans
16	K 8	A	**Yemen** 25 rue Georges Bizet	01 53 23 87 87	Alma-Marceau
16	J 6	A	**Serbie et Monténégro** 5 r. Léonard De Vinci	01 40 72 24 24	Victor-Hugo
8	I 10	C	**Zambie** 34 Avenue de Messine	01 45 61 05 80	Monceau
8	J 9	A	**Zimbabwe** 12 rue Lord Byron	01 56 88 16 00	Ch.-de-Gaulle-Etoile

BUREAUX DE POSTE

Du lundi au vendredi de 8 h à 18 h, le samedi de 8 h à 12 h.

Arr.	Plan	Adresse	Arr.	Plan	Adresse
1	L 15	**Recette Principale (24 h sur 24)** 52 rue du Louvre	7	O 10	5 avenue de Saxe
1	L 16	90 rue Saint-Denis	7	M 12	103 rue de Grenelle
1	K 13	13 rue des Capucines	7	N 13	22 rue des Saints-Pères
1	M 16	27 rue des Lavandières Sainte-Opportune	7	L 12	3 rue de Courty
			7	N 13	3 boulevard Raspail
1	L 16	Forum des Halles (niveau 4) (Rue Pierre Lescot)	7	J 12	13 rue d'Anjou
			8	I 9	10 rue Balzac
1	L 14	Pyramide du Louvre (Musée du Louvre)	8	J 9	71 avenue des Champs Elysées
			8	J 10	14 rue du Colisée
1	L 14	8 rue Molière	8	I 12	10 rue de Vienne
2	J 15	8 place de la Bourse	8	J 11	49 rue de la Boétie
2	K 16	54 rue d'Aboukir	8	K 9	24 rue de la Trémoille
3	L 18	67 rue des Archives	8	H 11	101 boulevard Malesherbes
3	K 17	259 rue Saint-Martin	8	I 13	15 rue d'Amsterdam
3	L 19	64 rue de Saintonge	9	J 16	2 rue du Conservatoire
3	L 18	160 rue du Temple	9	J 16	7 rue Chauchat
3	L 12	14 rue Perrée	9	J 14	7 boulevard Haussmann
4	N 19	12 rue Castex	9	J 13	38 rue Vignon
4	M 17	19 rue Beaubourg	9	I 16	14 rue Bleue
4	M 17	9 Place de l'Hôtel de Ville	9	J 14	8 rue Auber
4	N 16	1 boulevard du Palais	9	G 14	47 boulevard de Clichy
4	O 18	16 rue des Deux Ponts	9	G 13	61 rue de Douai
4	M 18	27 rue des Francs Bourgeois	9	I 15	4 rue Hyppolyte Lebas
4	M 17	10 rue de Moussy	9	J 14	78 rue Taitbout
5	Q 17	10 rue de l'Epée de Bois	9	H 16	20 rue Turgot
5	P 17	30 bis rue du Cardinal Lemoine	10	J 17	18 boulevard de Bonne Nouvelle
5	Q 16	47 rue d'Ulm	10	J 19	11 rue Léon Jouhaux
5	P 15	13 rue Cujas	10	I 18	158 rue du Faubourg Saint-Martin
6	P 12	111-117 rue de Sèvres	10	H 18	173 bis rue du Faubourg Saint-Denis
6	O 15	118 boulevard Saint-Germain	10	H 19	228 rue du Faubourg Saint-Martin
6	P 12	22 rue Littré	10	I 17	2 square Alban Satragne
6	O 13	3 rue Dupin	10	K 18	56 rue René Boulanger
6	N 14	53 rue de Rennes	10	J 17	38 boulevard de Strasbourg
6	O 14	24 rue de Vaugirard	10	I 20	46 rue de Sambre et Meuse
7	N 10	56 rue Cler	11	M 20	21 rue Bréguet
7	M 8	Tour Eiffel (1er étage)	11	N 22	33 rue Faidherbe
7	M 9	37 avenue Rapp	11	K 20	5 rue des Goncourt
7	L 12	126 rue de l'Université	11	M 22	80 rue Léon Frot
			11	K 20	7 avenue Parmentier

BUREAUX DE POSTE

Du lundi au vendredi de 8 h à 18 h, le samedi de 8 h à 12 h.

Arr.	Plan	Adresse	Arr.	Plan	Adresse
11	L 22	103 avenue de la République	16	O 2	46 rue Poussin
11	L 20	97 boulevard Richard Lenoir	16	K 6	123 avenue Victor Hugo
11	O 23	41 rue des Boulets	16	K 4	19 rue de Montévidéo
11	K 21	113 rue Oberkampf	16	K 7	73 rue Lauriston
12	P 22	30 rue de Reuilly	16	R 2	109 boulevard Murat
12	P 21	31 rue Crozatier	16	Q 3	155 avenue de Versailles
12	Q 23	168 bis avenue Daumesnil	16	R 2	35 boulevard Murat
12	O 20	80 avenue Ledru Rollin	16	K 7	51 rue de Longchamp
12	P 20	25 boulevard Diderot	16	N 5	3 rue La Fontaine
12	S 24	11 rue de Wattignies	16	L 7	1 avenue d'Iéna
12	R 22	1 rue de Dijon	16	L 5	39 rue de la Pompe
12	P 25	90 boulevard de Picpus	16	M 4	28 avenue Mozart
12	R 25	15 bis rue Rottembourg	17	G 12	9 rue Mariotte
12	P 26	137 boulevard Soult	17	D 12	81 boulevard Bessières
12	Q 20	193 rue de bercy	17	E 12	141 avenue de Clichy
12	P 22	30 boulevard de Reuilly	17	F 10	132 rue de Saussure
13	T 18	23 avenue d'Italie	17	G 11	23 bis rue Legendre
12	P 25	65 rue Rendez-vous	17	G 7	79 rue Bayen
13	Q 19	7 bis boulevard de l'Hôpital	17	I 6	58 avenue de la Grande Armée
13	T 19	36 place Jeanne d'Arc	17	E 13	57 avenue de Saint-Ouen
13	R 17	21 rue de la Reine Blanche	17	H 8	13 avenue Niel
13	U 16	216 rue de Tolbiac	17	G 9	110 avenue de Wagram
13	U 19	19 rue Simone Weil	18	G 15	8 place des Abbesses
13	S 16	9 rue Corvisart	18	D 14	11 av. de la Porte de Montmartre
13	U 21	26 rue de Patay	18	E 17	30 rue Boinod
13	V 18	129 boulevard Masséna	18	F 16	70 rue de Clignancourt
13	U 18	2-8 rue du Moulin de la Pointe	18	D 16	97 rue Duhesme
13	S 21	16 rue Neuve Tolbiac	18	G 17	11 rue des Islettes
14	U 11	105 boulevard Brune	18	F 18	2 rue Ordener
14	V 15	19 bd Jourdan (Cité Universitaire)	18	E 15	19 rue Duc
14	S 11	180 rue Raymond Losserand	18	G 18	20 boulevard de la Chapelle
14	Q 14	140 boulevard du Montparnasse	18	D 20	5 avenue de la Porte d'Aubervilliers
14	T 12	114 bis rue d'Alésia	18	D 18	91 rue de La Chapelle
14	S 11	50-52 rue Pernety	18	D 19	7 rue Tristan Tzara
14	S 13	15 bis avenue du Général Leclerc	18	E 14	204 rue Marcadet
14	V 13	Place du 25 Août 1944	19	E 20	218 rue de Crimée
14	R 13	66-68 rue Daguerre	19	G 23	2 rue Goubet
14	V 15	78 rue de l'Amiral Mouchez	19	E 21	62 rue de l'Ourcq
15	R 9	19 rue d'Alleray	19	G 20	33 avenue Jean Jaurès
15	P 9	8 rue François Bonvin	19	G 21	8 avenue de Laumière
15	O 7	27 rue Desaix	19	I 25	339 bis rue de Belleville
15	N 8	72 rue Desnouettes	19	F 20	67 avenue de Flandre
15	Q 6	102 rue de la Convention	19	F 23	3-5 av. du Nouveau Conservatoire
15	O 7	38 rue de Lourmel	19	H 23	48 rue Compans
15	S 9	21 rue de Vouillé	19	I 22	8 rue Clavel
15	P 8	2 rue Joseph Liouville	19	D 22	30 avenue Corentin Cariou
15	R 11	5 pl. des 5 Martryrs du Lycée Buffon	20	K 24	250 rue des Pyrénées
15	Q 12	Tour Montparnasse - 33 av. du Maine	20	J 21	30 rue Ramponeau
15	T 8	113 boulevard Lefebvre	20	O 25	56 bis rue de Buzenval
15	Q 11	40 boulevard de Vaugirard	20	M 25	132 rue des Pyrénées
15	S 6	26 boulevard Victor	20	L 25	21 rue Belgrand
15	O 6	30 rue Linois (Beaugrenelle)	20	K 22	9-11 rue Étienne Dolet
15	Q 5	27 rue Balard	20	K 24	7 place Gambetta
15	Q 10	204 rue de Vaugirard	20	N 26	37 rue Mouraud
15	P 9	4 rue François Bonvin	20	J 26	73 boulevard Mortier
16	M 5	40 rue Singer	20	J 24	28 rue du Télégraphe
16	M 7	2 rue Beethoven			
16	K 4	Avenue de Pologne			
16	K 8	1 bis rue de Chaillot			

HÔPITAUX DE PARIS

Arr.	Plan	**Nom** / Adresse / Téléphone	Métro	Autobus	**RER** / *SNCF*
		SAMU Service d'aide médicale d'urgence **15** ou le 01 45 67 50 50		**Recherche d'un proche hospitalisé** Tél. : 01 40 27 37 81	
18	D 14	**Bichat-Claude Bernard** 46 rue Henri Huchard Tél. : 01 40 25 80 80	Porte de Saint-Ouen	81-60-95-PC3 Pte de Saint-Ouen, Pte de Montmartre	
18	F 13	**Bretonneau** 23 rue Joseph de Maistre Tél. : 01 53 11 18 00	Guy Môquet	80-95 Pl. J. Froment	
13	S 16	**Broca** 54-56 rue Pascal Tél. : 01 44 08 30 00	Les Gobelins, Corvisart, Glacière	21-83-91 Gobelins	
14	T 11	**Broussais** 96 rue Didot Tél. : 01 43 95 95 95	Plaisance	62-58-T3 Alésia-Didot, Hôpital Broussais	
14	R 15	**Cochin** 27 rue du fg Saint-Jacques Tél. : 01 58 41 41 41	Saint-Jacques	21-38-83-91 Observatoire Port-Royal	B Port-Royal
20	N 26	**Croix St-Simon** 125 rue d'Avron Tél. : 01 44 64 16 00	Porte de Montreuil	26-57-PC2 Maraîchers Pte de Montreuil	
12	P 23	**Diaconesses** 18 rue du Sergent Bauchat Tél. : 01 44 74 10 10	Montgallet	46 Montgallet	
15	R 4	**Européen Georges Pompidou** 20 rue Leblanc Tél. : 01 56 09 20 00	Balard	42-88-T3	Bd Victor
10	H 18	**Fernand Widal** 200 rue du fg Saint-Denis Tél. : 01 40 05 45 45	Gare du Nord, La Chapelle	42-43-46-47-48-65 54-26-350 Cail-Demarquay	B Gare du Nord
16	Q 2	**Henry Dunant** (Croix Rouge) 95 rue Michel Ange Tél. : 01 40 71 24 24	Porte de Saint-Cloud	62-22-72-PC1 Michel-Ange	
4	N 16	**Hôtel-Dieu** 1 place du Parvis Notre-Dame Tél. : 01 42 34 82 34	Cité	21-24-27-38-47-70 72-74-85-96	B-C St-Michel Notre-Dame
5	N 19	**Institut Curie** (Hôpital Claudius-Régaud) 25 rue d'Ulm Tél. : 01 44 32 40 00	Place Monge	21-27-84-89	
14	V 14	**Institut Mutualiste Montsouris** 42 boulevard Jourdan Tél. : 01 56 61 62 63	Porte d'Orléans	88-T3 Porte d'Arcueil	B Cité Universitaire
7	M 11	**Invalides** 6 boulevard des Invalides Tél. : 01 40 63 22 22	Varenne	28-69	
5	R 17	**La Collégiale** 33 rue du Fer à Moulin Tél. : 01 42 34 84 95	Gobelins	24-47-83 Gobelins	

Arr.	Plan	**Nom** / Adresse / Téléphone	Métro	Autobus	**RER** / *SNCF*
10	G 17	**Lariboisière** 2 rue Ambroise Paré Tél. : 01 49 95 65 65	Gare du Nord, Barbès- Rochechouart	26-30-31-38-42-43-46 48-54-56-85-G. du Nord, Barbès-Rochechouart	B Gare du Nord
14	S 14	**La Rochefoucauld** 15 av. du Général Leclerc Tél. : 01 44 08 30 00	Denfert- Rochereau	38-68-88	B Denfert- Rochereau
14	R 12	**Léopold Bellan** 19 rue Vercingétorix Tél. : 01 40 48 68 68	Gaîté	28-58-88-91	Gare Montparnasse
14	R 15	**Maternités Baudelocque et Port-Royal (Cochin)** 123 bd Port-Royal - Tél. : 01 58 41 20 47	Saint-Jacques	38-83-91 Observatoire, Port-Royal	B Port-Royal
15	P 11	**Necker - Enfants malades** 149-161 rue de Sèvres Tél. : 01 44 49 40 00	Duroc, Sèvres- Lecourbe Falguière, Pasteur	28-39-70-82-87-89-92 Enfants Malades	
14	T 11	**N.-D. de Bon Secours** 66 rue des Plantes Tél. : 01 40 52 40 52	Alésia, Porte d'Orléans	58-T3 Hôpital N.-D. de Bon Secours	B Denfert- Rochereau
15	O10	**Pasteur** 211 rue de Vaugirard Tél. : 01 45 68 81 14	Pasteur, Volontaires	39-70-89	Gare Montparnasse
6	Q 14	**Pavillon Tarnier (Cochin)** 89 rue d'Assas Tél. : 01 58 41 18 11	N.-D.-des-Champs	38-91-83 Observatoire	B Port-Royal
13	R 19	**Pitié-Salpêtrière** 47-83 boulevard de l'Hôpital Tél. : 01 42 16 00 00	Austerlitz, Saint-Marcel, Chevaleret	24-27-57-61-63-67-89-91 St-Marcel-La Pitié, Jardin des Plantes	*Gare d'Austerlitz*
12	O 20	**Quinze-Vingts** (Ophtalmologie) 28 rue de Charenton Tél. : 01 40 02 15 20	Ledru-Rollin Bastille	20-29-61-65-87 91-76-86-69 Bastille	
19	H 25	**Robert Debré** 48 boulevard Sérurier Tél. : 01 40 03 20 00	Porte des Lilas, Pré St-Gervais	48-PC2-PC3 Porte des Lilas Robert Debré	
12	Q 24	**Rothschild** 33 boulevard de Picpus Tél. : 01 40 19 30 00	Picpus, Bel Air	29-56 Picpus-Square, Courteline	
14	T 15	**Sainte-Anne** 1 rue Cabanis Tél. : 01 45 65 80 00	Glacière St-Jacques	21-62-88	B Denfert Rochereau
12	O 22	**Saint-Antoine** 184 rue du Faubourg St-Antoine Tél. : 01 49 28 20 00	Faidherbe- Chaligny, Reuilly Diderot	46-57-86 Ledru-Rollin, Saint-Antoine	
14	T 10	**Saint-Joseph** 185 rue Raymond Losserand Tél. : 01 44 12 33 33	Plaisance Pte de Vanves	62-58-T3 Alésia Didot	
10	J 20	**Saint-Louis** 1 avenue Claude Vellefaux Tél. : 01 42 49 49 49	Goncourt	46-75 Hôpital Saint-Louis, Pl. du Col Fabien	

HÔPITAUX DE PARIS

Arr.	Plan	**Nom** / Adresse / Téléphone	Métro	Autobus	**RER** / *SNCF*
15	S 8	**Saint-Michel** 33 rue Olivier de Serres Tél. : 01 40 45 63 63	Convention	62-39-89 Convention Charles Vallin	
16	P 3	**Groupe Hospitalier Ste-Périne** 11 rue Chardon Lagache Tél. : 01 44 96 31 31	Chardon Lagache	22-62-72-52 Pont Mirabeau, Wilhem	
14	R 14	**Saint-Vincent-de-Paul** 82 avenue Denfert-Rochereau Tél. : 01 40 48 81 11	Port Royal Denfert-Rochereau	38-68-83-91 St-Vincent-de-Paul, Victor Considérant	B Port-Royal
20	K 25	**Tenon** 4 rue de la Chine Tél. : 01 56 01 70 00	Gambetta Pelleport Pte de Bagnolet	26-61-69-102-PC2 Place Gambetta, Porte de Bagnolet	
12	Q 25	**Trousseau** 26 av. Docteur A. Netter Tél. : 01 44 73 74 75	Bel Air, Picpus, Pte de Vincennes	29-56-62-PC2 Hôpital Trousseau, Avenue St-Mandé	
5	R 15	**Val de Grâce** 74 boulevard Port-Royal Tél. : 01 40 51 40 00	Les Gobelins	21-91-83-38 Port-Royal, Observatoire	B Port-Royal
15	S 8	**Vaugirard** 10 rue Vaugelas Tél. : 01 40 45 80 00	Convention, Porte de Versailles	39-80 Hôpital de Vaugirard, Porte de Versailles	

HÔPITAUX DE BANLIEUE

Dép.	**Nom** / Adresse / Téléphone	Métro	Autobus	**RER** / *SNCF*
91	**Joffre - Dupuytren** 1 rue Louis Camatte Draveil Tél. : 01 69 83 63 63		17	*Juvisy,* *Ris Orangis*
91	**Georges Clemenceau** Champcueil Tél. : 01 69 23 20 20			*Mennecy,* *Ballancourt*
92	**Ambroise Paré** 9 av. Charles de Gaulle Boulogne Tél. : 01 49 09 50 00	Porte d'Auteuil, Boulogne, Jean Jaurès	123-482 Ambroise Paré Eglise de Boulogne	
92	**Antoine Béclère** 157 r. de la Pte de Trivaux Clamart Tél. : 01 45 37 44 44		190-295-390-195-189 Antoine Béclère, La Cavée	
92	**Beaujon** 100 bd du Général Leclerc Clichy Tél. : 01 40 87 50 00	Mairie de Clichy Porte de Clichy	74-138 A Hôpital Beaujon, Cimetière Nouveau	
92	**Corentin Celton** 4 parvis C.Celton Issy-les-Moulineaux Tél. : 01 58 00 40 00	Corentin-Celton	126-189-123-190 Corentin Celton, Mairie d'Issy	C Issy Ville, Issy Plaine

Dép.	**Nom** / Adresse / Téléphone	Métro	Autobus	**RER** / *SNCF*
92	**Louis Mourier** 178 rue des Renouillers <u>Colombes</u> Tél. : 01 47 60 61 62		304-235 B Louis Mourier, Ile Marante	A Nanterre Université *Colombes*
92	**Raymond Poincaré** 104 bd Raymond Poincaré <u>Garches</u> Tél. : 01 47 10 79 00		26-360-460 Raymond Poincaré	*Garches-* *Marnes-la-* *Coquette*
93	**Avicenne** 125 rue de Stalingrad <u>Bobigny</u> Tél. : 01 48 95 55 55	La Courneuve, Bobigny-Pablo Picasso	Tramway Hôpital Avicenne	
93	**Jean Verdier** Avenue du 14 Juillet <u>Bondy</u> Tél. : 01 48 02 66 66		147-247-616 Jean Verdier, Pasteur	*Gare de* *Bondy*
93	**René Muret-Bigottini** 52 av. du Dr Schaeffner <u>Sevran</u> Tél. : 01 41 52 59 99		618 Cité Rougemont, René Muret	
93	**Bigottini** 3 av. du Clocher <u>Aulnay-sous-Bois</u> Tél. : 01 41 52 59 99			B Aulnay-s/s- Bois
94	**Albert Chenevier** 40 rue de Mesly <u>Créteil</u> Tél. : 01 49 81 31 31	Créteil- Université	14-217 Albert Chenevier Eglise ou Château	
94	**Bicêtre** 78 r. du Gal Leclerc <u>Le Kremlin-Bicêtre</u> Tél. : 01 45 21 21 21	Le Kremlin- Bicêtre	47-131-323-125 Bicêtre Convention Jaurès	
94	**Charles Foix - Jean Rostand** 7 av. de la République <u>Ivry-sur-Seine</u> Tél. : 01 49 59 40 00	Mairie d'Ivry	182 Hôpital Ch. Foix	C. Vitry
94	**Emile Roux** 1 av. de Verdun <u>Limeil Brévannes</u> Tél. : 01 45 95 80 80	Créteil-l'Echat	STRAV . K Place le Naoures	A2 Boissy- St-Léger
94	**Henri Mondor** 51 av. du Mal de Lattre de Tassigny <u>Créteil</u> Tél. : 01 49 81 21 11	Créteil l'Echat	104-172-217-281 Henri Mondor, Créteil Eglise	
94	**Paul Brousse** 12-14 av. P. Vaillant Couturier <u>Villejuif</u> Tél. : 01 45 59 30 00	P. Vaillant Couturer	162-185 Hôpital Paul Brousse	
95	**Charles Richet** Av. Charles Richet <u>Villiers-le-Bel</u> Tél. : 01 34 29 23 00		268 Hôpital Charles Richet	D Villiers le Bel.
95	**La Roche Guyon** 1 rue de l'Hospice <u>La Roche Guyon</u> Tél. : 01 30 63 83 30			*Mantes-* *la-Jolie*

ÉGLISES

Arr.	Plan	Nom / Adresse	Métro
8	J 12	**Archevêché** 8 rue de la Ville l'Evêque	Madeleine
20	K 24	**Auxiliatrice** 15 rue du Retrait	Gambetta
11	N 23	**Bon Pasteur** 177 rue de Charonne	Alexandre Dumas
20	K 25	**Cœur Eucharistique** 22 rue du Lieutenant Chauré	Porte de Bagnolet
12	P 25	**Immaculée Conception** 34 rue du Rendez-Vous	Picpus
8	J 12	**Madeleine** Place de la Madeleine	Madeleine
16	P 4	**Notre-Dame d'Auteuil** 2 place d'Auteuil	Eglise d'Auteuil
12	R 22	**Notre-Dame de Bercy** 11 rue de la Nativité	Dugommier
2	J 16	**Notre-Dame de Bonne-Nouvelle** 25 rue de la Lune	Bonne-Nouvelle
18	E 16	**Notre-Dame de Clignancourt** 2 place Jules Joffrin	Jules Joffrin
17	F 10	**Notre-Dame de Confiance** 164 rue de Saussure	Pereire-Levallois
15	O 7	**Notre-Dame de Grâce** 6 rue Fondary	Dupleix
16	N 5	**Notre-Dame de Grâce de Passy** 10 rue de l'Annonciation	Passy
17	H 6	**Notre-Dame de la Compassion** place du Général Koening	Porte Maillot
20	K 22	**Notre-Dame de la Croix** 2 bis rue Julien Lacroix	Ménilmontant
13	T 19	**Notre-Dame de la Gare** Place Jeanne d'Arc	Bibliothèque Fr. Mitterrand
7	O 12	**Notre-Dame de la Médaille Miraculeuse** 140 rue du Bac	Sèvres-Babylone
15	S 19	**Notre-Dame de la Salette** 27 rue de Dantzig	Convention
15	R 10	**Notre-Dame de l'Arche de l'Alliance** 81 rue d'Alleray	Voltaire
16	N 3	**Notre-Dame de l'Assomption** 88 rue de l'Assomption	Ranelagh
11	N 20	**Notre-Dame de l'Espérance** 47 rue de la Roquette	Bréguet-Sabin
9	I 15	**Notre-Dame de Lorette** 18 bis rue de Châteaudun	Notre-Dame de Lorette
20	J 24	**Notre-Dame de Lourdes** 130 rue Pelleport	Pelleport
15	R 6	**Notre-Dame de Nazareth** 351 rue Lecourbe	Balard
4	N 16	**Notre-Dame de Paris (Cathédrale)** 6 pla. du parvis Notre-Dame	Cité
6	P 12	**Notre-Dame des Anges** 102 bis rue Vaugirards	Saint-Placide
4	M 18	**Notre-Dame des Blancs-Manteaux** 12 rue des Blancs-Manteaux	Hôtel de Ville
19	G 21	**Notre-Dame des Buttes Chaumont** 80 rue de Meaux	Laumière
6	Q 13	**Notre-Dame des Champs** 91 boulevard du Montparnasse	Montparnasse-Bienvenüe
19	F 20	**Notre-Dame des Foyers** 18 rue de Tanger	Stalingrad
10	G 18	**Notre-Dame des Malades** 15 rue Philippe de Girard	Louis Blanc
20	I 25	**Notre-Dame des Otages** 81 rue Haxo	Télégraphe
2	K 15	**Notre-Dame des Victoires** Place des Petits Pères	Bourse
19	J 21	**Notre-Dame du Bas Belleville** 5 allée Gabrielle d'Estrée	Belleville
18	D 16	**Notre-Dame du Bon Conseil** 140 rue de Clignancourt	Simplon
15	Q 10	**Notre-Dame du Lys** Rue Blomet	Blomet
11	L 22	**Notre-Dame du Perpétuel Secours** 55 bd Ménilmontant	Père-Lachaise
14	T 10	**Notre-Dame du Rosaire** 194 rue Raymond Losserand	Porte de Vanves
16	L 5	**Notre-Dame du Saint-Sacrement** 20 rue Cortembert	Rue de la Pompe
14	R 11	**Notre-Dame du Travail** 59 rue Vercingétorix	Gaîté
11	J 21	**Notre-Dame Réconciliatrice** 57 boulevard Belleville	Belleville
18	F 15	**Sacré-Cœur** Place du Parvis du Sacré-Coeur	Anvers
11	L 21	**Saint-Ambroise de Popincourt** 71 bis boulevard Voltaire	Saint-Ambroise
8	H 13	**Saint-André de l'Europe** 24 bis rue de Saint-Pétersbourg	Place de Clichy
15	T 8	**Saint-Antoine de Padoue** 52 boulevard Lefebvre	Porte de Versailles
12	O 20	**Saint-Antoine des Quinze-Vingts** 66 avenue Ledru Rollin	Ledru-Rollin
8	I 12	**Saint-Augustin** Place Saint-Augustin	Saint-Augustin
18	G 17	**Saint-Bernard de la Chapelle** 11 rue Affre	La Chapelle
14	Q 12	**Saint-Bernard de Maine Montparnasse** 34 avenue du Maine	Montparnasse-Bienvenüe
20	N 26	**Saint-Charles de la Croix St-Simon** 16 bis rue Croix St-Simon	Porte de Montreuil
17	G 11	**Saint-Charles de Monceau** 22 bis rue Legendre	Malesherbes
15	P 5	**Saint-Christophe de Javel** 28 rue de la Convention	Javel
18	E 18	**Saint-Denis de la Chapelle** 16 rue de la Chapelle	Marx-Dormoy
3	M 19	**Saint-Denis du Saint-Sacrement** 68 bis rue de Turenne	Saint-Sébastien-Froissart
14	S 14	**Saint-Dominique** 18 rue de la Tombe Issoire	Saint-Jacques
13	U 17	**Sainte-Anne de la Maison Blanche** 186 rue de Tolbiac	Tolbiac

ÉGLISES

Churches
Iglesias

Arr.	Plan	**Nom** / Adresse	Métro
12	P 26	**Sainte-Bernadette** 12 avenue Porte de Vincennes	Porte de Vincennes
16	P 4	**Sainte-Bernadette** 4 rue d'Auteuil	Eglise d'Auteuil
4	N 16	**Sainte-Chapelle** Boulevard du Palais	Cité
19	F 24	**Sainte-Claire** 179 boulevard Serurier	Porte de Pantin
7	M 12	**Sainte-Clotilde** 23 bis rue Las Cases	Solférino
19	G 22	**Sainte-Colette des Buttes Chaumont** 14 allée Darius Milhaud	Ourcq
3	K 18	**Sainte-Elisabeth** 195 rue du Temple	Temple
18	E 14	**Sainte-Geneviève des Grandes Carrières** 174 r. Championnet	Guy Moquet
18	D 15	**Sainte-Hélène** 102 rue du Ruisseau	Porte de Clignancourt
18	E 18	**Sainte-Jeanne d'Arc** 18 rue de la Chapelle	Marx-Dormoy
16	R 2	**Sainte-Jeanne de Chantal** Place de la Porte de Saint-Cloud	Porte de Saint-Cloud
12	P 23	**Saint-Eloi** 3 place Maurice de Fontenoy	Montgallet
11	N 21	**Sainte-Marguerite** 36 rue Saint-Bernard	Faidherbe-Chaligny
17	F 11	**Sainte-Marie des Batignolles** 77 place du Dr Félix Lobligeois	Rome
17	F 7	**Sainte-Odile** 2 avenue Stéphane Mallarmé	Porte Champerret
9	G 14	**Sainte-Rita** 65 boulevard de Clichy	Pigalle
13	T 16	**Sainte-Rosalie** 50 boulevard Auguste Blanqui	Corvisart
12	R 24	**Saint-Esprit** 1 rue Cannebière	Daumesnil
5	P 16	**Saint-Etienne du Mont** 1 place Sainte-Genneviève	Cardinal Lemoine
9	J 16	**Saint-Eugène Sainte Cécile** 4 bis rue Sainte-Cécile	Bonne Nouvelle
1	L 16	**Saint-Eustache** 2 rue du Jour	Châtelet-Les Halles
17	13 7	**Saint-Ferdinand des Ternes** 27 rue d'Armaillé	Argentine
14	U 13	**Saint-François** 7 rue Marie-Rose	Alésia
19	H 23	**Saint-François d'Assise** 7 rue de la Mouzaïa	Botzaris
16	P 2	**Saint-François de Molitor** 27/28 rue Michel-Ange Molitor	Michel-Ange Molitor
17	G 9	**Saint-François de Sales (ancienne)** 6 rue Brémontier	Wagram
17	G 9	**Saint-François de Sales (nouvelle)** 15/17 rue Ampère	Wagram
7	O 11	**Saint-François Xavier** Place du Président Mithouard	Saint-François-Xavier
20	O 25	**Saint-Gabriel** 5 rue des Pyrénées	Porte de Vincennes
19	H 20	**Saint-Georges** 114 avenue Simon Bolivar	Bolivar
20	M 25	**Saint-Germain de Charonne** 4 place Saint-Blaise	Gambetta
6	N 14	**Saint-Germain des Prés** 3 place Saint-Germain des Prés	Saint-Germain-des-Prés
1	M 15	**Saint-Germain l'Auxerrois** 2 place du Louvre	Louvre
4	N 17	**Saint-Gervais Saint-Protais** Place Saint-Gervais	Hôtel-de-Ville
13	V 19	**Saint-Hippolyte** 27 avenue de Choisy	Porte de Choisy
16	K 6	**Saint-Honoré d'Eylau (ancienne)** 9 place Victor Hugo	Victor Hugo
16	K 6	**Saint-Honoré d'Eylau (nouvelle)** 66 bis av. Raymond Poincaré	Victor Hugo
6	O 13	**Saint-Ignace** 33 rue de Sèvres	Sèvres-Babylone
5	Q 15	**Saint-Jacques du Haut Pas** 252 bis rue Saint-Jacques	Luxembourg
19	F 21	**Saint-Jacques Saint-Christophe de la Villette** Place Bitche	Crimée
20	N 24	**Saint-Jean Bosco** 79 avenue Alexandre Dumas	Alexandre Dumas
15	Q 8	**Saint-Jean de Dieu** 223 rue Lecourbe	Convention
18	G 15	**Saint-Jean de Montmartre** 19 rue des Abbesses	Abbesses
13	T 18	**Saint-Jean des Deux Moulins** 185 rue du Château des Rentiers	Nationale
3	M 18	**Saint-Jean Saint-François** 6 bis rue Charlot	Filles du Calvaire
19	I 23	**Saint-Jean-Baptiste de Belleville** 139 rue de Belleville	Jourdain
15	Q 7	**Saint-Jean-Baptiste de Grenelle** 23 place Etienne Pernet	Félix-Faure
15	Q 7	**Saint-Jean-Baptiste de Grenelle** 14 place Etienne Pernet	Félix-Faure
15	Q 10	**Saint-Jean-Baptiste de la Salle** 9 rue docteur Roux	Pasteur
10	J 19	**Saint-Joseph Artisan** 214 rue Lafayette	Louis-Blanc
6	O 13	**Saint-Joseph des Carmes** 70 rue de Vaugirard	Saint-Placide
17	E 12	**Saint-Joseph des Epinettes** 40 rue Pouchet	Brochant
11	K 20	**Saint-Joseph des Nations** 161 rue Saint-Maur	Goncourt
5	O 16	**Saint-Julien le Pauvre** 1 rue Saint-Julien le Pauvre	Saint-Michel
15	Q 8	**Saint-Lambert de Vaugirard** rue Gerbert	Vaugirard
10	I 18	**Saint-Laurent** 68 boulevard Magenta	Gare de l'Est

ÉGLISES

Arr.	Plan	Nom / Adresse	Métro
15	O 8	**Saint-Léon** 1 place Cardinal Amette	Dupleix
1	L 16	**Saint-Leu Saint-Gilles** 92 rue Saint-Denis	Etienne Marcel
9	I 13	**Saint-Louis d'Antin** 63 rue Caumartin	Havre-Caumartin
7	N 9	**Saint-Louis de l'Ecole Militaire** 13 place Joffre	Ecole Militaire
7	N 11	**Saint-Louis des Invalides** 2 avenue de Tourville	Varenne
4	O 18	**Saint-Louis en l'Ile** 19 bis rue Saint-Louis en l'Ile	Pont-Marie
19	E 20	**Saint-Luc** 80 rue de l'Ourcq	Crimée
13	R 19	**Saint-Marcel de la Salpêtrière** 82 boulevard de l'Hôpital	Saint-Marcel
10	J 19	**Saint-Martin des Champs** 36 rue Albert Thomas	Jacques Bonsergent
5	Q 17	**Saint-Médard** 141 rue Mouffetard	Censier-Daubenton
4	M 17	**Saint-Merry** 76 rue Saint-Martin	Hôtel-de-Ville
17	F 12	**Saint-Michel des Batignolles** 12 bis rue Saint-Jean	La Fourche
3	K 17	**Saint-Nicolas des Champs** 252 bis rue Saint-Martin	Arts-et-Métiers
5	O 16	**Saint-Nicolas du Chardonnet** 23 rue des Bernardins	Maubert-Mutualité
4	N 18	**Saint-Paul Saint-Louis** 99 rue Saint-Antoine	Saint-Paul
8	J 10	**Saint-Philippe-du-Roule** 154 rue du Faubourg Saint-Honoré	Saint-Philippe-du-Roule
18	F 15	**Saint-Pierre de Montmartre** 2 rue du Mont-Cenis	Abbesses
14	T 13	**Saint-Pierre de Montrouge** 82 avenue du Général Leclerc	Alésia
7	M 9	**Saint-Pierre du Gros Caillou** 92 rue Saint-Dominique	La Tour-Maubourg
16	K 8	**Saint-Pierre-de-Chaillot** 31 avenue Marceau	Alma-Marceau
1	K 14	**Saint-Roch** 296 rue Saint-Honoré	Pyramides
5	O 16	**Saint-Séverin Saint Nicolas** 1 rue des prêtres Saint-Séverin	Saint-Michel
6	O 14	**Saint-Sulpice** Place Saint-Sulpice	Saint-Sulpice
7	N 13	**Saint-Thomas d'Aquin** Place Saint-Thomas d'Aquin	Rue du Bac
10	H 17	**Saint-Vincent de Paul** Place Franz Liszt	Poissonnière
9	I 14	**Trinité** Place d'Estiennes d'Orves	Trinité
5	Q 15	**Val-de-Grâce** 1 place du Val de Grâce	Port-Royal

CULTE CATHOLIQUE ÉTRANGER

Arr.	Plan	Nom / Adresse	Métro
6	O 12	**Eglise Diocésaine des Etrangers** 33 rue de Sèvres	Sèvres Babylone
6	N 13	**Eglise Gréco-Catholique Ukrénienne** 61 rue des Sts-Pères	St-Germain-des-Prés
8	K 10	**Apostolique Arménienne** 15 rue Jean Goujon	Alma-Marceau
6	O 14	**Aumônerie Africaine et Asiatique** 6 rue Madame	Saint-Sulpice
6	P 12	**Aumônerie Japonaise** 16 rue Saint-Jean-Baptiste-de-la-Salle	Duroc
14	R 14	**Aumônerie Suisse** 32 avenue de l'Observatoire	Denfert-Rochereau
16	K 5	**Chapelle Albert le Grand** (allemande) 38 rue Spontini	Porte Dauphine
8	I 9	**Chapelle du Corpus Christi** (espagnole) 23 avenue Friedland	George-V
11	O 23	**Chapelle Italienne** 46 rue de Montreuil	Avron
8	K 9	**Eglise américaine de la Ste Trinité** 23 av. George-V	Alma-Marceau
16	O 4	**Eglise des Maronites** (roumaine) 39 rue Ribera	Jasmin
16	L 5	**Eglise Espagnole** 51 bis rue de la Pompe	Rue de La Pompe
10	H 19	**Mission Belge** 228 rue Lafayette	Louis-Blanc
10	J 17	**Mission Chinoise** 12 rue de l'Echiquier	Strasbourg-St-Denis
6	Q 14	**Mission Coréenne** 8 rue Joseph Bara	Vavin
17	F 12	**Mission Hollandaise** 39 rue du Docteur Heulin	La Fourche
10	J 19	**Mission Hongroise** 42 rue Albert Thomas	République
1	L 14	**Mission Polonaise** 263 bis rue Saint-Honoré	Madeleine
10	H 19	**Saint-Joseph Luxembourgeoise** 214 rue Lafayette	Louis Blanc
8	I 8	**St-Joseph's Church** (anglaise) 50 avenue Hoche	Ch. de Gaulle-Etoile

CULTE ORTHODOXE

Arr.	Plan	**Nom** / Adresse	Métro
16	P 2	**Eglise de l'Apparition de la Vierge (russe)** 87 bd Exelmans	Exelmans
15	S 8	**Eglise de la Présentation de la Vierge au Temple** 91 r. O. De Serre	Convention
15	O 9	**Eglise St-Séraphin de Sarov et de l'Intercession de la Vierge** 91 rue Lecourbe	Volontaires
4	M 16	**Eglise Orthodoxe Française** 30 boulevard Sébastopol	Châtelet
8	I 9	**Saint-Alexandre Nevsky (russe)** 12 rue Daru	Courcelles
18	E 16	**Saint-Dava (Serbe)** 23 rue du Simplon	Simplon
13	T 16	**Sainte-Irénée (russe)** 96 boulevard Auguste Blanqui	Glacière
15	P 7	**Sainte Nina (georgien)** 6/8 rue de la Rosière	Charles Michels
16	K 8	**Saint-Etienne (grecque)** 7 rue Georges Bizet	Alma-Marceau
8	K 10	**Saint-Jean-Baptiste (arménien)** 15 rue Jean-Goujon	Alma-Marceau
9	H 15	**Saints Constantin et Hélène (grecque)** 2 bis rue Laférrière	Saint-Georges
5	O 16	**Saints-Archanges (roumain)** 9 bis rue Jean de Beauvais	Maubert-Mutualité
19	G 22	**Saint-Serge (russe)** 93 rue de Crimée	Botzaris
16	Q 2	**Tous les Saints de la Terre Russe** 19 rue Claude Lorrain	Exelmans
15	O 16	**Trois Saints-Hiérarques (russe)** 5 rue Pétel	Vaugirard

ÉGLISE BAPTISTE

Arr.	Plan	**Nom** / Adresse	Métro
7	M 13	**Evangile Baptiste** 48 rue de Lille	Bac
7	O 12	**Eglise Paris Centre** 72 rue de Sèvres	Duroc
8	H 12	**Association Evangélique** 22 rue de Naples	Villiers
9	I 14	**Evangile Baptiste Coréenne** 42 rue de Provence	Ch.-d'Antin La Fayette
12	Q 25	**Evangile Baptiste** 32 rue Victor Chevreuil	Bel-Air
14	R 14	**Evangile Baptiste** 123 avenue Maine	Gaîté
14	U 13	**Eglise Baptiste du Centre** 23 rue Beaunier	Porte d'Orléans
18	D 17	**Eglise Tabernacle** 163 bis rue Belliard	Porte de Saint-Ouen

CULTE PROTESTANT ÉTRANGER

Arr.	Plan	**Nom** / Adresse	Métro
7	L 10	**American Church** 65 quai d'Orsay	Alma-Marceau
8	K 9	**Cathédrale américaine Holy Trinity** 23 avenue Georges V	Alma-Marceau
9	H 13	**Eglise Allemande** 25 rue Blanche	Trinité-Blanche
8	J 8	**Eglise Danoise** 17 rue Lord Byron	Georges-V
8	K 10	**Eglise Ecossaise** 17 rue Bayard	Franklin-Roosevelt
8	J 12	**Eglise Anglicane St-Michaël** 5 rue d'Aguesseau	Madeleine
13	R 20	**Eglise Hollandaise** 172 boulevard Vincent Auriol	Place d'Italie
15	R 6	**Eglise Malgache** 170 rue Lourmel	Balard
9	H 13	**Eglise Malgache** 47 rue de Clichy	Place de Clichy
11	K 21	**Eglise Protestante Chinoise de Paris** 28 rue du Moulin Joly	Couronnes
17	H 9	**Eglise Suédoise** 9 rue Médéric	Coucelles
16	J 8	**Saint-Georges (anglaise)** 7 rue Auguste Vacquerie	Kléber
15	R 9	**Saint-Sauveur (luthérienne)** 105 rue de l'Abbé Groult	Convention
2	K 16	**Sainte Hélène** 19 rue Beauregard	Bonne Nouvelle

ÉGLISES ÉVANGÉLIQUES

Evangelical churches
Iglesias Evangélicas

Arr.	Plan	Nom / Adresse	Métro
2	K 16	**Eglise de Pentecôte** 10 rue du Sentier	Sentier, Bonne Nouvelle
2	K 16	**Eglise Evangélique** 10 rue du Sentier	Sentier
3	K 18	**Eglise Evangélique des Disciple Chinois** 6 rue Vertbois	Arts et Métiers
9	H 13	**Eglise Evangélique Allemande** 25 rue Blanche	Trinité
11	N 20	**Bonne Nouvelle** 44 rue de la Requête	Bastille
11	N 23	**Centre Evangélique** 9 passage du Bureau	Alexandre Dumas
13	R 17	**Eglise Evangélique** 3 bis rue des Gobelins	Les Gobelins
14	T 10	**Eglise ADD** 105 rue Raymond Losserand	Pernety
14	T 13	**Eglise Evangélique Libre** 85 rue d'Alésia	Alésia, Plaisance
15	O 7	**Assemblée de Dieu** 25 rue Fondary	Emile Zola
15	P 6	**Eglise Evangélique Paris 15e** 16 r. des quatre Frères Peignot	Javel, Charles Michels
17	G 11	**Eglise Evangélique** 20 rue Lebouteux	Villiers
18	F 13	**Eglise Evangélique de la Grace de Paris** 19 rue Ganneron	Fourche
19	G 20	**Eglise de Pentecôte** 14 rue de Clovis Hugues	Jaurès
13	S 18	**Paris Evangile** 15 rue de Campo Formio	Campo Formio

Lutheran Evangelical churches
Luterano Iglesias Evangélicas

ÉGLISE ÉVANGÉLIQUE LUTHÉRIENNE

Arr.	Plan	Nom / Adresse	Métro
4	M 17	**Eglise des Billettes** 22, rue des Archives	Hôtel-de-Ville
5	Q 15	**Eglise Saint-Marcel** 24, rue Pierre Nicole	Port-Royal RER
7	M 10	**Eglise Saint-Jean** 147, rue de Grenelle	La Tour Maubourg
9	I 15	**Eglise de la Rédemption** 16, rue Chauchat	Le Peletier
13	O 22	**Eglise de Bon-Secours** 20, rue Titon	Rue des Boulets
13	S 18	**Eglise de la Trinité** 172, boulevard Vincent Auriol	Pl. d'Italie
15	P 8	**Eglise de la Résurrection** 6, rue Quinault	Commerce
17	G 11	**Eglise de l'Ascension** 47, rue Dulong	Rome - Villiers
18	E 16	**Eglise Saint-Paul** 90, boulevard Barbès	Marcadet-Poissonniers
19	H 21	**Eglise Saint-Pierre** 55, rue Manin	Bolivar

Reformed churches
Iglesias reformadas

ÉGLISE RÉFORMÉE

Arr.	Plan	Nom / Adresse	Métro
16	P 2	**Auteuil** 53 rue Erlanger	Michel-Ange-Auteuil
17	G 12	**Batignolles** 44 boulevard des Batignolles	Rome
20	K 22	**Belleville** 97 rue Julien Lacroix	Belleville
20	L 24	**Béthanie** 185 rue des Pyrénées	Gambetta
10	I 17	**La Rencontre** 17 rue des Petits Hôtels	Gare du Nord
11	N 20	**Foyer de l'Ame** 7 bis rue Pasteur Wagner	Bréguet-Sabin
15	O 8	**Le Foyer Grenelle** 19 rue de l'Avre	La Motte-Piquet-Grenelle
17	I 6	**L'Etoile** 54 avenue de la Grande Armée	Argentine
6	P 14	**Luxembourg** 58 rue Madame	Saint-Sulpice
5	Q 16	**Maison Fraternelle** 37 rue Tournefort	Place Monge
18	E 15	**Maison Verte** 127 rue Marcadet	Lamarcq-Caulaincourt
1	L 15	**Oratoire du Louvre** 145 rue Saint-Honoré	Louvre-Rivoli
16	L 5	**Passy-Annonciation** 19 rue Cortambert	Rue de la Pompe
7	M 10	**Pentemont** 106 rue de Grenelle	Rue du Bac
14	T 12	**Plaisance** 95 rue de l'Ouest	Pernety
13	R 16	**Port-Royal** 18 boulevard Arago	Les Gobelins
4	N 19	**Le Marais** (Sainte-Marie) 17 rue Saint-Antoine	Bastille
8	J 12	**Saint-Esprit** 5 rue Roquépine	Saint-Augustin

CULTE MUSULMAN

Arr.	Plan	Nom / Adresse	Métro
5	Q 17	**Mosquée de Paris** 2 place du Puits de l'Ermite	Place Monge
11	K 21	**Mosquée Abou Bakr As Saddiq** 39 boulevard de Belleville...........	Belleville
10	J 17	**Mosquée 'Ali Ibn Al Khattab** 83 rue du Faubourg Saint-Denis	Strasbourg-Saint-Denis
10	J 17	**Centre Culturel Islamique** 23 rue du Faubourg Saint-Denis	Strasbourg-Saint-Denis
19	F 20	**Mosquée Da' oua** 39 rue de Tanger..............	Stalingrad
18	G 17	**Mosquée du 18ème** 8 rue des Poissonniers.................	Château Rouge
10	J 17	**Mosquée Al-Fatih** 64 rue du Faubourg Saint-Denis.............	Château d'Eau
11	N 22	**Mosquée** 12 rue Godefroy Cavaignac.............	Charonne
11	M 21	**Mosquée (Turque)** 35 passage Cité Industrielle	Voltaire
11	K 21	**Mosquée** 79 rue Jean-Pierre Timbaud	Couronnes
15	P 9	**Mosquée (Ligue Islamique Mondiale)** 22 rue François Bonvin......	Sèvres-Lecourbe
18	F 17	**Mosquée Abdel Majid** 23 rue Léon	Château Rouge
18	F 17	**Mosquée Khalid Ibn El Walid** 28 rue Myrha...........	Château Rouge
18	E 19	**Mosquée** 3-9 rue Marc Séguin	Marx Dormoy
18	F 17	**Mosquée** 74 rue Myrha.............	Château Rouge
20	O 25	**Mosquée** 61 rue d'Avron..........	Buzenval
20	K 25	**Mosquée des Comoriens** 27 rue Etienne Marey	Pelleport

CULTE ISRAÉLITE

Arr.	Plan	Nom / Adresse	Métro
9	I 14	**Consistoire Central** 44 rue de la Victoire	Le Peletier
9	I 14	**Association Consistoriale Israélite de Paris**	
		17 rue Saint-Georges	Notre-Dame-de-Lorette
4	M 18	**Oratoire Fleishman** 18 rue des Ecouffes.................	Saint-Paul
11	N 21	**Synagogue Adath Israël** 36 rue Basfroi.............	Voltaire
4	M 18	**Synagogue Adath Yechouroun** 25 rue des Rosiers.............	Saint-Paul
13	U 19	**Synagogue Avoth Ouvanim** 66 avenue d'Ivry.............	Porte d'Ivry
9	I 16	**Synagogue Beth Israël** 4 rue Saulnier.................	Cadet
11	N 21	**Synagogue Etz Haïm** 18 rue Basfroi.............	Voltaire
15	O 7	**Synagogue Fondary-Grenelle** 13 rue Fondary..............	Emile Zola
16	K 4	**Synagogue Ohel Abraham** 31 rue de Montévideo	Rue de La Pompe
13	U 16	**Synagogue Sidi Fredj Halimi** 61 rue Vergniaud..............	Glacière
3	K 18	**Synagogue** 15 rue Notre-Dame de Nazareth	Temple
4	N 19	**Synagogue** 21 bis rue des Tournelles.............	Chemin-Vert
4	N 18	**Synagogue** 10 rue Pavée.............	Saint-Paul
4	N 19	**Synagogue** 14 place des Vosges.................	Saint-Paul
4	M 17	**Synagogue** 24 rue du Bourg Tibourg.............	Hôtel de Ville
5	Q 16	**Synagogue** 9 rue Vauquelin.............	Censier-Daubenton
8	I 9	**Synagogue** 218 rue du Faubourg St-Honoré.............	St-Philippe du Roule
9	I 14	**Synagogue** 44 rue de la Victoire.............	Le Peletier
9	I 16	**Synagogue** 6 rue Ambroise Thomas.............	Poissonnière
9	I 13	**Synagogue** 18 rue Saint-Lazare.............	Notre-Dame-de-Lorette
9	I 15	**Synagogue** 28 rue Buffault.............	Cadet
11	N 21	**Synagogue** 84 rue de la Roquette.............	Voltaire, Léon Blum
15	P 9	**Synagogue** 14 rue Chasseloup Laubat.............	Cambronne
16	K 7	**Synagogue** 24 rue Copernic.............	Victor-Hugo
17	G 7	**Synagogue** 19 rue Galvani.............	Pte de Champerret
18	E 16	**Synagogue** 13 rue Sainte-Isaure.............	Jules Joffrin
18	D 18	**Synagogue** 42 rue des Saules.............	Lamarck-Caulaincourt
18	F 17	**Synagogue** 80 rue Doudeauville.............	Château Rouge
19	E 20	**Synagogue** 11 rue Curial.............	Corentin-Cariou
20	M 26	**Synagogue** 5 square des Cardeurs.............	Porte de Montreuil
20	K 22	**Synagogue** 75 rue Julien Lacroix.............	Couronnes
20	I 23	**Synagogue** 120 boulevard de Belleville.............	Jourdain

AUTRES CULTES

Arr.	Plan	Nom / Adresse	Métro
20	O 26	**Eglise Adventiste** 35 rue des Maraîchers	Maraîchers
13	S 18	**Eglise Adventiste** 130 boulevard de l'Hôpital	Campo-Formio
16	J 8	**Eglise Anglicane Saint-Georges** 7 rue Auguste Vacquerie	Kléber
18	F 17	**Eglise du Nazaréen** 36 rue Myrha	Château Rouge
4	M 18	**Eglise Vieille Catholique Mariavite de Pologne** 7 r. Aubriot	Hôtel-de-Ville
4	M 17	**Eglise Jésus-Christ des Saints Derniers Jours** 12 r. St-Merri	Hôtel-de-Ville
11	J 24	**Juifs Messianiques** 1 rue Omer Talon	Père Lachaise
12	P 22	**Juifs Messianiques** 11 rue Crozatier	Reuilly-Diderot
11	K 20	**Mission Philippins** 54 rue du Faubourg du Temple	Goncourt
12	R 23	**Paris Daumesnil** 3 rue Wattignies	Daumesnil
6	P 12	**Quakers Société religieuse** 114 rue de Vaugirard	Saint-Placide
12	R 25	**Rencontre Espérence** 275 avenue Daumesnil	Porte Dorée
10	J 20	**Sans Logis** 22 rue Sainte-Marthe	Belleville
11	M 21	**Synagogue Messianiques** 120 Boulevard Voltaire	Voltaire

CIMETIÈRES

Arr.	Plan	Nom / Adresse	Métro
16	Q 2	**Auteuil** 57 rue Claude Lorrain	Exelmans
		Bagneux 44 avenue Marx Dormoy 92220	Châtillon-Montrouge
17	D 11	**Batignolles** 8 rue Saint Just	Porte de Clichy
20	I 24	**Belleville** 40 rue du Télégraphe	Télégraphe
12	S 24	**Bercy** 329 rue de Charenton	Porte de Charenton
	DJ 77	**Boulogne-Billancourt** Rue Pierre Grenier 92100	Marcel Sembat
20	M 25	**Charonne** 119 rue de Bagnolet (place Saint-Blaise)	Gambetta
	CU 84	**Clichy** Rue Henri Barbusse 92110	Place de Clichy
13	V 17	**Gentilly** 7 rue Sainte-Hélène	Porte d'Italie
15	Q 5	**Grenelle** 174 rue Saint-Charles	Charles-Michels
	DN 94	**Ivry** 44 avenue de Verdun 94200	Porte de Choisy
	CT 93	**La Chapelle** (Saint-Denis)	
		38 av. Président Wilson 93210 La Plaine-Saint-Denis	Porte de La Chapelle
19	G 23	**La Villette** 46 rue d'Hautpoul	Ourcq
	CT 82	**Levallois** Rue Baudin 92300	
	CX 101	**Lilas** Avenue Faidherbe 93260	Mairie des Lilas
18	F 15	**Montmartre le Calvaire** 2 rue du Mont Cenis	Lamarck-Caulaincourt
18	G 13	**Montmartre Nord** 20 avenue Rachel	Blanche
14	R 13	**Montparnasse** 3 boulevard Edgar Quinet	Raspail
14	U 12	**Montrouge** Avenue de la Porte de Montrouge	Porte d'Orléans
	CY 79	**Neuilly** Rue Victoir Noir 92200	Les Sablons
	CS 99	**Pantin-Bobigny** Avenue du Général Leclerc 93500	Fort d'Aubervilliers
16	L 6	**Passy** 2 rue du Commandant Schoesing	Trocadéro
20	L 24	**Père Lachaise** Boulevard de Ménilmontant	Père Lachaise
12	P 24	**Picpus** 35 rue de Picpus	Picpus
	CW 100	**Pré-Saint-Gervais** Rue Gabriel Péri 93310	Eglise de Pantin
12	R 26	**Saint-Mandé** Rue Général Archinard	Porte Dorée
	CR 91	**Saint-Ouen** 69 avenue Michelet 93400	Porte de La Chapelle
18	F 15	**Saint-Vincent** 6 rue Lucien Gaulard	Lamarck-Caulaincourt
		Thiais Route de Fontainebleau 94320	
12	T 24	**Valmy** Avenue de la Porte de Charenton	Porte de Charenton
	DL 83	**Vanves** Avenue Marcel Martinie 92170	Malakoff
15	R 6	**Vaugirard** 320 rue Lecourbe	Lourmel

MONUMENTS

Arr.	Plan	**Nom** / Adresse	Métro
8	I 8	**Arc-de-Triomphe** Place Charles de Gaulle	Ch. de Gaulle-Étoile
1	L 14	**Arc-de-Triomphe du Carrousel** Place du Carrousel	Palais-Royal-M. du Louvre
3	M 18	**Archives Nationales** 60 rue des Francs-Bourgeois	Rambuteau
5	P 17	**Arènes de Lutèce** 49 rue Monge	Jussieu
7	L 11	**Assemblée Nationale** (Palais Bourbon) 29 à 35 quai d'Orsay	Assemblée Nationale
11	N 20	**Bastille** (Colonne de Juillet) Place de la Bastille	Bastille
4	M 17	**Beaubourg** (Centre Georges Pompidou) Place Georges Pompidou	Rambuteau
13	S 21	**Bibliothèque Nationale de France** 11 quai François Mauriac	Biblioth.-F.-Mitterrand
2	K 15	**Bibliothèque Nationale de France** 58 rue de Richelieu	Pyramides, Bourse
2	K 15	**Bourse** Place de la Bourse	Bourse
14	S 14	**Catacombes** 1 place Denfert-Rochereau	Denfert-Rochereau
8	I 12	**Chapelle Expiatoire** 59 boulevard Haussmann	Saint-Lazare
20	L 23	**Cimetière du Père Lachaise** 16 rue du Repos	Père Lachaise
1	K 13	**Colonne Vendôme** Place Vendôme	Opéra
1	N 16	**Conciergerie** (Palais de Justice) 1 quai de l'Horloge	Cité, St-Michel
7	O 9	**École Militaire** 1 à 23 place Joffre	École Militaire
1	L 16	**Forum des Halles** Rue Pierre Lescot	Châtelet-Les-Halles
19	E 23	**Géode** (Parc de La Villette) 26 avenue Corentin-Cariou	Porte de la Villette
13	S 17	**Gobelins** (Manufacture des) 42 avenue des Gobelins	Les Gobelins
8	K 11	**Grand Palais** Avenue Winston Churchill	Ch.-Éysées-Clemenceau
		Grande Arche de la Défense Parvis de la Défense	Gde Arche de la Défense
4	N 17	**Hôtel de Ville** Place de l'Hôtel de Ville	Hôtel-de-Ville
6	N 15	**Hôtel des Monnaies** 11 quai de Conti	Pont-Neuf
6	M 14	**Institut de France** 23 quai de Conti	Pont-Neuf
5	O 17	**Institut du Monde Arabe** Rue des Fossés Saint-Bernard	Cardinal Lemoine
7	N 11	**Invalides** 2 avenue de Tourville, place des Invalides	Varenne, La Tour-Maubourg
8	J 12	**Madeleine** (Eglise de la) Place de la Madeleine	Madeleine
16	N 5	**Maison de Radio France** 116 avenue du Président Kennedy	Av. du Prés. Kennedy
5	Q 17	**Mosquée de Paris** Place du Puits de l'Ermite	Jussieu
7	M 13	**Musée Orsay** 1 rue de la Légion d'Honneur	Musée d'Orsay
4	N 16	**Notre Dame de Paris** 6 place du Parvis Notre-Dame	Cité, St-Michel
8	K 12	**Obélisque de la Concorde** Place de la Concorde	Concorde
14	R 14	**Observatoire de Paris** 61 avenue de l'Observatoire	Port-Royal
12	O 20	**Opéra Bastille** 130 rue de Lyon	Bastille
7	L 11	**Palais Bourbon** (Assemblée Nationale) 29 à 35 quai d'Orsay	Assemblée Nationale
16	L 6	**Palais de Chaillot** (Trocadéro) Place du Trocadéro	Trocadéro
8	J 11	**Palais de l'Élysée** 55-57 rue du Faubourg Saint-Honoré	Ch.-Éysées-Clemenceau
1	N 16	**Palais de Justice** 1 boulevard du Palais	Cité, St-Michel
1	M 14	**Palais du Louvre**	Palais-Royal-M. du Louvre
6	P 14	**Palais du Luxembourg** (Sénat) 15 -19 rue de Vaugirard	Odéon
9	J 14	**Palais Garnier** (Opéra) Place de l'Opéra	Opéra
1	L 14	**Palais Royal** Place du Palais-Royal	Palais-Royal-M. du Louvre
5	P 16	**Panthéon** Place du Panthéon	Luxembourg
8	K 11	**Petit Palais** Avenue Winston Churchill	Ch.-Élysées-Clemenceau
4	N 19	**Place des Vosges**	Bastille
1	L 14	**Pyramide du Louvre** Palais du Louvre	Palais-Royal-M. du Louvre
19	G 20	**Rotonde de la Villette** Place de la Bataille de Stalingrad	Stalingrad
18	F 15	**Sacré-Cœur** (Basilique du) Rue du Chevalier de La Barre (Butte Montmartre)	Anvers
1	N 16	**Sainte-Chapelle** (Palais de Justice) 4 bd du Palais	Cité, St-Michel
6	P 14	**Sénat** (Palais du Luxembourg) 15 -19 rue de Vaugirard	Odéon
5	O 15	**Sorbonne** 47 rue des Écoles	Cluny-La-Sorbonne
7	M 8	**Tour Eiffel** Champs-de-Mars	Trocadéro
15	Q 12	**Tour Montparnasse** Rue de l'Arrivée	Montparn.-Bienvenüe
4	M 16	**Tour Saint-Jacques** 41 rue de Rivoli	Châtelet
7	O 9	**UNESCO** 9 place de Fontenoy	Ségur
5	Q 15	**Val-de-Grâce** 277 bis rue Saint-Jacques	Port-Royal

MUSÉES

Musées nationaux fermeture le mardi.

Arr.	Plan	**Nom** / Adresse	Téléphone	Métro
7	N 11	**Armée** (Hôtel des Invalides) 129 rue Grenelle	01 44 42 38 77	Varenne, La-Tr. Maub.
16	J 6	**Arménien** (fermé pour travaux) 59 avenue Foch	01 45 53 57 96	Porte Dauphine
4	O 18	**Arsenal (Pavillon de l')** 21 bd Morland	01 42 76 33 97	Sully-Morland
		(Urbanisme et Architecture de Paris)		
3	L 17	**Art et d'Histoire du Judaïsme** 71 rue du Temple	01 53 01 86 53	Rambuteau
16	L 8	**Art Moderne de la Ville de Paris** (Palais de Tokyo)		
		(fermé pour travaux) 11 avenue du Président Wilson...	01 53 67 40 00	Iéna, Alma-Marceau
1	M 16	**Arts Décoratifs** (Mode et Textile) 107 rue de Rivoli...	01 44 55 57 50	Pal. Royal-Mée du Louvre
3	K 17	**Arts et Métiers** 60 rue Réaumur	01 53 01 82 00	Arts-et-Métiers,
		(Musée National des Techniques)		Réaumur-Sébastopol
16	I 3	**Arts et Traditions Populaires** 6 av. du Mahatma Ghandi ..	01 44 17 60 00	Les Sablons
5	O 17	**Assistance Publique** (Hôpitaux de Paris)		
		47 quai de la Tournelle	01 40 27 50 05	St-Michel
16	K 8	**Baccarat** (Galerie-Musée) 11 place des États-Unis...	01 40 22 11 00	Boissière, Iéna
16	N 5	**Balzac (Maison de)** 47 rue Raynouard	01 55 74 41 80	Passy
16	N 3	**Bouchard** (Musée-Atelier) 25 rue de l'Yvette	01 46 47 63 46	Jasmin
15	Q 12	**Bourdelle** 18 rue Antoine Bourdelle	01 49 54 73 73	Montparnasse-Bienv.
3	M 18	**Carnavalet** 23 rue de Sévigné	01 44 59 58 58	St-Paul, Chemin Vert
8	H 11	**Cernuschi** 7 avenue Vélasquez	01 53 96 21 50	Villiers
3	L 18	**Chasse et nature** (Hôtel Guénégaud) 60 r. des Archives..	01 53 01 92 40	Rambuteau
19	D 22	**Cité des Sciences et de l'Industrie**		
		Parc de la Villette 30 av. Corentin Cariou.....................	01 40 05 80 00	Pte de la Villette
16	M 6	**Clemenceau** 8 rue Benjamin Franklin	01 45 20 53 41	Passy
3	M 18	**Cognacq-Jay** 8 rue Elzévir	01 40 27 07 21	St-Paul
1	N 15	**Conciergerie** 1 quai de l'Horloge	01 53 40 60 97	Cité
16	J 5	**Contrefaçon** 16 rue de la Faisanderie	01 56 26 14 00	Porte Dauphine
4	N 16	**Crypte archéologique** 1 place Parvis Notre-Dame...	01 55 42 50 10	Cité
4	N 18	**Curiosité et magie** 11 rue Saint-Paul	01 42 72 13 26	St-Paul
16	J 7	**Dapper** 50 avenue Victor Hugo	01 45 00 01 50	Victor Hugo
7	L 9	**Égouts** 93 quai d'Orsay................................	01 53 68 27 81	Alma-Marceau
16	J 6	**Ennery** (fermé pour travaux) 59 avenue Foch...........	01 45 53 57 96	Victor Hugo
6	P 12	**Ernest Hébert** (Hôtel de Montmorency-Bours)		
		85 rue du Cherche-Midi...................................	01 42 22 23 82	Duroc
18	G 15	**Espace Dalí-Montmartre** 11 rue Poulbot........	01 42 64 40 10	Abbesses
6	N 14	**Eugène Delacroix** 6 rue de Furstemberg	01 44 41 86 50	St-Germain-des-Prés
10	J 17	**Eventail** (Atelier Hoguet) 2 bd de Strasbourg	01 42 08 90 20	Strasbourg-St-Denis
16	K 8	**Galliéra** (Musée de la Mode et du Costume)		
		10 avenue Pierre-1er-de-Serbie	01 56 52 86 00	Iéna
13	S 17	**Gobelins (Manufacture des)** 42 av. des Gobelins ...	01 44 08 52 00	Gobelins
9	I 15	**Grand-Orient de France** 16 rue Cadet	01 45 23 20 92	Cadet
8	K 10	**Grand-Palais** (Galeries nationales du)		
		3 avenue du Général Eisenhower	01 44 13 17 30	Chps-Ély.-Clemenceau
9	J 15	**Grévin** 10 boulevard Montmartre	01 47 70 85 05	Gds Boulevards
16	K 7	**Guimet** 6 place d'Iéna	01 56 52 53 00	Iéna
9	H 14	**Gustave Moreau** 14 rue de La Rochefoucauld...........	01 48 74 38 50	Trinité
18	G 16	**Halle St-Pierre** (Art naïf - Max Fourny) 2 r. Ronsard..	01 42 58 72 89	Anvers
3	M 18	**Histoire de France** (Archives Nationales)		
		60 rue des Francs-Bourgeois	01 40 27 60 96	Rambuteau
6	O 15	**Histoire de la Médecine** (Université Descartes)		
		12 rue de l'École de Médecine........................	01 40 46 16 93	Odéon
16	L 6	**Homme** (Palais de Chaillot) 17 place du Trocadéro	01 44 05 72 72	Trocadéro
5	O 17	**Institut du Monde Arabe** 1 r. des Fossés St-Bernard ..	01 40 51 38 38	Jussieu
5	P 15	**Institut Océanographique** 195 rue St-Jacques	01 44 32 10 90	Cluny-la Sorbonne
8	I 10	**Jacquemart André** 158 bd Haussmann	01 45 62 11 59	Miromesnil
15	Q 12	**Jean Moulin - Mémorial du Maréchal Leclerc**		

MUSÉES

Musées nationaux fermeture le mardi.

Museums
Museos

Arr.	Plan	Nom / Adresse	Téléphone	Métro
		(Gare Montparnasse) Jardin Atlantique - 23 allée de la 2e DB	01 40 64 39 44	Montparnasse-Bienv.
17	G 10	**Jean-Jacques Henner** 43 avenue de Villiers	01 47 63 42 73	Malesherbes
1	K 12	**Jeu de Paume (Galerie Nationale du)** 1 place de la Concorde	01 47 03 12 50	Concorde, Tuileries
7	M 12	**Légion d'Honneur et des Ordres de Chevallerie (Palais de la)** (Hôtel de Salm) 2 rue de la Légion d'Honneur	01 40 62 84 25	Solférino
1	M 14	**Louvre** (Cour du Carrousel) Entrée par la Pyramide	01 40 20 50 50	Pal. Royal-Mée du Louvre
6	O 15	**Luxembourg** 19 rue de Vaugirard	01 42 34 25 95	St-Sulpice
7	N 13	**Maillol** 61 rue de Grenelle	01 42 22 59 58	Rue du Bac
4	N 18	**Maison Européenne de la Photographie** 5 r. de Fourcy	01 44 78 75 00	St-Paul
16	L 6	**Marine** (Palais de Chaillot) Place du Trocadéro	01 53 65 69 69	Trocadéro
16	M 3	**Marmottan - Claude Monet** 2 rue Louis Boilly	01 44 96 50 33	La Muette
2	K 15	**Médailles et antiques (Musée des)** (Bibliothèque Nationale) 58 rue de Richelieu	01 53 79 59 59	Richelieu-Drouot
4	N 17	**Mémorial de la Shoah** 17 rue Geoffroy L'Asnier (ex-Mémorial du Martyr Juif Inconnu)	01 42 77 44 72	St-Paul
6	P 15	**Minéralogie de l'Ecole des Mines** 60 bd St-Michel	01 40 51 91 39	Luxembourg
6	N 15	**Monnaie de Paris** 11 quai de Conti	01 40 46 58 55	St-Michel, Odéon
18	F 15	**Montmartre** 12 rue Cortot	01 46 06 61 11	Lamarck, Anvers
15	Q 12	**Montparnasse** 21 avenue du Maine	01 42 22 91 96	Montparnasse-Bienv.
5	O 15	**Moyen Âge** (Thermes de Cluny) 6 pl. Paul Painlevé	01 53 73 78 00	Cluny-la Sorbonne
16	A 3	**Musée en Herbe** Jardin d'Acclimatation	01 40 67 97 66	Les Sablons
5	Q 18	**Muséum National d'Histoire Naturelle** 57 r. Cuvier	01 40 79 30 00	Place Monge, Jussieu
19	F 23	**Musique** 221 avenue Jean-Jaurès	01 44 84 44 84	Porte de Pantin
8	H 10	**Nissim de Camondo** 63 rue de Monceau	01 53 89 06 42	Villiers
9	J 14	**Opéra de Paris** (Palais Garnier) Place de l'Opéra	01 40 01 17 89	Opéra
1	L 12	**Orangerie** Jardin des Tuileries	01 42 61 30 82	Concorde, Tuileries
7	N 10	**Ordre de la Libération** 51bis bd de la Tr-Maubourg	01 47 05 04 10	La Tr-Maub., Varenne
7	M 13	**Orsay** 62 rue de Lille	01 40 49 48 14	Solférino, Mée d'Orsay
8	K 10	**Palais de la Découverte** Av. Franklin D. Roosevelt	01 56 43 20 20	Franklin-D.-Roosevelt
12	R 26	**Palais de la Pte Dorée** (Aquarium) 293 av. Daumesnil	01 44 74 84 80	Porte Dorée
16	L 8	**Palais de Tokyo** (Site de création contemporaine) 13 avenue du Président Wilson	01 47 23 54 01	Iéna, Alma-Marceau
9	J 13	**Parfum** 9 rue Scribe	01 47 42 04 56	Opéra
15	Q 10	**Pasteur** 25 rue du Dr Roux	01 45 68 82 82	Pasteur
3	M 18	**Picasso** (Hôtel Salé) 5 rue de Thorigny	01 42 71 25 21	St-Sébastien-Froissart
10	I 17	**Pinacothèque de Paris** 30 bis rue de Paradis	01 43 25 71 41	G. de l'Est, Poissonnière
7	N 10	**Plans-reliefs** (Hôtel des Invalides) 129 r. de Grenelle	01 47 05 11 07	Invalides, Varenne
5	O 16	**Police** 4 rue de la Montagne Ste-Geneviève	01 44 41 52 50	Maubert-Mutualité
4	M 17	**Pompidou (Centre Georges)** **Musée National d'Art Moderne - Beaubourg** Place Georges Pompidou	01 44 78 12 33	Rambuteau
15	Q 11	**Poste** 34 bd de Vaugirard	01 42 79 24 24	Montparnasse-Bienv.
3	L 17	**Poupée** Impasse Berthaud	01 42 72 73 11	Rambuteau
1	M 16	**Publicité** 107 rue de Rivoli	01 44 55 57 50	Pal. Royal-Mée du Louvre
16	N 5	**Radio-France** 116 avenue du Pdt Kennedy	01 56 40 15 16	Kennedy Radio France
7	N 11	**Rodin** 77 rue de Varenne	01 44 18 61 10	Varenne
5	P 18	**Sculpture en plein-air** (Sq. T. Rossi) Q. St-Bernard		Gare d'Austerlitz
16	Q 1	**Sport** (Parc des Princes) 24 rue du Cdt Guilbaud	01 40 71 45 48	Porte de St-Cloud
4	N 19	**Victor Hugo (Maison de)** 6 place des Vosges	01 42 72 10 16	Bastille, Chemin Vert
9	H 14	**Vie Romantique** (Hôtel Scheffer-Renan) 16 r. Chaptal	01 48 74 95 38	Pigalle
16	M 6	**Vin** 5 Rue des Eaux, 5 square Charles Dickens	01 45 25 63 26	Passy
6	Q 14	**Zadkine** 100 bis rue d'Assas	01 55 42 77 20	Vavin

SALONS, EXPOSITIONS

Arr.	Plan	**Nom** / Adresse	Téléphone	Métro / **RER**
12	S 22	**Bercy Expo** 40 avenue des Terroirs de France............	01 44 74 50 13	Cour Saint-Emilion
1	L 14	**Carrousel du Louvre** 99 rue de Rivoli.......................	01 72 72 17 00	Palais Royal
92	B 2	**CNIT (Centre National des Industries et Techniques)** 2 place de la Défense	01 72 72 17 00	A-La Défense-Gde Arche
13	O 19	**Espace Austerlitz** 30-32 quai d'Austerlitz.................	01 53 82 60 00	Gare d'Austerlitz
17	F 7	**Espace Champerret** 6 rue Jean Oestreicher	01 43 95 37 00	L. Michel, Pte Champerret
92	B 2	**Espace Grande Arche** Parvis de la Défense	01 43 95 37 00	A-La Défense-Gde Arche
19	F 23	**Grande Halle de la Villette** (fermée pour travaux) 211 avenue Jean Jaurès	01 40 03 75 75	Porte de Pantin
17	H 6	**Palais des Congrès** 2 place de la Porte Maillot........	01 40 68 00 05	Porte Maillot
16	Q 1	**Parc des Princes** 24 rue du commandant Guilbaud..	01 40 71 45 48	Porte de Saint-Cloud
HC		**Paris Nord Villepinte** Dir. Lille, sortie Parc des Expositions	01 48 63 30 30	B-Parc des Expositions
93	CR 93	**Plaine Saint-Denis** 144-146 av. du Pdt Wilson	01 48 09 47 47	B-La Plaine-Stade de France
15	S 6	**Porte de Versailles** Porte de Versailles	01 43 95 37 00	Porte de Versailles

PARCS DE LOISIRS

Arr.	Plan	**Nom** / Adresse	Téléphone	Métro / **RER**
16		**Jardin d'acclimatation** (Voir Bois de Boulogne A3).................................	01 40 67 90 82	Les Sablons
12		**Parc Floral de Paris** Esplanade du Château (voir bois de Vincennes B 7).....	01 49 57 24 84	Château de Vincennes
19	E 23	**Parc de la Villette** 221 av. Jean Jaurès	01 40 03 75 00	Porte de Pantin
		Astérix Autoroute A1 60128 Plailly *(0,15 euro/min)*........	0 826 30 10 40	
		Disneyland Paris Paris par A4, sortie n°14 *(0,15 euro/min)*	0 825 30 60 30	A Marne-la-Vallée-Chessy

ORGANISMES DE TOURISME

Arr.	Plan	**Nom** / Adresse	Téléphone	Métro
7	L 10	**Association Nationale des Maires des Stations Classées et des Communes Touristiques** 47 quai d'Orsay..	01 45 51 49 36	Invalides
14	T 10	**Camping-Club de France** 5 bis rue Maurice Rouvier.......................................	01 58 14 01 23	Plaisance
4	M 17	**Fédération Française de Camping-Caravaning** 78 rue de Rivoli..	01 42 72 84 08	Hôtel de Ville
13	U 18	**Fédération Nationale des Logis de France** 83 avenue d'Italie...	01 45 84 70 00	Maison-Blanche
18	F 18	**Fédération Unie des Auberges de Jeunesse** 27 rue Pajol..	01 44 89 87 27	La Chapelle
9	I 13	**Maison des Gîtes de France** 59 rue Saint-Lazare..	01 49 70 75 75	Trinité
		Office de Tourisme et des Congrès de Paris *(0,34 euro/min)*	0 892 68 30 00	
6	P 13	**VVF Vacances** 115 rue de Rennes	0 825 808 808	Rennes, Saint-Placide

OFFICES DE TOURISME

Arr.	Plan	Pays / Adresse	Téléphone	Métro
8	J 11	**Afrique du Sud** 61 r. La Boétie *(prix d'un appel local)*..	0 810 20 34 03	Miromesnil
2	J 14	**Allemagne** 47 avenue de l'Opéra	01 40 20 01 88	Opéra
1	K 14	**Andorre (Principauté d')** 26 avenue de l'Opéra........	01 42 61 50 55	Pyramides
8	I 8	**Antigua et Barbuda** 43 avenue de Friedland.............	01 53 75 15 71	Ch. de Gaulle-Etoile
8	H 10	**Autriche** Uniquement par tél........	0 025 002 003	Monceau
6	M 15	**Bahamas** 113 rue du Cherche Midi	01 45 26 62 62	Duroc
7	M 12	**Belgique** 274 Bd St-Germain	01 53 85 05 20	Opéra
6	N 15	**Catalogne (Maison de la)** 4 cour du Commerce Saint-André...........	01 40 46 84 85	Odéon
8	J 9	**Chine** 15 rue de Berri	01 56 59 10 10	Saint-Philippe du Roule
2	J 14	**Chypre** 15 rue de la Paix	01 42 61 42 49	Opéra
15	R 11	**Corée** Tour Maine-Montparnasse 33 av. du Maine	01 45 38 71 23	Montparnasse-Bienv.
16	J 7	**Croatie** 48 avenue Victor Hugo	01 45 00 99 55	Victor Hugo
14	R 14	**Cuba** 280 boulevard Raspail	01 45 38 90 10	Denfert-Rochereau
8	K 10	**Dubai** 15 bis rue de Marignan	01 44 95 85 00	Franklin-D.-Roosevelt
16	L 5	**Espagne** 43 rue Decamps	01 45 03 82 50	Rue de la Pompe
8	K 12	**Etats-Unis** 2 avenue Gabriel *(appel supérieur à 1,21 euro/min)*	0 899 702 470	Concorde
9	J 13	**Finlande** Uniquement par tél.	01 55 17 42 70	Havre-Caumartin
9	J 10	**Grande-Bretagne** Uniquement par tél.	01 58 36 50 50	Saint-Philippe du Roule
1	K 14	**Grèce** 3 avenue de l'Opéra	01 42 60 65 75	Pyramides
8	H 9	**Guatemala** 73 rue de Courcelles	01 42 27 78 63	Courcelles
16	K 5	**Hongrie** 140 avenue Victor Hugo	01 53 70 67 17	Victor Hugo
8	J 11	**Ile Maurice** 124 boulevard Haussmann	01 44 69 34 50	Miromesnil, St-Augustin
9	J 14	**Inde** 13 boulevard Haussmann	01 45 23 30 45	Chée d'Antin-La Fayette
8	I 11	**Irlande** 33 rue de Miromesnil	01 70 20 00 20	Miromesnil
16	J 8	**Islande** Uniquement par tél.	01 53 64 80 50	Ch. de Gaulle-Etoile
9	I 13	**Israël** 99 rue Saint-Lazare	01 42 61 01 97	Opéra
2	J 14	**Italie** 23 rue de la Paix	01 42 66 66 48	Opéra
1	K 14	**Japon** 4 rue Ventadour	01 42 96 20 29	Pyramides
8	J 11	**Liban** 124 rue du Faubourg St-Honoré	01 43 59 10 36	Saint-Philippe du Roule
2	K 13	**Luxembourg** 21 boulevard des Capucines	01 47 42 90 56	Opéra
1	K 14	**Malaisie** 29 rue des Pyramides	01 42 97 41 71	Pyramides
9	I 16	**Malte** 9 cité Trévise	01 48 00 03 79	Cadet
1	L 15	**Maroc** 161 rue Saint-Honoré	01 42 60 63 50	Pal.-Royal-Mée du Louvre
2	K 15	**Mexique** 4 rue Notre-Dame des Victoires	01 42 86 96 13	Bourse
8	K 10	**Norvège** 28 rue Bayard	01 53 23 00 50	Franklin-D.-Roosevelt
9	J 13	**Pays-Bas** 7 rue Auber	01 43 12 34 20	Auber
2	J 14	**Pologne** 9 rue de la Paix	01 42 44 19 00	Opéra
8	I 11	**Portugal** 135 boulevard Haussmann	01 56 88 30 80	Saint-Augustin
9	J 13	**République Dominicaine** 11 rue Boudreau	01 43 12 91 91	Havre-Caumartin
8	J 10	**Reunion** 90 rue de la Boétie	01 40 75 02 79	St philipe du Roule
2	H 17	**Roumanie** 7 rue Gaillon	01 40 20 99 33	Opéra
2	J 15	**Saint-Martin** 30 rue Saint-Marc	01 53 29 99 99	Richelieu-Drouot
2	J14	**Slovenie** 38 avenue de l'opera	01 47 42 85 85	Opera
2	J 14	**Sri Lanka** 8 rue de Choiseul	01 42 60 49 99	Quatre Septembre
3	M 18	**Suède** 11 rue Payenne	01 70 70 84 58	Saint-Paul
9	J 13	**Suisse** 11 bis rue Scribe	01 44 51 65 49	Havre-Caumartin
8	J 9	**Thaïlande** 90 avenue des Champs Elysées	01 53 53 47 00	George V
2	J 14	**Tunisie** 32 avenue de l'Opéra	01 47 42 72 67	Opéra
8	J 8	**Turquie** 102 avenue des Champs-Elysées	01 45 62 78 68	George V

GARES S.N.C.F.

Arr.	Plan	Nom / Adresse	Téléphone	Métro / **RER**
		Renseignements généraux :		
		Paris banlieue...	08 91 36 20 20	
		Grandes Lignes *(0,34 euro/min)*	36 35	
13	Q 19	**Austerlitz** 55 Quai d'Austerlitz *(0,34 euro/min)*............	36 35	Gare d'Austerlitz
12	R 22	**Bercy** 48 bis boulevard de Bercy *(0,34 euro/min)*............	36 35	Bercy
10	I 18	**Est** Place du 11 Novembre 1918 *(0,34 euro/min)*............	36 35	Gare de l'Est
12	P 20	**Lyon** place Louis Armand *(0,34 euro/min)*..................	36 35	Gare de Lyon
15	Q 12	**Montparnasse** Place Raoul Dautry *(0,34 euro/min)*........	36 35	Montparnasse-Bienvenüe
10	H 17	**Nord** 18 rue de Dunkerque *(0,34 euro/min)*.................	36 35	Gare du Nord
8	I 12	**Saint-Lazare** Rue Saint-Lazare *(0,34 euro/min)*............	36 35	Saint-Lazare

AÉROPORTS

Arr.	Plan	Nom / Adresse	Téléphone	Métro / **RER** / Cars
		Air France *(0,12 euro/min)*	0 820 820 820	
		Aéroport de Paris-Charles-de-Gaulle..............	01 48 62 22 80	**B** Roissybus
		Aéroport de Paris-Orly	01 49 75 15 15	**B** Orlybus
		Aéroport de Paris-Le Bourget	01 48 62 12 12	**B**
15	S 4	**Héliport Union** 4 avenue de la Porte de Sèvres.......	01 45 54 89 26	Balard
		Vols du jour *(0,34 euro/min)*	0 892 68 15 15	

POUR SE RENDRE AUX AÉROPORTS :

Roissy

Cars Air-France: Etoile - Pte Maillot - Roissy / Montparnasse - Gare de Lyon - Roissy
Roissybus: Rue Scribe (Opéra) - Roissy
Autobus 350: Gare de l'Est - Gare du Nord - Porte de la Chapelle - Roissy
Autobus 351: Nation - Porte de Bagnolet - Roissy
RER B3 : CDG 1 - CDG 2-TGV

Orly

Cars Air France: Invalides - Montparnasse - Orly
Orlybus : Denfert Rochereau - Pte de Gentilly - Orly
Autobus 183 : Porte de Choisy - Aéroport Orly-Sud
Noctambus : Ligne I Pte d'Italie Orly Sud
RER B4: Antony - **Orlyval :** Orly

PARKINGS

Car parks
Aparcamientos

Arr.	Plan	**Nom** / Adresse
1	M 15	**Carrousel du Louvre** Avenue du Général Lemonnier
1	L 15	**Croix des Petits Champs** 14 rue de la Croix des Petits Champs
1	L 16	**Forum des Halles Nord** Rue de Turbigo
1	M 16	**Forum des Halles Sud** Rue des Halles
1	K 14	**Marché Saint-Honoré** 39 Place du Marché Saint-Honoré
1	L 15	**Halles Garage** 10 bis rue de Bailleul
1	N 15	**Harlay - Pont-Neuf** Quai des Orfèvres
1	M 16	**La Belle Jardinière** 4 rue du Pont Neuf
1	L 15	**Louvre des Antiquaires** 1 rue Marengo
1	K 13	**New York Garage** 38 rue du Mont Thabor
1	L 14	**Pyramides** Face au 15 rue des Pyramides
1	L 15	**Saint-Eustache** Rue Coquillière
1	M 15	**Saint-Germain-l'Auxerrois** Place du Louvre
1	L 16	**Sébastopol** 43 bis boulevard de Sébastopol
1	K 13	**Vendôme** Place Vendôme
2	K 15	**Bourse** Place de la Bourse
2	K 16	**Champeaux** 32 rue Dussoubs
2	K 16	**Réaumur - Saint-Denis** 40 rue Dussoubs
2	K 17	**Sainte-Apolline** 17-21 rue Sainte-Apolline
2	L 16	**Turbigo Saint-Denis** 149 rue Saint-Denis
3	M 18	**Barbette** 7 rue Barbette
3	L 17	**Beaubourg-l'Horloge** 31 rue Beaubourg
3	L 19	**Garage de Bretagne** 14 rue de Bretagne
3	L 17	**Georges Pompidou** Angle rue Beaubourg, rue Rambuteau
3	K 17	**Saint-Martin** 253 rue Saint-Martin
3	L 18	**Temple** 132 rue du Temple
3	K 18	**Turbigo - Fontaine** 21 rue des Fontaines du Temple
3	M 19	**Turenne** 66 rue de Turenne
4	N 17	**Baudoyer** Place Baudoyer (face au 44 rue de Rivoli)
4	M 16	**Hôtel de Ville** 3 rue de la Tacherie
4	N 17	**Lobau** Rue Lobau
4	N 16	**Lutèce** 1 place Louis Lépine - Boulevard du Palais
4	N 16	**Notre-Dame** Place du Parvis Notre-Dame
4	N 17	**Pont Marie** 48 rue de l'Hôtel de Ville
4	N 19	**Saint-Antoine** 16 rue Saint-Antoine
4	M 16	**Saint-Martin Rivoli** Angle rue Saint-Bon et rue Pernelle
4	O 18	**Sully** 5 rue Agrippa d'Aubigné
5	R 18	**Garage de l'Essai** 6-8 rue de l'Essai
5	Q 17	**Geoffroy Saint-Hilaire** 15 rue Censier
5	O 16	**Lagrange** Face au 19 rue Lagrange
5	Q 17	**Maubert Saint-Germain** Face au 39 boulevard St-Germain
5	Q 17	**Patriarches** Rue Daubenton
5	P 15	**Soufflot** 22 rue Soufflot (proche du Panthéon)
6	O 15	**Ecole de Médecine** 21 rue de l'Ecole de Médecine
6	P 13	**FNAC-Rennes** 153 bis rue de Rennes
6	O 14	**Marché Saint-Germain** 14 rue Lobineau
6	N 15	**Mazarine** 27 rue Mazarine
6	N 14	**Saint-Germain-des-Prés** Face au 171 boulevard Saint-Germain
6	N 15	**Saint-Michel** Rue Francisque Gay
6	O 14	**Saint-Sulpice** Place Saint-Sulpice
7	M 13	**Bac Montalembert** 9 rue Montalembert
7	O 13	**Boucicaut** Angle rue Velpeau et rue de Babylone
7	N 13	**Garage de l'Abbaye** 30 boulevard Raspail
7	M 11	**Invalides** Face au 23 rue de Constantine (sous l'esplanade)
7	N 9	**Joffre - Ecole Militaire** 2 place Joffre
7	L 10	**La Tour Maubourg Orsay** Contre allée du quai d'Orsay, angle rue Desgenettes
7	M 13	**Musée d'Orsay** (surface) sur le quai Anatole France
7	M 9	**Saint-Dominique Sédillot** 133 rue St-Dominique
8	K 9	**Alma-George V** Face aux 6 et 19 avenue George V
8	I 12	**Bergson** Rue de Laborde (sous Square Marcel Pagnol)
8	J 9	**Berri - Ponthieu** 66 rue de Ponthieu
8	J 9	**Berri Washington** 5 rue de Berri
8	J 9	**Champs-Elysées** Face au 88 avenue des Champs Elysées

PARKINGS

Arr.	Plan	Nom / Adresse
8	J 9	**Champs-Elysées Pierre Charron** 65 rue Pierre Charron
8	K 12	**Concorde** (surface) Sud-Est place de la Concorde
8	K 12	**Concorde** 6 place de la Concorde - face hôtel Crillon
8	J 10	**Elysées 66** 49-51 rue de Ponthieu
8	I 8	**Etoile-Friedland** 31 avenue de Friedland
8	I 8	**Etoile-Wagram** 22 bis avenue de Wagram
8	H 12	**Europe** 43 bis boulevard des Batignolles
8	K 9	**François Ier** Face au 24 rue François Ier
8	J 10	**Franklin Roosevelt** 47 avenue Franklin Roosevelt
8	J 8	**George V** Face au 103 avenue George V
8	I 10	**Haussmann-Berri** 164 boulevard Haussmann
8	I 9	**Hoche** Face au 18 avenue Hoche
8	J 12	**Madeleine - Tronchet** Place de la Madeleine - face à la rue Tronchet
8	J 12	**Malesherbes Anjou** 22-33 boulevard Malesherbes
8	J 8	**Marceau Etoile** 82 avenue Marceau
8	J 10	**Matignon** 1 rue Rabelais
8	J 9	**Ponthieu Claridge** 60 rue de Ponthieu
8	K 10	**Rond-Point des Champs-Elysées** Av. des Champs-Elysées - av. Matignon
9	G 15	**Anvers** 41 boulevard Rochechouart
9	J 15	**Chauchat - Drouot** 12-14 rue Chauchat
9	H 16	**Dru** 69 rue de Rochechouart
9	J 13	**Edouard VII** Face au 15 rue Edouard VII
9	H 14	**Garage Mansart** 7 rue Mansart
9	J 13	**Haussmann - C & A** 16 rue des Mathurins
9	J 13	**Haussmann Mogador** 48 boulevard Haussmann
9	I 13	**Haussmann - Printemps** 99 rue de Provence
9	I 13	**Haussmann Galeries Lafayette** 95 bis rue de Provence
9	I 16	**Mayran** 5 rue Mayran
9	J 14	**Meyerbeer Opéra** 3 rue de la Chaussée-d'Antin
9	I 16	**Montholon** 8 rue Rochambault
9	J 13	**Olympia-Caumartin** 7 rue Caumartin
9	I 15	**Parking 1er** 4 rue Buffault
9	I 13	**Passage du Havre** 103-107 rue Saint-Lazare
9	H 15	**Place Saint-Georges** 20 rue Clauzel
9	J 16	**Rex Atrium** 7 rue du Faubourg Poissonnière
9	I 13	**Saint-Lazare** 29 rue de Londres
9	H 14	**Trinité d'Estienne d'Orves** 10-12 rue Jean-Baptiste Pigalle
10	H 17	**Abbeville** 5 rue d'Abbeville
10	J 18	**Bonne Nouvelle** 28 boulevard de Bonne Nouvelle
10	J 20	**Cambacauto** 83 rue du Faubourg du Temple
10	J 17	**Central Park** 7 rue des Petites Ecuries
10	I 18	**Est Parking** 20 passage des Récollets
10	H 17	**Euronord - Lariboisière** 1 bis rue Ambroise Paré
10	I 17	**Franz Liszt** 6 place Franz Liszt
10	I 16	**Garage de l'Exportation** 54 rue du Faubourg Poissonnière
10	K 18	**Garage Périer** 60 rue René Boulanger
10	J 18	**Garage Saint-Laurent** 52 ter rue des Vinaigriers
10	H 17	**Gare du Nord** Rue de Compiègne et rue de Maubeuge
10	I 17	**Magenta - Alban Satragne** 107 Faubourg Saint-Denis
10	H 17	**Nord Parking** 3 rue de Dunkerque
10	I 18	**Paris Est I et Paris Est II** Cour du 11 Novembre
10	J 17	**Paris France Parking** 11 rue des petites écuries
10	J 20	**Saint-Louis** Av. Claude Vellefaux, sous l'Hôpital Saint-Louis
10	H 17	**Union S.C.O.P.** 12 rue de Rocroy
10	G 17	**Vinci Park Services** 112 rue de Maubeuge
11	K 19	**Alhambra** 50 rue de Malte
11	N 20	**Parking Capus Christian** 45 rue du Faubourg Saint-Antoine
11	O 21	**Ledru-Rollin** 121 avenue Ledru-Rollin
11	L 20	**Oberkampf** 11 rue Ternaux
11	K 20	**Trois Bornes** 11 rue des Trois Bornes
12	O 19	**Bastille** 53 boulevard de la Bastille
12	R 22	**Bercy** Parc de bercy, bd de Bercy et rue de Bercy
12	R 22	**Bercy auto train** 48 bd de Bercy

PARKINGS

Car parks
Aparcamientos

Arr.	Plan	Nom / Adresse
12	S 22	**Bercy Saint-Emilion** 12 place des Vins de France
12	T 22	**Bercy Terroirs** 40 avenue des Terroirs de France
12	R 24	**Danset** 103 rue Claude Decaen
12	Q 21	**Daumesnil** 6 rue de Rambouillet
12	O 20	**Faubourg Saint-Antoine** 82 bis Avenue Ledru Rollin
12	P 22	**Garage du Faubourg** 33 rue de Reuilly
12	P 24	**Garage Saint-Mandé** 24-28 avenue de Saint-Mandé
12	Q 20	**Gare de Lyon** 191 rue de Bercy
12	P 23	**Hôpital des Diaconesses** 20 rue du Sergent Bauchat
12	P 20	**Lyon Diderot** 198 rue de Bercy
12	P 21	**Méditerranée** 26-44 rue de Chalon (Gare de Lyon)
12	O 19	**Opéra-Bastille** 34 rue de Lyon
12	Q 20	**Parc Auto Météor** 54 quai de la rapée
12	Q 20	**Parc Gare de Lyon** 193 rue de Bercy
12	P 24	**Picpus Nation** Face au 96 boulevard de Picpus
12	R 23	**Saint-Eloi** 34-36 rue de Reuilly
13	S 17	**AutoSur** 34 rue Abel Hovelacque
13	S 15	**Boulevard Auguste Blanqui** (surface, terre-plein) entre r. de la Santé et r. Vergnaud
13	V 16	**Charléty Coubertin** 17 avenue Pierre de Coubertin
13	V 16	**Charléty Thomire** Rue Thomire
13	Q 19	**Gare d'Austerlitz Arrivée** (surface) 55 quai d'Austerlitz
13	Q 19	**Gare d'Austerlitz Départ** (surface) cour des départs
13	T 17	**Italie 2** 30 avenue d'Italie (Centre Commercial)
13	V 18	**Porte d'Italie** 8 avenue de la Porte d'Italie
13	S 21	**Tolbiac Bibliothèque** Rue Emile Durkheim
13	S 20	**Vincent Auriol Bibliothèque** 21 avenue Abel Gance
14	Q 13	**Boulevard Edgar Quinet** (surface, terre-plein) entre bd Raspail et r. Huyghens
14	U 12	**Parking du Midi** 36 rue Friant
14	R 12	**Gaîté Montparnasse** 15 rue du Commandant René Mouchotte
14	U 11	**Institut du Judo** 21-23 avenue de la Porte de Châtillon
14	U 12	**LRG Automobiles** 19 bis rue Friant
14	T 13	**Maine Basch** 204 avenue du Maine
14	R 12	**Montparnasse 2 - Pasteur - Catalogne** Place des 5 Martyrs du Lycée Buffon
14	Q 12	**Montparnasse Raspail** 120 bis boulevard du Montparnasse
14	V 12	**Porte d'Orléans** 1 rue de la Légion Etrangère
14	S 14	**Saint-Jacques 1** (surface terre-plein) Boulevard Saint-Jacques
15	S 5	**Aquaboulevard** 4-6 rue Louis-Armand
15	O 16	**Beaugrenelle** 16 rue Linois (Centre Commercial)
15	P 9	**Bonvin Lecourbe** 28 rue François Bonvin
15	Q 11	**Boulevard Pasteur** (surface, terre-plein) entre r. Falguière et r. du Dr Roux
15	S 9	**Brancion** 21-25 rue Brancion
15	R 5	**Citroën Cévennes** 37 rue Leblanc
15	Q 6	**Convention** 98 rue de la Convention
15	R 11	**Falguière** 81 rue Falguière
15	P 8	**Garage de la Poste** 104 rue du Théâtre
15	N 7	**Hilton Suffren** 18 avenue de Suffren
15	Q 8	**Lecourbe Mairie du XVe** 143 rue Lecourbe
15	Q 12	**Maine Parking** 50 avenue du Maine
15	Q 12	**Montparnasse 1 - Porte Océane** 54 place Raoul Dautry
15	R 11	**Montparnasse 3 - Vaugirard - Autotrain** Rue du Cotentin
15	O 6	**Novotel Paris Tour Eiffel** 61 quai de Grenelle
15	S 6	**Parc des Expositions** B-C-E-F-R Porte de Versailles
15	S 6	**Porte de Versailles** Face au 39, boulevard Victor
15	P 6	**Saint-Charles** 72 rue Saint-Charles
15	P 10	**Ségur** (surface) avenue de Suffren / Boulevard Garibaldi
15	S 7	**SGGD** 374 rue de Vaugirard
15	Q 12	**Tour Montparnasse** 10 rue du Départ / 17 rue de l'Arrivée
15	R 8	**Vaugirard 371** 371 rue de Vaugirard
16	I 7	**Foch** 8 avenue Foch
16	K 6	**Galerie Saint-Didier** 37 rue Saint-Didier
16	M 6	**Garage Moderne** 19 rue de Passy
16	L 4	**Henri Martin 1 et 2** (surface, terre-pleins) av. Henri Martin
16	K 7	**Kleber Longchamp** 65 avenue Kleber

PARKINGS

Arr.	Plan	Nom / Adresse
16	O 5	**Maison de la Radio** Face Maison de la Radio av. du Président Kennedy
16	M 5	**Passy** 78-80 rue de Passy
16	J 6	**Place Victor Hugo** 74 avenue Victor Hugo
16	O 5	**Pont de Grenelle** Avenue du Président Kennedy
16	P 2	**Porte d'Auteuil** Avenue du Général Sarrail
16	R 21	**Porte de Saint-Cloud** Avenue de la Porte de Saint-Cloud
16	P 4	**Rossini** Angle rues Wilhem et Mirabeau
16	Q 3	**Versailles Reynaud** 188 avenue de Versailles
16	K 5	**Victor Hugo Pompe** 120 avenue Victor Hugo
17	F 9	**Berthier** 122 boulevard Berthier
17	I 8	**Carnot** 14 bis avenue Carnot
17	G 9	**Courcelles 148** 148 rue de Courcelles
17	F 12	**Garage Lemercier** 51 rue Lemercier
17	F 8	**Courcelles 210** 210 rue de Courcelles
17	G 7	**Gouvion Saint-Cyr** 26 boulevard Gouvion Saint-Cyr
17	I 8	**Mac-Mahon** 17 avenue Mac-Mahon
17	G 12	**Mairie du XVIIe** 16 rue des Batignolles
17	F 12	**Marché des Batignolles** 24 bis rue Brochant
17	H 6	**Méridien Etoile** 9 rue Waldeck-Rousseau
17	G 7	**Porte de Champerret - Yser** 10 boulevard de l'Yser
17	D 13	**Porte de Saint-Ouen** (surface) 17 avenue de la Porte de Saint-Ouen
17	I 6	**Porte Maillot** Place de la Porte Maillot
17	G 11	**Securitas** 40-42 rue Legendre
17	H 8	**Ternes** 38 avenue des Ternes
17	H 11	**Villiers** 14 avenue de Villiers
17	H 9	**Wagram Courcelles** 103 ter rue Jouffroy d'Abbans
18	E 16	**Ateliers Versigny** 12-14-16 rue Versigny
18	G 17	**Barbès-Rochechouart** 104 boulevard de la Chapelle
18	G 13	**Blanche** (surface, terre-plein) boulevard de Clichy
18	E 14	**Championnet** 203 rue Championnet
18	G 13	**Clichy Montmartre** 9 rue Caulaincourt
18	F 16	**Custine Automobiles** 48 bis rue Custine
18	G 15	**Dancourt** 5 rue Dancourt
18	E 16	**Garage Clingnancourt** 120 rue de Clingnancourt
18	E 13	**Garage Neubauer** 162 rue Lamarck
18	G 17	**Goutte d'Or** 10 rue de la Goutte d'Or
18	D 16	**Porte de Clignancourt** (surface) 30 avenue de la Porte Clignancourt
18	D 18	**Porte de la Chapelle** 56-58 boulevard Ney
18	G 13	**Rédélé Forest** 11 rue Forest
19	E 20	**Allan Automobiles** 156 rue d'Aubervilliers
19	D 22	**Cité des Sciences** Av. Corentin Cariou / Boulevard Macdonald
19	D 22	**La Villette** 13 boulevard de la Commanderie
19	F 23	**La Villette - Cité de la Musique** 211 avenue Jean Jaurès
19	I 25	**Parking des Anges** 293 bis rue de Belleville
19	D 20	**Parking 2000** 234 rue de Crimée
19	I 24	**Place des Fêtes** 10-12 rue Compans
19	F 24	**Porte de Pantin** (surface) avenue de la Porte de Pantin
19	H 25	**Robert Debré** 48 boulevard Serrurier
19	H 21	**Saint-Georges** 76 avenue Secretan
20	O 25	**Cours de Vincennes** Cours de Vincennes
20	K 22	**Maronites de Belleville** 20 boulevard de Belleville
20	J 25	**MEA** 27 rue Saint-Fargeau
20	J 23	**Olivier Metra** 35-49 rue Olivier Metra
20	N 25	**Paris France Garage** 4 rue du Clos
20	J 25	**Paris France Garage** 211 avenue Gambetta
20	K 27	**Parking Vinci Bagnolet** Av. de la Pte de Bagnolet, av. Cartellier (ctre commercial)
20	J 24	**Télégraphe** 16 rue du Télégraphe

PARKINGS AUTOCARS

12	R 21	**Bercy Autocars** Parc de bercy (Sud-Ouest)
12	R 21	**Bercy (quai)** (surface) sur le quai de Bercy
17	F 11	**Cardinet Autocars** 151 rue Cardinet (gare des Batignolles)
17	H 6	**Porte des Ternes Autocars** Place du Général Koenig

FOURRIÈRES

Car pounds
Depositos de vehiculos incautados

Arr.	Plan	Nom / Adresse	Téléphone	Métro
1	L 16	**Les Halles** Parc public Saint-Eustache - 4e sous-sol	01 40 39 12 20	Châtelet-Les Halles
12	Q 12	**Bercy** Sous échangeur de la Porte de Bercy rue du Général Longlo de Cary..........	01 53 46 69 20	Porte de Charenton
15	R 5	**Balard** 51 Bd du Général Valin..........	01 45 58 70 30	Balard
16	J 7	**Foch** Parc Public Etoile / Foch 2e sous-sol vis à vis 8 avenue Foch..........	01 53 64 11 80	Ch. De Gaulle - Etoile
17	D 12	**Pouchet** 8 boulevard du Bois le Prêtre..........	01 53 06 67 68	Porte de Clichy
19	D 20	**Macdonald** 221 boulevard Macdonald..........	01 40 37 79 20	Pte de la Chapelle
19	F 24	**Pantin** 15 rue de la Marseillaise..........	01 44 52 52 10	Porte de Pantin
	CS 83	**Clichy** 32 quai de Clichy 92110..........	01 47 31 22 15	
		La Courneuve 92 av. Jean Mermoz 93120	01 48 38 31 63	
		Bonneuil Z.I. de la Haie Griselle 11 rue des Champs 94380 Angle RN 19..........	01 45 13 61 40	

PHARMACIES DE NUIT

Pharmacies open at night
Farmacias nocturnas

Arr.	Plan	Nom / Adresse	Fermeture à	Téléphone
4	K 19	**Châtelet-Les Halles** 10 bd de Sébastopol (Dimanche et jours fériés 9h-22h, autres 9h-24h)..........	0 h	01 42 72 03 23
8	H 14	**Franklin-Roosevelt** 2 rue Jean Mermoz..........	2 h	01 43 59 86 55
8	H 13	**Galerie des Champs** 84 av. des Champs Elyssées....	24 / 24	01 45 62 02 41
8	H 12	**Georges V** 133 avenue des Champs Elysées	2 h	01 47 20 39 25
9	E 18	**Pigalle** 5 place Pigalle	0 h	01 48 78 32 65
9	E 16	**Place Clichy** 6 Place de Clichy	24 / 24	01 48 74 65 18
11	M 26	**Nation** 13 place de la Nation	0 h	01 43 73 24 03
12	O 26	**Daumesnil** 6 place Félix Eboué	24 / 24	01 43 43 19 03
12	M 28	**Porte de Vincennes** 86 boulevard Soult	2 h	01 43 43 13 68
13	R 21	**Italie Tolbiac** 61 avenue d'Italie..........	0 h	01 44 24 19 72
14	N 16	**Pharmacie des Arts** 106 bd du Montparnasse..........	0 h	01 43 35 44 88
15	N 11	**Commerce** 52 rue du Commerce	0 h	01 45 79 75 01
17	F 10	**Neuilly, Porte Maillot, Palais des Congrès** 2 place du Général Kœnig (du lundi au samedi)	0 h	01 45 74 31 10
18	D 19	**Barbès** 64 boulevard Barbès..........	2 h	01 46 06 02 61

LIGNES DE BUS PARIS

Renseignements RATP Tél: 08 92 68 77 14 ou 3615 RATP

Lignes	**Départ** / *Principaux arrêts* / **Terminus**
20	Gare Saint-Lazare - *Opéra* - République - Gare de Lyon
21	Gare Saint-Lazare - *Opéra* - Châtelet - Luxembourg - Glacière - **Porte de Gentilly**
22	Opéra - *Charles-de-Gaulle-Etoile* - Trocadéro - **Porte de Saint-Cloud**
24	Gare St-Lazare - *Concorde* - *Gare d'Austerlitz* - *Charenton Ecoles* - **Ecole Vétérinaire de Maisons-Alfort**
26	Gare Saint-Lazare - *Gare du Nord* - *Buttes Chaumont* - *Pyrénées* - **Cours de Vincennes**
27	Gare Saint-Lazare - *Opéra* - *Pont Neuf* - *Luxembourg* - *Place d'Italie* - **Porte d'Ivry** - **Cl. Regaud**
28	Gare St-Lazare - *Invalides* - *Ecole Militaire* - *Gare Montparnasse* - **Pte d'Orléans**
29	Gare St-Lazare - *Opéra* - *Grenier St-Lazare* - *Bastille* - *Daumesnil* - **Porte de Montempoivre**
30	Gare de l'Est - *Barbès* - *Place de Clichy* - *Charles-de-Gaulle-Etoile* - **Trocadéro**
31	Gare de l'Est - *Barbès* - *Mairie du XVIIIe* - *Brochant Cardinet* - **Charles-de-Gaulle-Etoile**
32	Gare de l'Est - *Gare Saint-Lazare* - *Champs-Elysées La Boétie* - *Trocadéro* - **Porte d'Auteuil**
38	Porte d'Orléans - *Denfert-Rochereau* - *Gare du Luxembourg* - *Châtelet* - **Gare du Nord**
39	Gare de l'Est - *Richelieu* - *St-Germain-des-Prés* - *Hôpital Enfants Malades* - *Balard* - **Issy - Val de Seine**
42	Gare du Nord - *Opéra* - *Concorde* - *Alma-Marceau* - *Champs de Mars* - **Hôpital Européen G. Pompidou**

LIGNES DE BUS PARIS

Renseignements RATP Tél: 08 92 68 77 14 ou 3615 RATP

Lignes	**Départ** / *Principaux arrêts* / **Terminus**
43	Gare du Nord - *Gare St-Lazare - Palais des Congrès - Pont de Neuilly* - **Neuilly-Bagatelle**
46	Gare du Nord - *Gare de l'Est - Voltaire Léon Blum - Daumesnil - Pte Dorée* - **Château de Vincennes**
47	Gare de l'Est - *Châtelet - Maubert Mutualité - Pl. d'Italie* - **Fort du Kremlin-Bicêtre**
48	Palais Royal - Musée du Louvre - *Gds Boulevards - Gare du Nord - Stalingrad - Pl. des Fêtes* - **Pte des Lilas**
52	Opéra - *Charles-de-Gaulle-Etoile - La Muette - Gare d'Auteuil* - **Parc de Saint Cloud**
53	Opéra - *Gare Saint-Lazare - Porte d'Asnières* - **Pont de Levallois**
54	Pte d'Aubervilliers - *Gare de l'Est - Pigalle - Pte de Clichy* - **Asnières Gennevilliers Gabriel Péri**
56	Porte de Clignancourt - *Gare de l'Est - République - Nation* - **Château de Vincennes**
57	Porte de Bagnolet - *Gare de Lyon - Gare d'Austerlitz - Mairie de Gentilly* - **Arcueil-Laplace RER**
58	Châtelet - *Gare Montparnasse - Mairie du XIVᵉ - Porte de Vanves* - **Vanves Lycée Michelet**
60	Gambetta - *Botzaris - Crimée - Mairie du XVIIIᵉ* - **Porte de Montmartre**
61	Gare d'Austerlitz - *Gare de Lyon - Mairie du XXᵉ - Pte des Lilas* - **Pré-St-Gervais Jean-Jaurès**
62	Cours de Vincennes - *Pont de Tolbiac - Italie-Tolbiac- Alésia - Convention - Javel* - **Pte de St Cloud**
63	Gare de Lyon - *Gare d'Austerlitz - St Germain des Prés - Solférino - Alma* - **Pte de La Muette**
64	Place d'Italie - **Place Gambetta**
65	Gare de Lyon - *Bastille - Gare de l'Est - Pte de la Chapelle* - **Mairie d'Aubervilliers**
66	Opéra - *Gare Saint Lazare - Batignolles - Porte Pouchet - Clichy* - **Victor Hugo**
67	Pigalle - *Hôtel de Ville - Place d'Italie Mairie du XIIIᵉ* - **Porte de Gentilly**
68	Place de Clichy - *Opéra - Denfert-Rochereau - Porte d'Orléans* - **Châtillon-Montrouge Métro**
69	Gambetta - *Bastille - Hôtel de Ville - Pont du Carrousel - Solférino* - **Champ de Mars**
70	Hôtel de Ville - *St-Germain - Hôpital des Enfants Malades - Mairie du XVᵉ* - **Radio France**
72	Hôtel de Ville - *Concorde - Alma - Pont Mirabeau - Porte de Saint-Cloud* - **Parc de St-Cloud**
73	La Défense-Gde Arche - *Pt de Neuilly - Pte Maillot - Ch.-de-Gaulle-Etoile - Concorde* - **Mus. d'Orsay**
74	Hôtel de Ville - *Richelieu 4 Septembre - Pl. de Clichy - Porte de Clichy* - **Clichy Berges de Seine**
75	Pont-Neuf - *République - Mairie du XIXᵉ - Porte de Pantin* - **Porte de la Villette**
76	Louvre Rivoli - *Bastille - Charonne - Pte de Bagnolet - Mairie de Bagnolet* - **Bagnolet-Louise Michel**
80	Pte de Versailles - *Mairie du XVᵉ - Alma-Marceau - Gare St-Lazare* - **Mairie du XVIIIᵉ Jules Joffrin**
81	Châtelet - *Palais-Royal - Opéra - Gare Saint-Lazare - La Fourche* - **Porte de Saint-Ouen**
82	Luxembourg - *Pl. du 18 Juin 1940 - Ecole Militaire - Pte Maillot* - **Neuilly Hôpital Américain**
83	Friedland-Haussmann - *Invalides - Sèvres Babylone - Place d'Italie* - **Porte d'Ivry - Cl. Regaud**
84	Panthéon - *Luxembourg - Solférino - Concorde - Courcelles* - **Porte de Champerret**
85	Luxembourg - *Louvre Rivoli - Porte de Clignancourt* - **Mairie de Saint Ouen**
86	St-Germain-des-Prés - *Bastille - Nation - Pyrénées - Pte de Vincennes* - **St-Mandé-Demi Lune - Parc Zoologique**
87	Champ de Mars - *Bonaparte-St Germain - Bastille - Gare de Lyon* - **Porte de Reuilly**
88	Denfert-Rochereau - *Parc Montsouris - Montparnasse 2 TGV* - **Hôpital Européen G. Pompidou**
89	Bibliothèque Nationale de France - *Luxembourg - Maine Vaugirard - Cambronne* - **Gare de Vanves-Malakoff**
91	Montparnasse 2 TGV - *Observatoire - Les Gobelins - Gare d'Austerlitz - Gare de Lyon* - **Bastille**
92	Gare Montparnasse - *Ecole Militaire - Charles-de-Gaulle-Etoile* - **Porte de Champerret**
93	Invalides - *St-Philippe-du-Roule - Pte de Champerret - Suresnes* - **De Gaulle**
94	Gare Montparnasse - *Solférino - Concorde - Gare St-Lazare - Porte d'Asnières* - **Levallois Louison Bobet**
95	Pte de Vanves - *Gare Montparnasse - Palais Royal - Opéra - Gare St-Lazare* - **Pte de Montmartre**
96	Gare Montparnasse - *St-Michel - Hôtel-de-Ville - République - Pyrénées* - **Porte des Lilas**
PC1	Porte de Champerret Berthier - **Pont du Garigliano**
PC2	Porte d'Italie - **Porte de la Villette**
PC3	Porte des Lilas - **Porte Maillot Pershing**
	Balabus - La Défense Grande Arche - *Ch.-de-Gaulle-Etoile - Pt Neuf - Gare d'Austerlitz* - **Gare de Lyon** (dimanches et jours fériés d'avril à septembre)
	Montmartrobus - Pigalle - *Place du Tertre - Lamarck* - **Mairie du XVIIIᵉ Jules Joffrin**
	Traverse de Charonne - Gambetta - *Lagny-Maraîchers* - **Gambetta.**

LIGNES DE BUS BANLIEUE

Renseignements RATP Tél: 08 92 68 77 14 ou 3615 RATP

Lignes	**Départ** / *Principaux arrêts* / **Terminus**
026	**Traverciel** - La Celle-St-Cloud SNCF - *Vaucresson SNCF* - **Pont de Sèvres**
027	**Traverciel** - La Celle-St-Cloud SNCF/Vaucresson SNCF - **Rousseau/Rueil-Malmaison SNCF**
043n	**Neuilly Bagatelle - Pont de Neuilly**
101	**Joinville-le-Pont RER - Champigny Camping International**
102	**Gambetta** - *Pte de Bagnolet - Mairie de Montreuil* - **Rosny-Bois Perrier RER-Rosny 2**
103	**Ecole Vétérinaire de Maisons Alfort** - *Mairie d'Alfortville* - **Choisy-le-Roi**
104	**Ecole Vétérinaire de Maisons Alfort** - *Les Juilliottes* - **Bonneuil-Place des Libertés**
105	**Porte des Lilas** - *Noisy-le-Sec* - **Mairie des Pavillons-sous-Bois**
106	**Joinville-le-Pont** - *Champigny Egalité* - **Gare Villiers-sur-Marne**
107	**Ecole Vétérinaire de Maisons Alfort** - *Saint-Maur Créteil* - **St-Maur La Pie**
108	**Joinville-le-Pont Gare RER** - *Champigny Mairie* - **Champigny-Jeanne Vacher**
109	**Charenton-Pont Nelson Mandela** - *Bercy 2* - **Paris-Terroirs de France**

68

LIGNES DE BUS BANLIEUE

Renseignements RATP Tél: 08 92 68 77 14 ou 3615 RATP

Lignes	**Départ** / *Principaux arrêts* / **Terminus**
110	Joinville-Le-Pont Gare RER - *Mairie de Champigny* - Gare de Villiers sur Marne RER
111	Terroirs de France - *Charenton Ecoles* - Pont de Créteil - Champigny-St-Maur RER
112	Château de Vincennes - *Joinville-le-Pont* - Pont de Créteil - La Varenne-Chennevières
113	Nogent RER - *Neuilly Plaisance* - Pointe de Gournay - Chelles 2-Centre Commercial
114	Château de Vincennes - *Nogent RER* - Plateau d'Avron - Villemomble-Les Coquetiers
115	Porte des Lilas - *Mairie de Montreuil* - Château de Vincennes
116	Gare Rosny-B. Perrier-Rosny 2 - *Nogent-LePerreux RER* - Champigny-Saint-Maur RER
117	Champigny - Saint-Maur - *Mairie de Bonneuil* - Créteil Préfecture
118	Château de Vincennes - *Val de Fontenay SNCF - RER* - Rosny-sous-Bois Van Derheyden
119	Gare de Massy-Palaiseau RER - *Marché du Pileu* - Les Baconnets RER
120	Nogent-sur-Marne RER - *Pont de Bry* - Noisy-le-Grand Mont d'Est RER - Mairie de Noisy-le-Grand
121	Mairie de Montreuil - *Mairie de Villemomble* - Villemomble Lycée Clemenceau
122	Gallieni Métro - *Croix de Chavaux* - Mairie de Montreuil - Val de Fontenay RER-SNCF
123	Porte d'Auteuil Métro - *Ile Saint-Germain* - Mairie d'Issy Métro
124	Château de Vincennes - *Ancienne Mairie* - Val de Fontenay RER-SNCF
125	Porte d'Orléans - *Mairie d'Ivry* - Ecole Vétérinaire de Maisons Alfort
126	Parc de Saint-Cloud - *Corentin Celton* - Porte d'Orléans
127	Montreuil-Croix de Chavaux - *Cimetière de Vincennes* - Neuilly-sur-Marne Ile-de-France
128	Porte d'Orléans - *Cimetière Parisien (Bagneux)* - Fontenay-aux-Roses RER - Robinson RER
129	Porte des Lilas - *Carnot* - Mairie de Montreuil
131	Porte d'Italie - *Chevilly-Larue Mairie* - Rungis Vauban-SILIC
132	Bibliothèque François Mitterrand - *Porte d'Ivry* - Vitry Hôtel de Ville - Vitry Cité du Moulin Vert
133	Sarcelles Bois d'Ecouen - *Gare de Sarcelles* - Le Bourget RER
134	*(Avec la 234)* Fort d'Aubervilliers - *Bobigny-Pablo Picasso Métro-Tramway* - Bondy Jouhaux Blum
135	Pont de Levallois Métro - *Asnières SNCF* - Asnières-sur-Seine Mourinoux
137	Porte de Clignancourt - *Mairie de Saint-Ouen* - Villeneuve-la-Garenne Z.I. Nord
138	Porte de Clichy - *Asnières-Gennevilliers-Gabriel Péri Métro* - Gare d'Ermont-Eaubonne RER
139	Saint-Ouen RER - *La Plaine Stade de France RER* - Porte de La Villette
140	Gare d'Argenteuil RER- *Quatre Routes* - Asnières Gennevilliers Gabriel Péri Métro
141	La Défense - Lycée de Rueil-Malmaison
143	La Courneuve Aubervilliers RER- *Le Bourget RER* - Rosny-sous-Bois RER
144	La Défense- *Suresnes Longchamp Tramway* - Rueil-Malmaison RER
145	Eglise de Pantin *Noisy-le-Sec Jeanne-d'Arc* - Cimetière de Villemomble
146	Le Bourget RER- *Bobigny Pablo Picasso Métro-Tramway* - Le Raincy Rond-Point Thiers
147	Eglise de Pantin - *Sevran Livry RER* - Sevran avenue Ronsard
148	Bobigny P. Picasso Métro-Tramway - Le Blanc-Mesnil Musée de l'Air (Aulnay-s/s-Bois Garonor)
150	Porte de La Villette Métro- *Mairie de Stains* - Pierrefitte Stains RER
151	Porte de Pantin *Drancy Place du 19 mars 1962* - Bondy Jouhaux Blum
152	Pte de La Villette *Pl du 8 Mai 45* - Aéroport Musée de l'Air - Le Blanc-Mesnil- Fr. Lumière
153	Porte de la Chapelle - *Saint-Denis Cité Floréal* - Stains Moulin Neuf
154	Gare d'Enghien-les-Bains SNCF - *Gare de Saint-Denis RER SNCF* - St-Denis Porte de Paris
156	Gare d'Epinay Villetaneuse - Gare de Saint-Denis
157	Pont de Neuilly - *Nanterre Ville RER* - Nanterre Boulevard de Seine
158	Rueil-Malmaison RER - *Place de la Boule* - Pont de Neuilly
159	Nanterre Cité du Vieux Pont - *Nanterre Ville RER* - La Défense
160	Pont de Sèvres - *Nanterre Ville RER* - Nanterre Préfecture RER
161	La Défense RER - RER- Gare d'Argenteuil
162	Villejuif Aragon Métro- *Arcueil Cachan RER* - Châtillon Gal de Gaulle RER - Meudon Val-Fleury RER
163	Porte de Champerret Métro - *Place de Belgique* - Bezons Grand Cerf
164	Argenteuil Collège Claude Monet - *Eglise de Colombes* - Porte de Champerret Métro
165	Porte de Champerret Métro - *Quai de Clichy* - Asnières Robert Lavergne
166	Colombes Audra - *Gennevilliers RER* - Porte de Clignancourt
167	Nanterre Ville RER - *Eglise de Colombes* - Pont de Levallois Métro
168	Garges Sarcelles RER - *Villetaneuse Cimetière des Joncherolles* - St-Denis Pte de Paris Métro
169	Balard - *Val Fleury RER* - Pont de Sèvres Métro
170	Porte des Lilas - *Mairie d'Aubervilliers* - Gare de Saint-Denis
171	Pont de Sèvres Métro - *Chaville rue Salengro* - Versailles Château
172	Bourg-la-Reine RER - *Villejuif L. Aragon* - Créteil l'Echat Parking
173	Porte de Clichy - *Mairie de St-Ouen* - Mairie d'Aubervilliers - La Courneuve 8 Mai 45 Métro
174	La Défense Métro - RER- *Mairie de Saint-Ouen* - Gare de Saint-Denis Métro RER
175	Porte de St-Cloud Métro - *Pont de Neuilly* - Asnières Gennevilliers Gabriel Péri Métro
176	Pont de Neuilly Métro- Colombes Petit Gennevilliers
177	Asnières Gennevilliers G. Péri Métro - *Gare St-Denis RER* - Saint-Denis-Porte de Paris
178	La Défense Métro - RER - *Gennevilliers RER* - Gare de Saint-Denis RER
179	Pont de Sèvres - *Vélizy-Villacoublay Europe Sud* - Robinson Résistance - Robinson RER
180	Charenton Ecole Métro - *Vitry-sur-Seine RER* - Villejuif Louis Aragon Métro
181	Ecole Vétérinaire de Maisons-Alfort Métro- *Préfecture du Val-de-Marne* - Créteil la Gaîté
182	Mairie d'Ivry - Gare de Villeneuve - Triage
183	Porte de Choisy Métro - *Voie des Saules RER* - Pont de Rungis RER - Aéroport Orly Sud

LIGNES DE BUS BANLIEUE
Renseignements RATP Tél: 08 92 68 77 14 ou 3615 RATP

Lignes	**Départ** / *Principaux arrêts* / **Terminus**
184	Porte d'Italie Métro - *Mairie de Cachan* - L'Haÿ-les-Roses Les Blondeaux
185	Porte d'Italie Métro - *Villejuif L.ouis Aragon* - Rungis Marché International
185 v	**Passepartout -** Villejuif - Louis Aragon *(Circulaire)*
186	Porte d'Italie Métro - *CHU de Bicêtre - l'Haÿ-les-Roses Jouhaux* - Chevilly-Larue Louis Blériot
187	Porte d'Orléans Métro - *Cachan Mairie - Maison d'Arrêt* - Fresnes Charcot Zola
188	Porte d'Orléans Métro - Bagneux Rosenberg
189	Porte de Saint-Cloud Métro - *Marché de Clamart* - Clamart Georges Pompidou
190	Mairie d'Issy Métro - *Hôpital Percy- Marché de Clamart* - Vélizy 2
191	Porte de Vanves - *Malakoff Etienne Dolet* - Clamart pl. du Garde
192	Robinson RER - *Bourg-la-Reine RER - Mairie de Chevilly-Larue* - Rungis Marché International
194	Pte d'Orléans Métro - *Châtillon Montrouge - Robinson RER* - Châtenay-Malabry Lycée Polyvalent
195	Robinson RER - *Butte Rouge Cité Jardins* - Clamart Fontenay Division Leclerc - Châtillon Montrouge
196	Massy-Palaiseau RER - *Verrières-le-Buisson Amblainvilliers* - Antony RER Orlyval
197	Porte d'Orléans Métro - *Bourg-la-Reine RER* - Massy Opéra Théâtre
199	Massy-Palaiseau RER - Longjumeau La Rocade Lycée
201	Joinville-le-Pont RER - Champigny Diderot La Plage
203	*(Avec la 214)* Neuilly Plaisance RER - *Épi d'Or* - Neuilly sur Marne Cité des Bouleaux
206	Noisy-le-Grand Mont d'Est RER - Place Gambetta - Gare de Pontault Combault SNCF
207	Noisy-le-Grand Mont d'Est RER - *Mairie du Plessis-Trévise* - Hôpital de La Queue en Brie
208 abs	Champigny RER - *Champigny Pl. de la Résistance - Chennevières* - Le Plessis-Trévise Gambetta
210	Château de Vincennes Métro - *Pont de Bry* - Gare de Villiers sur Marne
211	Chelles 2 - Centre Commercial - *Noisiel RER - Lognes RER* - Torcy RER
212	Champs-sur-Marne Pointe de Champs - *Noisy-Champs RER* - Gare d'Emerainville-Pontault Combault
213	Chelles - Gournay RER - *Noisy-Champs Descartes RER - Noisiel RER* - Lognes Village
214	*(Avec le 203)* Neuilly Plaisance RER - *Neuilly -s- Marne Cité des Bouleaux - Le Chénay Gagny RER* - Gagny R. Salengro
215	Porte de Montreuil - Vincennes RER - République
216	Denfert-Rochereau Métro RER- *Porte de Gentilly* - Rungis Marché International
217	Mairie d'Alfortville - *Les Julliottes* - Hôtel-de-Ville de Créteil
220	Bry-sur-Marne RER - *Noisy-le-Grand Mairie - Champs Mairie - Noisiel RER* - Torcy RER
221	Gallieni Métro - *Gagny RER* - Gagny Pointe de Gournay
234	*(Avec la 134)* Fort d'Aubervilliers - *Pablo Picasso Préfecture* - Mairie de Livry-Gargan
235	Asnières Gennevilliers Gabriel-Péri Métro - Colombes Europe
237	Mairie de Saint-Ouen Métro - Ile St Denis Parc Départemental-Collège Sisley
238	Gabriel-Péri Asnières Gennevilliers - *Dequevauvilliers* - St-Gratien RER
240	Gare d'Argenteuil - Gennevilliers RER
241	Rueil-Malmaison RER - *Charles-de-Gaulle RER* - Porte d'Auteuil Métro
244	Porte Maillot - *Rueil Ville RER* - Rueil-Malmaison RER
249	Porte des Lilas Métro - *Porte de La Villette - Hôtel de Ville de La Courneuve* - Dugny Centre Ville
250	Fort d'Aubervilliers Métro - *La Courneuve Aubervilliers* - Gonesse La Fontaine Cypière ZI
251	Bobigny - Benoît Frachon - *Bobigny Pablo Picasso Métro-Tram* - Gare d'Aulnay-sous-Bois RER
252	Porte de la Chapelle - Garges Sarcelles RER
253	La Plaine - Stade de France RER - Mairie de Stains
254	Pierrefitte Stains RER - *Université Paris XIII - Pierrefitte-Stains RER* - St-Denis-Porte de Paris
255	Porte de Clignancourt - *Porte de Paris* - Stains Les Prévoyants-Garges
256	Gare d'Enghien - *Porte de Paris Métro* - La Courneuve - Aubervilliers RER
258	St-Germain-en-Laye RER - *Pont de Bougival* - La Défense Métro-RER
261	Eglise de Franconville - Saint-Denis-Université Métro
262	Maisons-Laffitte RER - *Paul Bert* - La Défense Métro-RER
267	Gare de Nanterre Université - *Pont de Bezons* - Gare d'Argenteuil
268	St-Denis - Université - Porte de Paris Métro - *Mairie de Pierrefitte* - Villiers-le-Bel RER
269	Garges Sarcelles RER - *Gare d'Écouen-Ézanville* - Hôtel de Ville d'Attainville
270	Garges Sarcelles RER - *Parc Industriel* - Villiers le Bel RER
272	Sartrouville De Gaulle - *Gare de La Garenne* - La Défense Métro RER
275	La Défense Métro RER - *Mairie de Courbevoie* - Pont de Levallois
276	La Défense - *Port de Gennevilliers - Gennevilliers RER* - Gabriel Péri-Asnières-Gennevilliers
278	La Défense Métro RER - *Mairie de Courbevoie* - Courbevoie Europe
279	Pont de Sèvres - Meudon-la-Forêt-Pasteur/Europe Nord *par Vélizy Zone Industrielle*
281	Joinville RER - *Créteil l'Echat métro* - - Créteil La Source - Créteil Europarc
285	Villejuif Louis Aragon Métro - *Pont de Rungis RER* - Gare de Juvisy RER
286	Antony RER - *Henri Thirard Léon Jouhaux RER* - Villejuif Louis Aragon Métro
289	Porte de Saint-Cloud - Clamart - Cité de la Plaine - Eglise de Meudon la Forêt
290	Mairie d'Issy Métro - *Clamart G. Pompidou* - Meudon la Forêt - Europe Nord
291	Pont de Sèvres - Vélizy-Europe Sud
292	Rungis Marché International - *Orly Sud* - Savigny-sur-Orge-ZAC Les Gâtines
294	Igny RER - *Grands Chênes - Robinson RER* - Châtillon Montrouge
295	Porte d'Orléans - *Châtillon Montrouge - Clamart Division Leclerc RER - Clamart G. Pompidou RER* - Velizy 2
297	Porte d'Orléans - Antony RER - *Chilly-Mazarin RER* - Longjumeau place Charles Stéber
299	Porte d'Orléans - Morangis place Lucien Boileau
301	Gare de Val-de-Fontenay RER - *Fort de Rosny* - Bobigny Pablo Picasso Métro-Tram

LIGNES DE BUS BANLIEUE

Lignes	**Départ** / *Principaux arrêts* / **Terminus**
302	Gare du Nord - *Porte de La Chapelle - La Plaine Voyageurs RER* - La Courneuve 6 Routes Tram
303	Bobigny-Pablo Picasso - *Gagny RER* - Noisy-le-Grand Mont d'Est RER
304	Nanterre pl. de la Boule - *Université RER* - Asnières Gennevilliers G. Péri Métro
306	Saint Maur - Créteil RER - *Villiers-sur-Marne SNCF* - Noisy Le Grand-Mont d'Est RER
307	**La Navette de Villiers** - Gare de Villiers-sur-Marne - Les Richardets
308	Créteil Préfecture du Val de Marne - *Mairie de Bonneuil - Sucy Bonneuil RER* - Gare de Villiers sur Marne
312	Gare de Chelles Gournay - *Pablo Picasso* - Noisy Champs Descartes RER
317	Créteil Hôtel-de-Ville - *Créteil Université* - Gare de Nogent Le Perreux
318	Château de Vincennes Métro - *Mairie de Bagnolet* - Romainville les Chantaloups
319	Massy-Palaiseau RER - *Massy Opéra Théâtre* - Pont de Rungis RER - Rungis MIN
320	Boucle Noisy-le-Gd Mont d'Est RER - Noisy-le-Gd Collège des Yvris
321	Lognes RER - *Lognes Aérodrome* - Croissy Beaubourg Z I Pariest
322	Mairie de Montreuil - *Carnot* - Bobigny Pablo Picasso Métro-Tram
323	Issy - Val de Seine - *Châtillon Montrouge RER - Laplace RER - Le Kremblin Bicêtre* - Ivry RER
325	Paris Bibliothèque Fr.-Mitterrand RER - *Ecole Vétérinaire - St Mandé Tourelle* - Ch. de Vincennes Métro
330	Fort d'Aubervilliers - *Pantin RER* - Pantin Raymond Queneau-Anatole France
333	Garges Sarcelles RER - *Hôtel de Ville de Garges* - Place du 19 Mars 1962 - Gare l'Argentière
334	Boucle Pavillon-sous-Bois - Rd-Pt R. Schuman
340	Asnières Gennevilliers G. Péri Métro - *Mairie de Clichy* - Hôpital Beaujon - St-Ouen RER
346	Rosny II Nord - *Gare de Bondy - Drancy RER* - Le Blanc Mesnil
347	Bobigny Pablo Picasso Métro-Tram - *Eglise de Pavillons-sous-Bois* - Hôpital de Montfermeil
348	Le Blanc-Mesnil-Place de la Libération - *Drancy RER* - Bondy Jouhaux Blum
349	Parc des Expositions RER - *Aérogare 2 - Roissypole Gare RER* - Route de l'Arpenteur ADP
350	Gare de l'Est - *Aéroport du Bourget* - Roissypole Gare RER
351	Nation Métro RER - *Bagnolet Gallieni* - Roissypole Gare RER
354	Epinay-Seine RER - *Epinay Villetaneuse SNCF* - Pierrefitte Stains RER
355	Bois d'Ecouen - *Mairie de Sarcelles* - Gare de Sarcelles St-Brice Sous-Préfecture
356	Deuil-la-Barre - *Marché des Mortefontaines* - Saint-Denis Université
358	Rueil Ville - *Préfecture RER* - Courbevoie Europe
360	Hôpital de Garches - *Saint Cloud Gare - Hôpital Foch* - La Défense Métro-RER
361	Gare d'Argenteuil RER - Saint-Denis Université Métro
363	Lycée de Carrière-sur-Seine - *Houilles RER* - Pont de Bezons Rive Droite
366	Colomb' Bus Transport Urbain de Colombes
367	Rueil-Malmaison RER - *Nanterre Ville RER* - Gare de Colombes
368	Boucle Garges Sarcelles RER - Mairie de Sarcelles
370	Marché de Saint-Brice - *Théodore Bullier* - Villiers-le-Bel RER
372	Maisons-Alfort Alfortville SNCF - *Maisons Alfort Stade Métro* - Maisons Alfort L. Fliche
378	La Défense Métro-RER - *Gennevilliers RER* - Mairie de Villeneuve La Garenne
379	Vélizy II Centre Commercial - *Croix de Berny RER* - Fresnes Rond Point Roosevelt
385	Juvisy RER - *Pyramide de Juvisy - Savigny RER - Savigny Toulouse Lautrec* - Epinay RER
388	Châtillon Montrouge Métro - *Martyrs de Châteaubriant* - Bourg la Reine RER
389	Pont de Sèvres Métro - Meudon la Forêt - Centre Administratif
390	Vélizy Villacoublay Hôtel-de-Ville - *Clamart Georges Pompidou RER* - Bourg la Reine RER
391	Boucle Bagneux Dampierre - Bourg la Reine RER
392	Savigny-sur-Orge ZAC Les Gâtines - *Savigny-sur-Orge RER-* Paray Vieille Poste Centre Commercial
393	Villejuif L. Aragon - *Choisy le Roi RER* - Sucy Bonneuil RER
394	Issy-Val de Seine RER - *Châtillon Division Leclerc - Fontenay-aux-Roses RER* - Bourg-la-Reine RER
395	*(Avec la 595)* Clamart Georges Pompidou RER - *Robinson RER* - Antony RER
396	Antony RER - *Belle Epine RER* - Choisy le Roi RER
399	Massy Palaiseau RER - *Place de la Libération* - Juvisy RER
421	Vaires-Torcy SNCF - *Torcy RER* - Emerainville Pontault-Combault SNCF
459	**Traverciel** Reuil-Malmaison - Henri Regnault - St-Cloud Gare
460	**Traverciel** Vaucresson Gare SNCF - *Garches Hôpital - Rhin et Danube* - Boulogne Gambetta
467	Rueil-Malmaison RER - Pont de Sèvres Métro
469	**Traverciel** Hauts de Sèvres - *Sèvres-Ville d'Avray SNCF* - Porte des Hauts-de-Seine
471	**Traverciel** Versailles Gare SNCF Rive Droite - *St-Cloud SNCF* - St-Cloud-Les Coteaux
485	Athis Mons Centre Commercial - *Place Henri Deudon* - Juvisy RER
486	Juvisy RER - *Athis-Mons Plein Midi* - Paray Vieille Poste Mairie
487 abc	Juvisy RER - Place Henri Deudon - *Athis-Mons Centre Commercial* - Athis-Mons Les Oiseaux
487 d	Juvisy RER - *Cité Mozart* - Athis-Mons Place Henri Deudon
492	Chilly Mazarin Place de la Libération - *Eiffel Lesseps* - Gare de Savigny-sur-Orge
495	Vélizy 2 - *Vauhallan - Jules Ferry* - Massy - Palaiseau RER
496	Mairie de Vauhallan - *Centre Air France* - Massy - Palaiseau RER
499	Savigny-sur-Orge ZAC Les Gâtines - *Gare de Savigny RER* - Gare de Juvisy RER
514	**Navette Nogent-sur-Marne** Maréchal Foch - Val de Beauté
520	Bry-sur-Marne RER - *INA* - Les Hauts de Bry-SFP
538	Gennevilliers RER - Direction du Port - Silos
540	Porte de Clignancourt Métro - *Porte de Saint-Ouen Métro - Colisée* - Hérault-de-Seychelles
551	Circulaire Drancy - Stade Charles Sage - Bobigny - Avenir - Lachâtre

LIGNES DE BUS BANLIEUE
Renseignements RATP Tél: 08 92 68 77 14 ou 3615 RATP

Lignes	**Départ** / *Principaux arrêts* / **Terminus**
552	La Plaine-Stade de France RER - *St-Denis/Aubervilliers Magasins Généraux* - Porte de la Chapelle
556	Deuil-la-Barre Zone Artisanale du Mourier - Deuil-la-Barre Les Aubépines
566	Circulaire de Colombes - Rue de l'Industrie
595	(Avec la 395) Le Plessis-Robinson La Boursidière - Robinson RER
601 ab	Le Raincy-Villemomble RER - *La Pelouse* - Hôpital de Montfermeil
602	Le Raincy-Villemomble RER - *Hôtel de Ville de Montfermeil* - Coubron Stade
603	Le Raincy-Villemomble RER - *Mairie de Coubron* - Courtry Debussy
604	Gagny RER - *Maison Rouge* - Hôpital de Montfermeil
605	Gare d'Aulnay RER - *Sevran Livry RER* - Gare du Raincy - Villemomble
607 ab	La Courneuve 8 Mai 1945 Métro Tram- Vert Galant RER - Roissypole RER
609 ab	Drancy Cité Gagarine/La Courneuve 8 Mai 1945 - *Rd-Pt P. Neruda* - Aulnay-ss-Bois le Tennis /Coll. Debussy
613	Aulnay-sous-Bois RER - *Hôtel de Ville*- Gare de Chelles - Gournay
614	Aulnay-sous-Bois Alfred Nobel - Les Mardelles Maurice de Broglie - Aulnay-sous-Bois RER
615	Bobigny Pablo Picasso Métro Tram- *Aulnay-sous-Bois RER* - Villepinte RER
616 ab	Gare de Bondy SNCF - Aulnay-sous-Bois RER
617	Aulnay-sous-Bois RER - *Villepinte RER* - Roissypole RER
617	*soirée :* Sevran Beaudottes RER - *Aulnay-sous-Bois RER* - Villepinte RER
618	Aulnay-sous-Bois RER - Sevran Général de Gaulle
619	Tremblay-en-F. - Centre Postal - Petit Tremblay - Maison d'Arrêt - Vert Galant RER - Bretagne
620	Le Blanc-Mesnil Ch. Notre-Dame-Cité Jacques Decour - Bobigny Pablo Picasso Métro Tram
623	Sevran-Livry - *Eglise Notre Dame* - Clichy-sous-Bois Frédéric Ladrette - Gare du Chenay-Gagny RER
627	Aulnay-sous-Bois Garonor - *Croix Rouge* - Aulnay-sous-Bois RER
634	Aulnay-sous-Bois - Matisse - Delacroix- *Henri Mondor* - Sevran - Beaudottes RER
637	Boucle Gare d'Aulnay-sous-Bois RER - Louvois
640	Villepinte Parc des Expositions RER - *Pyramide* - ZAC de Paris Nord II
641	Parc des Expositions - Desserte Nord du Parc d'Activités Paris Nord II
642 ab	Le Raincy Villemomble RER/Hôpital de Montfermeil - *Vert Galant RER* - Villepinte RER/Parc des Expos.
670	Boucle Tremblay-en-France G. du Vert Galant - Salengro
680	Aulnay-sous-Bois RER - PSA Aulnay-sous-Bois
683	Villepinte RER - PSA Aulnay-sous-Bois
684	Porte de Pantin - *Drancy* - PSA Aulnay-sous-Bois
686	La Courneuve 8 Mai 1945 - *Le Blanc-Mesnil* - PSA Aulnay-sous-Bois
690 b	Bobigny Cité Administrative 1 - Bobigny Cité Administrative 2

SERVICES URBAINS ET AUTRES

A - B - Chelles Gare Routière RER - Chelles - Rond-Point des Sciences
C - Chelles Gare Routière RER - Paul Algis
D - Vaires SNCF - Square - Villevaudé - Marronniers
E - Chelles Gare Routière RER - Claye-Souilly - Mairie
F - Vaires - Collège Goscinny - Brou-sur-Chantereine - Bibliothèque
Audonienne (L') - Saint-Ouen Payret - *Mairie de Saint-Ouen* - Saint-Ouen Debain
Autobus Suresnois - 3 boucles à partir de Suresnes-Général De Gaulle
Buséolien - Puteaux Cimetière Nouveau - Ile de Puteaux *ou* Puteaux Bellini
Choisybus - Choisy-le-Roi RER - *Rue Pompadour* - Rue du Four
Circulaire de la Ville d'Arcueil - Hôtel de Ville
Circulaire de Cachan - Centre Ville
Circulaire de Fresnes - Centre Administratif
Circulaire de Gentilly - Gabriel Péri - Soleil Levant
Cirulaire du Kremlin-Bicêtre - Mairie du Kremlin-Bicêtre
Circulaire de l'Haÿ-les-Roses - Centre Commercial
Désiré Hôtel de Ville - Transport Urbain d'Asnières
l'Hirondelle - Hôtel de Ville de Malakoff - Cimetière Intercommunal de Clamart - Marché
La Navette Le Bus Fontenaysien - Gare de Val de Fontenay RER - Fontenay-ss-Bois les Parapluies
La Navette - Neuilly Hôtel de Ville - *Place de Bagatelle* - Hôpital Américain
Le Fontenaisien - Clamart-Fontenay Division Leclerc- Fontenay-aux-R. Église des Blagis
Le P'tit bus Du Pré - Le Pré St-Gervais Marché Mairie
Lilobus - L'Île-St-Denis - *Marques Avenue* - Cimetière
Montbus - Montrouge St-Jacques - Châtillon-Montrouge Métro
Nanterre Service Urbain - 2 circuits entre Nanterre Ville RER - *Place de la Boule* - Parc du Mont Valérien
Navette t-IGR - Laplace RER - *Villejuif-Institut Gustave Roussy* - Villejuif-Louis Aragon Métro
Noisy-le-Sec - Noisy-le-Sec Jeanne d'Arc- *Place Saint-Martin* - Noisy-le-Sec RER-Tramway
Orlybus - Denfert Rochereau Métro RER - *Orly Ouest* - Orly Sud
Pavillons-sous-Bois - Ancien Cimetière - Stade Léo Lagrange
River Plaza - Gabriel Péri - Asnières - Gennevilliers Métro - Les Grésillons RER
Roissybus - Opéra Métro - Aéroport Charles de Gaulle 1, 2 et 3
SUBB - Boulogne Billancourt Hôtel de Ville - *Pont de Billancourt* - Hôpital Ambroise Paré
Tillbus - Les Lilas Place du Vel'd'Hiv' - *Mairie des Lilas*
Tim - Meudon Val Fleury - *Gare de Meudon* - Gare de Bellevue
Titus - 5 circuits à partir de Rosny-sous-bois RER

LIGNES DE BUS BANLIEUE
Renseignements ΠΑΤΡ Tél: 00 92 68 77 14 ou 3615 RATP

Lignes **Départ / *Principaux arrêts* / Terminus**

la Traverse Bièvre-Montsouris - Place de l'Abbé Georges Hénocque
la Traverse de Charonne - Gambetta
TUB - Transport Urbain Bondynois
TUC - 2 boucles à partir de **Rue Martre-Mairie de Clichy** - Gare de Clichy-Levallois
TUVIM - 2 circuits dans **Issy-les-Moulineaux**
Tvm Rungis MIN - *Choisy le Roi RER* - Saint-Maur Créteil ΠΕΠ
Tramway T1 - Noisy-le-Sec RER-Tram *Bobigny P. Picasso Métro Tram* - La Courneuve-8 Mai 1945 - St-Denis RER
Tramway T2 La Défense RER - *Suresnes* - *Longchamp* - *Musée de Sèvres* - Issy Val-de-Seine RER
Tramway T3 - Bd Victor RER - Pte de versailles - Pte de vanves - **cité universitaire** - Pte d'Italie - Pte d'Ivry métro
Tramway T4 - Aulnay-sous-bois RER - LAbbaye - Mes Pavillons-sous-bois - Bondy RER

AUTOBUS - NOCTILIEN
voir plan pages 4 et 5

Lignes Départ   Terminus

(NOCTILIEN : toutes les nuits de 0 h 30 à 5 h 30 environ, départ toutes les heures)

Ligne	Départ	Terminus
N01	Circulaire intérieur	
N02	Circulaire extérieur	
N11	Pont de Neuilly	Château de Vincennes
N12	Boulogne-Billancourt - Marcel Sembat	Romainville - Carnot
N13	Mairie d'Issy	Bobigny - Pablo-Picasso
N14	Bourg-la-Reine RER	Mairie de Saint-Ouen
N15	Villejuif - Louis Aragon	Asnières - Gennevilliers
N16	Pont de Levallois	Mairie de Montreuil
N21	Châtelet	Chilly-Mazarin RER
N22	Châtelet	Marché de Rungis
N23	Châtelet	Chelles - Gournay RER
N24	Châtelet	Bezons - Grand-Chef
N31	Gare de Lyon	Juvisy RER
N32	Gare de Lyon	Boissy-Saint-Léger RER
N33	Gare de Lyon	Villiers-sur-Marne RER
N34	Gare de Lyon	Torcy RER
N35	Gare de Lyon	Nogent - le Perreux RER
N41	Gare de l'Est	Sevran - Livry RER
N42	Gare de l'Est	Aulnay - Garonor
N43	Gare de l'Est	Gare de Sarcelles - Saint-Brice
N44	Gare de l'Est	Pierrefitte - Stains RER
N45	Gare de l'Est	Hôpital de Montfermeil
N51	Gare Saint-Lazare	Gare d'Enghien
N52	Gare Saint-Lazare	Argenteuil RER
N53	Gare Saint-Lazare	Nanterre Université RER
N61	Gare Montparnasse	Vélizy Hôtel-de-Ville
N62	Gare Montparnasse	Robinson RER
N63	Gare Montparnasse	Massy-Palaiseau RER
N71	Rungis-Marché International	Saint-Maur - Créteil RER
N120	Aéroport Charles-de-Gaulle	Corbeil RER
N121	Aéroport Charles-de-Gaulle	Gare de La Verrière
N122	Châtelet	Saint-Rémy-lès-Chevreuse RER
N130	Gare de Lyon	Torcy RER
N131	Gare de Lyon	Brétigny RER
N132	Gare de Lyon	Melun RER
N140	Gare de l'Est	Aéroport Charles-de-Gaulle
N141	Gare de l'Est	Gare de Meaux
N142	Gare de l'Est	Tournan RER
N150	Gare Saint-Lazare	Cergy RER
N151	Gare Saint-Lazare	Gare de Mantes-la-Jolie
N152	Gare Saint-Lazare	Cergy-le-Haut RER
N153	Gare Saint-Lazare	Saint-Germain-en-Laye RER

Bus de soirée derniers départs de 23 h 30 à 0 h 30 environ :
21-24-26-27-31-38-43n-52-62-63-67-72-74-80-85-91-92-95-96-PC1-PC2-PC3-Orlybus-Roissybus
Objets trouvés : 36 rue des Morillons - Téléphone : 0 821 00 25 25 *(0,12 euro/min)*

LOCATION DE VOITURES

Entreprise	Téléphone		Entreprise	Téléphone	
A.D.A	0 825 169 169	*(0,45 euro/min)*	**Citer**	0 825 16 12 12	*(0,15 euro/min)*
Avis	0 820 05 05 05	*(0,12 euro/min)*	**Europcar**	0 825 358 358	*(0,15 euro/min)*
Axeco	0 892 697 697	*(0,34 euro/min)*	**Hertz**	0 825 861 861	
Budget	0 825 00 35 64	*(0,15 euro/min)*	**Rent a Car**	0 891 700 200	*(0,22 euro/min)*
			Sixt	0 820 007 498	*(0,10 euro/min)*

SALLES DE SPECTACLES

Service Réservations par Tél : 0 803 030 031

Arr.	Plan	Nom / Adresse	Téléphone	Métro
14	R 12	**Bobino** 20 rue de la Gaîté.............	01 43 27 24 24	Gaîté
1	M 16	**Châtelet-Théâtre Musical de Paris** 1 pl. du Châtelet...	01 40 28 28 40	Châtelet
9	J 13	**Olympia** 28 boulevard des Capucines..........	08 92 68 33 68	Madeleine
12	N 20	**Opéra Bastille** 120 rue de Lyon..........	08 92 89 90 90	Bastille
2	J 15	**Opéra Comique - Salle Favart** Place Boieldieu........	08 25 00 00 58	Richelieu-Drouot
17	H 6	**Palais des Congrès** 2 place de la Porte Maillot...	01 40 68 00 05	Porte Maillot
15	S 6	**Palais des Sports** Porte de Versailles	08 25 03 80 39	Porte de Versailles
9	J 14	**Palais Garnier** Place de l'Opéra..........	08 92 89 90 90	Opéra
12	R 21	**Palais Omnisports Paris Bercy** 8 bd de Bercy	08 92 39 04 90	Bercy
16	N 5	**Radio France** 116 avenue du Président Kennedy......	01 56 40 15 16	Kennedy-Radio France
8	J 11	**Salle Gaveau** 45 rue La Boétie..........	01 49 53 05 07	Mirosmesnil
8	I 9	**Salle Pleyel** 252 rue du Faubourg Saint-Honoré	01 45 61 53 00	Ternes
19	E 23	**Zénith** 211 avenue Jean Jaurès	01 42 08 60 00	Porte de Pantin

AGENCES DE THÉÂTRE

Arr.	Plan	Nom / Adresse	Téléphone	Métro
9	I 15	**Agence Chèque Théâtre** 33 rue Le Peletier............	01 42 46 72 40	Le Peletier
2	J 14	**Agence Marivaux** 7 rue de Marivaux..........	01 42 97 46 70	Quatre Septembre
8	J 12	**Agence Perrossier** 6 place de la Madeleine..........	01 42 60 26 87	Madeleine
10	I 17	**Amis du Spectacle** 11 rue Martel..........	01 48 24 51 45	Château d'Eau
8	J 12	**Kiosque Madeleine** 15 place de la Madeleine		Madeleine
		(Terre-plein ouest de l'église de la Madeleine)		
		(tous les jours y compris les jours fériés)		
15	Q 12	**Kiosque Montparnasse** Place Raoul Dautry		Montparnasse-Bienv.
		(devant la gare Montparnasse 1)		
		tous les jours y compris les jours fériés)		
		(fermé le lundi) entre 12h30 et 20h (16h le dimanche)		
9	I 13	**Opéra Théâtre** 7 rue de Clichy..........	01 42 81 98 85	Trinité
1	K 14	**Quotidien Spectacles** 61 rue des Petits Champs	01 55 35 35 25	Pyramides
8	J 12	**SOS Théâtres** 6 place de la Madeleine..........	01 44 77 88 55	Madeleine

THÉÂTRES DE PARIS

Arr.	Plan	Nom / Adresse	Téléphone	Métro
10	I 14	**Antoine** 14 boulevard de Strasbourg	01 42 08 77 71	Strasbourg-Saint-Denis
18	G 15	**Atelier** 1 place Charles Dullin..........	01 46 06 19 89	Anvers
9	J 13	**Athénée - Théâtre Louis Jouvet**		
		4 square de l'Opéra-Louis Jouvet	01 53 05 19 19	Opéra, Auber
10	J 16	**Bouffes du Nord** 37 bis boulevard de la Chapelle	01 46 07 34 50	G. du Nord, La Chapelle
2	K 14	**Bouffes Parisiens** 4 rue Monsigny	01 42 96 92 42	Quatre Septembre
4	M 17	**Café de la Gare** 41 rue du Temple	01 42 78 52 51	Hôtel de Ville
12	B 8	**Cartoucherie-Théâtre du Soleil**		
		Route du Champ de Manœuvre	01 43 74 24 08	Château de Vincennes
9	H 13	**Casino de Paris** 16 rue de Clichy..........	08 92 69 89 26	Trinité
16	L 7	**Chaillot (Théâtre National de)** 1 pl. du Trocadéro...	01 53 65 30 00	Trocadéro

THÉÂTRES DE PARIS

Arr.	Plan	Nom / Adresse	Téléphone	Métro
1	M 16	**Châtelet - Théâtre Musical de Paris**		
		1 place du Châtelet	01 40 28 28 40	Châtelet
20	L 24	**Colline** 15 rue Malte Brun	01 44 62 52 52	Gambetta
11	M 20	**Comédie Bastille** 5 rue Nicolas Appert	01 48 07 52 07	Richard-Lenoir
9	J 13	**Comédie Caumartin** 25 rue Caumartin	01 47 42 43 41	Havre-Caumartin
20	K 24	**Comédie de la Passerelle** 102 rue Orfila	01 43 15 03 70	Pelleport
9	G 14	**Comédie de Paris** 42 rue Fontaine	01 42 81 00 11	Blanche
8	K 9	**Comédie des Champs Elysées** 15 av. Montaigne...	01 53 23 99 19	Alma-Marceau
1	L 14	**Comédie Française - Salle Richelieu**		
		1 place Colette	0 825 10 1680	Pal.-Royal-Mée-du-Louvre
6	O 13	**Comédie Française - Vieux Colombier**		
		21 rue du Vieux Colombier	01 44 39 87 00	Saint-Sulpice
14	R 12	**Comédie Italienne** 17 rue de la Gaîté	01 43 21 22 22	Gaîté, Edgar-Quinet
19	G 23	**Darius Milhaud** 80 allée Darius Milhaud	01 42 01 92 26	Porte de Pantin
2	J 13	**Daunou** 7 rue Daunou	01 42 61 69 14	Opéra
3	L 19	**Dejazet** 41 boulevard du Temple	01 48 87 52 55	République
18	G 14	**Dix Heures** 36 boulevard de Clichy	01 46 06 10 17	Pigalle
14	Q 14	**Edgar (Théâtre/Café d')** 58 bd Edgar Quinet	01 43 22 11 02	Edgar Quinet
9	J 13	**Edouard VII** 10 place Edouard VII	01 47 42 59 92	Madeleine
8	K 11	**Espace Pierre Cardin** 1 avenue Gabriel	01 44 56 00 13	Concorde
4	M 17	**Essaïon** 6 rue Pierre au Lard	01 42 78 46 42	Hôtel de Ville
20	J 25	**Est Parisien** 159 avenue Gambetta	01 43 64 80 80	Saint-Fargeau
17	G 13	**Européen Staccato** 3 rue Biot	01 43 87 97 13	Place de Clichy
9	H 13	**Fontaine** 10 rue Fontaine	01 48 74 74 40	Pigalle
14	Q 12	**Gaîté Montparnasse** 26 rue de la Gaîté	01 43 22 16 18	Gaîté
14	R 12	**Guichet Montparnasse** 15 rue du Maine	01 43 27 88 61	Gaîté
10	G 19	**Gymnase Marie Bell** 38 boulevard Bonne Nouvelle.	01 42 76 79 79	Bonne Nouvelle
17	G 12	**Hébertot** 78 bis boulevard des Batignolles	01 43 87 23 23	Rome, Villiers
5	N 16	**Huchette** 23 rue de la Huchette	01 43 26 38 99	Saint-Michel
9	H 14	**La Bruyère** 5 rue La Bruyère	01 48 74 76 99	Saint-Georges
6	Q 13	**Lucernaire** 53 rue Notre-Dame des Champs	01 45 44 57 34	Notre-Dame des Chps
8	J 12	**Madeleine** 19 rue de Surène	01 42 65 07 09	Madeleine
3	K 18	**Marais** 37 rue Volta	01 44 78 98 90	Arts et Métiers
8	K 11	**Marigny** Carré Marigny	01 53 96 70 00	Chps Ely.-Clemenceau
8	J 12	**Mathurins** 36 rue des Mathurins	01 42 65 90 00	Havre-Caumartin
8	J 12	**Michel** 38 rue des Mathurins	01 42 65 35 02	Havre-Caumartin
18	D 14	**Michel Galabru** 4 rue de l'Armée de l'Orient	01 42 23 15 85	Abbesses
2	J 14	**Michodière** 4 bis rue de La Michodière	01 47 42 95 22	Quatre Septembre
9	I 13	**Mogador** 25 rue de Mogador	01 53 32 32 00	Trinité
14	Q 12	**Montparnasse** 31 rue de la Gaîté	01 43 22 77 74	Edgar Quinet
9	J 16	**Nouveautés** 24 boulevard Poissonnière	01 47 70 52 76	Grands Boulevards
17	E 10	**Odéon - Aux Ateliers Berthier** 8 bd Berthier	01 44 85 40 40	Porte de Clichy
6	O 15	**Odéon (Théâtre de l'Europe)**		
		1 place Paul Claudel	01 44 85 40 40	Odéon
9	H 13	**Œuvre** 55 rue de Clichy	01 44 53 88 88	Place de Clichy
10	I 19	**Palais des Glaces** 37 rue du Faubourg du Temple	01 42 02 27 17	Goncourt, République
1	L 14	**Palais Royal** 38 rue de Montpensier	01 42 97 59 81	Pal.-Royal-Mée-du-Louvre
19	H 20	**Paris Villette** 211 avenue Jean Jaurès	01 42 03 02 55	Porte de Pantin
2	J 14	**Pépinière Opéra** 7 rue Louis le Grand	01 42 61 44 16	Opéra
14	Q 12	**Petit Montparnasse** 31 rue de la Gaîté	01 43 22 77 74	Gaîté
9	H 14	**Petit Théâtre de Paris** 15 rue Blanche	01 42 80 01 81	Trinité D'Estienne D'Orves
6	Q 13	**Poche** 75 boulevard du Montparnasse	01 45 48 92 97	Montparnasse-Bienv.
10	K 18	**Porte Saint-Martin** 18 boulevard Saint-Martin	01 42 08 00 32	Strasbourg-Saint-Denis
16	N 5	**Ranelagh** 5 rue des Vignes	01 42 88 64 44	La Muette
10	K 18	**Renaissance** 20 boulevard Saint-Martin	01 42 08 18 50	Strasbourg-Saint-Denis
14	Q 12	**Rive Gauche** 6 rue de la Gaîté	01 43 35 32 31	Edgar Quinet
8	K 10	**Rond-Point** 2 bis avenue Franklin-D.-Roosevelt	01 44 95 98 21	Franklin D. Roosevelt

THÉÂTRES DE PARIS

Arr.	Plan	Nom / Adresse	Téléphone	Métro
9	I 14	**Saint-Georges** 51 rue Saint-Georges..............	01 48 78 63 47	Saint-Georges
15	T 9	**Silvia Monfort** 106 rue Brancion	01 56 08 33 88	Porte de Vanves
10	J 17	**Splendid** 48 rue du Faubourg Saint-Martin	01 42 08 21 93	Strasbourg-Saint-Denis
8	K 9	**Studio des Champs Elysées** 15 avenue Montaigne	01 53 23 99 19	Alma Marceau
18	E 16	**Sudden Théâtre** 14 bis rue Sainte-Isaure..............	01 42 62 35 00	Jules Joffrin
13	T 16	**Théâtre 13** 103 A boulevard Auguste Blanqui...........	01 45 88 62 22	Glacière
14	U 10	**Théâtre 14 Jean-Marie Serreau**		
		20 avenue Marc Sangnier	01 45 45 49 77	Porte de Vanves
4	M 16	**Théâtre de la Ville** 2 place du Châtelet	01 42 74 22 77	Châtelet
18	F 14	**Trianon** 80 boulevard de Rochechouart	01 44 92 78 03	Anvers
8	H 11	**Tristan Bernard** 64 rue du Rocher..............	01 45 22 08 40	Villiers
2	J 15	**Variétés** 7 boulevard Montmartre	01 42 33 09 92	Gds Boulevards, Bourse
20	K 23	**Vingtième Théâtre** 7 rue des Plâtrières	01 43 66 01 13	Ménilmontant

CABARETS, DÎNERS-SPECTACLES

Arr.	Plan	Nom / Adresse	Téléphone	Métro
9	H 14	**Abbé Constantin** 6 rue Fontaine	01 40 16 13 07	Pigalle
17	H 8	**Ane Rouge** 3 rue Laugier	01 43 80 79 97	Ternes
18	F 15	**Au Lapin Agile** 22 rue des Saules..............	01 46 06 85 87	Lamarck-Caulaincourt
2	J 9	**Belle Epoque** 36 rue des Petits Champs	01 42 96 33 33	Pyramides
15	Q 12	**Brasil Tropical** 36 rue du Départ	01 42 79 94 94	Montparnasse-Bienv.
18	G 15	**Canotier du Pied de la Butte** 62 bd de Rochechouart..	01 46 06 02 86	Anvers
9	G 14	**Carrousel de Paris** 40 rue Fontaine	01 42 82 09 16	Blanche
9	H 13	**Casa del Fox** 41 rue du Colisée	01 45 62 35 75	Franklin D. Roosevelt
9	H 13	**Casino de Paris** 16 rue de Clichy	08 92 69 89 26	Trinité
6	N 15	**Caveau de la Bolée** 25 rue de l'Hirondelle..............	01 43 54 62 20	Saint-Michel
5	N 16	**Caveau de la Huchette** 5 rue de la Huchette..............	01 43 26 65 05	Saint-Michel
3	K 18	**Caveau de la République (chansonniers)**		
		1 boulevard Saint-Martin	01 42 78 44 45	République
15	Q 12	**César Palace** 23 avenue du Maine	01 45 44 46 20	Montparnasse-Bienv.
2	K 14	**Charlie's (American Dream)** 21 rue Daunou	01 42 60 99 89	Opéra
18	F 15	**Chez Ma Cousine** 12 rue Norvins	01 46 06 49 35	Lamarck-Caulaincourt
9	H 14	**Chez Moune** 54 rue Jean-Baptiste Pigalle	01 45 26 64 64	Pigalle
7	M 11	**Club des Poètes** 30 rue de Bourgogne	01 47 05 06 03	Varenne
8	K 9	**Crazy Horse Saloon** 12 avenue George V	01 47 23 32 32	Alma-Marceau, George V
18	G 14	**Deux Ânes (chansonniers)** 100 bd de Clichy	01 46 06 10 26	Blanche
7	M 14	**Don Camilo** 10 rue des Saints-Pères..............	01 42 60 82 84	Saint-Germain des Prés
8	J 10	**Don Camilo - Champs-Elysées** 79 rue la Boétie	01 40 74 07 24	Saint-Philippe du Roule
10	J 17	**Etoiles** 61 rue du Château d'Eau..............	01 47 70 60 56	Château d'Eau
9	I 16	**Folies Bergère** 32 rue Richer	08 92 68 16 50	Cadet, Gds Boulevards
8	J 9	**Lido** 116 bis avenue des Champs Elysées	01 40 76 56 10	George V
18	G 15	**Madame Arthur** 75 bis rue des Martyrs	01 42 64 48 27	Pigalle
5	O 17	**Main au Panier** 3 rue de Poissy	01 46 33 33 63	Maubert-Mutualité
5	M 14	**Métamorphosis** Face au 3 quai de Montebello	01 43 54 08 08	St-Michel Notre-Dame
18	G 15	**Michou** 80 rue des Martyrs	01 42 57 20 37	Pigalle
18	G 14	**Moulin Rouge (bal du)** 82 boulevard de Clichy	01 53 09 82 82	Blanche
9	H 14	**Nouvelle Eve** 25 rue Fontaine	01 48 78 37 96	Blanche, Pigalle
5	P 17	**Paradis Latin** 28 rue du Cardinal Lemoine	01 43 25 28 28	Cardinal Lemoine
1	K 14	**Paris Paris** 5 avenue de l'Opéra	01 42 60 64 45	Pyramides
17	I 8	**Pau Brasil** 32 rue de Tilsitt	01 53 57 77 66	Ch. de Gaulle-Etoile
6	N 14	**Pénitencier** 22 rue Jacob..............	01 43 26 45 93	Saint-Germain des Prés
8	J 9	**Raspoutine** 58 rue de Bassano	01 47 20 04 31	George V
6	N 14	**Rôtisserie de l'Abbaye** 22 rue Jacob	01 43 26 36 26	Saint-Germain des Prés
2	K 14	**Twenty One (American Dream)** 21 rue Daunou......	01 42 60 99 89	Opéra
8	J 8	**Villa d'Este** 4 rue Arsène Houssaye	01 43 59 78 44	Ch. de Gaulle-Etoile

CIRQUES

Circuses
Circos

Arr.	Plan	Nom / Adresse	Téléphone	Métro / RER
16		**Cirque Alexis Gruss** Pelouse de Saint-Cloud (bois de Boulogne D3)..........	01 45 01 71 26	Ranelagh
92		**Cirque de Paris** 115 bd Ch. de Gaulle 92390 Villeneuve la Garenne	01 47 99 40 40	**A Nanterre-Ville**
11	L 19	**Cirque d'Hiver Bouglione** 110 rue Amelot............	01 47 00 12 25	Filles-du-Calvaire
19	D 22	**Cirque à l'Ancienne Alexis Gruss** 41 avenue Corentin Cariou............................	01 40 36 08 00	Corentin Cariou
9	K 13	**Cirque Joseph Bouglione** 34 bd des Italiens	01 45 00 59 28	Richelieu Drouot
15	R 10	**Cirque Messidor** 7 rue Aristide Maillol	01 43 22 41 71	Volontaires
94		**Cirque Pinder** 37 rue de Coulanges 94370 Sucy en Brie	01 45 90 21 25	
19	D 23	**École Nationale du Cirque** 2 rue de la Clôture	01 48 45 58 11	Porte de la Villette
	CS 95	**Cirque Diana Moreno Bormann** 112 rue de la Haie Coq 93300 Aubervilliers	01 64 05 36 25	Porte de la Chapelle

MARIONNETTES

Marionnette shows
Marionetas

Arr.	Plan	Nom / Adresse	Téléphone	Métro / RER
6	P 14	**Marionnettes du Luxembourg** Jardin du Luxembourg..	01 43 26 46 47	Vavin
7	N 9	**Marionnettes du Champ de Mars** Champ de Mars, allée du Général Marguerite	01 48 56 01 44	Ecole Militaire
8	J 10	**Marionnettes des Champs Elysées** Rond-point des Champs Elysées, angle rue Matignon et rue Gabriel....................	01 42 45 38 30	Ch. Elysées-Clem.
11	N 21	**Théâtre de la Marionnette** 38 r. Basfroi	01 44 64 79 70	Voltaire
12	P 24	**Marionnettes de Paris** Av. du Bel-Air Orée du Bois de Vincennes (B 6)......	01 60 22 78 34	Saint-Mandé-Tourelle
13	T 18	**Guignol-Lyonnais du Parc de Choisy** Face au 149 avenue de Choisy........................	06 83 73 54 72	Place d'Italie
14	U 15	**Marionnettes du Parc Montsouris** Parc Montsouris, entrée angle avenue Reille et rue Gazan..............	01 46 63 08 09	**B Cité Universitaire**
15	S 9	**Marionnettes du Parc Georges Brassens** Parc Georges Brassens, face au 85 r. Brancion	01 48 42 51 80	Porte de Vanves
15	Q 8	**Guignol du Square St-Lambert** Square St-Lambert....................................	01 56 23 10 87	Commerce
16	M 4	**Marionnettes du Ranelagh** Jardin du Ranelagh, avenue Ingres....................	01 45 83 51 75	La Muette
16	I 3	**Théâtre du Jardin** Jardin d'Acclimatation Bois de Boulogne..............	01 45 01 53 52	Les Sablons
19	F 23	**Parc de la Villette** 211 avenue Jean Jaurès	01 40 03 75 75	Porte de Pantin
19	I 21	**Guignol de Paris** Parc des Buttes Chaumont angle avenue Simon Bolivar et rue Botzaris..............	01 43 64 24 29	Buttes Chaumont

PISCINES

Arr.	Plan	Nom / Adresse	Téléphone	Métro
1	L 16	**Suzanne Berlioux** 10 place de la Rotonde, forum des Halles	01 42 36 98 44	Les Halles
4	M 17	**Saint-Merri** 16 rue du Renard	01 42 72 29 45	Hôtel de Ville
5	P 16	**Jean Taris** 16 rue Thouin	01 55 42 81 90	Cardinal Lemoine
5	O 17	**Pontoise (Quartier latin)** 19 rue de Pontoise	01 55 42 77 88	Maubert-Mutualité
6	O 14	**Saint-Germain** 12 rue Lobineau	01 56 81 25 40	Mabillon
9	H 15	**Drigny** 18 rue Bochart de Saron	01 45 26 86 93	Anvers
9	H 16	**Valeyre** 22 rue de Rochechouart	01 42 85 26 73	Cadet
10	J 20	**Parmentier (Bassin École)** 157 avenue Parmentier	01 42 45 52 71	Goncourt
10	I 19	**Grange aux Belles (Bébés Nageurs)** 154, quai de Jemmappes	01 42 06 32 54	Colonel-Fabien
10	H 19	**Château Landon** 31 rue du Château Landon	01 55 26 90 35	Stalingrad
11	M 20	**Cour des Lions** 11 rue Alphonse Baudin	01 43 55 09 23	Richard Lenoir
11	N 14	**Georges Rigal** 115-119 boulevard de Charonne	01 44 93 28 18	Alexandre Dumas
11	K 12	**Oberkampf** 160 rue Oberkampf	01 43 57 56 19	Ménilmontant
12	Q 23	**Reuilly** 13 rue Hénard	01 40 02 08 08	Mongallet, Dugommier
12	Q 26	**Roger Le Gall** 34 bd Carnot	01 44 73 81 12	Porte de Vincennes
13	T 17	**Butte aux Cailles** 5 place Paul Verlaine	01 45 89 60 05	Place d'Italie
13	T 18	**Château des Rentiers** 184 rue du Château-des-Rentiers	01 45 85 18 26	Nationale
13	S 19	**Dunois** 70 rue Dunois	01 45 85 44 81	Chevaleret
14	S 13	**Aspirant Dunand** 20 rue Saillard	01 45 45 50 37	Mouton-Duvernet
14	U 10	**Didot** 22 avenue Georges Lafenestre	01 45 39 89 29	Porte de Vanves
15	S 5	**Aquaboulevard** 4-6 rue Louis Armand	01 40 60 10 00	Balard
15	P 12	**Armand Massard** 65 boulevard du Montparnasse, centre commercial	01 45 38 65 19	Montparnasse-Bienv.
15	Q 10	**Blomet** 17 rue Blomet	01 47 83 35 05	Volontaires
15	N 7	**Emile Anthoine** 9 rue Jean Rey	01 53 69 61 59	Bir-Hakeim/Chp de Mars
15	P 6	**Keller** 14 rue de l'Ingénieur Robert Keller	01 45 77 12 12	Charles Michels
15	T 7	**Porte de la Plaine** 13 rue du Général Guillaumat	01 45 32 34 00	Porte de Versailles
15	O 6	**René et André Mourlon (Beaugrenelle)** 19 rue Gaston de Caillavet	01 45 75 40 02	Charles Michels
16	M 2	**Auteuil (Bois de Boulogne)** Hippodrome, route des Lacs à Passy	01 42 24 07 59	Ranelagh
16	K 4	**Henry de Montherlant** 32 bd Lannes	01 40 72 28 30	Pte Dauphine / Av. H. Martin
17	E 11	**Bernard Lafay** 79 rue de La Jonquière	01 42 26 11 05	Porte de Clichy
17	F 8	**Champerret** 36 boulevard de Reims	01 47 66 49 98	Pereire-Levallois
18	D 15	**Bertrand Dauvin** 12 rue René Binet	01 44 92 73 40	Porte de Clignancourt
18	E 19	**Hébert** 2 rue des Fillettes	01 55 26 84 90	Marx Dormoy
18	E 17	**Les Amiraux** 6 rue Hermann Lachapelle	01 46 06 46 47	Simplon
19	G 23	**Georges Hermant** 15 rue David d'Angers	01 42 02 45 10	Danube
19	E 20	**Mathis** 15 rue Mathis	01 40 34 51 00	Crimée
19	E 22	**Rouvet** 1 rue Rouvet	01 40 36 40 97	Corentin Cariou
20	I 25	**Georges Vallerey** 148 avenue Gambetta	01 40 31 15 20	Porte des Lilas

PATINOIRES

Ice skating rinks
Pistas de patinaje

Arr.	Plan	Nom / Adresse	Téléphone	Métro / RER
12	R 21	**POPB Patinoire Sonja Henie** 8 boulevard de Bercy	01 40 02 60 60	Bercy
92	DJ 76	**Patinoire de Billancourt** 1 rue Victor Griffuelhes 92100 Boulogne-Billancourt ...	01 41 41 95 24	Billancourt
94	DD 111	**Patinoire do Fontenay sous Bois** 8 avenue Charles Garcia	01 48 75 62 11	**A Val de Fontenay**
93	CR 90	**Patinoire de Saint-Ouen** 4 rue du Docteur Bauer 93400 Saint-Ouen	01 40 10 89 19	Mairie de Saint-Ouen

STADES

Stadiums
Estadios

Arr.	Plan	Nom / Adresse	Téléphone	Métro / RER
12	S 25	**Léo Lagrange** 68 boulevard Poniatowski	01 46 28 31 57	Porte de Charenton
12	R 21	**Palais Omnisports de Paris Bercy** 8 boulevard de Bercy (*0,34 euro/min*)	0 892 390 490	Bercy
12	U 26	**Vélodrome Jacques Anquetil** 2 avenue de Gravelle	01 43 68 01 27	Liberté
13	V 16	**Sébastien Charlety** 99 boulevard Kellermann	01 44 16 60 60	B Cité Universitaire
16	Q 1	**Jean Bouin** 26 avenue Général Sarrail	01 46 51 55 40	Porte d'Auteuil
16	Q 1	**Parc des Princes** 24 rue du Commandant Guilbaud	01 42 30 03 60	Porte de Saint-Cloud
16	R 1	**Pierre de Coubertin** 82 avenue Georges Lafont	01 45 27 79 12	Porte de Saint-Cloud
16	P 1	**Roland Garros (Tennis)** 2 avenue Gordon Bennett	01 47 43 48 00	Porte d'Auteuil
16	R 1	**Stade Français** 2 rue du Commandant Guilbaud	01 40 71 33 33	Porte de Saint-Cloud
93	CO 93	**Stade de France** Z.A. Cornillons Nord 93200 Saint-Denis	01 55 93 00 00	B La Plaine-S. de France

BIBLIOTHÈQUES
MÉDIATHÈQUES - DISCOTHÈQUES

Libraries
Bibliotecas

Arr.	Plan	Nom / Adresse	Téléphone	Métro
1	M 16	**Arts-Décoratifs** 107 rue de Rivoli	01 44 55 57 50	Tuileries
1	L 16	**Arts-Graphiques** Porte Saint-Eustache	01 40 41 99 16	Les Halles
1	L 16	**Bibliothèque Jeunesse de la Fontaine** 91 rue Rambuteau + terrasse Lautréamont	01 55 34 97 90	Les Halles
1	L 14	**Ecole du Louvre** Place du Carroussel	01 55 35 18 80	Pal.-Royal-Mée du Louvre
1	L 16	**Généalogique** 3 rue de Turbigo	01 42 33 58 21	Les Halles
1	M 15	**Louvre** 4 place du Louvre	01 44 50 76 56	Louvre-Rivoli
1	L 16	**Médiathèque Musicale de Paris** Forum des Halles, 8 Porte Saint-Eustache	01 55 80 75 30	Les Halles
2	K 15	**Vivienne (en Travaux)** 2 pass. des Petits-Pères	01 53 29 74 30	Bourse
3	M 19	**Architecture et du Patrimoine** Hôtel de Croisilles, 12 rue du Parc Royal	01 40 15 76 57	Saint-Paul
3	K 17	**Conservatoire des Arts et Métiers** 292 rue Saint-Martin	01 40 27 27 03	Réaumur-Sébastopol

BIBLIOTHÈQUES
MÉDIATHÈQUES - DISCOTHÈQUES

Arr.	Plan	Nom / Adresse	Téléphone	Métro
3	L 17	**Musée d'Art et d'Histoire du Judaïsme** 71 rue du Temple	01 53 01 86 60	Rambuteau
3	L 18	**Temple** 2 rue Eugène Spuller	01 53 01 76 05	Temple, République
4	M 17	**Publique d'Information** (Centre Georges Pompidou) 19 rue Beaubourg	01 44 78 12 33	Rambuteau
4	N 17	**Administrative** Hôtel-de-Ville Esc.W 5eétage- 5 rue de Lobau	01 42 76 48 87	Hôtel-de-Ville
4	N 17	**Baudoyer** 2 place Baudoyer	01 44 54 76 70	Hôtel-de-Ville
4	N 18	**Forney** Hôtel de Sens, 1 rue du Figuier	01 42 78 14 60	Saint-Paul
4	M 18	**Historique de la Ville de Paris** Hôtel Lamoignon, 24 rue du Pavé	01 44 59 29 40	Saint-Paul
4	O 18	**L'Isle-Saint-Louis** 21 rue Saint-Louis-en-l'Île	01 56 81 28 10	Pont-Marie
4	N 17	**Polonaise** 6 quai d'Orléans	01 55 42 83 83	Pont-Marie
5	O 17	**Bibliothèque pour Tous Bernardins** 11 bis rue des Bernardins	01 55 42 95 19	Maubert-Mutualité
5	Q 18	**Buffon** 15 bis rue Buffon	01 55 43 25 25	Gare d'Austerlitz
5	Q 18	**Centre d'Etude et de Documentation des Bibliothèques** 15 bis rue Buffon	01 45 35 69 00	Gare d'Austerlitz
5	P 16	**Cujas** 2 rue Cujas	01 44 07 79 87	Luxembourg
5	O 18	**Institut du Monde Arabe** 1 rue des Fossés Saint-Bernard	01 40 51 38 38	Jussieu
5	O 16	**L'Heure Joyeuse** 6-12 rue des Prêtes St-Séverin	01 56 81 15 60	Saint-Michel
5	P 17	**Littératures Policières** 48-50 rue du Cardinal Lemoine	01 42 34 93 00	Cardinal Lemoine
5	Q 16	**Mouffetard - Contrescarpe** 74-76 rue Mouffetard	01 43 37 96 54	Place Monge
5	Q 17	**Muséum d'Histoire Naturelle** 36 rue Geoffroy Saint-Hilaire	01 43 36 30 24	Censier-Daubenton
5	R 15	**Port-Royal** 88 ter boulevard de Port-royal	01 56 81 10 70	Port-Royal
5	P 16	**Sainte-Geneviève** 10 place du Panthéon	01 44 41 97 98	Luxembourg
6	O 13	**André Malraux** 78 Bd Raspail	01 45 44 53 85	Rennes
6	M 15	**Mazarine** 23 quai de Conti	01 44 41 44 06	Pont-Neuf
7	M 10	**Amélie** 164 rue de Grenelle	01 47 05 89 66	La Tour Maubourg
7	M 8	**American Library in Paris** 10 rue du Général Camou	01 53 59 12 60	Ecole Militaire
7	M 11	**British Council Library** 9-11 Rue de Constantine	01 49 55 73 23	Invalides
7	M 13	**Documentation Française** 29-31 quai Voltaire	01 40 15 72 72	Rue du Bac
7	M 11	**Saint-Simon** 116 rue de Grenelle (Mairie)	01 53 58 76 40	Solférino
8	I 9	**Courcelles** 17 ter avenue Beaucour	01 47 63 22 81	Ternes-Ch. Gaulle-Étoile
8	I 11	**Europe** 3 rue de Lisbonne (Mairie)	01 44 90 75 45	Europe
9	H 14	**Alliance Israëlite Universelle** 45 r. de la Bruyère	01 53 32 88 55	Saint-Georges
9	J 15	**Drouot** 11 rue Drouot	01 42 46 97 78	Richelieu Drouot
9	I 16	**Valeyre** 24 rue de Rochechouart	01 42 85 27 56	Cadet
10	J 18	**Château d'Eau** 72 rue du Faubourg Saint-Martin (Mairie)	01 53 72 11 75	Château-d'Eau
10	H 20	**François Villon** 81 boulevard de la Villette	01 42 41 14 30	Colonel Fabien
10	J 18	**Lancry** 11 rue de Lancry	01 42 03 25 98	République
11	O 22	**Faidherbe** 18-20 rue Faidherbe	01 55 25 80 20	Faidherbe-Chaligny
11	M 21	**Parmentier** 20 bis avenue Parmentier	01 47 00 64 42	Saint-Ambroise
12	O 21	**Bibliothèque du Film** 100 rue du Faubourg Saint-Antoine	01 53 02 22 40	Ledru-Rollin

Arr.	Plan	Nom / Adresse	Téléphone	Métro
12	P 21	**Diderot** 42 avenue Daumesnil	01 43 40 69 24	Gare de Lyon
12	P 22	**Picpus** 70 rue de Picpus	01 43 45 87 12	Daumesnil, Bel Air
12	P 22	**Saint-Eloi** 23 rue du Colonel Rozanoff	01 53 44 70 30	Reuilly-Diderot
13	S 21	**Bibliothèque Nationale de France** (Site F. Mitterrand) Quai François Mauriac	01 53 79 59 59	Bibl. Fr. Mitterrand
13	T 15	**Glacière** 132 rue de la Glacière	01 45 89 55 47	Glacière
13	T 18	**Italie** 211-213 boulevard Vincent Auriol	01 56 61 34 30	Place d'Italie
13	U 19	**Jean-Pierre Melville** (Jeunesse) 79 rue Nationale	01 53 82 76 76	Nationale, Tolbiac
13	U 19	**Marguerite Durand** (Femme et Féminisme) 79 rue Nationale	01 53 82 76 77	Nationale, Tolbiac
14	S 13	**Georges Brassens** 38 rue Gassendi	01 53 90 30 30	Mouton Duvernet
14	S 10	**Plaisance** 3 rue de Ridder	01 45 41 24 74	Plaisance
14	R 12	**Vandamme** 80 avenue du Maine	01 43 22 42 18	Gaîté
15	O 6	**Beaugrenelle** 36-40 rue Emeriau	01 45 77 63 40	Ch.-Michels, Dupleix
15	P 8	**Bibliothèque pour Tous** 67 rue de la Croix Nivert	01 48 28 01 66	Commerce
15	S 7	**Bibliothèque pour Tous Cadix** 11 Ter rue Cadix	01 48 28 82 83	Porte de Versailles
15	R 10	**Bibliothèque Sonore de Paris** 12 rue Bargue	01 45 67 03 74	Volontaires
15	Q 5	**Gutenberg** 8 rue de la Montagne d'Aulas	01 45 57 93 60	Lourmel
15	S 5	**Vaugirard** 154 rue Lecourbe	01 48 28 77 42	Vaugirard
16	K 7	**Association France-URSS** 61 rue Boissière	01 45 01 59 00	Boissière
16	L 7	**Centre Culturel Calouste Gulbenkian** 51 avenue d'Iéna	01 53 23 93 93	Iéna
16	P 27	**Musée de l'Homme** Place du Trocadéro, Palais de Chaillot (4e étage)	01 44 05 72 03	Trocadéro
16	Q 3	**Musset** 20 rue Alfred de Musset	01 45 25 69 83	Exelmans
16	L 6	**Trocadéro** 6 rue du Commandant Schloesing	01 47 27 26 47	Trocadéro
17	G 12	**Batignolles** 18 rue des Batignolles (Mairie)	01 44 69 18 30	Rome
17	F 12	**Brochant** 6 rue Fourneyron	01 42 28 69 94	Brochant
17	F 8	**Champerret** 13 rue Curnonsky	01 48 88 03 37	Louise-Michel
17	F 9	**Edmond Rostand** 11 rue Nicolas Chuquet	01 42 27 69 67	Pereire, Wagram
17	G 10	**Plaine Monceau** 11 rue Jacques Bingen	01 47 63 03 25	Malsherbes-Villiers
18	E 16	**Clignancourt** 29 rue Hermel	01 53 41 35 60	Jules Joffrin
18	G 17	**Goutte d'Or** 2-4 rue Fleury	01 53 09 26 10	Barbès-Rochechouart
18	E 19	**Maurice Genevoix** 19 rue Tristan Tzara	01 46 07 35 05	Porte de la Chapelle
18	D 14	**Porte Montmartre** 18 av. de la Porte Montmartre	01 42 55 60 20	Porte de Clignancourt
19	G 20	**Benjamin Rabier** 141 avenue de Flandre	01 42 09 31 24	Crimée
19	D 22	**Cité des Sciences** 30 avenue Corentin Cariou	01 40 05 70 06	Corentin Cariou
19	G 22	**Crimée** 42-44 rue Petit	01 42 45 56 40	Laumière
19	I 22	**Fessart** 6 rue Fessart	01 42 08 49 15	Jourdain
19	F 20	**Flandre** 41 avenue de Flandre	01 40 35 96 46	Riquet
19	G 19	**Hergé** 2 rue du Département	01 40 38 18 08	Stalingrad
19	H 24	**Place des Fêtes** 18 rue Janssen	01 42 49 55 90	Pré Saint-Gervais
20	J 22	**Couronnes** 66 rue des Couronnes	01 40 33 26 01	Couronnes
20	J 26	**Mortier** 109 boulevard Mortier	01 43 61 74 64	Porte des Lilas
20	M 24	**Orteaux** 40 rue des Orteaux	01 43 72 88 79	Alexandre Dumas
20	M 25	**Saint-Blaise** 37-39 rue Saint-Blaise	01 43 67 77 61	Porte de Bagnolet
20	J 24	**Saint-Fargeau** 12 rue du Télégraphe	01 43 66 84 29	Télégraphe
20	K 23	**Sorbier** 17 rue Sorbier	01 46 36 17 79	Gambetta

MARCHÉS COUVERTS

Environ de 8h à 13 h, de 16h à 19 h 30 du mardi au samedi et le dimanche de 8h à 13 h.
from Tuesday to Saturday from 8 am to 1 pm and from 4 pm to 7:30 pm, and Sunday from 8 am to 1 pm

Arr.	Plan	Nom / Adresse	Métro
3	L 18	**Marché des Enfants Rouges** 39 rue de Bretagne	Saint-Sébastien Froissart
6	O 14	**Saint-Germain** 4-8 rue Lobineau	Mabillon
8	I 11	**Europe** 1 rue Corvetto	Villiers, Miromesnil
10	I 17	**Saint-Quentin** 85 bis boulevard Magenta	Gare de l'Est
10	J 18	**Saint-Martin** 31-33 rue du Château d'Eau	Château d'Eau
12	O 21	**Beauvau** Place d'Aligre	Ledru-Rollin
16	M 5	**Passy** Place de Passy	La Muette
16	K 6	**Saint-Didier** Angle des rues Mesnil et Saint-Didier	Victor Hugo
17	F 12	**Batignolles** 96 bis rue Lemercier	Brochant
17	H 7	**Ternes** 8 bis rue Lebon	Ternes
18	E 18	**La Chapelle** 10 rue l'Olive	Marx Dormoy
19	F 20	**Riquet** 42 rue Riquet	Riquet
19	H 20	**Secrétan** 33 avenue Secrétan	Bolivar

MARCHÉS DÉCOUVERTS

Environ de 7 h à 14 h 30 / from 7 am to 2:30 pm

Arr.	Plan	Nom / Localisation. *Jours*	Métro
1	K 14	**Saint-Honoré** Place du Marché Saint-Honoré. *Samedi. Mercredi de 15h à 20h30*	Pyramides
2	K 15	**Bourse** Place de la Bourse. *Mardi et Vendredi de 12h30 à 20h.*	Bourse
4	N 17	**Baudoyer** Place Baudoyer. *Samedi. Mercredi de 15h à 20h30*	Hôtel-de-Ville
5	O 16	**Maubert (anciennement Carmes)** Place Maubert. *Mardi, jeudi, samedi*	Maubert-Mutualité
5	Q 17	**Monge** Place Monge. *Mercredi, vendredi, dimanche*	Place Monge
5	R 15	**Port-Royal** Boulevard de Port-Royal, Le long de l'Hôpital du Val-de-Grâce. *Mardi, jeudi, samedi*	Les Gobelins
6	O 13	**Raspail** Sur le boulevard Raspail, entre les rues du Cherche-Midi et de Rennes. *Mardi, vendredi*	Rennes
7	O 10	**Saxe Breteuil (anciennement Breteuil)** Sur l'avenue de Saxe, de l'avenue de Ségur à la place Breteuil. *Jeudi, samedi*	Ségur
8	J 12	**Aguesseau** Place de la Madeleine. *Mardi, vendredi*	Madeleine
9	G 16	**Anvers** Place d'Anvers. *Vendredi de 15h à 20h.*	Anvers
10	J 19	**Alibert** Rue Alibert, rue Claude Vellefaux. *Dimanche.*	Goncourt
11	M 20	**Bastille (anciennement Richard Lenoir)** Bd Richard Lenoir, de la rue Amelot à la rue Saint-Sabin. *Jeudi, dimanche*	Bastille
11	K 21	**Belleville** Terre-plein du boulevard de Belleville. *Mardi, vendredi*	Belleville
11	N 24	**Charonne** Boulevard de Charonne, entre les rues de Charonne et Alexandre Dumas. *Mercredi, samedi.*	Alexandre-Dumas
11	K 22	**Père Lachaise** Boulevard de Ménilmontant, entre les rues de Panoyaux et des Cendriers. *Mardi, vendredi*	Ménilmontant
11	L 20	**Popincourt** Sur le boulevard Richard Lenoir, entre les rues Oberkampf et Jean-Pierre Timbaud. *Mardi, vendredi*	Oberkampf
12	R 22	**Bercy** Place Lachambaudie. Dimanche. *Mercredi de 15h à 20h.*	Cour Saint-Emilion
12	P 25	**Cours de Vincennes** Sur le cours de Vincennes, entre le bd de Picpus et la rue Alexandre Netter. *Mercredi, samedi.*	Porte de Vincennes
12	R 23	**Daumesnil (anciennement Bercy)** Boulevard de Reuilly, entre la rue de Charenton et la place Félix Eboué. *Mardi, vendredi*	Daumesnil, Dugommier
12	P 20	**Ledru-Rollin** Avenue Ledru-Rollin, entre les rues de Lyon et de Bercy. *Jeudi, samedi*	Gare de Lyon

MARCHÉS DÉCOUVERTS

Heures d'ouverture de 7 h à 14 h 30 / from 7 am to 2:30 pm

Arr.	Plan	Nom / Localisation. *Jours*	Métro
12	S 25	**Poniatowski** Côté impair du boulevard Poniatowski, entre l'avenue Daumesnil et la rue Picpus. *Jeudi, dimanche*	Porte Dorée
12	P 22	**Saint-Eloi** Rue de Reuilly. *Jeudi, dimanche*	Reuilly-Diderot
13	T 15	**Alésia** Rues de la Glacière et de la Santé. *Mercredi, samedi*	Glacière
13	T 17	**Auguste Blanqui (anciennement Gobelins)** Bd Auguste Blanqui, côté impair entre la pl. d'Italie et la rue Barrault. *Mardi, vendredi, dimanche*	Place d'Italie
13	U 16	**Bobillot** Sur le trottoir impair de la rue Bobillot, entre la place de Rungis et la rue de la Colonie. *Mardi, vendredi*	Maison Blanche
13	T 19	**Jeanne d'Arc (anciennement Tolbiac)** Sur les deux plateaux de la place Jeanne d'Arc. *Jeudi, dimanche*	Nationale
13	U 18	**Maison Blanche** Sur l'avenue d'Italie, entre les N°110 à 162. *Jeudi, dimanche.*	Maison Blanche
13	Q 19	**Salpêtrière** Sur la place de la Salpêtrière, le long du boulevard de l'Hôpital. *Mardi, vendredi*	Saint-Marcel
13	S 19	**Vincent Auriol (anciennement La Gare)** Bd Vincent Auriol, entre le n° 64 et la rue Jeanne d'Arc. *Mercredi, samedi*	Chevaleret
14	T 10	**Brune** Avenue Georges-Lafenestre et rue du Général Séré de Rivières. *Jeudi, dimanche.*	Porte de Vanves
14	Q 12	**Edgar Quinet** Sur le terre-plein du boulevard Edgar Quinet. *Mercredi, samedi.*	Edgar Quinet
14	S 13	**Mouton-Duvernet** Place Jacques Demy. *Mardi, vendredi*	Mouton-Duvernet
14	S 11	**Villemain** Sur le terre-plein, entre l'avenue Villemain et la rue d'Alésia. *Mercredi, dimanche*	Plaisance Volontaires
15	R 10	**Cervantes** Rues Bargue et de la Procession. *Mercredi, samedi*	Volontaires
15	R 8	**Convention** Sur la rue de la Convention, entre les rues A. Chartier et de l'Abbé Groult. *Mardi, jeudi, dimanche*	Convention
15	O 8	**Grenelle** Sur le boulevard de Grenelle, entre la rue de Lourmel et la rue du Commerce. *Mercredi, dimanche*	Dupleix
15	R 6	**Lecourbe** Rue Lecourbe, entre les rues Vasco de Gama et Leblanc. *Mercredi, samedi.*	Balard
15	T 8	**Lefebvre** Avenues de la Porte de Plaisance, Albert Bartholomé et rue André Theuriet. *Mercredi, samedi*	Porte de Versailles
15	P 6	**St-Charles (anciennement Javel)** Sur les trottoirs de la r. St-Charles, entre la rue de Javel et le rond-point Saint-Charles. *Mardi, vendredi*	Charles Michels
16	I 6	**Amiral Bruix** Boulevard Amiral Bruix, entre les rues Weber et Marbeau. *Mercredi, samedi*	Porte Maillot
16	O 3	**Auteuil** Place Jean Lorrain. *Mercredi, samedi*	Michel-Ange-Auteuil
16	O 4	**Gros-La Fontaine (anciennement avenue de Versailles)** Rue Gros, rue La Fontaine. *Mardi, vendredi*	Jasmin
16	R 2	**Point du Jour** Avenue de Versailles, de la rue Le Marois à la rue Gudin. *Mardi, jeudi, dimanche*	Porte de Saint-Cloud
16	P 2	**Porte Molitor (anciennement Exelmans)** Place de la Porte Molitor côté centre sportif. *Mardi, vendredi*	Porte d'Auteuil
16	L 8	**Président Wilson** Terre-plein central de l'av. du Président Wilson, compris entre la r. Debrousse et la place d'Iéna. *Mercredi, samedi*	Iéna
17	F 8	**Berthier** Bd de Reims, le long du Square A. Ulmann. *Mercredi, samedi*	Péreire
17	D 12	**Navier** Rues Navier, Lantiez et des Epinettes. *Mardi, vendredi*	Porte de Saint-Ouen
18	G 17	**Barbès (anciennement Lariboisière)** Boulevard de la Chapelle face à l'Hôpital Lariboisière. *Mercredi, samedi*	Barbès-Rochechouart
18	D 14	**Ney** Boulevard Ney, entre les rues Jean Varenne et Camille Flammarion. *Jeudi, dimanche.*	Porte de Clignancourt
18	E 14	**Ordener** Entre les rues Montcalm et Championnet. *Mercredi, samedi*	Lamarck-Caulaincourt

MARCHÉS DÉCOUVERTS

Heures d'ouverture de 7 h à 14 h 30 / open 7 a.m. to 2:30 p.m.

Arr.	Plan	Nom / Localisation. *Jours*	Métro
18	D 16	**Ornano** Sur le boulevard Ornano, entre les rues du Mont-Cenis et Ordener. *Mardi, vendredi, dimanche..*	Simplon
19	E 20	**Crimée-Curial** Rue de Crimée, entre n° 236 et 246. *Mardi, vendredi*..................	Crimée
19	F 22	**Jean Jaurès** Avenue Jean Jaurès, entre les rues l'Ourcq et des Ardennes. *Mardi, jeudi, dimanche*..........	Ourcq
19	F 21	**Joinville** A l'angle des rues Joinville et Jomard. *Jeudi, dimanche*...	Crimée
19	I 23	**Pl. des Fêtes** Terre-plein place des Fêtes. *Mardi, vendredi, dimanche*..	Place des Fêtes
19	H 25	**Porte Brunet** Sur l'Avenue de la Porte Brunet. *Mercredi, samedi*.....	Danube
19	D 20	**Porte d'Aubervilliers** Avenue de la Porte d'Aubervilliers. *Mercredi, samedi*........................	Porte de la Chapelle
19	I 20	**Villette** Boulevard de la Villette, entre les n°27 et 41. *Mercredi, samedi*	Belleville
20	L 25	**Belgrand** Rue Belgrand, rue de la Chine et place Edith Piaf. *Mercredi, samedi*	Gambetta
20	N 26	**Davout** Boulevard Davout, entre l'avenue de la Porte de Montreuil et la rue Mendelssohn. *Mardi, vendredi*.................	Porte de Montreuil
20	K 26	**Mortier** Boulevard Mortier, entre l'av. de la Porte de Ménilmontant et la rue Maurice Berteaux. *Jeudi, dimanche*.........................	Saint-Fargeau
20	J 23	**Pyrénées** Rue des Pyrénées, entre les rues de l'Ermitage et de Ménilmontant. *Jeudi, dimanche* ...	Pyrénées
20	N 25	**Réunion** Place de la Réunion. *Jeudi, dimanche*	Alexandre-Dumas
20	I 24	**Télégraphe** Rue du Télégraphe (cimetière de Belleville). *Mercredi, samedi*..........................	Télégraphe

MARCHÉS SPÉCIALISÉS

Arr.	Plan	Nature / Adresse ou localisation, spécialités. *Jours*	Métro
6	O 13	**Biologique** Bd Raspail, entre la r. du Cherche-Midi et la r. de Rennes, commerces alimentaires et biologiques. *Dimanche de 9h à 14h*........	Rennes
14	R 12	**Biologique** Place Constantin Brancusi. *Samedi de 9h à 14h*.............	Gaîté
8	H 12	**Biologique des Batignolles** Boulevard des Batignolles entre rues de Turin et des Batignolles, commerces alimentaires et biologiques. *Tous les sam. de 9h à 14h*..	Rome
8	K 9	**Drouot Montaigne** 15 av. Montaigne 01 48 00 20 80, ventes de prestige. *Du Lundi au Vendredi de 9h30 à 13h (hors jours des ventes)*.............	Alma-Marceau
18	F 17	**Drouot Nord** 64 rue Doudeauville 01 48 00 20 99, meubles et objets courants. *Du Lundi au Vendredi de 8h45 à 12h30*.	Marcadet-Poissonniers
9	J 15	**Drouot Richelieu** 9 rue Drouot 01 48 00 20 20, tableaux, meubles, objets d'art. *Lundi au Samedi 11h à 18h*..............	Richelieu-Drouot
18	D 15	**Ferraille** Sur les deux trottoirs de la rue Jean-Henri Fabre. *Sam., dim., lun. de 7h à 19h30*..............................	Porte de Clignancourt
4	N 16	**Fleurs (Cité)** Place Louis Lépine et quais alentour. *Tlj de 8h à 19h30, sf lun*................	Cité
8	J 12	**Fleurs de la Madeleine** Place de la Madeleine. *Tlj de 8h à 19h30, sf lun*................	Madeleine
17	H 8	**Fleurs des Ternes** Place des Ternes. *Tlj de 8h à 19h30, sf lun*..........	Ternes
15	S 9	**Livre Ancien et d'Occasion** Parc Georges Brassens, r. Brancion. *Sam. et dim. de 9h30 à 18h*..........................	Porte de Vanves
2	L 14	**Louvre des Antiquaires** 2 place du Palais-Royal , antiquaires. *Du mardi au dimanche de 11h à 19h (fermé dim. juillet août)*.............	Palais-Royal
11	N 20	**Marché de la Création - Bastille** Boulevard Richard-Lenoir entre rues Amelot et Saint-Sabin. *Sam. De 9h à 19h30*..................	Bastille

MARCHÉS SPÉCIALISÉS

Specialized markets
Mercados especializados

Arr.	Plan	Nature / Adresse ou localisation, spécialités. *Jours*	Métro
14	Q 12	**Marché de la Création - Edgar Quinet** Boulevard Edgar Quinet. *Tous les dim. de 9h à 19h30*	Edgar Quinet
12	O 21	**Marché de la Place d'Aligre** Place d'Aligre, brocante, fruits et légumes. *Tlj (sauf lun.) de 7h30 à 13h30*	Ledru-Rollin
18	G 16	**Marché St-Pierre** Rue Charles Nodier, Livingstone 01 46 06 92 25, tissus. *Mardi au sam. 10h à 18h30. Lun. 13h30 à18h30 sf août*	Anvers
4	N 16	**Oiseaux** Place Louis Lépine et quais alentour. *Dim. de 8h à 19h*	Cité
1	M 16	**Oiseaux, Chiens, Chats, Poissons** Quai de la Mégisserie. *Tlj de 10h à 19h*	Pont-Neuf
18	D 16	**Puces de Clignancourt - St-Ouen** Av. de la Pte de Clignancourt, rues Jean-Henri Fabre et des Entrepôts, vêtements, antiquaires et brocanteurs. *Sam., dim., lun. de 7h à 19h30*	Porte de Clignancourt
20	N 26	**Puces de Montreuil** Avenue de la Porte de Montreuil, vêtements, brocanteurs. *Sam., dim., lun. de 7h à 19h30*	Porte de Montreuil
14	U 9	**Puces de Vanves** Av. de la Porte de Vanves et G. Lafenestre, rue Marc Sangnier, brocante antiquaire. *Sam., dim. de 7h à 19h30*	Porte de Vanves
8	K 11	**Timbres** Côté droit des Champs-Ély., angle des av. Marigny et Gabriel. *Jeu., sam., dim. et jours fériés toute la journée*	Champs-Ély.-Clemenceau
14	S 13	**Vêtements** Entre les rues Brezin, Saillard, Mouton Duvernet, Boulard, vêtements. *Mardi, vend.,dim. d'octobre à mars de 10h30 à 19h30*	Mouton-Duvernet
12	O 21	**Vêtements Beauvau Saint-Antoine** Sur la place d'Aligre. *Tlj de 7h30 à 12h30*	Ledru-Rollin
3	L 18	**Vêtements Carreau du Temple** 2 r. Perrée. *Tlj de 9h à 12h, sf lun.*	Temple
3	L 13	**Vêtements Temple** Boutiques angle des rues Eugène Spuller et Dupetit-Thouars. *Tlj de 9h à 19h, sf lun.*	Temple
94	DF 102	**Vieux Papiers** Av. de Paris (à St-Mandé), cartes postales, livres, documents, timbres... *Mer. de 9h à 18h*	Saint-Mandé Tourelle
1	I 15	**Village Saint-Honoré** 91 rue Saint-Honoré 01 42 60 48 54, arts, antiquités, métiers d'art. *Du Lundi au Samedi*	Louvre-Rivoli
4	N 18	**Village St-Paul** R. St-Paul / r. de l'Ave Maria, arts et antiquités. *Du Jeudi au Lundi de 11h à 19h*	Saint-Paul
15	O 8	**Village Suisse** 78 av. de Suffren ou 54 av. de La Motte-Piquet 01 43 06 07 22, antiquaires et galeries d'art. *Du Jeudi au Lundi de 10h30 à 19h*	La Motte Picquet-Grenelle

GRANDS MAGASINS

Department stores
Grandes almacenes

Arr.	Plan	Nom / Adresse	Téléphone	Métro / **RER**
1	L 16	**FNAC Forum** Forum des Halles,1-7 rue Pierre Lescot	01 40 41 40 00	Les Halles
1	M 15	**La Samaritaine (en Travaux)** 19 r. de la Monnaie	01 40 41 20 20	Pont Neuf
1	L 14	**Virgin Louvre** Carrousel du Louvre, 99 r. de Rivoli	01 44 50 03 10	Pal. Royal-Mée du Louvre
2	J 15	**Virgin Grands Boulevards** 5 bd Montmartre	01 40 13 72 13	Grands Boulevards
4	M 17	**BHV** 14 rue du Temple	01 42 74 90 00	Hôtel de Ville
4	M 17	**Printemps Design** Centre Georges Pompidou, place Georges Pompidou	01 44 78 15 78	Rambuteau
6	O 15	**FNAC Micro** 77-81 boulevard Saint-Germain	01 53 10 44 44	Cluny-La Sorbonne
6	Q 13	**FNAC Junior** 19 rue Vavin	01 56 24 03 46	Vavin
6	P 12	**FNAC Montparnasse** 136 rue de Rennes	01 49 54 30 00	Montparnasse-Bienv.
7	O 12	**Le Bon Marché** 24 rue de Sèvres	01 44 39 80 00	Sèvres-Babylone
8	J 9	**FNAC Champs-Elysées** 74 av. des Ch.-Elysées	01 53 53 64 64	George V
8	J 10	**Virgin Champs-Elysées** 52-60 av. des Ch.-Élysées	01 49 53 50 00	Franklin D. Roosevelt
9	I 13	**FNAC St-Lazare** Pass. du Havre, 109 rue St-Lazare	01 55 31 20 00	Saint-Lazare
9	J 14	**FNAC Opéra** 24 boulevard des Italiens	01 48 01 02 03	Opéra

GRANDS MAGASINS

Arr.	Plan	Nom / Adresse	Téléphone	Métro / **RER**
9	I 14	**Galeries Lafayette** 40 boulevard Haussmann............	01 42 82 34 56	Chée-d'Antin-La Fayette
9	J 13	**Lafayette Maison** 35 boulevard Haussmann..............	01 40 23 53 40	Chée-d'Antin-La Fayette
9	I 13	**Printemps-Haussmann** 64 boulevard Haussmann ..	01 42 82 50 00	Havre-Caumartin
12	N 20	**FNAC Musique** 4 place de la Bastille......................	01 43 42 04 04	Bastille
12	S 22	**FNAC Junior** Cour Saint-Emilion............................	01 44 73 01 58	Cour Saint-Emilion
12	P 20	**Virgin Gare de Lyon** Gare de Lyon, pl. L. Armand.....	01 44 75 43 81	Gare de Lyon
13	T 21	**FNAC Italie 2** Ctre Cial Italie 2 - 30 avenue d'Italie ...	01 58 10 30 00	Place d'Italie
13	R 20	**Jardinerie Truffaut** 85 quai de la Gare...................	01 53 60 84 50	Quai de la Gare
13	T 18	**Printemps Italie 2** Ctre Cial Italie 2 - 30 av. d'Italie ..	01 40 78 17 17	Place d'Italie
15	Q 12	**Galeries Lafayette** 22 rue du Départ.....................	01 45 38 52 87	Montparnasse-Bienv.
15	Q 12	**Virgin Montparnasse**		
		Gare Montparnasse niveau A, place Raoul Dautry......	01 45 38 06 06	Montparnasse-Bienv.
16	K 5	**FNAC Junior** 148 avenue Victor Hugo....................	01 45 05 90 60	Victor-Hugo
17	H 8	**FNAC Ternes** 26-30 avenue des Ternes................	01 44 09 18 00	Ternes
17	G 8	**FNAC Junior** 155 rue de Courcelles.....................	01 42 67 40 22	Péreire-Levallois
18	G 13	**Castorama** Ctre Cial Les Arcades,		
		1-3 rue Caulaincourt..	01 53 42 42 42	Place de Clichy
18	G 16	**Virgin Barbès** 15 boulevard Barbès....................	01 56 55 53 70	Barbès-Rochechouart
19	E 21	**BHV** 119-127 avenue de Flandre........................	01 42 74 99 00	Crimée
20	P 24	**Castorama** 9-11 cours de Vincennes..................	01 55 25 14 14	Nation
92	C 2	**FNAC** Centre Commercial Les Quatre Temps,		
		place des Miroirs 92 92 La Défense......................	01 49 07 08 79	A La Défense-Gde Arche
20	P 25	**Printemps-Nation** 21-25 cours de Vincennes.......	01 43 71 12 41	Nation
92	B 2	**FNAC La Défense-CNIT**		
		2 place de la Défense 92053 La Défense................	01 40 90 40 90	A La Défense-Gde Arche
92	C 2	**Virgin La Défense** Défense 4 92800 La Défense	01 49 67 02 60	A La Défense-Gde Arche
94	DK 98	**Virgin Bercy** Centre Commercial Bercy 2,		
		place de l'Europe 94228 Charenton-le-Pont................	01 41 79 33 10	

24 h / 24

Arr.	Plan	Commerce / Adresse	Téléphone	Fermeture	Métro
6	N 15	**Boulangerie "chez Jean Mi"**			
		10 rue de l'Ancienne Comédie	01 43 26 89 72	24h/24	Odéon
8	J 10	**Drugstore** 1 avenue Matignon......................	01 43 59 38 70	2h	Franklin D.-Roosevelt
8	J 8	**Drugstore-Publicis**			
		133 av. des Champs-Élysées	01 44 43 79 00	2h	Ch.-de-Gaulle-Étoile
8	J 18	**Journaux** 37 av. des Champs-Élysées........	01 40 76 03 47	24h/24	Franklin D.-Roosevelt
8	J 10	**Journaux** 44 av. des Champs-Élysées........	01 42 89 32 51	24h/24	George-V
8	J 13	**Journaux** 16 bd de la Madeleine...............	01 42 65 29 19	24h/24	Madeleine
8	J 9	**Monoprix** 52 av. des Champs-Élysées........	01 53 77 65 65	0h	Franklin D.-Roosevelt
1	K 13	**Station-service Esso** 338 rue St-Honoré.....	01 42 60 49 37	24h/24	Tuileries
8	J 9	**Station-service Total** (Parking George V)			
		Face au 103 av. George V............................	01 47 20 09 22	24h/24	George-V
16	R 1	**Station-service Elf** 2 av. de la Pte de St-Cloud	01 46 51 89 95	24h/24	Porte de Saint-Cloud
17	G 7	**Station-service Shell** 3 bd de l'Yser..........	01 47 66 54 92	24h/24	Porte Champerret
17	F 9	**Station-service Shell**			
		3-5 avenue de la Porte d'Asnières..................	01 43 80 01 53	24h/24	Péreire
16	R 2	**Tabac** 234 Av. de Versailles.......................	01 46 51 97 11	2h	Pte de St-Cloud
17	I 6	**Tabac Le Maillot**			
		78 av. de la Grande-Armée..........................	01 45 74 41 42	0h	Porte Maillot
8	J 10	**Virgin Champs-Elysées**			
		52-60 av. des Champs-Élysées	01 49 53 50 00	0h	Franklin D.-Roosevelt

PARIS : INDEX DES RUES

A

Ar	Plan	Rues / Streets	Quart.	Commençant	Finissant	Métro
6	N14	**Abbaye** Rue de l'	24	18 R. de l'Échaudé	37 R. Bonaparte	St-Germain-des-Prés
8	P16	**Abbé Basset** Place de l'	25	R. Mont. Ste-Genev.	R. St-Etienne du Mont	Maubert-Mutualité
14	T11-T12	**Abbé Carton** Rue de l'	56	5 R. des Suisses	60 R. des Plantes	Plaisance
5	Q15	**Abbé De L'Épée** Rue de l'	19	48 R. Gay Lussac	1 R. H. Barbusse	Luxembourg (RER B)
7	O11	**Abbé Esquerré** Square de l'	27	Bd des Invalides	Av. Duquesne	St-Franç.-Xavier
16	R2	**Abbé Frantz Stock** Place de l'	61	Av. D. De La Brunerie	Av. du Gal Clavery	Pte de St-Cloud
13	U17	**Abbé Georges Henocque** Pl. de l'	51	30 R. des Peupliers	81 R. de la Colonie	Tolbiac
16	M6	**Abbé Gillet** Rue de l'	62	7 R. Lyautey	10 R. J. Bologne	Passy
6	O12-P13	**Abbé Grégoire** Rue de l'	23	73 R. de Sèvres	90 R. de Vaugirard	St-Placide - Rennes
8	Q8-R9	**Abbé Groult** Rue de l'	60-57	7 Pl. Ét. Pernet	Pl. C. Vallin	Félix Faure
14	R11	**Abbé Jean Lebeuf** Place de l'	56	R. de l'Ouest	R. du Château	Pernety
14	S11	**Abbé Lemire** Square de l'	56	R. Alain	R. de Gergovie	Plaisance
4	M18	**Abbé Migne** Rue de l'	14	R. Francs Bourgeois	R. de Sévigné	Rambuteau
14	S14	**Abbé Migne** Square de l'	55	Av. Denfert-Rochereau	Bd St-Jacques	Denfert-Rochereau
18	F15	**Abbé Patureau** Rue de l'	70	7 R. P. Féval	116 R. Caulaincourt	Lamarck-Caulaincourt
15	O9	**Abbé Roger Derry** Rue de l'	59	11 R. du Laos	96 Av. de Suffren	La Motte-P.-Grenelle
16	O4	**Abbé Roussel** Avenue de l'	61	35 R. J. De La Fontaine	30 Av. T. Gautier	Jasmin
16	F9	**Abbé Rousselot** Rue de l'	66	116 mBd Berthier	Av. Brunetière	Pereire
14	R12	**Abbé Soulange Bodin** Rue de l'	56	15 R. Guilleminot	75 R. de l'Ouest	Pernety
18	G15	**Abbesses** Passage des	70	20 R. des Abbesses	57 R. des Trois Frères	Abbesses
18	G15	**Abbesses** Place des	69-70	16 R. des Abbesses	R. de la Vieuville	Abbesses
18	G15-G14	**Abbesses** Rue des	70-69	89 R. des Martyrs	34 R. Lepic	Blanche
9	H17	**Abbeville** Rue d'	37	1 Pl. Franz Liszt	82 R. Maubeuge	Poissonnière
10	H17	**Abbeville** Rue d'	36	1 Pl. Franz Liszt	82 R. Maubeuge	Poissonnière
12	P20-P21	**Abel** Rue	48	25 Bd Diderot	88 R. de Charenton	Gare de Lyon
16	R2	**Abel Ferry** Rue	61	3 R. de la Petite Arche	128 Bd Murat	Pte de St-Cloud
13	R20	**Abel Gance** Rue	50	Q. de la Gare	Av. de France	Quai de la Gare
13	S17	**Abel Hovelacque** Rue	52	62 Av. des Gobelins	16 Bd A. Blanqui	Place d'Italie
12	P21	**Abel Leblanc** Passage	48	127 R. de Charenton	19 R. Crozatier	Reuilly Diderot
11	K20	**Abel Rabaud** Rue	41	140 Av. Parmentier	7 R. des Goncourt	Goncourt
17	G12	**Abel Truchet** Rue	67	30 Bd des Batignolles	11 R. Caroline	Place de Clichy
2	K15-K17	**Aboukir** Rue d'	7-8	9 Pl. des Victoires	285 R. St-Denis	Strasbourg-St-Denis
18	F15	**Abreuvoir** Rue de l'	69	9 R. des Saules	16 R. Girardon	Lamarck-Caulaincourt
17	I8	**Acacias** Passage des	65	33 Av. Mac Mahon	56 R. des Acacias	Ch. de Gaulle-Étoile
17	I7-H8	**Acacias** Rue des	65	36 Av. de la Gde Armée	35 Av. Mac Mahon	Ch. de Gaulle-Étoile
6	N14	**Acadie** Place d'	22	R. du Four	Bd St-Germain	Mabillon
20	L24	**Achille** Rue	79	28 R. des Rondeaux	25 R. Ramus	Gambetta
18	U12	**Achille Luchaire** Rue	56	114 Bd Brune	8 R. Albert Sorel	Pte d'Orléans
18	E14-E15	**Achille Martinet** Rue	69	178 R. Marcadet	30 R. Montcalm	Lamarck-Caulaincourt
5	R17	**Adanson** Square	18	119 R. Monge	(en impasse)	Censier-Daubenton
20	K25	**Adjudant Réau** Rue de l'	78	20 R. du Cap. Marchal	1 R. de la Dhuis	Pte de Bagnolet
20	J26	**Adjudant Vincenot** Place	78	80 R. du Surmelin	96 Bd Mortier	St-Fargeau
4	M16	**Adolphe Adam** Rue	13	14 Q. de Gesvres	13 Av. Victoria	Châtelet
15	Q9	**Adolphe Chérioux** Place	56	93 R. Blomet	262 R. de Vaugirard	Vaugirard
14	U13	**Adolphe Focillon** Rue	55	26 R. Sarrette	11 R. Marguerin	Alésia
1	L15	**Adolphe Jullien** Rue	2	11 R. de Viarmes	40 R. du Louvre	Louvre-Rivoli - Les Halles
9	G13	**Adolphe Max** Place	74	22 R. de Douai	53 R. Vintimille	Place de Clichy
19	F23	**Adolphe Mille** Rue	74	185 Av. J. Jaurès	(en impasse)	Ourcq - Pte de Pantin
14	U10	**Adolphe Pinard** Boulevard	56	Pte de Châtillon	Av. P. Larousse	Malakoff-Plat. Vanves
16	L4	**Adolphe Yvon** Rue	63	6 Pl. Tattegrain	65 Bd Lannes	Rue de la Pompe
19	I22	**Adour** Villa de l'	76	13 R. de la Villette	14 R. Mélingue	Jourdain - Pyrénées
16	N4	**Adrien Hébrard** Avenue	61	4 Pl. Rodin	65 Av. Mozart	Ranelagh - Jasmin
9	J14	**Adrien Oudin** Place	34	26 Bd Haussmann	28 Bd Haussmann	Richelieu Drouot
14	M25	**Adrienne** Cité	80	82 R. de Bagnolet	(en impasse)	Gambetta - A. Dumas
14	S13	**Adrienne** Villa	55	17 Av. du Gal Leclerc	(en impasse)	Mouton-Duvernet
7	M8-N9	**Adrienne Lecouvreur** Allée	28	Av. S. de Sacy	Pl. Joffre	École Militaire
14	S13	**Adrienne Simon** Villa	55	48 R. Daguerre	(en impasse)	Denfert-Rochereau
18	F17-G17	**Affre** Rue	71	18 R. de Jessaint	7 R. Myrha	La Chapelle
18	O4	**Agar** Rue	61	41 R. Gros	19 R. J. De La Fontaine	Mirabeau - Jasmin
9	H15	**Agent Bailly** Rue de l'	36	13 R. Rodier	22 R. Milton	Cadet - St-Georges
4	O18	**Agrippa D'Aubigné** Rue	15	40 Q. Henri IV	17 Bd Morland	Sully Morland
8	J12	**Aguesseau** Rue d'	31	60 R. du Fbg St-Honoré	23 R. Surène	Madeleine
14	S12	**Aide Sociale** Square de l'	56	158 Av. du Maine	(en impasse)	Pernety - Gaîté
19	G23	**Aigrettes** Villa des	75	16 R. D. d'Angers		Danube
18	E16	**Aimé Lavy** Rue	70	35 R. Hermel	74 R. du Mont Cenis	Jules Joffrin
17	H8	**Aimé Maillard** Place	65	Av. Niel	R. Laugier	Ternes - Pereire
13	V16	**Aimé Morot** Rue	51	65 Bd Kellermann	Av. Caffieri	Corvisart
19	F22	**Aisne** Rue de l'	74	13 Q. de l'Oise	28 R. de l'Ourcq	Corentin Cariou

Ar	Plan	Rues / Streets	Quart.	Commençant	Finissant	Métro
10	J19-J20	**Aix** Rue d'	40	53 R. du Fbg du Temple	8 R. Louvel Tessier	Goncourt
7	M11	**Ajaccio** Square d'	28	Bd des Invalides	R. de Grenelle	La Tour-Maubourg
14	R11	**Alain** Rue	56	21 Pl. de Catalogne	76 R. Vercingétorix	Pernety
15	R8	**Alain Chartier** Rue	57	149 R. Blomet	195 R. de la Convention	Convention
14	T10	**Alain Fournier** Square	56	1 Sq. A. Renoir	3 R. de la Briqueterie	Pte de Vanves
15	O8	**Alasseur** Rue	59	17 R. Dupleix	14 Av. Champaubert	La Motte-P.-Grenelle
10	I17	**Alban Satragne** Square	38	107 R. du Fbg St-Denis		Gare de l'Est
16	L4	**Albéric Magnard** Rue	62	5 R. O. Feuillet	23 R. d'Andigné	La Muette
13	T20-U20	**Albert** Rue	50	62 R. Regnault	53 R. de Tolbiac	Pte d'Ivry
15	T8	**Albert Bartholomé** Avenue	57	11 Av. de la Pte Plaine	6 Av. de la Pte Brancion	Pte de Versailles
15	T8	**Albert Bartholomé** Square	57	Av. A. Bartholomé	(en impasse)	Pte de Versailles
13	T18	**Albert Bayet** Rue	50	66 Av. Edison	Bd Vincent Auriol	Place d'Italie
17	G8	**Albert Besnard** Square	66	Pl. du Mal Juin	Av. de Villiers	Pereire
10	H19	**Albert Camus** Rue	40	Pl. du Col. Fabien	Pl. Robert Desnos	Colonel Fabien
15	R4	**Albert Cohen** Place	60	R. Leblanc		Bd Victor (RER C)
13	S20	**Albert Cohen** Rue	50	R. du Chevaleret	Av. de France	Bibl. F. Mitterrand
7	O10	**Albert De Lapparent** Rue	27	30 Av. de Saxe	7 R. de Heredia	Ségur
16	L7	**Albert De Mun** Avenue	64	54 Av. de New York	43 Av. du Pdt Wilson	Trocadéro
13	T21-U22	**Albert Einstein** Rue	50	30 Bd Gal Jean Simon	R. A. Domon et L. Duquet	Bibl. F. Mitterrand
8	L9	**Albert Ier** Cours	29	Pl. du Canada	Pl. de l'Alma	Alma-Marceau
16	L7	**Albert Ier de Monaco** Avenue	62	Pl. de Varsovie	Palais de Chaillot	Trocadéro
18	D16	**Albert Kahn** Place	70	Bd Ornano	R. Championnet	Pte de Clignancourt
13	U18	**Albert Londres** Place	50	9R. des Fr. D'Astier De La Vig.	R. Baudricourt	Pte de Choisy
12	Q26	**Albert Malet** Rue	45	7 Av. E. Laurent	8 R. J. Lemaître	Pte de Vincennes
20	M25	**Albert Marquet** Rue	80	15 R. Courat	44 R. Vitruve	Maraîchers
19	H23	**Albert Robida** Villa	75	51 R. A. Rozier	36 R. de Crimée	Botzaris
17	E9	**Albert Roussel** Rue	67	R. S. Grappelli	Bd Berthier	Pereire
17	F8	**Albert Samain** Rue	66	168 Bd Berthier	5 Av. S. Mallarmé	Pte de Champerret
4	N18	**Albert Schweitzer** Square	.	R. de l'Hôtel de Ville	R. Nonnains d'Hyères	Pont Marie
14	U12	**Albert Sorel** Rue	55	122 Bd Brune	29 Av. E. Reyer	Pte d'Orléans
10	K19	**Albert Thomas** Rue	39	5 R. Léon Jouhaux	2 Pl. J. Bonsergent	République
12	P19	**Albert Tournaire** Square	48	Pl. Mazas		Quai de la Rapée
20	P27	**Albert Willemetz** Rue	80	Av. de la Pte Vincennes	R. du Cdt L'Herminier	St-Mandé Tourelle
13	S15	**Albin Cachot** Square	52	141 R. Nordmann		Glacière
13	U17	**Alain Haller** Rue	51	19 R. Fontaine à M.	24 R. Brillat Savarin	Corvisart - Tolbiac
12	Q23	**Albinoni** Rue	46	50 Al. Vivaldi	34 R. J. Hillairet	Montgallet
16	M6	**Alboni** Rue de l'	62	16 Av. du Pdt Kennedy	23 Bd Delessert	Passy
16	M6	**Alboni** Square de l'	62	6 R. de l'Alboni	2 R. des Eaux	Passy
14	T14	**Alembert** Rue D'	55	17 R. Hallé	2 R. Bezout	Denfert-Rochereau
15	P12	**Alençon** Rue d'	58	46 Bd du Montparnasse	7 Av. du Maine	Montparnasse-Bienv.
14	U15-S11	**Alésia** Rue d'	54 à 56	106 R. de la Santé	R. de Vouillé	Alésia - Plaisance
14	T12	**Alésia** Villa d'	55	111 R. d'Alésia	39 R. des Plantes	Alésia
14	S11	**Alésia-Ridder** Square	56	R. d'Alésia	R. Losserand	Plaisance
9	H14	**Alex Biscarre** Square	33	31 R. N.-D. de Lorette		St-Georges
19	H25	**Alexander Fleming** Rue	75	76 Av. du Belvédère	Av. de la Pte du Pré St-Gervais	Pré St-Gervais
15	Q11	**Alexandre** Passage	58	71 Bd Vaugirard	Bd Pasteur	Montparnasse-Bienv.
15	O9	**Alexandre Cabanel** Rue	58-59	26 Av. Lowendal	1 Bd Garibaldi	Cambronne
17	G7	**Alexandre Charpentier** Rue	65	20 Bd Gouvion St-Cyr	23 Bd de l'Yser	Pte de Champerret
19	F21	**Alexandre De Humboldt** Rue	73	5 R. de Colmar	6 Q. de la Marne	Crimée
11	N23	**Alexandre Dumas** Rue	44	213 Bd Voltaire	22 R. Voltaire	Rue des Boulets
20	N23	**Alexandre Dumas** Rue	80	213 Bd Voltaire	22 R. Voltaire	Rue des Boulets
16	I6	**Alexandre et René Parodi** Sq.	63	Bd de l'Amiral Bruix	Bd Thierry de Martel	Pte Maillot
16	L4	**Alexandre Ier de Yougoslavie** Sq.	63	Pl. de Colombie	Porte de la Muette	Av. H. Martin (RER C)
7	L11	**Alexandre III** Pont	26-29	Q. d'Orsay	Cours la Reine	Invalides
8	L11	**Alexandre III** Pont	26-29	Q. d'Orsay	Cours la Reine	Champs-Elysées-Clem.
18	D15	**Alexandre Lécuyer** Impasse	69	103 R. Ruisseau	(en impasse)	Pte de Clignancourt
20	J22	**Alexandre Luquet** Square	77	R. Piat	R. du Transvaal	Pyrénées
10	H19	**Alexandre Parodi** Rue	40	167 Q. de Valmy	222 R. du Fbg St-Martin	Louis Blanc
19	H24	**Alexandre Ribot** Villa	75	74 R. D. d'Angers	17 R. de l'Égalité	Danube
16	O3	**Alexandre Tansman** Villa	61	1 R. Lancret		Exelmans
13	V18	**Alexandre Vialatte** Allée	51	R. du Tage	R. A. Pieyre de Mand.	Maison Blanche
2	K17	**Alexandrie** Rue d'	8	241 R. St-Denis	104 R. d'Aboukir	Strasbourg-St-Denis
11	N22	**Alexandrine** Passage	43	44 R. Léon Frot	27 R. E. Lepeu	Charonne
16	N5	**Alfred Bruneau** Rue	.	24 R. des Vignes	3 Pl. Chopin	La Muette
16	O2	**Alfred Capus** Square	.	116 Bd Suchet	25 Av. du Mal Lyautey	Pte d'Auteuil
8	H9	**Alfred De Vigny** Rue	32	Pl. du Gal Brocard	10 R. Chazelles	Courcelles
17	H9	**Alfred De Vigny** Rue	66	Pl. du Gal Brocard	10 R. Chazelles	Courcelles
16	L4-M4	**Alfred Dehodencq** Rue	62	19 R. O. Feuillet	(en impasse)	La Muette
16	M4	**Alfred Dehodencq** Square	62	9 R. A. Dehodencq		La Muette
15	P7	**Alfred Dreyfus** Place	59	Av. Émile Zola	R. Violet	Av. Émile Zola
14	T10	**Alfred Durand Claye** Rue	56	198 R. Losserand	231 R. Vercingétorix	Pte de Vanves
13	V19	**Alfred Fouillée** Rue	51	117 Bd Masséna	Av. Léon Bollée	Pte de Choisy

5	Q16	**Alfred Kastler** Place	19	1 R. Érasme	4 R. Rataud	Place Monge
17	F9	**Alfred Roll** Rue	66	80 Bd Péreire	33 Bd Berthier	Pereire
15	N7	**Alfred Sauvy** Place	59	23 R. Desaix	8 Al. M. Yourcenar	Dupleix
9	H15	**Alfred Stevens** Passage	33	10 R. A. Stevens	9 Bd de Clichy	Pigalle
9	H15	**Alfred Stevens** Rue	33	65 R. Martyrs	Pas. A. Stevens	Pigalle
12	P19	**Alger** Cour d'	48	245 R. de Bercy	(en impasse)	Quai de la Rapée
1	L13	**Alger** Rue d'	4	214 R. de Rivoli	219 R. St-Honoré	Tuileries
19	H24	**Algérie** Boulevard d'	75	67 Bd Sérurier	18 Av. de la Pte Brunet	Pré St-Gervais
10	J19	**Alibert** Rue	39-40	66 Q. de Jemmapes	1 Av. C. Vellefaux	République
14	T11-U11	**Alice** Square	56	127 R. Didot	(en impasse)	Pte de Vanves
13	T21	**Alice Domon et Léonie Duquet** R.	50	33 Q. Panhard et Levassor	58 Avenue de France	Bibl. F. Mitterrand
12	O21	**Aligre** Place d'	48	10 R. de Cotte	26 R. Beccaria	Ledru-Rollin
12	O21	**Aligre** Rue d'	48	95 R. de Charenton	138 R. du Fbg St-Antoine	Ledru-Rollin
16	O2	**Aliscamps** Square des	61	100 Bd Suchet	9 Av. du Mal Lyautey	Pte d'Auteuil
12	Q27	**Allard** Rue	45	Bd de la Guyane	R. Allard (St-Mandé)	St-Mandé Tourelle
7	M13	**Allent** Rue	25	15 R. de Lille	22 R. de Verneuil	St-Germain-des-Prés
15	R9	**Alleray** Hameau d'	57	25 R. d'Alleray	(en impasse)	Vaugirard
15	R9	**Alleray** Jardin d'	57	R. d'Alleray	Pl. d'Alleray	Vaugirard
15	R10	**Alleray** Place d'	57	59 R. d'Alleray	35 R. Dutot	Vaugirard
15	R9-R10	**Alleray** Rue d'	57	297 R. de Vaugirard	2 Pl. Falguière	Vaugirard
15	R10	**Alleray Labrouste** Jardin d'	57	R. d'Alleray	Pl. d'Alleray	Vaugirard
15	R10	**Alleray Quintinie** Square	57	R. La Quintinie		Vaugirard
19	D22	**Allier** Quai de l'	74	Bd Macdonald	Q. Gambetta	Pte de la Villette
7	M9	**Alma** Cité de l'	28	4 Av. Bosquet	9 Av. Rapp	Pont de l'Alma (RER C)
8	L9	**Alma** Place de l'	29	Crs Albert Iᵉʳ	Av. George V	Alma-Marceau
16	L9	**Alma** Place de l'	64	Crs Albert Iᵉʳ	Av. George V	Alma-Marceau
7	L9	**Alma** Pont de l'	28	Pl. de l'Alma	Pl. de la Résistance	Alma-Marceau
8	L9	**Alma** Pont de l'	29	Pl. de l'Alma	Pl. de la Résistance	Alma-Marceau
16	L9	**Alma** Pont de l'	64	Pl. de l'Alma	Pl. de la Résistance	Alma-Marceau
3	L18	**Alombert** Passage	9	26 R. Gravilliers	9 R. au Maire	Arts et Métiers
19	I22	**Alouettes** Rue des	76	29 R. Fessart	64 R. Botzaris	Botzaris
13	S18	**Alpes** Place des	49	162 Bd V. Auriol	R. Godefroy	Place d'Italie
16	I6	**Alphand** Avenue	64	23 R. Duret	16 R. Piccini	Pte Maillot
13	T16	**Alphand** Rue	51	56 R. Cinq Diamants	13 R. Barrault	Corvisart
20	J21	**Alphonse Allais** Place	77	R. de Tourtille	R. de Pali Kao	Couronnes
19	H24	**Alphonse Aulard** Rue	75	52 Bd Sérurier	9 Bd d'Algérie	Pré St-Gervais
11	M20	**Alphonse Baudin** Rue	42	19 R. Pelée	30 R. St-Sébastien	Richard-Lenoir
15	S10	**Alphonse Bertillon** Rue	57	96 R. de la Procession	61 R. de Vouillé	Plaisance
14	U13	**Alphonse Daudet** Rue	55	30 R. Sarrette	89 Av. du Gal Leclerc	Alésia
17	G9	**Alphonse De Neuville** Rue	66	Pl. d'Israël	79 Bd Péreire	Wagram
6	O13	**Alphonse Deville** Place	23	43 Bd Raspail	1 R. d'Assas	Sèvres-Babylone
15	P6	**Alphonse Humbert** Place	60	1 R. du Cap. Ménard	32 Av. Émile Zola	Javel
19	E21	**Alphonse Karr** Rue	74	169 R. de Flandre	20 R. de Cambrai	Corentin Cariou
5	Q15	**Alphonse Laveran** Place	19	1 R. du Val de Grâce	314 R. St-Jacques	Port Royal (RER B)
20	K25-K26	**Alphonse Penaud** Rue	78	39 R. Cap. Ferber	54 R. du Surmelin	Pelleport
16	M6	**Alphonse XIII** Avenue	62	34 R. Raynouard	3 R. de l'Abbé Gillet	Passy
20	L26	**Alquier-Debrousse** Allée	80	26 R. des Balkans	Bd Davout	Pte de Bagnolet
10	I18-H18	**Alsace** Rue d'	37	6 R. Huit Mai 1945	166 R. La Fayette	Gare de l'Est
19	H23	**Alsace** Villa d'	75	22 R. de Mouzaïa	(en impasse)	Danube
12	P23	**Alsace-Lorraine** Cour d'	46	67 R. de Reuilly	(en impasse)	Montgallet
19	G23	**Alsace-Lorraine** Rue d'	75	47 R. du Gal Brunet	40 R. Manin	Danube
10	I19	**Amadou Hampâté Bâ** Square	40	R. Boy Zelenski		Colonel Fabien
19	H23	**Amalia** Villa	75	36 R. du Gal Brunet	11 R. de la Liberté	Danube
19	L23-K23	**Amandiers** Rue des	79	11 Pl. A. Métivier	52 R. Ménilmontant	Père Lachaise
2	J15	**Amboise** Rue d'	6	93 R. Richelieu	14 R. Favart	Richelieu Drouot
18	H17	**Ambroise Paré** Rue	37	95 R. Maubeuge	152 Bd de Magenta	Gare du Nord
19	G24	**Ambroise Rendu** Avenue	75	3 Av. de la Pte Brunet	6 Av. de la Pte Chaumont	Danube
9	I16	**Ambroise Thomas** Rue	35	4 R. Richer	57 R. du Fbg Poissonnière	Poissonnière - Cadet
18	S22	**Ambroisie** Rue de l'	47	R. Joseph Kessel	R. F. Truffaut	Cour St-Émilion
15	T7	**Amédée Gordini** Place	57	2 Av. Porte de la Plaine	Bd Lefebvre	Pte de Versailles
7	M10	**Amélie** Rue	28	91 R. St-Dominique	170 R. de Grenelle	La Tour-Maubourg
20	J25	**Amélie** Villa	78	42 R. du Borrégo	(en impasse)	St-Fargeau
11	N19-J19	**Amelot** Rue	41 à 43	3 Bd Richard-Lenoir	6 Bd Voltaire	Oberkampf - Bastille
17	G7	**Amérique Latine** Jardin d'	65	Pl. de la Pte de Champerret	Av. de la Pte de Champerret	Pte de Champerret
11	O22	**Ameublement** Cité de l'	44	29 R. de Montreuil	(en impasse)	Faidherbe-Chaligny
20	K25	**Amicie Lebaudy** Square	78	5 R. Lefèvre		Pelleport
20	M26	**Amiens** Square d'	80	6 R. Serpollet	5 R. Harpignies	Pte de Bagnolet
16	I5-I6	**Amiral Bruix** Boulevard de l'	63	Pl. du Mal De Lattre De Tassigny	161 Av. Malakoff	Pte Maillot
16	P4-P5	**Amiral Cloué** Rue de l'	61	62 Q. L. Blériot	59 Av. de Versailles	Mirabeau
16	K6	**Amiral Courbet** Rue de l'	63	96 Av. Victor Hugo	150 R. de la Pompe	Victor Hugo
1	M15	**Amiral De Coligny** Rue de l'	1	36 Q. du Louvre	91 R. de Rivoli	Pont Neuf
16	K8	**Amiral De Grasse** Place de l'	64	39 Av. d'Iéna	Pl. des États Unis	Iéna
16	K8	**Amiral D'Estaing** Rue de l'	64	8 R. de Lübeck	17 Pl. États-Unis	Iéna - Boissière

Ar	Plan	Rues / Streets	Quart.	Commençant	Finissant	Métro
16	K7	**Amiral Hamelin** Rue de l'	64	16 R. de Lübeck	41 Av. Kléber	Iéna - Boissière
12	R26	**Amiral La Roncière Le Noury** Rue de l'	45	4 Bd Soult	9 Av. Rousseau	Pte Dorée
13	U15-V16	**Amiral Mouchez** Rue de l'	51	1 Av. Reille	108 Bd Kellermann	Cité Univ. (RER B)
14	U15-V16	**Amiral Mouchez** Rue de l'	51	1 Av. Reille	108 Bd Kellermann	Cité Univ. (RER B)
15	P8-Q9	**Amiral Roussin** Rue de l'	58-57	39 R. de la Croix Nivert	88 R. Blomet	Vaugirard - É. Zola
18	E17	**Amiraux** Rue des	70	119 R. des Poissonniers	134 R. de Clignancourt	Simplon
17	G9	**Ampère** Rue	66	Pl. du Nicaragua	119 Bd Péreire	Wagram - Pereire
8	R11	**Amphithéâtre** Place de l'	56	50 R. Vercingétorix		Pernety - Gaîté
8	I13	**Amsterdam** Cour d'	32	4 R. d'Amsterdam	4 Imp. d'Amsterdam	St-Lazare - Liège
8	I13	**Amsterdam** Impasse d'	32	21 R. d'Amsterdam	(en impasse)	St-Lazare - Liège
8	I13-G13	**Amsterdam** Rue d'	32	106 R. St-Lazare	1 Pl. de Clichy	St-Lazare - Pl. de Clichy
9	I13-G13	**Amsterdam** Rue d'	33	106 R. St-Lazare	1 Pl. de Clichy	St-Lazare - Pl. de Clichy
5	Q16	**Amyot** Rue	19	12 R. Tournefort	23 R. Lhomond	Place Monge
17	I7	**Anatole De La Forge** Rue	65	16 Av. de la Gde Armée	21 Av. Carnot	Argentine
7	N9	**Anatole France** Avenue	28	Av. G. Eiffel	Pl. Joffre	École Militaire
7	M13-L12	**Anatole France** Quai	25-26	2 R. du Bac	288 Bd St-Germain	Assemblée Nationale
6	N15	**Ancienne Comédie** Rue de l'	21	67 R. St-André des Arts	132 Bd St-Germain	Odéon
3	L17	**Ancre** Passage de l'	12	223 R. St-Martin	30 R. de Turbigo	Réaumur-Sébastopol
16	M4	**Andigné** Rue d'	62	20 Chée de la Muette	19 R. A. Magnard	La Muette
16	N4	**Andorre** Place d'	62	53 Rue de Boulainvilliers	53 Rue des Vignes	Boulainvilliers
18	G15	**André Antoine** Rue	69	24 Bd de Clichy	21 R. des Abbesses	Pigalle
18	G15	**André Barsacq** Rue	70	3 R. Foyatier	5 R. Drevet	Anvers - Abbesses
17	D13	**André Bréchet** Rue	68	11 Av. de la Pte St-Ouen	R. Pont à Mousson	Pte de St-Ouen
1	L16	**André Breton** Allée	2	R. Rambuteau	Pte du Pont Neuf	Châtelet-Les Halles
9	H14	**André Breton** Place	33	24 R. Pierre Fontaine	22 Rue de Douai	Blanche
15	R5	**André Chamson** Esplanade	60	56 R. Balard		Balard
15	Q4	**André Citroën** Parc	60	Q. A. Citroën	R. Leblanc	Balard - Bd Victor (RER C)
15	P5	**André Citroën** Quai	60	Pl. Fernand Forest	1 Bd Victor	Javel - Bd Victor (RER C)
16	O4	**André Colledebœuf** Rue	61	20 R. Ribera	(en impasse)	Jasmin
19	G22	**André Danjon** Rue	75	6 R. de Lorraine	128 Av. J. Jaurès	Ourcq
18	G16	**André Del Sarte** Rue	70	29 R. de Clignancourt	14 R. C. Nodier	Barbès-Rochechouart
12	Q25	**André Derain** Rue	45	14 R. Montempoivre	R. M. Laurencin	Bel Air
13	T15	**André Dreyer** Square	51	16 R. Wurtz		Glacière
19	G21	**André Dubois** Rue	76	8 Av. de laumière	24 R. du Rhin	Laumière
15	R11	**André Gide** Rue	58	19 R. du Cotentin	79 R. de la Procession	Pernety
18	G15	**André Gill** Rue	70	76 R. des Martyrs	(en impasse)	Pigalle
6	P14	**André Honnorat** Place	22	7 R. Auguste Comte	2 Av. de l'Observatoire	Luxembourg (RER B)
15	Q5	**André Lefebvre** Rue	60	R. Balard	R. des Cévennes	Javel
14	T11	**André Lichtenberger** Square	56	2 R. Mariniers		Pte de Vanves
1	L14	**André Malraux** Place	3	1 R. de Richelieu	2 Av. de l'Opéra	Palais-Royal-Louvre
13	T17	**André Masson** Place	51	17 R. Vandrezanne		Tolbiac
18	H5	**André Maurois** Boulevard	63	Pl. de la Pte Maillot	Bd Maillot (Neuilly)	Pte Maillot
6	N15	**André Mazet** Rue	21	47 R. Dauphine	66 R. St-André des Arts	Odéon
18	E15	**André Messager** Rue	70	21 R. Letort	93 R. Championnet	Pte de Clignancourt
16	L4	**André Pascal** Rue	62	R. Franqueville	(en impasse)	La Muette
13	V18	**André Pieyre De Mandiargues** Rue	51	164 Av. d'Italie	57b R. du Moulin de la Pointe	Maison Blanche
14	V14	**André Rivoire** Avenue	54	Av. P. Masse	15 Av. D. Weill	Cité Univ. (RER B)
17	E10	**André Suares** Rue	68	16 Bd Berthier	9 Av. de la Pte de Clichy	Pte de Clichy
7	O11	**André Tardieu** Place	27	34 Bd des Invalides	33 R. Babylone	St-Franç.-Xavier
15	T8	**André Theuriet** Rue	57	111 Bd Lefebvre	42 Av. A. Bartholomé	Pte de Versailles
3	K19	**André Tollet** Square	10-41	Pl. de la République		République
11	K19	**André Tollet** Square	10-41	Pl. de la République		République
13	T17	**André Trannoy** Place	51	R. des Cinq Diamants	Bd Auguste Blanqui	Corvisart
17	F8	**André Ulmann** Jardin	66	Bd de Reims	Av. Brunetière	Pereire
13	V20	**André Voguet** Rue	50	R. René Villars	R. du Vieux Chemin	Pte d'Ivry
18	E17	**Andrezieux** Allée d'	71	90 R. des Poissonniers	(en impasse)	Marcadet-Poissonniers
8	H12	**Andrieux** Rue	32	22 R. de Constantinople	51 Bd des Batignolles	Rome
18	G15	**Androuet** Rue	70	54 R. des Trois Frères	57 R. Berthe	Abbesses
18	D14	**Angélique Compoint** Rue	69	6 Pas. St-Jules	113 Bd Ney	Pte de St-Ouen
18	D14	**Angers** Impasse d'	69	44 R. Leibniz		Pte de St-Ouen
19	F21	**Anglais** Impasse des	73	74 R. de Flandre		Riquet - Crimée
5	O16	**Anglais** Rue des	20	12 R. Lagrange	68 Bd St-Germain	Maubert-Mutualité
11	K20	**Angoulême** Cité d'	41	66 R. J.-P. Timbaud	(en impasse)	Parmentier
4	O18	**Anjou** Quai d'	16	Pont de Sully	R. des Deux Ponts	Sully-Morland
8	J12	**Anjou** Rue d'	31	42 R. du Fbg St-Honoré	11 R. de la Pépinière	St-Augustin
16	N6	**Ankara** Rue d'	62	46 Av. du Pdt Kennedy	18 R. Berton	Kennedy-R. France (RER C)
16	I5	**Anna De Noailles** Square	63	Bd Thierry Martel	R. du Gal Anselin	Pte Maillot
20	K23-K24	**Annam** Rue d'	79	13 R. Villiers de l'Isle-Adam	7 R. du Retrait	Gambetta
19	H20	**Anne De Beaujeu** Allée	76	23 Av. Mat. Moreau	10 Pas. Fours à Chaux	Bolivar
19	I23	**Annelets** Rue des	75	3 R. des Solitaires	14 R. de l'Encheval	Botzaris

14	T14	**Annibal** Cité	54	85 R. de la Tombe Issoire	(en impasse)	Alésia
16	M5	**Annonciation** Rue de l'	62	46 R. Raynouard	3 Pl. de Passy	La Muette
15	R10	**Anselme Payen** Rue	58	11 R. Vigée Lebrun	99 R. Falguière	Volontaires
11	O24	**Antilles** Place des	44	7 Av. du Trône	Bd de Charonne	Nation
20	O24	**Antilles** Place des	44	7 Av. du Trône	Bd de Charonne	Nation
9	I14	**Antin** Cité d'	34	57 R. de Provence	R. La Fayette	Chée d'Antin-La Fayette
8	K10	**Antin** Impasse d'	29	25 Av. F. D. Roosevelt		Franklin D. Roosevelt
2	K14	**Antin** Rue d'	5	12 R. D. Casanova	5 R. de Port Mahon	Opéra
16	N4	**Antoine Arnauld** Rue	62	4 R. G. Zédé	3 R. Davioud	Ranelagh
16	N4	**Antoine Arnauld** Square	62	3 R. A. Arnauld	(en impasse)	Ranelagh
20	M25	**Antoine Blondin** Square	80	126 R. Bagnolet		Pte de Bagnolet
15	Q12	**Antoine Bourdelle** Rue	58	24 Av. du Maine	19 R. Falguière	Montparnasse-Bienv
1	L16	**Antoine Carême** Passage	13	Pas. des Lingères	R. St-Honoré	Châtelet
14	T12	**Antoine Chantin** Rue	55	26 Av. J. Moulin	47 R. des Plantes	Alésia
6	O15	**Antoine Dubois** Rue	22	23 R. Éc. de Médecine	21 R. Mr le Prince	Odéon
15	P6	**Antoine Hajje** Rue	60	93 R. St-Charles	(en impasse)	Ch. Michels
20	J23	**Antoine Loubeyre** Cité	77	23 R. de la Mare	(en impasse)	Pyrénées
12	P4	**Antoine Roucher** Rue	48	14 R. Mirabeau	4 R. Corot	Mirabeau
12	O21	**Antoine Vollon** Rue	48	8 R. T. Roussel	106 R. du Fbg St-Antoine	Ledru-Rollin
12	Q23	**Antoine-Julien Hénard** Rue	46	159 Av. Daumesnil	78 R. de Reuilly	Montgallet
15	T9	**Antonin Mercié** Rue	57	90 Bd Lefebvre	49 Av. A. Bartholomé	Pte de Vanves
9	G16	**Anvers** Place d'	36	15 Av. Trudaine	Bd de Rochechouart	Anvers
9	G16	**Anvers** Square d'	36	Pl. d'Anvers		Anvers
17	E12	**Apennins** Rue des	68	118 Av. de Clichy	39 R. Davy	Brochant
10	H18-G19	**Aqueduc** Rue de l'	37	159 R. La Fayette	148 Bd de la Villette	Gare du Nord
19	F24	**Aquitaine** Square d'	75	7 Av. de la Pte Chaumont	132 Bd Sérurier	Pte de Pantin
13	S16-S14	**Arago** Boulevard	52	24 Av. des Gobelins	Pl. Denfert-Rochereau	Denfert-Rochereau
14	S16-S14	**Arago** Boulevard	53	24 Av. des Gobelins	Pl. Denfert-Rochereau	Denfert-Rochereau
13	R16-S16	**Arago** Square	52	44 Bd Arago		Les Gobelins
5	R16-Q17	**Arbalète** Rue de l'	18-19	20 R. des Patriarches	11 R. Berthollet	Censier-Daubenton
1	M15-L15	**Arbre Sec** Rue de l'	1-2	Pl. de l'École	109 R. St-Honoré	Pont Neuf - Louvre-Rivoli
14	T10	**Arbustes** Rue des	56	203 R. R. Losserand	(en impasse)	Pte de Vanves
8	I8	**Arc de Triomphe** Rue de l'	65	7 R. du Gal Lanrezac	48 R. des Acacias	Ch. de Gaulle-Étoile
8	J12-I12	**Arcade** Rue de l'	31	4 Bd Malesherbes	14 Pl. Gabriel Péri	St-Lazare
19	E20	**Archereau** Rue	73	46 R. Riquet	89 R. de l'Ourcq	Riquet - Crimée
4	O17	**Archevêché** Pont de l'	16	Q. de l'Archevêché	57 Q. de la Tournelle	Maubert-Mutualité
5	O17	**Archevêché** Pont de l'	17	Q. de l'Archevêché	57 Q. de la Tournelle	Maubert-Mutualité
4	O17	**Archevêché** Quai de l'	16	Pt St-Louis	Pont de l'Archevêché	Cité
3	M17	**Archives** Rue des	10 à12	50 R. de Rivoli	51 R. de Bretagne	Hôtel de Ville
3	M17	**Archives** Rue des	13	50 R. de Rivoli	51 R. de Bretagne	Hôtel de Ville
4	N17	**Arcole** Pont d'	13-16	Q. de l'Hôtel de Ville	23 Q. aux Fleurs	Hôtel de Ville
4	N16	**Arcole** Rue d'	16	23 Q. aux Fleurs	22 R. du Cloître N.-D.	St-Michel
14	V14	**Arcueil** Porte d'	54	Bd Jourdan	R. Deutsch de la M.	Cité Univ. (RER B)
14	V15	**Arcueil** Rue d'	55	78 R. Aml Mouchez	10 Bd Jourdan	Cité Univ. (RER B)
19	F22	**Ardennes** Rue des	74	159 Av. J. Jaurès	40 Q. de Marne	Ourcq
5	P17	**Arènes** Rue des	17	21 R. Linné	10 R. de Navarre	Jussieu
5	P17	**Arènes de Lutèce** Square des	17	R. de Navarre	R. Monge	Place Monge
8	I11	**Argenson** Rue d'	32	14 R. La Boétie	109 Bd Haussmann	Miromesnil
1	L14	**Argenteuil** Rue d'	3	7 R. de l'Échelle	32 R. St-Roch	Pyramides
16	K6	**Argentine** Cité de l'	63	Av. Victor Hugo	(en impasse)	Victor Hugo
	I7	**Argentine** Rue de l'	64	4 R. Chalgrin	25 Av. de la Gde Armée	Argentine
19	E22	**Argonne** Place de l'	74	17 R. de l'Argonne	2 R. Dampierre	Corentin Cariou
19	E22	**Argonne** Rue de l'	74	39 Q. de l'Oise	154 R. de Flandre	Corentin Cariou
2	K15	**Argout** Rue d'	7	46 R. E. Marcel	63 R. Montmartre	Sentier
16	Q1-Q2	**Arioste** Rue de l'	61	82 Bd Murat	12 R. du Sgt Maginot	Pte de St-Cloud
7	L12	**Aristide Briand** Rue	26	243 Bd St-Germain	110 R. de l'Université	Assemblée Nationale
18	G14	**Aristide Bruant** Rue	69	38 R. Véron	59 R. des Abbesses	Abbesses
10	H17	**Aristide Cavaillé-Coll** Square	37	109 R. La Fayette		Poissonnière
15	R11	**Aristide Maillol** Rue	58	99 R. Falguière		Volontaires
17	H7	**Armaillé** Rue de l'	65	29 R. des Acacias	3 Pl. T. Bernard	Ch. de Gaulle-Étoile
18	E13	**Armand** Villa	69	96 R. J. de Maistre	(en impasse)	Guy Môquet
19	G21	**Armand Carrel** Place	76	73 R. Manin	71 R. Meynadier	Laumière
19	G20-G21	**Armand Carrel** Rue	76	3 Pl. A. Carrel	Av. J. Jaurès	Jaurès
18	H23	**Armand Fallières** Villa	75	6 R. Miguel Hidalgo		Botzaris
18	F14	**Armand Gauthier** Rue	69	14 R. Félix Ziem	11 R. E. Carrière	Lamarck-Caulaincourt
15	Q11	**Armand Moisant** Rue	58	25 R. Falguière	20 Bd Vaugirard	Montparnasse-Bienv.
17	R26	**Armand Rousseau** Avenue	45	3 Pl. E. Renard	1 R. E. Lefébure	Pte Dorée
18	F14	**Armée d'Orient** Rue de l'	69	68 R. Lepic	80 R. Lepic	Blanche - Abbesses
17	H5	**Armenonville** Rue d'	65	14 R. G. Charpentier	R. de Chartres	Pte Maillot
15	R11	**Armorique** Rue de l'	58	68 Bd Pasteur	22 R. du Cotentin	Pasteur
17	D12	**Arnault Tzanck** Place	68	Av. de la Pte Pouchet	31 R. A. Brechet	Pte de St-Ouen
3	M19	**Arquebusiers** Rue des	11	89 Bd Beaumarchais	3 R. St-Charles	St-Sébastien-Froissart
5	P17	**Arras** Rue d'	17	7 R. des Écoles	(en impasse)	Card. Lemoine

Ar	Plan	Rues / Streets	Quart.	Commençant	Finissant	Métro
15	P12-Q12	**Arrivée** Rue de l'	58	64 Bd du Montparnasse	31 Av. du Maine	Montparnasse-Bienv.
4	O19	**Arsenal** Port de l'	15	Bd Bourdon	Bd de la Bastille	Bastille
12	O19	**Arsenal** Port de l'	15	Bd Bourdon	Bd de la Bastille	Bastille
4	O19	**Arsenal** Rue de l'	15	2 R. Mornay	1 R. de la Cerisaie	Sully-Morland - Bastille
8	I8	**Arsène Houssaye** Rue	30	152 Av. des Chps Élysées	3 R. Beaujon	Ch. de Gaulle-Étoile
15	Q11	**Arsonval** Rue d'	58	63 R. Falguière	8 R. de l'Armorique	Pasteur
4	P22	**Artagnan** Rue d'	12	21 R. Col Rozanoff	(en impasse)	Reuilly Diderot
17	D13	**Arthur Brière** Rue	68	117 Av. de St-Ouen	10 R. J. Leclaire	Guy Môquet
4	J20	**Arthur Groussier** Rue	40	168 Av. Parmentier	203 R. St-Maur	Goncourt
19	F23	**Arthur Honegger** Allée	75	8 Sente des Dorées	228 Av. J. Jaurès	Pte de Pantin
18	D14	**Arthur Ranc** Rue	69	166 Bd Ney	13 R. H. Huchard	Pte de St-Ouen
13	T22	**Arthur Rimbaud** Allée	50	Pont de Bercy (R. G.)	Pont de Tolbiac (R. G.)	Quai de la Gare
19	I23-I24	**Arthur Rozier** Rue	75	37 R. des Solitaires	67 R. Compans	Jourdain
14	U14	**Artistes** Rue des	54	13 R. d'Alésia	2 R. St-Yves	Alésia
8	J10	**Artois** Rue d'	30	96 R. La Boétie	44 R. Washington	St-Philippe du R.
17	H7	**Arts** Avenue des	65	5 Av. de Verzy	(en impasse)	Pte Maillot
14	Q24	**Arts** Impasse des	46	3 R. du Pensionnat	(en impasse)	Nation
14	S12	**Arts** Passage des	56	31 R. R. Losserand	14 R. E. Jacques	Pernety
1	M14	**Arts** Pont des	1	Q. F. Mitterrand	Q. de Conti	Pont Neuf
6	M14	**Arts** Pont des	21	Q. F. Mitterrand	Q. de Conti	Pont Neuf
12	P21	**Arts** Viaduc des	48	R. de Charenton	R. Moreau	Gare de Lyon
18	F13	**Arts** Villa des	69	15 R. H. Moreau	(en impasse)	La Fourche
11	M20	**Asile** Passage de l'	42	2 Pas. Chemin Vert	51 R. Asile Popincourt	Richard-Lenoir
11	M20	**Asile Popincourt** Rue de l'	42	4 R. Moufle	57 R. Popincourt	Richard-Lenoir
17	E9	**Asnières** Porte d'	66-67	Av. de la Pte d'Asnières	Av. de la Pte d'Asnières	Pereire
14	S13	**Aspirant Dunand** Square de l'	55	R. Mouton-Duvernet	R. Brézin	Alésia
6	P13-Q14	**Assas** Rue d'	23-22	25 R. du Cherche Midi	12 Av. de l'Observatoire	Vavin
14	S12	**Asseline** Rue	56	12 R. Maison Dieu	143 R. du Château	Edgar Quinet
18	G17	**Assommoir** Place de l'	71	9-11 R. des Islettes		Barbès-Rochechouart
16	N3-N5	**Assomption** Rue de l'	61-62	17 R. de Boulainvilliers	1 Bd Montmorency	Ranelagh
8	J12	**Astorg** Rue d'	31	24 R. de la Ville l'Évêque	3 R. La Boétie	St-Augustin
15	P12	**Astrolabe** Villa de l'	58	119 R. de Vaugirard	15 R. du Mont Tonnerre	Falguière
9	I13-H13	**Athènes** Rue d'	33	19 R. de Clichy	38 R. de Londres	Trinité - Liège
15	Q12	**Atlantique** Jardin	58	Al. du Cap. Dronne	Al. Ch. d'Esc. Guillebon	Montparnasse-Bienv.
19	I21	**Atlas** Passage de l'	76	10 R. de l'Atlas	14 R. de l'Atlas	Belleville
19	I21	**Atlas** Rue de l'	76	1 R. Rébeval	67 Av. S. Bolivar	Belleville
9	J14-J13	**Auber** Rue	34	5 Pl. de l'Opéra	53 Bd Haussmann	Opéra - H. Caumartin
19	D20	**Aubervilliers** Porte d'	73-80	Bd Périphérique		Pte de la Chapelle
18	G19	**Aubervilliers** Rue d'	72	2 Bd de la Chapelle	1 Bd Ney	Pte de la Chapelle
19	G19	**Aubervilliers** Rue d'	73-74	2 Bd de la Chapelle	1 Bd Ney	Pte de la Chapelle
17	G8	**Aublet** Villa	65	44 R. Laugier	(en impasse)	Pereire
12	S22	**Aubrac** Rue de l'	47	R. de l'Ambroisie	R. Baron Le Roy	Cour St-Émilion
4	M17-M18	**Aubriot** Rue	14	16 R. Ste-Croix la Br.	15 R. des Blancs Mant.	Hôtel de Ville
20	M24	**Aubry** Cité	79	15 R. de Bagnolet	1 Villa Riberolle	Alexandre Dumas
4	M17	**Aubry le Boucher** Rue	13	109 R. St-Martin	22 Bd Sébastopol	Châtelet
14	U14	**Aude** Rue de l'	54	48 Av. René Coty	91 R. de la Tombe Issoire	Alésia
18	G14	**Audran** Rue	69	30 R. Véron	47 R. des Abbesses	Abbesses
12	P20	**Audubon** Rue	48	5 Bd Diderot	225 R. de Bercy	Gare de Lyon
20	O24	**Auger** Rue	80	36 Bd de Charonne	14 R. d'Avron	Avron
7	M9	**Augereau** Rue	28	139 R. St-Dominique	214 R. de Grenelle	École Militaire
13	R20	**Augusta Holmes** Place	49	29 Quai d'Austerlitz	14 R. P. Klee	Quai de la Gare
11	K20	**Auguste Barbier** Rue	41	35 R. Fontaine au Roi	125 Av. Parmentier	Goncourt
19	D22	**Auguste Baron** Place	74	Pte la Villette	Bd de la Commanderie	Pte de la Villette
15	O8	**Auguste Bartholdi** Rue	59	22 Pl. Dupleix	73 Bd de Grenelle	Dupleix
17	F7-G7	**Auguste Belany** Jardin		Av. de la Pte de Champerret	R. du Caporal Peugeot	Pte de Champerret
13	T17-S15	**Auguste Blanqui** Boulevard	51-52	12 Pl. d'Italie	77 R. de la Santé	Place d'Italie
13	T19	**Auguste Blanqui** Villa	50	44 R. Jeanne d'Arc	(en impasse)	Nationale
14	U12	**Auguste Cain** Rue	55	56 Av. J. Moulin	67 R. des Plantes	Pte d'Orléans - Alésia
15	S7	**Auguste Chabrières** Cité	57	22 R. A. Chabrières		Pte de Versailles
15	S7	**Auguste Chabrières** Rue	57	41 R. Desnouettes	R. de la Croix Nivert	Pte de Versailles
20	N26	**Auguste Chapuis** Rue	80	9 R. Mendelssohn	17 R. des Drs Déjerine	Pte de Montreuil
6	P14	**Auguste Comte** Rue	22	66 Bd St-Michel	57 R. d'Assas	Luxembourg (RER B)
15	P8	**Auguste Dorchain** Rue	58	1 R. J. Liouville	2 R. Quinault	Commerce
13	U16	**Auguste Lançon** Rue	51	74 R. Barrault	34 R. de Rungis	Corvisart
11	M22	**Auguste Laurent** Rue	43	1 R. Mercoeur	140 R. de la Roquette	Voltaire
16	Q3	**Auguste Maquet** Rue	61	5 Bd Exelmans	185 Bd Murat	Bd Victor (RER C)
11	L22	**Auguste Métivier** Place	79	R. des Amandiers	1 Av. Gambetta	Père Lachaise
20	L22	**Auguste Métivier** Place	79	R. des Amandiers	1 Av. Gambetta	Père Lachaise
14	R12	**Auguste Mie** Rue	53	73 R. Froidevaux	97 Av. du Maine	Gaîté
13	U18	**Auguste Perret** Rue	51	105 Av. de Choisy	81 Av. d'Italie	Tolbiac
14	T10	**Auguste Renoir** Square	56	207 R. R. Losserand	Bd Brune	Pte de Vanves
16	J8	**Auguste Vacquerie** Rue	64	3 R. Newton	12 R. Dumont d'Urville	Kléber

15	P5	**Auguste Vitu** Rue	60	14 Av. E. Zola	13 R. S. Mercier	Javel
19	I23	**Augustin Thierry** Rue	75	11 R. Compans	12 R. Pré St-Gervais	Pl. des Fêtes
9	H14-I14	**Aumale** Rue d'	33	45 R. St-Georges	R. la Rochefoucauld	St-Georges
13	U18	**Aumont** Rue	50	125 R. de Tolbiac	106 Av. d'Ivry	Tolbiac
17	G7	**Aumont Thiéville** Rue	65	25 Bd Gouvion St-Cyr	11 R. Roger Bacon	Pte de Champerret
17	G6	**Aurelle De Paladines** Bd D'	65	16 Av. de la Pte Ternes	Bd Victor Hugo	Pte Maillot
5	Q18	**Austerlitz** Pont d'	18-48	Pl. Mazas	Pl. Valhubert	Gare d'Austerlitz
12	Q18	**Austerlitz** Pont d'	18-48	Pl. Mazas	Pl. Valhubert	Gare d'Austerlitz
13	Q18	**Austerlitz** Pont d'	18-48	Pl. Mazas	Pl. Valhubert	Gare d'Austerlitz
13	Q19-Q20	**Austerlitz** Port d'	49	Pont d'Austerlitz	Pont de Bercy	Gare d'Austerlitz
13	R20-Q19	**Austerlitz** Quai d'	49	Pt de Bercy	1 Pl. Valhubert	Gare d'Austerlitz
12	R20	**Austerlitz** Rue d'	43	232 R. de Bercy	23 H. de Lyon	Gare de Lyon
5	Q18	**Austerlitz** Villa d'	18	1 R. Nicolas Houël		Gare d'Austerlitz
16	Q4-O5	**Auteuil** Port d'	61	Pont du Garigliano	Pont de Grenelle	Mirabeau
16	O5	**Auteuil** Porte d'	61	Pl. de la Pte d'Auteuil	Av. du Gal Sarrail	Pte d'Auteuil
16	O2-P3	**Auteuil** Rue d'	61	Bd Murat	1 Bd Murat	Michel Ange-Auteuil
4	N18	**Ave Maria** Rue de l'	14	3 R. St-Paul	4 R. du Fauconnier	Pont Marie
4	N18	**Ave Maria** Square de l'	14	R. du Fauconnier	R. de l'Ave Maria	Pont Marie
11	K22	**Avenir** Cité de l'	42	121 Bd de Ménilmontant		Ménilmontant
20	J24	**Avenir** Rue de l'	78	30 R. Pixérécourt	(en impasse)	Télégraphe
16	I7	**Avenue du Bois** Square de l'	64	9 R. Le Sueur	(en impasse)	Pte Maillot
16	J5	**Avenue Foch** Square de l'	63	80 Av. Foch		Pte Dauphine
17	F8	**Aveyron** Square de l'	66	10 R. Jules Bourdais	(en impasse)	Pereire
15	O8	**Avre** Rue de l'	59	138 Bd de Grenelle	41 R. Letellier	La Motte-P.-Grenelle
20	O24-N26	**Avron** Rue d'	80	44 Bd de Charonne	67 Bd Davout	Pte de Montreuil
18	G15	**Azaïs** Rue	70	12 R. St-Eleuthère	Pl. du Parvis du Sacré C.	Abbesses

		B				
7	O11-O12	**Babylone** Rue de	25 à 27	46 Bd Raspail	35 Bd des Invalides	Sèvres-Babylone
7	M13-N12	**Bac** Rue du	25	35 Q. Voltaire	24 R. de Sèvres	Rue du Bac
2	K16	**Bachaumont** Rue	7	63 R. Montorgueil	70 R. Montmartre	Sentier
18	F16	**Bachelet** Rue	70	18 R. Nicolet	1 R. Becquerel	Jules Joffrin
20	K26	**Bagnolet** Porte de	76-30	Bd Périphérique		Gallieni
20	L25-M24	**Bagnolet** Rue de	78 à 80	148 Bd de Charonne	229 Bd Davout	Pte de Bagnolet
18	F16	**Baigneur** Rue du	70	51 R. Ramey	42 R. du Mont Cenis	Jules Joffrin
1	M15	**Baillet** Rue	1	21 R. de la Monnaie	22 R. de l'Arbre Sec	Pont Neuf
1	L15	**Bailleul** Rue	2	37 R. de l'Arbre Sec	10 R. du Louvre	Louvre-Rivoli
14	T12	**Baillou** Rue	56	52 R. des Plantes	7 R. Lecuirot	Alésia
3	L17	**Bailly** Rue	9	27 R. Réaumur	98 R. Beaubourg	Arts et Métiers
15	R5	**Balard** Place	60	R. Balard	85 R. Leblanc	Balard
15	P5-R5	**Balard** Rue	60	7 Rd-Pt du Pt Mirabeau	1 Pl. Balard	Javel - Balard
11	K21	**Baleine** Impasse de la	41	90 R. J.-P. Timbaud	(en impasse)	Parmentier
20	M25	**Balkans** Rue des	80	61 R. Vitruve	140 R. de Bagnolet	Pte de Bagnolet
9	H13	**Ballu** Rue	33	55 R. Blanche	72 R. de Clichy	Place de Clichy
9	H13	**Ballu** Villa	33	23 R. Ballu	(en impasse)	Place de Clichy
17	G8	**Balny d'Avricourt** Rue	66	51 R. P. Demours	82 Av. Niel	Pereire
1	M17	**Baltard** Rue	13	R. Berger	R. Rambuteau	Les Halles
8	J9	**Balzac** Rue	30	124 Av. des Chps Élysées	193 R. du Fbg St-Honoré	George V
2	K15	**Banque** Rue de la	6	1 R. des Petits Pères	3 Pl. de la Bourse	Bourse
13	R18	**Banquier** Rue du	49	20 R. Duméril	53 Av. des Gobelins	Les Gobelins
13	T19	**Baptiste Renard** Rue	50	105 R. Chât. Rentiers	94 R. Nationale	Nationale
8	E22	**Barbanègre** Rue	74	14 R. de Nantes	7 Q. de la Gironde	Corentin Cariou
18	F16-G16	**Barbès** Boulevard	70-71	2 Bd de Rochechouart	71 R. Ordener	Marcadet-Poissonniers
7	N11-O11	**Barbet de Jouy** Rue	26	67 R. de Varenne	62 R. de Babylone	Varenne
3	M18	**Barbette** Rue	11	7 R. Elzévir	68 R. Vieille du Temple	St-Paul
7	M9	**Barbey D'Aurevilly** Avenue	28	Pl. du Gal Gouraud	Al. A. Lecouvreur	École Militaire
16	P4	**Barcelone** Place de	61	62 Av. de Versailles	1 R. de Rémusat	Mirabeau
14	T11	**Bardinet** Rue	56	179 R. d'Alésia	27 R. de l'Abbé Carton	Plaisance
15	R10	**Bargue** Rue	58	239 R. de Vaugirard	136 R. Falguière	Volontaires
17	E12-D12	**Baron** Rue	68	56 R. de la Jonquière	51 R. Navier	Guy Môquet
12	S23	**Baron Le Roy** Rue	47	4 Pl. Lachambeaudie	(en impasse)	Cour St-Émilion
13	T16	**Barrault** Passage	51	48 R. des Cinq Diamants	7 R. Barrault	Corvisart
13	T16	**Barrault** Rue	51	69 Bd A. Blanqui	9 Pl. de Rungis	Corvisart
19	I21	**Barrelet De Ricou** Rue	76	89 R. G. Lardennois	1 R. P. Hecht	Buttes Chaumont
4	N17	**Barres** Rue des	14	62 R. de l'Hôtel de Ville	14 R. F. Miron	Hôtel de Ville
12	P21	**Barrier** Impasse	48	19 R. de Cîteaux	(en impasse)	Reuilly Diderot
18	F13	**Barrière Blanche** Rue de la	69	R. Joseph de Maistre	R. Carpeaux	Guy Môquet
3	L17	**Barrois** Passage	9	34 R. des Gravilliers	(en impasse)	Pte do Pantin
10	G19	**Barthélemy** Passage	37	263 R. du Fbg St-Martin	84 R. de l'Aqueduc	Stalingrad
15	P10	**Barthélemy** Rue	58	82 Av. de Breteuil	161 Av. de Suffren	Sèvres-Lecourbe
17	H9	**Barye** Rue	66	19 R. Médéric	20 R. Cardinet	Courcelles

Ar	Plan	Rues / Streets	Quart.	Commençant	Finissant	Métro
4	O18	**Barye** Square	16	Bd Henri IV		Sully-Morland
2	K17	**Basfour** Passage	8	176 R. St-Denis	25 R. de Palestro	Réaumur-Sébastopol
11	N21	**Basfroi** Passage	43	22 Pas. C. Dallery	159 Av. Ledru-Rollin	Voltaire
11	N21	**Basfroi** Rue	43	69 R. de Charonne	106 R. de la Roquette	Voltaire
20	K25	**Basilide Fossard** Impasse	78	90 Av. Gambetta	(en impasse)	St-Fargeau
8	K8	**Bassano** Rue de	29	58 Av. d'Iéna	101 Av. des Chps Élysées	George V
16	K8	**Bassano** Rue de	64	58 Av. d'Iéna	101 Av. des Chps Élysées	George V
5	O16	**Basse des Carmes** Rue	20	8 R. Mont. Ste-Genev.	3 R. des Carmes	Maubert-Mutualité
4	O19	**Bassompierre** Rue	15	25 Bd Bourdon	10 R. de l'Arsenal	Bastille
19	H20	**Baste** Rue	76	33 Av. Secrétan	19 R. Bouret	Bolivar
18	O3	**Bastien Lepage** Rue	61	11 R. P. Guérin	79 R. J. De La Fontaine	Michel Ange-Auteuil
12	O19-P19	**Bastille** Boulevard de la	48	102 Q. de la Râpée	Pl. de la Bastille	Bastille
4	N19-O20	**Bastille** Place de la	15	Bd Henri IV	41 Bd Bourdon	Bastille
11	N19-O20	**Bastille** Place de la	43	Bd Henri IV	42 Bd Bourdon	Bastille
12	N19-O20	**Bastille** Place de la	48	Bd Henri IV	43 Bd Bourdon	Bastille
4	N19	**Bastille** Rue de la	15	2 R. des Tournelles	Pl. de la Bastille	Bastille
10	G20	**Bataille de Stalingrad** Pl. de la	40	Av. Secrétan	Bd de la Villette	Stalingrad
19	G20	**Bataille de Stalingrad** Pl. de la	73	Av. Secrétan	Bd de la Villette	Stalingrad
12	Q21	**Bataillon du Pacifique** Pl. du	47	5 Bd de Bercy	Bd de Bercy	Cour St-Émilion
4	N18	**Bataillon Français ONU Corée** Place du	14	R.Geoffroy l'Asnier	R. des Nonnains d'H.	Pont Marie
8	G12-H12	**Batignolles** Boulevard des	32	5 Pl. de Clichy	2 Pl. P. Goubaux	Rome - Pl. de Clichy
17	G12-H12	**Batignolles** Boulevard des	67	5 Pl. de Clichy	2 Pl. P. Goubaux	Rome - Pl. de Clichy
17	G12	**Batignolles** Rue des	67	32 Bd des Batignolles	67 Pl. Dr Lobligeois	Rome
17	F11	**Batignolles** Square des	67	R. Cardinet	Pl. C. Fillion	Brochant
16	N4	**Bauches** Rue des	62	43 R. de Boulainvilliers	3 R. G. Zédé	La Muette
18	E16	**Baudelique** Rue	70	64 R. Ordener	23 Bd Ornano	Simplon
12	R27	**Baudin** Rue	45	Av. Alphand	60 Bd de la Guyane	Pte Dorée
13	S19	**Baudoin** Rue	50	15 R. Clisson	42 R. Dunois	Chevaleret
4	N17	**Baudoyer** Place	14	14 R. F. Miron	42 R. deRivoli	Hôtel de Ville
13	U17	**Baudran** Impasse	51	17 R. Damesme	(en impasse)	Tolbiac
13	U18	**Baudricourt** Impasse	50	66 R. Baudricourt	(en impasse)	Tolbiac
13	T19-U18	**Baudricourt** Rue	50	107 R. Nationale	70 Av. de Choisy	Tolbiac
14	S12	**Bauer** Cité	56	36 R. Didot	15 R. Thermopyles	Pernety - Plaisance
12	Q22	**Baulant** Rue	47	30 R. du Charolais	208 R. de Charenton	Dugommier
20	K25	**Baumann** Villa	78	35 R. A. Penaud	32 R. E. Marey	Pelleport
15	Q8	**Bausset** Rue	57	8 Pl. A. Chérioux	77 R. de l'Abbé Groult	Vaugirard
8	K10-L10	**Bayard** Rue	29	16 Cours Albert Iᵉʳ	42 Av. Montaigne	Franklin D. Roosevelt
17	G7-H8	**Bayen** Rue	65	1 R. Poncelet	21 Bd Gouvion St-Cyr	Ternes
5	Q17	**Bazeilles** Rue de	18	1 R. Pascal	118 R. Monge	Censier-Daubenton
3	M19	**Béarn** Rue de	11	25 Pl. des Vosges	5 R. St-Gilles	Chemin Vert
19	O7	**Béatrix Dussane** Rue	59	19 R. Viala	16 R. de Lourmel	Dupleix
3	L17	**Beaubourg** Impasse	12	37 R. Beaubourg	(en impasse)	Rambuteau
3	L17	**Beaubourg** Rue	9-12-13	14 R. S. le Franc	48 R. de Turbigo	Arts et Métiers
4	L17	**Beaubourg** Rue	13	14 R. S. le Franc	48 R. de Turbigo	Rambuteau
3	L18	**Beauce** Rue de	10	8 R. Pastourelle	45 R. de Bretagne	Filles du Calvaire
8	I9	**Beaucour** Avenue	30	248 R. du Fbg St-Honoré	(en impasse)	Ternes
20	N25	**Beaufils** Passage	80	13 R. du Volga	82 R. d'Avron	Maraîchers
15	P6	**Beaugrenelle** Rue	59	61 R. Émeriau	74 R. St-Charles	Ch. Michels
11	N23	**Beauharnais** Cité	44	6 R. Léon Frot	28 R. Neuve des Boulets	Rue des Boulets
1	K15	**Beaujolais** Galerie de	3	Gal. de Montpensier	Gal. de Valois	Palais Royal-Louvre
1	K15	**Beaujolais** Passage de	3	47 R. Montpensier	52 R. Richelieu	Palais Royal-Louvre
1	K14-K15	**Beaujolais** Rue de	3	43 R. de Valois	48 R. Montpensier	Palais Royal-Louvre
8	I8-I9	**Beaujon** Rue	30	Pl. G. Guillaumin	6 Av. de Wagram	Ch. de Gaulle-Étoile
8	I10	**Beaujon** Square	32	150 Bd Haussmann		Miromesnil
3	N19	**Beaumarchais** Boulevard	11	Pl. de la Bastille	1 R. Pont aux Choux	St-Sébastien-Froissart
4	N19	**Beaumarchais** Boulevard	15	Pl. de la Bastille	1 R. Pont aux Choux	Bastille
11	N19	**Beaumarchais** Boulevard	43	Pl. de la Bastille	1 R. Pont aux Choux	Filles du Calvaire
7	M13	**Beaune** Rue de	25	27 Q.Voltaire	34 R. de l'Université	Rue du Bac
14	U13	**Beaunier** Rue	54-55	136 R. de la Tombe Issoire	115 Av. du Gal Leclerc	Pte d'Orléans
2	K16	**Beauregard** Rue	8	14 R. Poissonnière	5 Bd Bonne Nouvelle	Strasbourg-St-Denis
2	K16	**Beaurepaire** Cité	8	48 R. Greneta	(en impasse)	Étienne Marcel
10	J19	**Beaurepaire** Rue	39	Pl. de la République	71 Q. de Valmy	République
16	M4	**Beauséjour** Boulevard	62	4 R. Largillière	102 R. de l'Assomption	La Muette
16	M4	**Beauséjour** Villa de	62	7 Villa de Beauséjour	(en impasse)	La Muette
4	N18-N19	**Beautreillis** Rue	15	2 R. des Lions St-Paul	43 R. St-Antoine	Sully-Morland
8	J11	**Beauvau** Place	31	90 R. du Fbg St-Honoré	R. de Miromesnil	Miromesnil
6	N14	**Beaux Arts** Rue des	24	14 R. de Seine	11 R. Bonaparte	St-Germain-des-Prés
12	O21	**Beccaria** Rue	48	41 Bd Diderot	77 Pl. d'Aligre	Ledru-Rollin
18	F15	**Becquerel** Rue	70	23 R. Bachelet	11 R. St-Vincent	Jules Joffrin
16	M7	**Beethoven** Rue	62	2 Av. du Pdt Kennedy	11 Bd Delessert	Passy
12	P24	**Bel Air** Avenue du	46	15 Av. de St-Mandé	24 Pl. de la Nation	Nation

94

12	O20	Bel Air Cour du	48	56 R. du Fbg St-Antoine	(en impasse)	Bastille
12	Q26	Bel Air Villa du	45	102 Av. de St-Mandé	Sent. la Lieutenance	Pte de Vincennes
15	P22	Bela Bartók Square	59	Pl. de Brazzaville		Bir Hakeim
11	N22	Belfort Rue de	43	133 Bd Voltaire	69 R. Léon Frot	Voltaire - Charonne
7	N9	Belgrade Rue de	28	56 Av. de La Bourdonnais	Al. A. Lecouvreur	École Militaire
20	L24-L25	Belgrand Rue	79-78	4 Pl. Gambetta	Pl. de la Pte de Bagnolet	Gambetta
18	G16	Belhomme Rue	70	20 Bd de Rochechouart	7 R. de Sofia	Barbès-Rochechouart
17	H6	Belidor Rue	65	93 Av. des Ternes	71 Bd Gouvion St-Cyr	Pte Maillot
15	P10	Bellart Rue	58	11 R.Pérignon	155 Av. de Suffren	Ségur
7	M12-N12	Bellechasse Rue de	25-26	9 Q. Anatole France	66 R. de Varenne	Solférino
9	I16	Bellefond Rue de	36	107 R. du Fbg Poissonnière	26 R. Rochechouart	Poissonnière
16	K6	Belles Feuilles Impasse	63	48 R. des Belles Feuilles	(en impasse)	Victor Hugo
16	J5-K6	Belles Feuilles Rue des	63	Pl. de Mexico	R. Spontini	Pte Dauphine
11	K22-J21	Belleville Boulevard de	41	1 Bd de Ménilmontant	2 R. de Belleville	Belleville
20	K22-J21	Belleville Boulevard de	77	1 Bd de Ménilmontant	2 R. de Belleville	Belleville
20	J22	Belleville Parc de	77	R. Piat	R. des Couronnes	Pyrénées
19	J21-I25	Belleville Rue de	75-76	2 Bd de la Villette	1 Bd Sérurier	Belleville - Pte des Lilas
20	J21-I25	Belleville Rue de	77-78	2 Bd de la Villette	2 Bd Sérurier	Belleville - Pte des Lilas
19	H23	Bellevue Rue de	75	72 R. Compans	31 R. des Lilas	Pré St-Gervais
19	H23	Bellevue Villa de	75	32 R. de Mouzaïa	15 R. de Bellevue	Danube
18	D17-D14	Belliard Rue	70-69	165 R. des Poissonniers	126 Av. de St-Ouen	Pte de St-Ouen
18	D13	Belliard Villa	69	12 Pas. Daunay	189 R. Belliard	Pte de St-Ouen
13	U17	Bellier Dedouvre Rue	51	61 R. de la Colonie	25 R. C. Fourier	Tolbiac
13	R20	Bellièvre Rue de	49	9 Q. d'Austerlitz	8 R. E. Flamand	Quai de la Gare
16	L6	Bellini Rue	62	21 R. Scheffer	30 Av. P. Doumer	Passy
19	G19	Bellot Rue	73	17 R.de Tanger	40 R. d'Aubervilliers	Stalingrad
16	K7	Belloy Rue de	64	16 Pl. des États-Unis	37 Av. Kléber	Boissière
19	E23	Belvédère Allée du	74	Pl. du Rd-Pt des Canaux	Al. du Zénith	Pte de Pantin
19	H26	Belvédère Avenue du	.	25 av. René Fonck	Av. du Belvédère	Pte des Lilas
10	H17-H16	Belzunce Rue de	37	109 Bd de Magenta	118 R. du Fbg Poissonnière	Poissonnière
2	K16	Ben Aïad Passage	7	9 R. Léopold Bellan	8 R. Bachaumont	Sentier
14	S12	Bénard Rue	56	22 R. des Plantes	37 R. Didot	Pernety
13	D21	Benjamin Constant Rue	74	7 Av. C. Cariou	30 R. de Cambrai	Corentin Cariou
5	P17	Benjamin Fondane Place	17	2 Rue Rollin	4 Rue Rollin	Monge
16	M6	Benjamin Franklin Rue	62	2 R. Vineuse	Pl. du Trocadéro	Passy - Trocadéro
16	K5	Benjamin Godard Rue	63	2 R. Dufrénoy	12 R. de Lota	Rue de la Pompe
20	N27	Benoît Frachon Avenue	80	46 Av. Léon Gaumont	Av. de la Pte de Montreuil	Pte de Montreuil
16	K5	Benouville Rue	63	32 R. Spontini	35 R. de la Faisanderie	Pte Dauphine
16	N4	Béranger Hameau	61	16 R. J. De La Fontaine	(en impasse)	Jasmin
3	K19	Béranger Rue	10	83 R. Charlot	180 R. du Temple	République
2	N19	Bérard Cour	15	8 Imp. Guéménée	(en impasse)	Bastille
13	S17	Berbier du Mets Rue	52	26 R. Croulebarbe	17 Bd Arago	Les Gobelins
12	Q21	Bercy Allée de	47	13 R. de Bercy	20 Bd Diderot	Gare de Lyon
12	R21-Q21	Bercy Boulevard de	47	Q. de Bercy	238 R. de Charenton	Bercy - Dugommier
12	S22	Bercy Parc de	47	Q. de Bercy	R. François Truffaut	Cour St-Émilion
12	R21	Bercy Pont de	47	Q. de Bercy	Q. d'Austerlitz	Quai de la Gare
13	R21	Bercy Pont de	49-50	Q. de Bercy	Q. d'Austerlitz	Quai de la Gare
12	R21-T22	Bercy Port de	47	Pont de Bercy	Pont National	Cour St-Émilion
12	T23	Bercy Porte de	47	Bd Périphérique		Pte de Charenton
12	S22	Bercy Quai de	47	1 R.Escoffier	Bd de Bercy	Quai de la Gare
12	R22-P19	Bercy Rue de	47-48	5 R. de Dijon	16 Bd de la Bastille	Gare de Lyon
20	N24	Bergame Impasse de	80	26 R. des Vignoles	(en impasse)	Buzenval
1	L16	Berger Rue	2	29 Bd Sébastopol	38 R. du Louvre	Louvre-Rivoli - Châtelet
9	J16	Bergère Cité	35	6 R. du Fbg Montmartre	23 R. Bergère	Grands Boulevards
9	J15-J16	Bergère Rue	35	13 R. du Fbg Poissonnière	12 R. du Fbg Montmartre	Grands Boulevards
13	T16	Bergère d'Ivry Place de la	52	R. Corvisart	R. Croulebarbe	Corvisart
15	P6	Bergers Rue des	60	60 R. de Javel	33 R. Cauchy	Lourmel
14	U15	Berges Hennequines Rue des	54	22 Av. de la Sibelle	R. de l'Emp. Julien	Cité Univ. (RER B)
6	P12	Bérite Rue de	23	67 R. du Cherche Midi	9 R. J.-F.Gerbillon	Vaneau - St-Placide
8	K10	Berlin Square de	29	Av. F-D. Roosevelt	Av. du Gal Eisenhower	Champs-Elysées-Clem.
16	I6	Berlioz Rue	63	30 R. Pergolèse	7 R. du Cdt Marchand	Pte Maillot
8	G13	Berlioz Square	33	Pl. A. Max		Blanche
3	L17	Bernard De Clairvaux Rue	12	R. Brantôme	172 R. St-Martin	Rambuteau
14	S11	Bernard De Ventadour Rue	56	R. Pernety	7 R. Desprez	Pernety
18	D13	Bernard Dimey Rue	69	1 R. Jules Cloquet	70 R. Vauvenargues	Pte de St-Ouen
5	Q17	Bernard Halpern Place	18	24 R. des Patriarches	R. du Marché Patriarches	Censier-Daubenton
17	F7-F8	Bernard Lafay Promenade	65	Bd D'Aurelle De Paladines	Av. de la Pte d'Asnières	Pte de Champerret
3	K18	Bernard Lazare Place	9	1 rue Borda	63 rue de Turbigo	Arts et Métiers
12	P27	Bernard Lecache Rue	45	21 R. du Chaffault	(en impasse)	St-Mandé Tourelle
6	N14	Bernard Palissy Rue	24	54 R. de Rennes	15 R. Dragon	St-Germain des-Prés
5	O17	Bernardins Rue des	17	57 Q. de la Tournelle	(en impasse)	Maubert-Mutualité
8	H12	Berne Rue de	32	5 R. St-Petersbourg	33 R. de Moscou	Europe - Rome
8	H12	Bernoulli Rue	32	71 R. de Rome	1 R. Andrieux	Rome

95

Ar	Plan	Rues / Streets	Quart.	Commençant	Finissant	Métro
8	J9-I10	**Berri** Rue de	30	92 Av. des Chps Élysées	163 Bd Haussmann	St-Philippe du R.
8	J9-I9	**Berri-Washington** Galerie	30	R. de Washington	R. de Berri	George V
8	K12	**Berryer** Cité	31	25 R. Royale	24 R. Boissy d'Anglas	Madeleine
8	I9	**Berryer** Rue	30	4 Av. de Friedland	192 R. du Fbg St-Honoré	Ch. de Gaulle-Étoile
15	T4	**Bertelotte** Allée de la	60	24 R. du Colonel Pierre Avia	(en impasse)	Corentin Celton
3	L17	**Berthaud** Impasse	12	22 R. Beaubourg	(en impasse)	Rambuteau
18	G15	**Berthe** Rue	70	R. Drevet	16 Pl. E. Goudeau	Abbesses
8	I9	**Berthie Albrecht** Avenue	30	14 R. Beaujon	29 Av. Hoche	Ch. de Gaulle-Étoile
17	E10-F8	**Berthier** Boulevard	66 à 67	187Av. de Clichy	4 Pl. Stuart Merryll	Pte de Clichy
17	G7	**Berthier** Villa	65	133 Av. de Villiers	(en impasse)	Pte de Champerret
5	R16	**Berthollet** Rue	19	43 R. C. Bernard	62 Bd de Port Royal	Censier-Daubenton
1	M16	**Bertin Poirée** Rue	1	12 Q. de la Mégisserie	63 R. de Rivoli	Châtelet-Les Halles
16	N6	**Berton** Rue	62	17 R. d'Ankara	28 Av. Lamballe	Kennedy-R.France (RER C
11	L22	**Bertrand** Cité	42	81 Av. de la République	(en impasse)	Rue St-Maur
18	G16	**Bervic** Rue	70	3 Bd Barbès	4 R. Belhomme	Barbès-Rochechoua
17	E12	**Berzélius** Passage	68	1 R. du Col Manhès	63 R. Pouchet	Brochant
17	E12	**Berzélius** Rue	68	168 Av. de Clichy	1 R. du Col. Manhès	Brochant
11	L20	**Beslay** Passage	42	28 R. de la Folie Méricourt	65 Av. Parmentier	St-Ambroise
17	D11-D13	**Bessières** Boulevard	68	153 Av. de St-Ouen	2 Av. de la Pte de Clichy	Pte de St-Ouen
17	E11	**Bessières** Rue	68	15 R. Fragonard	111 Bd Bessières	Pte de Clichy
15	T19	**Bessin** Rue du	57	5 R. du Lieuvin	96 R. Castagnary	Pte de Vanves
4	O18	**Béthune** Quai de	16	Pt de Sully	2 R. des Deux Ponts	Sully-Morland
17	G12	**Beudant** Rue	67	74 Bd des Batignolles	91 R. des Dames	Rome
8	K8	**Beyrouth** Place de	29	Av. Pierre Ier de Serbie	Av. Marceau	George V
16	K8	**Beyrouth** Place de	64	Av. Pierre Ier de Serbie	Av. Marceau	George V
14	T14	**Bezout** Rue	55	68 R. de la Tombe Issoire	65 Av. du Gal Leclerc	Alésia
10	I19-J19	**Bichat** Rue	39-40	45 R. du Fbg du Temple	106 Q. de Jemmapes	Goncourt
12	K23	**Bidassoa** Rue de la	79	53 Av. Gambetta	11 R. Sorbier	Gambetta
12	P21	**Bidault** Ruelle	48	158 R. de Charenton	123 Av. Daumesnil	Reuilly Diderot
18	D14	**Bienaimé** Cité	69	111 Bd Ney	(en impasse)	Pte de St-Ouen
8	I11-I12	**Bienfaisance** Rue de la	32	29 R. du Rocher	Pl. de Narvik	St-Augustin
15	Q12	**Bienvenüe** Place	58	24 Av. du Maine	R. de l'Arrivée	Montparnasse-Bienv
5	O17	**Bièvre** Rue de	17	65 Q. de la Tournelle	52 Bd St-Germain	Maubert-Mutualité
12	Q23	**Bignon** Rue	46	193 R. de Charenton	132 Av. Daumesnil	Dugommier
14	T13	**Bigorre** Rue de	55	15 R. du Commandeur	28 R. d'Alésia	Alésia
19	D22	**Bigot** Sente à	74	13 Bd de la Commanderie	(en impasse)	Pte de la Villette
19	G22	**Binder** Passage	76	9 Pas. du Sud	8 Pas. Dubois	Laumière
17	G13	**Biot** Rue	67	5 Pl. de Clichy	9 R. des Dames	Place de Clichy
15	N7	**Bir Hakeim** Pont de	62	Av. du Pdt Kennedy	Q.de Grenelle	Passy - Bir Hakeim
16	N7	**Bir Hakeim** Pont de	62	Av. du Pdt Kennedy	Q.de Grenelle	Passy - Bir Hakeim
4	N19	**Birague** Rue de	15	36 R. St-Antoine	1 Pl. des Vosges	Bastille
12	O20	**Biscornet** Rue	48	9 R. Lacuée	48 Bd de la Bastille	Bastille
20	J22	**Bisson** Rue	77	86 Bd de Belleville	27 R. des Couronnes	Couronnes
19	F21	**Bitche** Place de	73	Q. de l'Oise	160 R. de Crimée	Crimée
7	N10	**Bixio** Rue	27	1 Av. Lowendal	2 Av. de Ségur	École Militaire
17	G12	**Bizerte** Rue de	67	11 R.Nollet	16 R. Truffaut	Place de Clichy
5	P16	**Blainville** Rue	19-20	10 R. Mouffetard	1 R. Tournefort	Place Monge
1	L16	**Blaise Cendrars** Allée	2	Al. A. Breton	R. de Viarmes	Les Halles
6	P12-P13	**Blaise Desgoffe** Rue	23	139 R. de Rennes	79 R. de Vaugirard	St-Placide
20	M26	**Blanchard** Rue	80	98 Bd Davout	5 R. F.Terrier	Pte de Montreuil
14	T10	**Blanche** Cité	56	190 R. R. Losserand	(en impasse)	Pte de Vanves
9	G14	**Blanche** Place	33	Bd de Clichy	R. Blanche	Blanche
9	H14	**Blanche** Rue	34-33	Pl. d'Estienne d'Orves	5 Pl. Blanche	Trinité - Blanche
19	H23	**Blanche Antoinette** Rue	75	4 R. F. Pinton	Imp.Grimaud	Botzaris
4	M17-M18	**Blancs Manteaux** Rue des	14-13	51 R. Vieille du Temple	40 R. du Temple	Rambuteau
9	I16	**Bleue** Rue	35	67 R. du Fbg Poisson.	72 R. La Fayette	Cadet
7	M11	**Bleuet de France** Rd-Point du	26	Av. du Mal Gallieni	(en impasse)	Invalides
15	P10-R8	**Blomet** Rue	58-57	23 R.Lecourbe	35 R. St-Lambert	Vaugirard
15	Q9	**Blomet** Square	58	R. Blomet	(en impasse)	Volontaires
2	K17	**Blondel** Rue	8	351 R. St-Martin	238 R. St-Denis	Strasbourg-St-Denis
3	K17	**Blondel** Rue	9	351 R. St-Martin	238 R. St-Denis	Strasbourg-St-Denis
11	L22	**Bluets** Rue des	42	79 Av. de la République	107 Bd de Ménilmontant	Rue St-Maur
13	T17	**Bobillot** Rue	51	18 Pl. d'Italie	Pl. de Rungis	Place d'Italie
15	T9	**Bocage** Rue du	57	30 R. du Lieuvin	(en impasse)	Pte de Vanves
8	K9	**Boccador** Rue du	29	19 Av. Montaigne	22 Av. George V	Alma-Marceau
9	H15	**Bochart de Saron** Rue	36	52 R. Condorcet	47 Bd de Rochechouart	Anvers
19	H23	**Boërs** Villa des	75	17 R. du Gal Brunet	12 R. M. Hidalgo	Botzaris
4	M17	**Bœuf** Impasse du	13	10 R. St-Merri	(en impasse)	Rambuteau
5	P16	**Bœufs** Impasse des	20	20 R. de l'Éc. Polytech.	(en impasse)	Maubert-Mutualité
2	J15	**Boïeldieu** Place	6	1 R. Favart	4 R. de Marivaux	Richelieu Drouot
16	P3	**Boileau** Hameau	61	38 R. Boileau	(en impasse)	Michel Ange-Molitor
16	P3-Q3	**Boileau** Rue	61	31 R. d'Auteuil	188 Av. de Versailles	Michel Ange-Molitor

6	P3	**Boileau** Villa	61	18 R. Molitor	(en impasse)	Michel Ange-Molitor
10	E17	**Boinod** Rue	70	6 Bd Ornano	133 R. des Poissonniers	Marcadet-Poissonniers
9	I24	**Bois** Rue des	75	42 R. Pré St-Gervais	71 Dd Sérurier	Pré St-Gervais
6	I7	**Bois de Boulogne** Rue du	64	17 R. Le Sueur	28 R. Duret	Argentine
9	I24	**Bois d'Orme** Villa du	75	14 R. de Romainville	(en impasse)	Télégraphe
7	D12	**Bois le Prêtre** Boulevard du	68	2 R. P. Rebière	Bd du Gal Leclerc	Pte de St-Ouen
6	M5	**Bois le Vent** Rue	62	17 R. Duban	7 Av. Mozart	La Muette
6	K7	**Boissière** Rue	64	6 Pl. d'Iéna	3 Pl. Victor Hugo	Boissière
6	K7	**Boissière** Villa	64	29 R. Boissière	(en impasse)	Boissière
6	G16	**Boissieu** Rue	70	3 Bd Barbès	8 R. Belhomme	Barbès-Rochechouart
4	R14	**Boissonade** Rue	53	166 Bd du Montparnasse	255 Bd Raspail	Raspail - Port Royal (RER B)
8	K12-J12	**Boissy d'Anglas** Rue	31	10 Pl. de la Concorde	5 Bd Malesherbes	Madeleine - Concorde
3	T16	**Boiton** Passage	51	11 R. de la Butte aux Cailles	8 R. M.Bernard	Corvisart
9	F22	**Boléro** Villa	74	R. J. Kosma	(en impasse)	Ourcq
9	I22	**Bolivar** Square	76	36 Av. S. Bolivar	25 R. Clavel	Pyrénées
6	N6	**Bolivie** Place de	62	R. d'Ankara	Av. du Pdt Kennedy	Passy
11	N22	**Bon Secours** Impasse	43	172 Bd Voltaire	(en impasse)	Charonne
2	M14-O14	**Bonaparte** Rue	24-22	7 Q. Malaquais	58 R. de Vaugirard	St-Germain-des-Prés
11	F15	**Bonne** Rue de la	70	R. du Chev. de la Barre	23 R. Lamarck	Lamarck-Caulaincourt
11	O21	**Bonne Graine** Passage de la	44	115 R. du Fbg St-Antoine	7 Pas. Josset	Ledru-Rollin
2	J17	**Bonne Nouvelle** Boulevard de	8	291 R. St-Denis	2 R. du Fbg Poissonnière	Strasbourg-St-Denis
10	J17	**Bonne Nouvelle** Boulevard de	38	291 R. St-Denis	2 R. du Fbg Poissonnière	Strasbourg-St-Denis
10	J17	**Bonne Nouvelle** Impasse	38	20 Bd de Bonne Nouvelle	(en impasse)	Strasbourg-St-Denis
18	D14	**Bonnet** Rue	69	3 Pas. St-Jules	22 R. J. Dollfus	Pte de St-Ouen
1	L15	**Bons Enfants** Rue des	3	192 R. St-Honoré	13 R. Col Driant	Palais Royal-Louvre
1	L13	**Bord de l'Eau** Terrasse du	1	Jard. des Tuileries		Tuileries
3	K18	**Borda** Rue	9	33 R. Volta	10 R. Montgolfier	Arts et Métiers
3	G17	**Boris Vian** Rue	71	18 R. Chartres	7 R. Polonceau	Barbès-Rochechouart
20	J25	**Borrégo** Rue du	78	154 R. Pelleport	77 R. Haxo	Télégraphe
20	J25	**Borrégo** Villa du	78	33 R. du Borrégo	(en impasse)	Télégraphe
15	Q9	**Borromée** Rue	58	57 R. Blomet	222 R. de Vaugirard	Volontaires
16	O3	**Bosio** Rue	61	6 R. Poussin	21 R. P.Guérin	Michel Ange-Auteuil
7	L9-M9	**Bosquet** Avenue	28	Pl. de la Résistance	2 Pl. École Militaire	École Militaire
7	N10	**Bosquet** Rue	28	46 R. Cler	69 Av. Bosquet	École Militaire
7	M9	**Bosquet** Villa	28	167 R. de l'Université	(en impasse)	Pont de l'Alma (RER C)
7	H17	**Bossuet** Rue	37	1 R. La Fayette	3 R. de Belzunce	Gare du Nord
20	J22	**Botha** Rue	77	R. du Transvaal	(en impasse)	Pyrénées
19	H22	**Botzaris** Rue	75-76	15 R. Pradier	41 R. de Crimée	Buttes Chaumont
10	J18	**Bouchardon** Rue	39	84 R. R. Boulanger	33 R. du Château d'Eau	Strasbourg-St-Denis
1	M16	**Boucher** Rue	1	6 R. du Pt Neuf	21 R. Bourdonnais	Pont Neuf
7	P10	**Boucicaut** Square	58	5 R. Pérignon	4 R. Barthélemy	Sèvres-Lecourbe
7	O13	**Boucicaut** Square	25	R. de Sèvres	R. de Babylone	Sèvres-Babylone
18	E18-E19	**Boucry** Rue	72	Pl. Hébert	66 R. de la Chapelle	Pte de la Chapelle
16	K25	**Boudin** Passage	78	38 R. A. Penaud	20 R. de la Justice	St-Fargeau
16	O4	**Boudon** Avenue	61	43 R. J. De La Fontaine	12 R. George Sand	Église d'Auteuil
9	J13	**Boudreau** Rue	34	7 R. Auber	28 R. de Caumartin	Auber (RER A)
16	O3	**Boufflers** Avenue de	61	12 Av. des Peupliers	5 Av. des Tilleuls	Michel Ange-Auteuil
7	N10	**Bougainville** Rue	28	17 Av. La Mutte-Picquet	14 R. Chevert	École Militaire
15	R5	**Bougloux Lafont** Rue	60	139 Av. Félix Faure	89 R. Leblanc	Balard
16	N4	**Boulainvilliers** Hameau	62	45 R. du Ranelagh	61 R. du Ranelagh	Ranelagh
16	M5-N5	**Boulainvilliers** Rue de	61-62	4 Pl. Clément Ader	101 R. de Passy	La Muette
5	P17	**Boulangers** Rue des	17	39 R. Linné	29 R. Monge	Jussieu
14	S13	**Boulard** Rue	53-55	11 R. Froidevaux	28 R. Brézin	Denfert-Rochereau
17	D11	**Boulay** Passage	68	102 R. de la Jonquière	99 Bd Bessières	Pte de Clichy
17	E11	**Boulay** Rue	68	178 Av. de Clichy	79 R. de la Jonquière	Pte de Clichy
17	E11	**Boulay Level** Square	68	R. Boulay	R. Level	Pte de Clichy
12	O20	**Boule Blanche** Passage	48	47 R. de Charenton	50 R. du Fbg St-Antoine	Bastille
9	J15	**Boule Rouge** Impasse de la	35	7 R. Geoffroy Marie	(en impasse)	Grands Boulevards
9	J16	**Boule Rouge** Rue de la	35	4 R. de Montyon	16 R. G. Marie	Grands Boulevards
19	H26	**Bouleaux** Avenue des	75	Av. R. Fonck	Pl. du Maquis du Vercors	Pte des Lilas
19	H20	**Bouleaux** Square des	76	64 R. de Meaux		Bolivar
19	O23	**Boulets** Rue des	44	301 R. du Fbg St-Antoine	228 Bd Voltaire	Rue des Boulets
14	T11	**Boulitte** Rue	56	95 R. Didot	(en impasse)	Plaisance
11	N20	**Boulle** Rue	43	32 Bd R. Lenoir	5 R. Froment	Bréguet Sabin
17	H8	**Boulnois** Place	65	6 R. Bayen	(en impasse)	Ternes
1	L15	**Bouloi** Rue du	2	10 R. Croix des Petits Chps	27 R. de la Coquillière	Palais Royal-Louvre
16	K7	**Bouquet de Longchamp** Rue	64	26 R. de Longchamp	25 R. Boissière	Boissière
4	N17	**Bourbon** Quai de	16	39 R. des Deux Ponts	1 R. J. du Bellay	Pont Marie
4	N14	**Bourbon le Château** Rue	24	26 R. de Buci	19 R. de l'Échaudé	Mabillon
9	I15	**Bourdaloue** Rue	34	20 R. Châteaudun	1 R. St-Lazare	N.-D. de Lorette
8	K10	**Bourdin** Impasse	29	1 R. de Marignan	(en impasse)	Franklin D. Roosevelt
1	O19	**Bourdon** Boulevard	15	Pt Morland	46 Bd HenrIV	Bastille
1	M16	**Bourdonnais** Impasse des	2	37 R. Bourdonnais	(en impasse)	Châtelet

Ar	Plan	Rues / Streets	Quart.	Commençant	Finissant	Métro
1	M15-L16	**Bourdonnais** Rue des	1-2	20 Q. de la Mégisserie	R. des Halles	Pont Neuf
19	H20-G20	**Bouret** Rue	76	15 R. E. Pailleron	10 Av. J. Jaurès	Bolivar
2	L17	**Bourg l'Abbé** Passage du	8	120 R. St-Denis	3 R. de Palestro	Étienne Marcel
3	L17	**Bourg l'Abbé** Rue du	12	203 R. St-Martin	66 Bd Sébastopol	Étienne Marcel
4	L17	**Bourg Tibourg** Place du	14	R. de Rivoli	R. de la Verrerie	Hôtel de Ville
4	M17	**Bourg Tibourg** Rue du	14	42 R. de Rivoli	7 R. Ste-Croix la Br.	Hôtel de Ville
7	M11-N11	**Bourgogne** Rue de	26	8 Pl. Palais Bourbon	84 R. de Varenne	Assemblée National
13	U19	**Bourgoin** Impasse	50	31 R. Nationale	(en impasse)	Pte d'Ivry
13	U19	**Bourgoin** Passage	50	41 R. Chât. Rentiers	32 R. Nationale	Pte d'Ivry
13	U17-U18	**Bourgon** Rue	51	140 Av. d'Italie	41 R. Damesme	Maison Blanche
17	G12	**Boursault** Impasse	67	7 R. Boursault	2 Imp. Boursault	Rome
17	G12	**Boursault** Rue	67	62 Bd des Batignolles	1 Pl. C. Fillion	Rome
2	K15	**Bourse** Place de la	6	19 R. N.-D. des Victoires	24 R. Vivienne	Bourse
2	J15	**Bourse** Rue de la	6	29 R. Vivienne	78 R. de Richelieu	Bourse
15	R9	**Bourseul** Rue	57	12 R. des Favorites	17 R. d'Alleray	Vaugirard
13	U16	**Boussingault** Rue	51	12 Pl. de Rungis	1 R. de l'Aml Mouchez	Glacière
4	O17	**Boutarel** Rue	16	34 Q. d'Orléans	75 R. St-Louis-en-l'Ile	Pont Marie
5	O16	**Boutebrie** Rue	20	15 R. de la Parcheminerie	90 Bd St-Germain	Cluny-La Sorbonne
13	T15	**Boutin** Rue	51	116 R. de la Glacière	121 R. de la Santé	Glacière
11	I18	**Boutron** Impasse	40	172 R. du Fbg St-Martin	(en impasse)	Gare de l'Est
13	V20	**Boutroux** Avenue	50	15 Av. de la Pte de Vitry	13 Av. C. Regaud	Pte d'Ivry
5	O16	**Bouvart** Impasse	20	8 R. de Ianneau	(en impasse)	Maubert-Mutualité
11	O23	**Bouvier** Rue	44	45 R. des Boulets	R. Chanzy	Rue des Boulets
11	O24	**Bouvines** Avenue de	44	9 Pl. de la Nation	100 R. de Montreuil	Nation - Avron
11	O24	**Bouvines** Rue de	44	4 R. de Tunis	1 Av. de Bouvines	Nation
10	I19	**Boy Zelenski** Rue	40	R. de l'Écluse St-Martin	Pl. Robert Desnos	Colonel Fabien
20	K23	**Boyer** Rue	79	42 R. de la Bidassoa	92 R. Ménilmontant	Gambetta
14	S11	**Boyer Barret** Rue	56	93 R. R. Losserand	21 Cité Bauer	Pernety
10	J17	**Brady** Passage	39-38	43 R. du Fbg St-Martin	46 R. du Fbg St-Denis	Château d'Eau
12	Q23	**Brahms** Rue	46	181 Av. Daumesnil	9 Al. Vivaldi	Daumesnil
15	U8	**Brancion** Porte de	57	Bd Périphérique		Pte de Vanves
15	S9	**Brancion** Rue	57	6 Pl. d'Alleray	167 Bd Lefebvre	Pte de Vanves
15	T8	**Brancion** Square	57	88 Av. A. Bartholo.	(en impasse)	Pte de Vanves
7	L8	**Branly** Quai	28	Pl. de la Résistance	1 Bd de Grenelle	Bir Hakeim
7	L8	**Branly** Quai	59	Pl. de la Résistance	1 Bd de Grenelle	Bir Hakeim
3	L17	**Brantôme** Passage	12	R. Brantôme	R. Rambuteau	Rambuteau
3	L17	**Brantôme** Rue	12	R. Rambuteau	11 R. Grenier St-Lazare	Rambuteau
3	M18	**Braque** Rue de	12	47 R. des Archives	68 R. du Temple	Rambuteau
13	T16	**Brassaï** Jardin	51	Bd A. Blanqui	R. Eugène Atget	Corvisart
15	O16	**Brazzaville** Place de	59	41 Q. de Grenelle	26 R. Émeriau	Bir Hakeim
6	Q13	**Bréa** Rue	23	19 R. Vavin	143 Bd Raspail	Vavin
12	R23	**Brèche aux Loups** Rue de la	46	255 R. de Charenton	93 R. C. Decaen	Daumesnil
11	M20	**Bréguet** Rue	43	24 R. St-Sabin	29 R. Popincourt	Bréguet Sabin
11	M20	**Bréguet Sabin** Square		Bd Richard-Lenoir		Bréguet Sabin
17	G9	**Brémontier** Rue	66	Pl. Mgr Loutil	Pl. d'Israël	Wagram
17	G9	**Brésil** Place du	66	62 Av. de Villiers	139 Av. Wagram	Wagram
16	R3	**Bresse** Square de la	61	140 Bd Murat	(en impasse)	Pte de St-Cloud
3	L18	**Bretagne** Rue de	10	103 R. de Turenne	158 R. du Temple	Temple
7	P10	**Breteuil** Avenue de	27	7 Pl. Vauban	69 Bd Garibaldi	Sèvres-Lecourbe
15	P10	**Breteuil** Avenue de	58	7 Pl. Vauban	69 Bd Garibaldi	Sèvres-Lecourbe
7	P10	**Breteuil** Place de	27	74 Av. de Breteuil	50 Av. de Saxe	St-Franç.-Xavier
15	P10-P11	**Breteuil** Place de	58	74 Av. de Breteuil	50 Av. de Saxe	Sèvres-Lecourbe
20	K25	**Bretonneau** Rue	78	78 R. Pelleport	25 R. LeBua	Pelleport
10	J20	**Bretons** Cour des	40	99 R. du Fbg du Temple	(en impasse)	Goncourt - Belleville
4	O18	**Bretonvilliers** Rue de	16	14 Q. de Béthune	7 R. St-Louis en l'Ile	Pont Marie
17	I8	**Brey** Rue	65	19 Av. de Wagram	13 R. Montenotte	Ch. de Gaulle-Étoile
14	S13	**Brézin** Rue	55	46 Av. du Gal Leclerc	171 Av. du Maine	Mouton-Duvernet
9	I15	**Briare** Passage	36	7 R. Rochechouart	(en impasse)	Cadet
17	G12	**Bridaine** Rue	67	39 R. Truffaut	48 R. Boursault	Rome
19	H20	**Brie** Passage de la	73	43 R. Meaux	9 R. de Chaumont	Bolivar
12	Q25	**Briens** Sentier	45	54 Bd de Picpus	39 R. Sibuet	Picpus
16	K8	**Brignole** Rue	64	16 Av. du Pdt Wilson	8 Av. Pierre Iᵉʳ de Serbie	Iéna
16	K8-L8	**Brignole Galliera** Square	64	Av. du Pdt Wilson	R. Brignole	Iéna
13	V16	**Brillat Savarin** Rue	51	42 R. des Peupliers	41 R. Boussingault	Maison Blanche
19	G21	**Brindeau** Allée du	73	11 R. de la Moselle	(en impasse)	Laumière
18	G16	**Briquet** Passage	70	3 R. Seveste	2 R. Briquet	Anvers
18	G16	**Briquet** Rue	70	66 Bd de Rochechouart	27 R. d'Orsel	Anvers
14	T10	**Briqueterie** Rue de la	56	223 R. R. Losserand	19 Bd Brune	Pte de Vanves
4	M17	**Brisemiche** Rue	14	10 R. du Cloître St-Merri	Pl. G. Pompidou	Hôtel de Ville
4	O19	**Brissac** Rue de	15	10 Bd Morland	5 R. Crillon	Sully-Morland
20	K24	**Brizeux** Square	79	48 R. de la Chine	136 R. de Ménilmontant	Pelleport
5	R16	**Broca** Rue	5	13 R. C. Bernard	34 Bd Arago	Censier-Daubenton

13	R16	**Broca** Rue	52	14 R. C. Bernard	34 Bd Arago	Censier-Daubenton
17	H11-H12	**Brochant** Rue	67-68	16 Pl. C. Fillion	127 Av. de Clichy	Brochant
2	K15	**Brongniart** Rue	7	133 R. Montmartre	R. N.-D. des Victoires	Grands Boulevards
4	N17	**Brosse** Rue de	14	Q. de l'Hôtel de Ville	1 Pl. St-Gervais	Hôtel de Ville
18	F15	**Brouillards** Allée des	69	13 R. Girardon	4 R. S. Dereure	Lamarck-Caulaincourt
14	T14	**Broussais** Rue	54	29 R. Dareau	11 R. d'Alésia	Denfert-Rochereau
15	Q11	**Brown Séquard** Rue	58	45 R. Falguière	48 Bd Vaugirard	Pasteur
13	S19	**Bruant** Rue	49	62 Bd V. Auriol	10 R. Jenner	Chevaleret
14	T14	**Bruller** Rue	54	22 R. St-Gothard	37 Av. René Coty	Alésia
12	Q21	**Brulon** Passage	48	37 R. de Côteaux	64 R. Crozatier	Faidherbe-Chaligny
14	T10-U12	**Brune** Boulevard	56-55	105 Bd Lefebvre	Pl. du 25 Août 1944	Pte de Vanves
14	U11-U12	**Brune** Villa	56	72 R. des Plantes	(en impasse)	Pte d'Orléans
1	I7	**Brunel** Rue	65	40 Av. de la Gde Armée	235 Bd Péreire	Pte Maillot
13	U22	**Bruneseau** Rue	50	Q. d'Ivry	5 Bd Masséna	Bibl. F. Mitterrand
19	G24	**Brunet** Porte	75	Av. de la Porte Brunet	Bd d'Algérie	Danube
17	F9	**Brunetière** Avenue	66	15 Av. de la Pte d'Asnières	16 R. J. Bourdais	Pereire
12	P21	**Brunoy** Passage	48	R. P.-H. Grauwin	11 Pas. Raguinot	Gare de Lyon
8	G14-G13	**Bruxelles** Rue de	33	5 Pl. Blanche	78 R. de Clichy	Place de Clichy
8	H13	**Bucarest** Rue de	32	59 R. d'Amsterdam	20 R. Moscou	Liège
5	O16	**Bûcherie** Rue de la	20	2 R. F. Sauton	1 R. du Pont	St-Michel
6	N15	**Buci** Carrefour de	21	R. Dauphine	R. de l'Anc. Comédie	Odéon
6	N14-N15	**Buci** Rue de	21-24	2 R. de l'Anc. Comédie	160 Bd St-Germain	Mabillon
8	I13	**Budapest** Place de	33	R. d'Amsterdam	R. de Budapest	Liège - St-Lazare
8	I13	**Budapest** Place de	33	R. d'Amsterdam	R. de Budapest	Liège - St-Lazare
9	I13	**Budapest** Rue de	33	96 R. St-Lazare	Pl. de Budapest	St-Lazare
4	O17	**Budé** Rue	16	10 Q. d'Orléans	45 R. St-Louis-en-l'Ile	Pont Marie
7	M7	**Buenos Aires** Rue de	28	Av. Léon Bourgeois	3 Av. de Suffren	Ch. de Mars-Tr Eiffel (RER C)
9	I15	**Buffault** Rue	35	46 R. du Fbg Montmartre	11 R. Lamartine	Le Peletier
5	Q18	**Buffon** Rue	18	2 Bd de l'Hôpital	34 R. G. St-Hilaire	Gare d'Austerlitz
16	J5-J6	**Bugeaud** Avenue	63	8 Pl. Victor Hugo	77 Av. Foch	Victor Hugo
16	P3	**Buis** Rue du	61	2 R. Chardon Lagache	17 R. d'Auteuil	Église d'Auteuil
10	J20	**Buisson Saint-Louis** Passage	40	5 R. du Buisson St-Louis	17 R. Buisson St-Louis	Goncourt - Belleville
10	J20	**Buisson Saint-Louis** Rue du	40	192 R. St-Maur	25 Bd de la Villette	Goncourt - Belleville
11	N21	**Bullourde** Passage	43	14 R. Keller	15 Pas. C. Dallery	Ledru-Rollin
13	U16	**Buot** Rue	51	7 R. de l'Espérance	12 R. M. Bernard	Corvisart
11	N24	**Bureau** Impasse du	44	52 Pas. du Bureau	(en impasse)	Alexandre Dumas
11	N23	**Bureau** Passage du	44	168 R. de Charonne	R. R. et S. Delaunay	Alexandre Dumas
19	I20	**Burnouf** Rue	76	66 Bd de la Villette	87 Av. S. Bolivar	Colonel Fabien
18	G14	**Burq** Rue	69	48 R. des Abbesses	(en impasse)	Abbesses
13	T16	**Butte aux Cailles** Rue de la	51	2 Pl. P. Verlaine	29 R. Barrault	Corvisart
19	G24	**Butte du Chapeau Rouge** Square de la	75	Bd d'Algérie		Danube
19	H21-H22	**Buttes Chaumont** Parc des	76	R. Manin	R. Botzaris	Buttes Chaumont
19	H22	**Buttes Chaumont** Villa des	76	73 R. de la Villette	(en impasse)	Botzaris
18	F19	**Buzelin** Rue	72	72 R. Riquet	13 R. de Torcy	Marx Dormoy
20	O25	**Buzenval** Rue de	80	25 R. Lagny	94 R. A. Dumas	Buzenval

C

14	T15	**Cabanis** Rue	54	66 R. de la Santé	5 R. Broussais	Glacière
13	V16	**Cacheux** Rue	51	94 Bd Kellermann	41 R. des Longues Raies	Cité Univ. (RER B)
9	I15	**Cadet** Rue	35	34 R. du Fbg Montmartre	1 R. Lamartine	Cadet
13	T21	**Cadets de la France Libre** Rue des	50	R. Thomas Mann	R. des Gds Moulins	Bibl. F. Mitterrand
15	S7	**Cadix** Rue de	57	17 R. du Hameau	372 R. de Vaugirard	Pte de Versailles
18	G16	**Cadran** Impasse du	70	52 Bd de Rochechouart	(en impasse)	Anvers
3	L18	**Caffarelli** Rue	10	44 R. de Bretagne	3 R. Perrée	Temple
17	V17	**Caffieri** Avenue	51	8 R. de la Pot. des Peupliers	7 R. Thomire	Maison Blanche
19	G24	**Cahors** Rue de	75	116 Bd Sérurier	Av. A. Rendu	Pte de Pantin
10	G18	**Cail** Rue	37	19 R. P. de Girard	R. du Fbg St-Denis	La Chapelle
13	V18	**Caillaux** Rue	51	59 Av. de Choisy	111 Av. d'Italie	Maison Blanche
12	Q27	**Cailletet** Rue	45	27 R. Mangenot	R. P. Bert	St-Mandé Tourelle
18	G19	**Caillié** Rue	72	8 Bd de la Chapelle	25 R. du Département	Stalingrad
2	K16	**Caire** Passage du	8	237 R. St-Denis	R. Sainte-Foy	Réaumur-Sébastopol
2	K16	**Caire** Place du	8	R. d'Aboukir	R. du Caire	Sentier
2	K17	**Caire** Rue du	8	111 Bd Sébastopol	6 R. de Damiette	Sentier
9	G13-H14	**Calais** Rue de	33	65 R. Blanche	3 Pl. Adolphe Max	Place de Clichy
18	E15	**Calmels** Impasse	69	12 R. du Pôle Nord	(en impasse)	Lamarck-Caulaincourt
18	E15	**Calmels** Rue	69	41 R. du Ruisseau	38 R. Montcalm	Lamarck-Caulaincourt
18	E15	**Calmels Prolongée** Rue	69	3 R. du Pôle Nord	10 Cité Nollez	Lamarck-Caulaincourt
18	G15	**Calvaire** Place du	70	1 R. du Calvaire	13 R. Poulbot	Abbesses
18	G15	**Calvaire** Rue du	70	20 R. Gabrielle	11 Pl. du Tertre	Abbesses

Ar	Plan	Rues / Streets	Quart.	Commençant	Finissant	Métro
8	J11	**Cambacérès** Rue	31	1 Pl. des Saussaies	15 R. La Boétie	Miromesnil
19	I24	**Cambo** Rue de	75	14 R. des Bois	(en impasse)	Pré St-Gervais
20	K24	**Cambodge** Rue du	79	83 Av. Gambetta	58 R. Orfila	Gambetta
1	J13-K13	**Cambon** Rue	4	244 R. de Rivoli	23 R. des Capucines	Madeleine - Concorde
19	E21	**Cambrai** Rue de	74	68 R. de l'Ourcq	27Q. de la Gironde	Crimée
15	O9-P9	**Cambronne** Place	58-59	168 Bd de Grenelle	2 Bd Garibaldi	Cambronne
15	P9-Q9	**Cambronne** Rue	58-57	4 Pl. Cambronne	230 R. de Vaugirard	Vaugirard
15	O9-P9	**Cambronne** Square	58-59	Av. de Lowendal	Pl. Cambronne	Cambronne
14	T10	**Camélias** Rue des	56	197 R. R. Losserand	9 R. des Arbustes	Pte de Vanves
17	D13	**Camille Blaisot** Rue	68	4 R. A. Bréchet	(en impasse)	Pte de St-Ouen
20	K26	**Camille Bombois** Rue	78	19 Bd Mortier	44 R. Irénée Blanc	Pte de Bagnolet
15	P11	**Camille Claudel** Place	58	R. du Cherche Midi	Bd Vaugirard	Falguière
11	M21	**Camille Desmoulins** Rue	43	10 Pl. Léon Blum	13 R. St-Maur	Voltaire
18	D15	**Camille Flammarion** Rue	69	134 Bd Ney	36 R. René Binet	Pte de Clignancourt
6	Q14	**Camille Jullian** Place	23	R. N.-D. des Champs	138 R. d'Assas	Port Royal (RER B)
17	F9	**Camille Pissarro** Rue	66	9 R. de St-Marceaux	8 R. J. L. Forain	Pereire
18	G13-F13	**Camille Tahan** Rue	69	10 R. Cavallotti	(en impasse)	Place de Clichy
16	M6	**Camoëns** Avenue de	62	4 Bd Delessert	14 R. B. Franklin	Passy
14	R14	**Campagne Première** Rue	53	146 Bd du Montparnasse	237 Bd Raspail	Raspail
13	S18	**Campo Formio** Rue de	49	2 Pl. Pinel	123 Bd de l'Hôpital	Campo Formio
15	T9	**Camulogène** Rue	57	9 R. Chauvelot	(en impasse)	Pte de Vanves
8	L10	**Canada** Place du	29	Crs la Reine	Cours Albert Iᵉʳ	Champs-Elysées-Clem.
18	F18	**Canada** Rue du	72	84 R. Riquet	5 R. de la Guadeloupe	Marx Dormoy
10	I18	**Canal** Allée du	40	Q. de Valmy	Av. de Verdun	Gare de l'Est
12	P26	**Canart** Impasse	45	34 R. de la Voûte	(en impasse)	Pte de Vincennes
11	O21	**Candie** Rue de	44	20 R. Trousseau	9 R. de la Forge Royale	Ledru-Rollin
5	Q17	**Candolle** Rue de	18	43 R. Censier	37 R. Daubenton	Censier-Daubenton
6	O14	**Canettes** Rue des	22	27 R. du Four	6 Pl. St-Sulpice	St-Germain-des-Prés
14	S11	**Cange** Rue du	56	4 R. Desprez	R. de Gergovie	Pernety
6	O14	**Canivet** Rue du	22	10 R. Servandoni	3 R. H. de Jouvenel	St-Sulpice
12	R24	**Cannebière** Rue	46	72 R. C. Decaen	188 Av. Daumesnil	Daumesnil
13	T20-U21	**Cantagrel** Rue	50	11 R. Chevaleret	45 R. de Tolbiac	Bibl. F. Mitterrand
11	N20	**Cantal** Cour du	43	22 R. de la Roquette	22 R. de Lappe	Bastille
19	F22	**Cantate** Villa	74	R. J. Kosma	(en impasse)	Ourcq
16	H3	**Capitaine Barrès** Square du	.	Sq. du Cap. Barrès	Bd Maurice Barrès	Les Sablons
15	Q11	**Capitaine Dronne** Allée du	58	Gare Montparnasse		Montparnasse-Bienv.
20	K26	**Capitaine Ferber** Rue du	78	40 R. Pelleport	59 Bd Mortier	Pte de Bagnolet
17	E13	**Capitaine Lagache** Rue du	68	R. Legendre	R. Guy Môquet	Guy Môquet
18	F13	**Capitaine Madon** Rue du	69	50 A. w. de St-Ouen	63 R. Ganneron	Guy Môquet
20	K25	**Capitaine Marchal** Rue du	78	1 R. Étienne Marey	32 R. Le Bua	Pelleport
15	P5	**Capitaine Ménard** Rue du	60	32 R. de Javel	25 R. de la Convention	Javel
16	O3	**Capitaine Olchanski** Rue du	61	126 Av. Mozart	2 R. Mission Marchand	Michel Ange-Auteuil
15	N8	**Capitaine Scott** Rue du	59	10 R. Desaix	37 R. de la Fédération	Dupleix
20	K26	**Capitaine Tarron** Rue du	78	2 R. Géo Chavez	1 Bd Mortier	Pte de Bagnolet
5	P17	**Capitan** Square	17	R. des Arènes		Jussieu
18	G17	**Caplat** Rue	71	32 R. de la Charbonnière	R. de Chartres	Barbès-Rochechouart
17	F7	**Caporal Peugeot** Rue du	65	58 Bd de la Somme	R. J. Ibert	Pte de Champerret
12	R24	**Capri** Rue de	46	59 R. de Wattignies	43 R. C. Decaen	Michel Bizot
18	G13	**Capron** Rue	69	18 Av. de Clichy	17 R. Forest	Place de Clichy
2	J13-J14	**Capucines** Boulevard des	5	25 R. Louis le Grand	24 R. des Capucines	Opéra
9	J13-J14	**Capucines** Boulevard des	34	25 R. Louis le Grand	24 R. des Capucines	Opéra
1	J13-K13	**Capucines** Rue des	4	1 R. de la Paix	43 Bd des Capucines	Opéra
2	J13-K13	**Capucines** Rue des	5	1 R. de la Paix	43 Bd des Capucines	Opéra
15	Q8	**Carcel** Rue	57	5 R. Maublanc	5 R. Gerbert	Vaugirard
17	E11	**Cardan** Rue	68	7 R. Émile Level	6 R. Boulay	Pte de Clichy
20	M26	**Cardeurs** Square des	80	33 R. St-Blaise	(en impasse)	Pte de Montreuil
15	O8	**Cardinal Amette** Place du	59	Pl. Dupleix	18 Sq. La Motte-Picquet	La Motte-P.-Grenelle
18	G15	**Cardinal Dubois** Rue du	70	1 R. Lamarck	11 R. Foyatier	Abbesses
18	G15	**Cardinal Guibert** Rue du	70	Pl. Sacré Cœur	R. du Chev. de la Barre	Abbesses
12	S25	**Cardinal Lavigerie** Place du	46	90 Bd Poniatowski	Bois de Vincennes	Pte de Charenton
5	O17	**Cardinal Lemoine** Cité du	17	18 R. du Card. Lemoine	(en impasse)	Card. Lemoine
5	P17	**Cardinal Lemoine** Rue du	17	17 Q. de la Tournelle	1 Pl. de la Contrescarpe	Card. Lemoine
9	H13	**Cardinal Mercier** Rue du	33	56 R. de Clichy	(en impasse)	Liège
16	O2	**Cardinal Petit De Julleville** Sq.	65	Bd D'Aurelle De Paladines	R. G. Charpentier	Pte Maillot
15	T8	**Cardinal Verdier** Square du	59	R. Thureau Dangin	Bd Lefebvre	Pte de Versailles
14	T22	**Cardinal Wyszynski** Square	56	R. Alain	R. Vercingétorix	Pernety
6	N14	**Cardinale** Rue	24	3 R. de Furstenberg	2 R. de l'Abbaye	St-Germain-des-Prés
17	G10	**Cardinet** Passage	67	74 R. de Tocqueville	27 R. Cardinet	Malesherbes
17	G10-F11	**Cardine** Rue	66 à 68	78 Av. de Wagram	151 Av. de Clichy	Brochant
19	D20	**Cardinoux** Allée des	74	212 Bd Macdonald	81 R. Émile Bollaert	Pte de la Chapelle
19	I22	**Carducci** Rue	76	45 R. de la Villette	22 R. des Alouettes	Jourdain

15	R4	**Carlo Sarrabezolles** Square	60	Bd Gal Martial Valin	R. Lucien Bossoutrot	Balard
5	O16	**Carmes** Rue des	20	49 Bd St-Germain	20 R. de l'Éc. Polytech.	Maubert-Mutualité
17	I7	**Carnot** Avenue	65	Pl. Ch. De Gaulle	30 R. des Acacias	Ch. de Gaulle-Étoile
12	Q26	**Carnot** Boulevard	45	14 Pte Vincennes	23 Av. E. Laurent	St-Mandé Tourelle
12	G12	**Caroline** Rue	67	7 R. Darcet	6 R. des Batignolles	Place de Clichy
19	I25	**Carolus-Duran** Rue	75	6 R. de l'Orme	143 R. Haxo	Télégraphe
8	N18	**Caron** Rue	14	86 R. St-Antoine	5 R. de Jarente	St-Paul
18	E14	**Carpeaux** Rue	69	2 R. Étex	37 R. E. Carrière	Guy Môquet
18	E14	**Carpeaux** Square	69	R. Joseph de Maistre	R. Marceau	Guy Môquet
5	P16	**Carré** Jardin	20	R. Descartes		Card. Lemoine
8	J9	**Carré d'Or** Galerie	29	Av. George V	(en impasse)	George V
1	M15	**Carrée** Cour	1	Palais du Louvre		Louvre-Rivoli
15	P9	**Carrier Belleuse** Rue	58	8 Bd Garibaldi	13 R. Cambronne	Cambronne
11	M23	**Carrière Mainguet** Impasse	43	R. Carrière Mainguet	(en impasse)	Charonne
11	N22	**Carrière Mainguet** Rue	43	54 R. Léon Frot	37 R. Émile Lepeu	Charonne
16	M6	**Carrières** Impasse des	62	24 R. de Passy	(en impasse)	Passy
19	G23	**Carrières d'Amérique** Rue	75	46 R. Manin	139 Bd Sérurier	Danube
1	L14	**Carrousel** Jardin du	1	Av. Lemonnier	Pl. du Carrousel	Palais Royal-Louvre
1	L14	**Carrousel** Place du	1	172 R. de Rivoli	Q. du Louvre	Palais Royal-Louvre
1	M14	**Carrousel** Pont du	1	Q. F. Mitterrand	Q. Malaquais	Palais Royal-Louvre
6	M14	**Carrousel** Pont du	24	Q. F. Mitterrand	Q. Malaquais	Palais Royal-Louvre
7	M14	**Carrousel** Pont du	25	Q. F. Mitterrand	Q. Malaquais	Palais Royal-Louvre
20	L26	**Cartellier** Avenue	80	Pte de Bagnolet	Av. de la République	Pte de Bagnolet
15	R7	**Casablanca** Rue de	60	190 R. de la Croix Nivert	(en impasse)	Boucicaut
18	F15	**Casadesus** Place	69	10 Al. Brouillards	4 R. S. Dereure	Lamarck-Caulaincourt
20	J23	**Cascades** Rue des	77	101 R. de Ménilmontant	82 R. de la Mare	Jourdain
6	O15	**Casimir Delavigne** Rue	22	10 R. Mr le Prince	1 Pl. de l'Odéon	Odéon
7	M12	**Casimir Périer** Rue	26	31 R. St-Dominique	124 R. de Grenelle	Solférino
6	O13	**Cassette** Rue	23	71 R. de Rennes	66 R. de Vaugirard	St-Sulpice
14	R14	**Cassini** Rue	53	32 R. du Fbg St-Jacques	Av. Denfert-Rochereau	Denfert-Rochereau
15	T9	**Castagnary** Rue	57	6 Pl. Falguière	107 R. Brancion	Plaisance
15	T9	**Castagnary** Square	57	R. J. Baudry	R. Castagnary	Pte de Vanves
20	N24	**Casteggio** Impasse de	80	21 R. des Vignoles	(en impasse)	Buzenval
8	J12-J13	**Castellane** Rue de	31	17 R. Tronchet	26 R. de l'Arcade	Madeleine
4	N19	**Castex** Rue	15	35 Bd Henri IV	15 R. St-Antoine	Bastille
1	K13	**Castiglione** Rue de	4	232 R. de Rivoli	R. du Fbg St-Honoré	Tuileries
14	R12	**Catalogne** Place de	56	R. Vercingétorix	R. du Cdt R. Mouchotte	Pernety
7	O12	**Catherine Labouré** Jardin	25	R. de Babylone		Sèvres-Babylone
1	K15	**Catinat** Rue	3	4 R. La Vrillière	1 Pl. des Victoires	Bourse - Sentier
17	F7	**Catulle Mendès** Rue	65	10 Av. S. Mallarmé	21 Bd de la Somme	Pte de Champerret
18	G14	**Cauchois** Rue	69	13 R. Lepic	7 R. Constance	Blanche
15	Q5	**Cauchy** Rue	60	99 Q. André Citroën	172 R. St-Charles	Lourmel - Javel
18	F15-G13	**Caulaincourt** Rue	69-70	122 Bd de Clichy	47 R. du Mont Cenis	Place de Clichy
18	F14	**Caulaincourt** Square	69	63 R. Caulaincourt	83 R. Lamarck	Lamarck-Caulaincourt
9	J13	**Caumartin** Rue de	34	30 Bds des Capucines	97 R. St-Lazare	Havre-Caumartin
15	O9	**Cavalerie** Rue de la	59	53 Av. La Motte-Picquet	10 R. du Gal Castelnau	La Motte-P.-Grenelle
18	F13-G13	**Cavallotti** Rue	69	16 R. Forest	18 R. Ganneron	Place de Clichy
8	F17	**Cavé** Rue	71	23 R. Stephenson	28 R. des Gardes	Château Rouge
6	Q14	**Cavelier De La Salle** Jardin	22	Jard. de l'Observatoire		Luxembourg (RER B)
19	G21	**Cavendish** Rue	76	63 R. Manin	84 R. de Meaux	Laumière
18	G16	**Cazotte** Rue	70	3 R. C. Nodier	2 R. Ronsard	Anvers
4	O18	**Célestins** Port des	13	Pont Mairie	Pont de Sully	Pont Mairie
4	N18-O18	**Célestins** Quai des	14-15	7 Bd Henri IV	2 R. Nonnains d'H.	Sully-Morland
4	N16	**Célestin Hennion** Allée	16	21 Quai de la Corse	Pl. Louis Lépine	Cité
14	R12	**Cels** Impasse	53	7 R. Cels	(en impasse)	Gaîté
14	R12	**Cels** Rue	53	8 R. Fermat	5 R. Auguste Mie	Gaîté
20	K23	**Cendriers** Rue des	79	100 Bd de Ménilmontant	R. Duruis	Père Lachaise
5	Q17	**Censier** Rue	18	33 R. G. St-Hilaire	1 R. de Bazeilles	Censier-Daubenton
15	P9	**Cépré** Rue	58	20 R. Miollis	16 Bd Garibaldi	Cambronne
4	O19	**Cerisaie** Rue de la	15	31 Bd Bourdon	24 R. du Petit Musc	Bastille
8	K9	**Cerisoles** Rue de	29	24 R. C. Marot	41 R. François Ier	Franklin D. Roosevelt
17	G10	**Cernuschi** Rue	66	148 Bd Malesherbes	79 R. Tocqueville	Wagram
8	I12	**César Caire** Avenue	32	Pl. St-Augustin	11 R. Bienfaisance	St-Augustin
15	P10	**César Franck** Rue	58	52 Av. de Saxe	5 R. Bellart	Sèvres-Lecourbe
11	O22	**Cesselin** Impasse	44	8 R. P. Bert	(en impasse)	Faidherbe-Chaligny
15	Q6	**Cévennes** Rue des	60	83 Q. A. Citroën	146 R. Lourmel	Lourmel - Javel
15	Q5	**Cévennes** Square des	60	R. Cauchy	Q. A. Citroën	Javel
4	M18-19	**Ch.-V. Langlois** Square	11	R. des Blancs Manteaux	(en impasse)	St-Paul
2	K14	**Chabanais** Rue	6	22 R. des Petits Champs	9 R. Rameau	Pyramides
12	R22	**Chablis** Rue de	47	6 R. Pommard	7 R. de Bercy	Cour St-Émilion
10	I17	**Chabrol** Cité de	38	16 Cr de la Ferme St-Lazare	25 R. Chabrol	Gare du Nord
10	I16-I17	**Chabrol** Rue de	38-37	85 Bd de Magenta	98 R. La Fayette	Gare de l'Est
12	P26-P27	**Chaffault** Rue du	45	Av. Courteline	R. de l'Aml Courbet	St-Mandé Tourelle

101

Ar	Plan	Rues / Streets	Quart.	Commençant	Finissant	Métro
16	K8	**Chaillot** Rue de	64	16 R. Freycinet	37 Av. Marceau	Alma-Marceau - Iéna
16	K8	**Chaillot** Square de	64	37 R. de Chaillot	(en impasse)	Alma-Marceau
7	N13	**Chaise** Rue de la	25	31 R. de Grenelle	37 Bd Raspail	Sèvres-Babylone
7	N13	**Chaise Récamier** Square	25	R. Récamier		Sèvres-Babylone
17	E11	**Chalabre** Impasse	68	163 Av. de Clichy	(en impasse)	Brochant
10	J20	**Chalet** Rue du	40	25 R. du Buisson St-Louis	32 R. Ste-Marthe	Belleville
16	N4	**Chalets** Avenue des	62	101 R. du Ranelagh	64 R. de l'Assomption	Ranelagh
16	I7	**Chalgrin** Rue	64	20 Av. Foch	4 R. Le Sueur	Argentine
12	P22-O22	**Chaligny** Rue de	48-46	2 R. Crozatier	198 R. du Fbg St-Antoine	Reuilly Diderot
12	P20	**Chalon** Cour de	48	Gare de Lyon		Gare de Lyon
12	Q21	**Chalon** Rue de	48	3 R. de Rambouillet	22 Bd Diderot	Gare de Lyon
12	R21	**Chambertin** Rue de	47	118 R. Bercy	38 Bd Bercy	Cour St-Émilion
15	S9-T9	**Chambéry** Rue de	57	60 R. des Morillons	138 R. Castagnary	Pte de Vanves
8	K9	**Chambiges** Rue	29	10 R. Boccador	5 R. C. Marot	Alma-Marceau
16	O3	**Chamfort** Rue	61	18 R. de la Source	105 Av. Mozart	Jasmin
18	D13	**Champ à Loup** Passage du	69	72 R. de Leibnitz	5 R. Bernard Dimey	Pte de St-Ouen
13	S16	**Champ de l'Alouette** Rue du	52	2 R. Vulpian	59 R. de la Glacière	Glacière
7	M8-M9	**Champ de Mars** Parc du	28	Av. Gustave Eiffel	Av. La Motte-Piquet	École Militaire
7	N9	**Champ de Mars** Rue du	28	18 R. Duvivier	91 Av. de La Bourdonnais	École Militaire
18	D15	**Champ Marie** Passage du	69	23 R. V. Compoint	121 R. Belliard	Pte de St-Ouen
20	N25	**Champagne** Cité	80	78 R. des Pyrénées	(en impasse)	Maraîchers
12	S23	**Champagne** Terrasse de	47	Q. de Bercy	R. Baron Le Roy	Cour St-Émilion
7	R21	**Champagny** Rue de	26	2 R. C. Périer	1 R. Martignac	Solférino - Varenne
15	O8	**Champaubert** Avenue de	59	80 Av. de Suffren	15 R. Larminat	La Motte-P.-Grenelle
17	G7	**Champerret** Porte de	65	Bd Périphérique		Pte de Champerret
7	N8	**Champfleury** Rue	28	22 Al. Tomy Thierry	45 Av. de Suffren	Dupleix
18	D16	**Championnet** Passage	70	57 R. Championnet	13 R. Nve Chardonnière	Simplon
18	D16-E14	**Championnet** Rue	70-69	135 R. des Poissonniers	90 Av. de St-Ouen	Pte de Clignancourt
18	E13	**Championnet** Villa	69	198 R. Championnet	(en impasse)	Guy Môquet
5	O15	**Champollion** Rue	20	51 R. des Écoles	6 Pl. de la Sorbonne	Cluny-La Sorbonne
8	J9	**Champs** Galerie des	30	R. de Ponthieu	7 R. de Berri	George V
8	J8-J9	**Champs Élysées** Avenue des	29-30	Pl. de la Concorde	Pl. Ch. de Gaulle	Ch. de Gaulle-Étoile
8	L11	**Champs Élysées** Port des	29	Pont des Invalides	Pont de la Concorde	Champs-Elysées-Clem.
8	K10	**Champs Élysées Marcel Dassault** Rond-Point des	29-30	Av. F.-D. Roosevelt	22 Av. Chps Élysées	Franklin D. Roosevelt
7	N11	**Chanaleilles** Rue de	26	24 R. Vaneau	17 R. Barbet de Jouy	St-Franç.-Xavier
16	J5	**Chancelier Adenauer** Place du	63	Av. Bugeaud	4 R. Spontini	Pte Dauphine
15	R7	**Chandon** Impasse	60	280 R. Lecourbe	(en impasse)	Boucicaut - Lourmel
16	P2	**Chanez** Rue	61	77 R. d'Auteuil	50 R. Molitor	Pte d'Auteuil
16	P2	**Chanez** Villa	61	3 R. Chanez	(en impasse)	Pte d'Auteuil
12	P26	**Changarnier** Rue	45	80 Bd Soult	7 Av. Lamoricière	Pte de Vincennes
1	M16-N16	**Change** Pont au	1	Bd du Palais	Pl. du Châtelet	Châtelet
4	M16-N16	**Change** Pont au	1	Bd du Palais	Pl. du Châtelet	Châtelet
4	N17	**Chanoinesse** Rue	16	6 R. du Cloître N.-D.	9 R. d'Arcole	St-Michel - Cité
16	K4	**Chantemesse** Avenue	63	40 Bd Lannes	47 Av. du Mal Fayolle	Av. H. Martin (RER C)
12	O20	**Chantier** Passage du	48	53 R. de Charenton	66 R. du Fbg St-Antoine	Ledru-Rollin
5	O17	**Chantiers** Rue des	17	6 R. F. St-Bernard	5 R. du Card. Lemoine	Jussieu
9	H16	**Chantilly** Rue de	36	22 R. Bellefond	60 R. de Maubeuge	Poissonnière
4	N17	**Chantres** Rue des	16	1 R. des Ursins	10 R. Chanoinesse	St-Michel
13	S20	**Chanvin** Passage	50	147 R. Chevaleret	26 R. Dunois	Chevaleret
11	N22	**Chanzy** Rue	44	26 R. St-Bernard	210 Bd Voltaire	Rue des Boulets
17	H6	**Chapelle** Avenue de la	65	3 Av. de Verzy	(en impasse)	Pte Maillot
10	G17-G18	**Chapelle** Boulevard de la	37	43 R. Chât. Landon	170 Bd de Magenta	Stalingrad
18	G17-G18	**Chapelle** Boulevard de la	71	43 R. Château Landon	170 Bd de Magenta	Stalingrad
18	F18	**Chapelle** Cité de la	71	37 R. Marx Dormoy		Marx Dormoy
18	E18	**Chapelle** Hameau de la	71	18 R. de la Chapelle	(en impasse)	Marx Dormoy
18	E18	**Chapelle** Impasse de la	71	31 R. de la Chapelle	(en impasse)	Marx Dormoy
18	G18	**Chapelle** Place de la	71-72	34 Bd de la Chapelle	R. Marx Dormoy	La Chapelle
18	D18	**Chapelle** Porte de la	71-72	Bd Périphérique		Pte de la Chapelle
18	D18	**Chapelle** Rond-Point de la	71-72	R. de la Chapelle	R. R. Queneau	Pte de la Chapelle
18	D18-E18	**Chapelle** Rue de la	71-72	2 R. Ordener	29 Bd Ney	Pte de la Chapelle
3	L17	**Chapon** Rue	12	113 R. du Temple	230 R. St-Martin	Arts et Métiers
18	G15	**Chappe** Rue	70	6 R. des Frères	5 R. St-Eleuthère	Anvers
9	H14	**Chaptal** Cité	33	20 R. Chaptal	(en impasse)	Blanche
9	H14	**Chaptal** Rue	33	49 R. J.-B. Pigalle	66 R. Blanche	Pigalle - Blanche
16	Q3	**Chapu** Rue	61	16 Bd Exelmans	163 Av. de Versailles	Bd Victor (RER C)
13	V15-U15	**Charbonnel** Rue	51	61 R. Brillat Savarin	57 R. Aml Mouchez	Cité Univ. (RER B)
18	G17	**Charbonnière** Rue de la	71	1 R. de la Goutte d'Or	100 Bd de la Chapelle	Barbès-Rochechouart
15	P10	**Charbonniers** Passage des	58	90 Bd Garibaldi	10 R. Lecourbe	Sèvres-Lecourbe
13	T20	**Charcot** Rue	50	123 R. Chevaleret	26 Pl. Jeanne d'Arc	Chevaleret
16	M7	**Chardin** Rue	62	5 R. Le Nôtre	4 R. Beethoven	Passy

16	P3	**Chardon Lagache** Rue	61	Pl. d'Auteuil	170 Av. de Versailles	Église d'Auteuil
19	E22	**Charente** Quai de la	74	(en impasse)	121 Bd Macdonald	Pte de la Villette
12	T25	**Charenton** Porte de	46-47	Bd Périphérique		Pto do Charenton
12	O21-S24	**Charenton** Rue de	46 à 48	2 R. du Fbg St-Antoine	15 Bd Poniatowski	Bastille
4	N1	**Charlemagne** Passage	14	16 R. Charlemagne	119 R. St-Antoine	St-Paul
4	N18	**Charlemagne** Rue	14	31 R. St-Paul	14 R. Nonnains d'H.	St-Paul
18	D14	**Charles Albert** Passage	69	70 R. Leibniz	2 R. Jules Cloquet	Pte de St-Ouen
12	O21	**Charles Baudelaire** Rue	48	4 R.de Prague	118 R. du Fbg St-Antoine	Ledru-Rollin
12	P25	**Charles Bénard** Villa	45	49 Av. du Dr Netter	(en impasse)	Picpus
18	E15	**Charles Bernard** Place	70	R. du Poteau	R. Duhesme	Jules Joffrin
12	U19	**Charles Bertheau** Rue	50	R. Simoné Weil	44 Av. de Choisy	Maison Blanche
12	Q22	**Charles Bossut** Rue	47	74 R. du Charolais	98 Av. Daumesnil	Dugommier
20	I26	**Charles Cros** Rue	78	164 Bd Mortier	R. des Glaïeuls	Pte des Lilas
11	N21	**Charles Dallery** Passage	43	53 R. de Charonne	90 R. de la Roquette	Ledru-Rollin
12	S25	**Charles De Foucauld** Avenue	45	9 R. Joseph Chailley	10 Av. du Gal Dodds	Pte Dorée
8	I8	**Charles De Gaulle** Place	29	49 Av. de Friedland	Av. des Chps Élysées	Ch. de Gaulle-Étoile
16	S11	**Charles De Gaulle** Place	64	49 Av. de Friedland	Av. Kléber	Ch. de Gaulle-Étoile
17	I8	**Charles De Gaulle** Place	65	48 Av. de Friedland	Av. Mac Mahon	Ch. de Gaulle-Étoile
12	Q19	**Charles De Gaulle** Pont		Q. d'Austerlitz	R. Van Gogh	Gare d'Austerlitz
13	Q19	**Charles De Gaulle** Pont		Q. d'Austerlitz	R. Van Gogh	Gare d'Austerlitz
11	N22	**Charles Delescluze** Rue	44	48 R. Trousseau	31 R. St-Bernard	Ledru-Rollin
16	M6	**Charles Dickens** Rue	62	9 R. des Eaux	Av. René Boylesve	Passy
16	M6	**Charles Dickens** Square	62	6 R. des Eaux	(en impasse)	Passy
14	S13	**Charles Divry** Rue	55	42 R. Boulard	29 R. Gassendi	Mouton-Duvernet
18	G15	**Charles Dullin** Place	70	1 Villa Dancourt	R. D'Orsel	Anvers
18	N26	**Charles et Robert** Rue	80	66 Bd Davout	Pl. de la Pte de Montreuil	Pte de Montreuil
17	F11	**Charles Fillion** Place	67	82 Pl. Dr Lobligeois	146 R. Cardinet	Brochant
7	N8	**Charles Floquet** Avenue	28	3 Av. Octave Gréard	R. J. Carriès	Ch. de Mars-Tr Eiffel (RER C)
3	U17	**Charles Fourier** Rue	51	4 Pl. Abbé G. Hénocque	193 R. de Tolbiac	Tolbiac
20	J24	**Charles Friedel** Rue	77	18 R. Olivier Métra	43 R. Pixérécourt	Télégraphe
9	J13	**Charles Garnier** Place	34	1 R. Auber	2 R. Auber	Opéra - Auber (RER A)
17	G9	**Charles Gerhardt** Rue	66	1 R.G. Doré	(en impasse)	Wagram - Pereire
8	K11	**Charles Girault** Avenue	29	Av. Dutuit	Av. W. Churchill	Champs-Elysées-Clem.
9	H15	**Charles Godon** Cité	36	25 R. Milton	41 R. Tour d'Auvergne	St-Georges
18	D19	**Charles Hermite** Rue	72	7 Av. de la Pte Aubervilliers	52 Bd Ney	Pte de la Chapelle
18	D19	**Charles Hermite** Square	72	R. C. Hermite		Pte de la Chapelle
16	K5	**Charles Lamoureux** Rue	63	23 R. E. Ménier	25 R. Spontini	Pte Dauphine
15	Q9	**Charles Laurent** Square	58	71 R. Cambronne	102 R. Lecourbe	Cambronne
18	D19	**Charles Lauth** Rue	72	18 Bd Ney	2 R. G. Tissandier	Pte de la Chapelle
14	U12	**Charles Le Goffic** Rue	55	2 R. G. Le Bon	11 Av. E. Reyer	Pte d'Orléans
15	Q8	**Charles Lecocq** Rue	57	123 R. de la Croix Nivert	204 R. Lecourbe	Félix Faure
13	V19	**Charles Leroy** Rue	51	Av. de la Pte Choisy	R. des Châlets	Pte de Choisy
11	L19	**Charles Luizet** Rue	41	16 Bd Filles du Calvaire	107 R. Amelot	St-Sébastien-Froissart
18	P6	**Charles Michels** Place	60-59	85 R. St-Charles	29 R. des Entrepreneurs	Ch. Michels
19	H24	**Charles Monselet** Rue	75	50 Bd Sérurier	7 Bd d'Algérie	Pré St-Gervais
13	T19	**Charles Moureu** Rue	50	98 R. de Tolbiac	53 Av. Edison	Tolbiac - Place d'Italie
12	Q22	**Charles Nicolle** Rue	46	173 R. de Charenton	11 Cité Moynet	Reuilly Diderot
18	G16	**Charles Nodier** Rue	70	10 R. Livingstone	R. Ronsard	Anvers
12	M26	**Charles Péguy** Square	45	R. Marie Laurencin		Michel Bizot
11	O22	**Charles Petit** Impasse	44	4 R. P. Bert	(en impasse)	Faidherbe-Chaligny
20	L24	**Charles Renouvier** Rue	79	10 R. des Rondeaux	21 R. Stendhal	Gambetta
7	N9	**Charles Risler** Avenue	28	Al. A. Lecouvreur	Al. Thomy Thierry	École Militaire
10	I20	**Charles Robin** Rue	40	37 Av. C. Vellefaux	38 R. Grange aux Belles	Colonel Fabien
18	R3	**Charles Tellier** Rue	61	157 Bd Murat	19 R. Le Marois	Pte de St-Cloud
19	D20	**Charles Tillon** Place	74	R. Jean Oberlé	Av. de la Pte d'Aubervilliers	Pte de la Chapelle
17	G6	**Charles Tournemire** Rue	65	Av. de la Pte de Champerret	Av. de la Pte de Villiers	Pte de Champerret
4	N18	**Charles V** Rue	15	17 R. du Petit Musc	18 R. St-Paul	Sully-Morland
15	R9	**Charles Vallin** Place	57	139 R. de l'Abbé Groult	60 R. Dombasle	Convention
15	S10	**Charles Weiss** Rue	57	45 R. Labrouste	52 R. Castagnary	Plaisance
3	K19	**Charles-François Dupuis** Rue	10	4 R. Dupetit Thouars	7 R. Béranger	Temple - République
16	Q3	**Charles-Marie Widor** Rue	61	87 R. Chardon Lagache	77 R. Boileau	Exelmans
3	L18-L19	**Charlot** Rue	10-11	12 R. des Quatre Fils	27 Bd du Temple	Oberkampf
15	S10	**Charmilles** Villa des	57	56 R. Castagnary	(en impasse)	Plaisance
12	Q22	**Charolais** Passage du	47	26 R. du Charolais	5 R. Baulant	Dugommier
12	Q22	**Charolais** Rue du	47	19 Bd de Bercy	25 R. de Rambouillet	Dugommier
11	O24-M23	**Charonne** Boulevard de	44-43	7 Av. du Trône	2 R. P. Bayle	Ph. Auguste - Al Dumas - Avron
20	O24-M23	**Charonne** Boulevard de	44-43	7 Av. du Trône	2 R. P. Bayle	Ph. Auguste - Al Dumas - Avron
11	N21-N23	**Charonne** Rue de	43-44	61 R. du Fbg St-Antoine	111 Bd de Charonne	Ledru-Rollin
9	I13	**Charras** Rue	34	54 Bd Haussmann	99 R. Provence	Havre-Caumartin
11	N21	**Charrière** Rue	44	86 R. de Charonne	(en impasse)	Charonne
5	O16	**Chartière** Impasse	20	11 R. de Ianneau	(en impasse)	Maubert-Mutualité
18	G17	**Chartres** Rue de	71	58 Bd de la Chapelle	45 R. Goutte d'Or	Barbès-Rochechouart
6	Q14	**Chartreux** Rue des	22	8 Av. Observatoire	87 R. d'Assas	Port Royal (RER B)

Ar	Plan	Rues / Streets	Quart.	Commençant	Finissant	Métro
8	J10	**Chassaigne Goyon** Place	30	152 R. du Fbg St-Honoré	69 R. La Boétie	St-Philippe du R.
15	P9	**Chasseloup Laubat** Rue	58	128 Av. Suffren	46 Av. de Ségur	Cambronne
17	F10	**Chasseurs** Avenue des	66	57 Bd Péreire	162 Bd Malesherbes	Wagram - Pereire
5	N15	**Chat qui Pêche** Rue du	20	9 Q. St-Michel	12 R. de la Huchette	St-Michel
14	R11-S12	**Château** Rue du	58-56	Pl. de Catalogne	164 Av. du Maine	Pernety - Gaîté
10	J17-J18	**Château d'Eau** Rue du	39-38	1 Bd de Magenta	68 R. du Fbg St-Denis	République
13	T19-U20	**Château des Rentiers** Rue du	50	52 Bd Masséna	171 Bd V. Auriol	Place d'Italie
18	H18-G19	**Château Landon** Rue du	37	185 R. du Fbg St-Martin	173 Bd de la Villette	Stalingrad
14	S11	**Château Ouvrier** Allée du	56	69 R. Raymond Losserand	Pl. Marcel Paul	Pernety
18	F16	**Château Rouge** Place du	70	44 Bd Barbès	R. Custine	Château Rouge
8	J9	**Chateaubriand** Rue	30	17 R. Washington	33 Av. Friedland	Ch. de Gaulle-Étoile
9	I14-I15	**Châteaudun** Rue de	35-34	55 R. La Fayette	70 R. la Chée d'Antin	Trinité - Cadet
21	D13	**Châtelet** Passage	68	36 R. J. Kellner	35 Bd Bessières	Pte de St-Ouen
1	M16	**Châtelet** Place du	1	2 Q. Mégisserie	15 Av. Victoria	Châtelet
4	M16	**Châtelet** Place du	13	2 Quai Mégisserie	15 Av. Victoria	Châtelet
14	V11	**Châtillon** Porte de	55	Bd Périphérique		Pte d'Orléans
14	T12	**Châtillon** Rue de	55	18 Av. J. Moulin	43 R. des Plantes	Alésia
14	U12	**Châtillon** Square de	55	33 Av. J. Moulin	(en impasse)	Pte d'Orléans - Alésia
9	J15-I15	**Chauchat** Rue	35	4 Bd Haussmann	42 R. La Fayette	Richelieu Drouot
10	G19	**Chaudron** Rue	37	241 R. du Fbg St-Martin	52 R. Chât. Landon	Stalingrad
19	H20-I20	**Chaufourniers** Rue des	76	16 R. de Meaux	(en impasse)	Colonel Fabien
19	F24-G24	**Chaumont** Porte	75	Bd Périphérique	Av. Pte de Chaumont	Danube
19	H20	**Chaumont** Rue de	73	1 Av. Secrétan	11 Cité Lepage	Bolivar
20	K25	**Chauré** Square	78	17 R. du Lt Chauré	(en impasse)	Pte de Bagnolet
9	I14-J14	**Chaussée d'Antin** Rue de la	34	38 Bd Italiens	59 R. Châteaudun	Trinité - Opéra
12	R25	**Chaussin** Passage	45	99 R. de Picpus	21 R. de Toul	Bel Air - M. Bizot
10	I19	**Chausson** Impasse	40	31 R. Grange aux Belles	(en impasse)	Colonel Fabien
8	J12	**Chauveau Lagarde** Rue	31	21 Pl. de la Madeleine	12 Bd Malesherbes	Madeleine
15	T9	**Chauvelot** Rue	57	115 R. Brancion	32 R. J. Baudry	Pte de Vanves
9	I16	**Chavarche Missakian** Place	35-36	11 Rue de Montholon	Rue La Fayette	Cadet - Poissonnière
17	H9	**Chazelles** Rue de	66	94 Bd de Courcelles	15 R. de Prony	Courcelles
14	H23-I24	**Chef d'Escadron De Guillebon** Al. du	56	Gare Montparnasse		Montparnasse-Bienv.
19	D23	**Chemin de Fer** Rue du	74	Av. de la Pte la Villette	R. du Chemin de Fer	Pte de la Villette
11	M20	**Chemin Vert** Passage du	42	43 R. du Chemin Vert	8 R. Asile Popincourt	St-Ambroise
11	L22-M20	**Chemin Vert** Rue du	42-43	46 Bd Beaumarchais	Bd de Ménilmontant	Père Lachaise
19	F24	**Cheminets** Rue des	75	R. de la Marseillaise	R. Lamartine	Pte de Pantin
12	O20	**Chêne Vert** Cour du	48	48 R. de Charenton	(en impasse)	Ledru-Rollin
2	K17	**Chénier** Rue	8	23 R. Sainte-Foy	94 R. de Cléry	Strasbourg-St-Denis
20	L24	**Cher** Rue du	79	26 R. Cour Noues	6 R. Belgrand	Gambetta
15	S9	**Cherbourg** Rue de	57	62 R. des Morillons	9 R. Fizeau	Pte de Vanves
6	P12	**Cherche Midi** Rue du	23	25 R. Vieux Colombier	144 R. de Vaugirard	Falguière
15	P11-P12	**Cherche Midi** Rue du	58	25 R. Vieux Colombier	144 R. de Vaugirard	Falguière
13	T17	**Chéreau** Rue	51	1 R. de la Butte aux Cailles	36 R. Bobillot	Corvisart
16	M6	**Chernoviz** Rue	62	24 R. Raynouard	35 R. de Passy	Passy
17	G12	**Chéroy** Rue de	57	78 Bd des Batignolles	99 R. des Dames	Rome
2	K14	**Chérubini** Rue	6	11 R. Chabanais	52 R. Ste-Anne	Quatre Septembre
11	N20	**Cheval Blanc** Passage du	43	2 R. de la Roquette	(en impasse)	Bastille
13	U21-S20	**Chevaleret** Rue du	50	16 R. Regnault	79 Bd V. Auriol	Chevaleret
1	K12-K13	**Chevalier de St-Georges** Rue du	4	404 R. St-Honoré	21 R. Duphot	Madeleine
8	K12-K13	**Chevalier de St-Georges** Rue du	31	404 R. St-Honoré	21 R. Duphot	Madeleine
20	J24	**Chevaliers** Impasse des	78	40 R. Pixérécourt	(en impasse)	Télégraphe
7	N10	**Chevert** Rue	28	72 Bd de La Tr-Maubourg	20 Av. Tourville	La Tour-Maubourg
9	I14	**Cheverus** Rue de	34	8 Pl. d'Estienne d'Orves	1 R. de la Trinité	Trinité
11	K20	**Chevet** Rue du	41	1 R. Deguerry	2 R. Darboy	Goncourt
11	O23	**Chevreul** Rue	44	303 R. du Fbg St-Antoine	72 R. de Montreuil	Nation
6	Q14	**Chevreuse** Rue de	23	76 R. N.-D. des Champs	125 Bd du Montparnasse	Vavin
16	Q2	**Cheysson** Villa	61	84 R. Boileau	Villa E. Meyer	Exelmans
20	K24	**Chine** Rue de la	79	20 R. de la Cour des Noues	126 R. de Ménilmontant	Gambetta
13	S21	**Choderlos De Laclos** Rue	50	R. E. Durkheim	R. de Tolbiac	Bibl. F. Mitterrand
2	K14	**Choiseul** Passage	5	40 R. Petits Champs	23 R. St-Augustin	Quatre Septembre
2	J24	**Choiseul** Rue de	5	16 R. St-Augustin	21 Bd des Italiens	Quatre Septembre
13	T18-V19	**Choisy** Avenue de	51-50	122 Bd Masséna	Bd Vincent Auriol	Tolbiac - Place d'Italie
13	U18	**Choisy** Parc de	51	Av. de Choisy	R. C. Moureu	Tolbiac
13	V19	**Choisy** Porte de	51	Bd Masséna	Av. de Choisy	Pte de Choisy
7	O13	**Chomel** Rue	25	40 Bd Raspail	12 R. de Babylone	Sèvres-Babylone
16	N5	**Chopin** Place	62	12 R. Lekain	R. Duban	La Muette
9	I15	**Choron** Rue	36	3 R. Rodier	16 R. des Martyrs	N.-D. de Lorette
12	Q21	**Chrétien De Troyes** Rue	48	Pl. Rutebeuf	68 Av. Daumesnil	Gare de Lyon
12	P23	**Christian Dewet** Rue	46	35 R. du Sgt Bauchat	11 R. Dorian	Nation - Montgallet
18	G16	**Christiani** Rue	70	17 Bd Barbès	89 R. Myrha	Château Rouge
6	N15	**Christine** Rue	21	12 R. des Gds Augustins	33 R. Dauphine	Odéon - St-Michel

17	G11	**Christine De Pisan** Rue	67	130 R. de Saussure	(en impasse)	Wagram
8	J9	**Christophe Colomb** Rue	29	41 Av. George V	54 Av. Marceau	George V
6	P13-Q13	**Cicé** Rue de	23	16 R. Stanislas	26 R. Montparnasse	Montparnasse-Bienv.
16	K7	**Cimarosa** Rue	64	66 Av. Kléber	77 R. Lauriston	Boissière
17	D11	**Cimetière des Batignolles** Av. du	68	12 Av. de la Pte de Clichy	9 R. St-Just	Pte de Clichy
5	O16	**Cimetière Saint-Benoît** Rue du	20	Imp. Chartière	121 R. St-Jacques	Maubert-Mutualité
17	G6	**Cino Del Duca** Rue	65	Av. de la Pte de Champerret	Bd D'Aurelle De Paladines	Pte Maillot
13	T17	**Cinq Diamants** Rue des	51	29 Bd A. Blanqui	30 R. de la Butte aux Cailles	Corvisart
14	R11	**Cinq Martyrs du Lyc. Buffon** Pl. des	56	97 Bd Pasteur	Pl. de Catalogne	Montparnasse-Bienv.
15	R11	**Cinq Martyrs du Lyc. Buffon** Pl. des	56	97 Bd Pasteur	Pl. de Catalogne	Montparnasse-Bienv.
8	J11	**Cirque** Rue du	31	40 Av. Gabriel	61 R. du Fbg St-Honoré	Franklin D. Roosevelt
6	N14	**Ciseaux** Rue des	24	145 Bd St-Germain	16 R. du Four	St-Germain des-Prés
4	N16	**Cité** Rue de la	16	Q. de la Corse	Pl. du Parvis N.-D.	Cité
14	V15	**Cité Universitaire** Rue de la	54	R. Liard	20 Bd Jourdan	Cité Univ. (RER B)
19	O21-P21	**Cîteaux** Rue de	48	43 Bd Diderot	160 R. du Fbg St-Antoine	Reuilly Diderot
10	J20	**Civiale** Rue	40	7 Bd de la Villette	30 R. du Buisson St-Louis	Belleville
16	Q2	**Civry** Rue de	61	89 Bd Exelmans	20 R. de Varize	Exelmans
16	F12	**Clairaut** Rue	68-67	111 Av. de Clichy	(en impasse)	Brochant
8	F24	**Claridge** Galerie du	30	24 R. de Moscou	29 Bd des Batignolles	Rome
8	H12	**Clapeyron** Rue	32	R. de Ponthieu	Av. des Chps Élysées	Franklin D. Roosevelt
5	Q16-R16	**Claude Bernard** Rue	18-19	2 Av. des Gobelins	R. d'Ulm	Censier-Daubenton
13	S16	**Claude Bourdet** Place	52	R. Pascal	R. Corvisart	Glacière
16	M6	**Claude Chahu** Rue	62	16 R. de Passy	7 R. Gavarni	Passy
16	K4	**Claude Debussy** Jardin	63	Bd Lannes	Av. du Mal Fayolle	Av. H. Martin (RER C)
17	G7	**Claude Debussy** Rue	65	Pl. J. Renard	3 Bd de l'Yser	Pte de Champerret
17	G11	**Claude Debussy** Square	67	24 R. Legendre	4 Sq. F. Tombelle	Villiers - Malesherbes
12	R24-S25	**Claude Decaen** Rue	46	67 Bd Poniatowski	6 Pl. F. Éboué	Pte Dorée
16	Q1	**Claude Farrère** Rue	61	2 Av. Parc des Princes	R. Nungesser et Coli	Pte de St-Cloud
16	Q3	**Claude François** Place	61	31 Bd Exelmans	154 Av. de Versailles	Pte de St-Cloud
15	T9	**Claude Garamond** Rue	57	Pte Brancion	11 R. Julia Bartet	Malakoff-Plat. Vanves
16	Q2	**Claude Lorrain** Rue	61	82 R. Boileau	79 R. Michel Ange	Exelmans
16	H23	**Claude Lorrain** Villa	61	10 Av. La Frillière	(en impasse)	Exelmans
19	H23	**Claude Monet** Villa	75	19 R. M. Hidalgo	7 R. F. Pinton	Botzaris
17	G11	**Claude Pouillet** Rue	67	12 R. Lebouteux	34 R. Legendre	Villiers
13	V20	**Claude Regaud** Avenue	50	49 Bd Masséna	6 Pl. Dr Yersin	Pte d'Ivry
16	R3	**Claude Terrasse** Rue	61	185 Av. de Versailles	129 Bd Murat	Pte de St-Cloud
12	O23	**Claude Tillier** Rue	46	79 Bd Diderot	238 R. du Fbg St-Antoine	Reuilly Diderot
19	I20	**Claude Vellefaux** Avenue	40	24 R. Alibert	1 Pl. du Col. Fabien	Goncourt
14	S14	**Claude-Nicolas Ledoux** Sq.		Pl. Denfert-Rochereau		Denfert-Rochereau
9	H15	**Clauzel** Rue	33	33 R. des Martyrs	6 R. Henri Monnier	St-Georges
19	I22	**Clavel** Rue	76	95 R. de Belleville	45 R. Fessart	Pyrénées
5	Q17	**Clef** Rue de la	18	22 R. du Fer à Moulin	15 R. Lacépède	Censier-Daubenton
1	L15	**Clémence Royer** Rue	2	29 R. de Viarmes	R. Coquillière	Louvre-Rivoli
8	K11	**Clemenceau** Place	29	Av. des Champs-Elysées	Av. W. Churchill	Champs-Elysées-Clem.
6	N14	**Clément** Rue	22	72 R. de Seine	3 R. Mabillon	Mabillon
16	O5	**Clément Ader** Place	22	2 R. Gros	Av. du Pdt Kennedy	Kennedy-R. France (RER C)
8	K9	**Clément Marot** Rue	29	29 Av. Montaigne	46 R. P. Charron	Alma-Marceau
15	P5	**Clément Myionnet** Rue	60	Pl. Mont. du Goulet	14 R. Léontine	Javel
7	M9	**Cler** Rue	28	111 R. St-Dominique	30 Av. La Motte-Picquet	École Militaire
2	K16	**Cléry** Passage de	8	20 R. Beauregard	57 R. de Cléry	Strasbourg-St-Denis
2	K16-J17	**Cléry** Rue de	7-8	104 R. Montmartre	5 Bd de Bonne Nouvelle	Strasbourg-St-Denis
17	G13-E12	**Clichy** Avenue de	67-68	11 Pl. de Clichy	125 Bd Bessières	Place de Clichy
18	G13	**Clichy** Avenue de	69	11 Pl. de Clichy	125 Bd Bessières	Place de Clichy
9	G13-G14	**Clichy** Boulevard de	33	67 R. des Martyrs	10 Pl. de Clichy	Place de Clichy
18	G13-G14	**Clichy** Boulevard de	69	67 R. des Martyrs	10 Pl. de Clichy	Place de Clichy
18	G13	**Clichy** Passage de	69	Av. de Clichy		Place de Clichy
9	G13	**Clichy** Place de	33	Bd de Clichy	Av. de Clichy	Place de Clichy
17	G13	**Clichy** Place de	67	Bd de Clichy	Av. de Clichy	Place de Clichy
18	G13	**Clichy** Place de	69	Bd de Clichy	Av. de Clichy	Place de Clichy
17	D10	**Clichy** Porte de	67	Bd Périphérique	Av. de Clichy	Pte de Clichy
9	H13-I13	**Clichy** Rue de	33	5 Pl. d'Estienne d'Orves	1 Pl. de Clichy	Liège - Pl. de Clichy
18	D15	**Clignancourt** Porte de	70-69	Bd Périphérique		Pte de Clignancourt
18	G16-F16	**Clignancourt** Rue de	70	36 Bd de Rochechouart	33 R. Championnet	Barbès-Rochechouart
18	E16	**Clignancourt** Square de	70	70 R. Ordener	50 R. Hermel	Jules Joffrin
13	S19	**Clisson** Impasse	50	43 R. Clisson	(en impasse)	Nationale
13	S19	**Clisson** Rue	50	171 R. du Chevaleret	6 Pl. Nationale	Chevaleret
4	N18	**Cloche Perce** Rue	14	13 R. F. Miron	27 R. Roi de Sicile	St-Paul
15	O7	**Clodion** Rue	59	49 Rd de Grenelle	20 R. Daniel Stern	Dupleix
4	N17	**Cloître Notre-Dame** Rue du		Q. de l'Archevêché	23 R. d' Arcole	St Michel
4	M17	**Cloître Saint-Merri** Rue du	13	17 R. du Renard	78 R. St-Martin	Hôtel de Ville
20	M25	**Clos** Rue du	80	2 R. Courat	58 R. des Prairies	Maraîchers
5	O16	**Clos Bruneau** Passage du	20	33 R. des Écoles	11 R. des Carmes	Maubert-Mutualité

Ar	Plan	Rues / Streets	Quart.	Commençant	Finissant	Métro
11	K20	**Clos de Malevart** Villa du	41	7 R. Darboy		Goncourt
15	R7	**Clos Feuquières** Rue du	57	5 R. Théodore Deck	10 R. Desnouettes	Convention
5	P16	**Clotaire** Rue	20	19 Pl. du Panthéon	17 R. Fossés St-Jacques	Luxembourg (RER B)
5	P16	**Clotilde** Rue	20	23 R. Clovis	16 R. de l'Estrapade	Card. Lemoine
11	M19	**Clotilde De Vaux** Rue	42	56 Bd Beaumarchais	47 R. Amelot	Chemin Vert
19	D23	**Clôture** Rue de la	74	2 Bd Macdonald	R. du Débarcadère	Pte de la Villette
15	P9	**Clouet** Rue	58	24 Bd Garibaldi	1 R. Miollis	Cambronne
5	P16-P17	**Clovis** Rue	17-20	R. du Card. Lemoine	Pl. Ste-Geneviève	Card. Lemoine
19	G20	**Clovis Hugues** Rue	73	R. Armand Carrel	65 R. de Meaux	Jaurès
18	E15	**Cloÿs** Impasse des	69	23 R. des Cloÿs	(en impasse)	Lamarck-Caulaincourt
18	E14	**Cloÿs** Passage des	69	19 R. Marcadet	1 R. Montcalm	Lamarck-Caulaincourt
18	E14-E15	**Cloÿs** Rue des	70-69	5 R. Duhesme	173 R. Ordener	Jules Joffrin
5	O16	**Cluny** Rue de	20	Bd St-Germain	R. du Sommerard	Cluny-La Sorbonne
5	O17	**Cochin** Rue	17	R. de Poissy	R. de Pontoise	Maubert-Mutualité
6	O13	**Coëtlogon** Rue	23	92 R. de Rennes	5 R. d'Assas	St-Sulpice
14	T13	**Cœur de Vey** Villa	55	54 Av. du Gal Leclerc	(en impasse)	Mouton-Duvernet
7	L9	**Cognacq Jay** Rue	28	7 R. Malar	1 Pl. de la Résistance	Pont de l'Alma (RER C)
2	K15	**Colbert** Galerie	6	6 R. des Petits Champs	2 R. Vivienne	Bourse
2	K15	**Colbert** Rue	6	11 R. Vivienne	58 R. Richelieu	Bourse
1	L14	**Colette** Place	3	1 R. de Richelieu	206 R. St-Honoré	Palais Royal-Louvre
8	J10	**Colisée** Rue du	30	48 Av. des Chps Élysées	97 R. du Fbg St-Honoré	St-Philippe du R.
5	R17	**Collégiale** Rue de la	18	86 Bd St-Marcel	37 R. du Fer à Moulin	Les Gobelins
14	T11	**Collet** Villa	56	119 R. Didot	(en impasse)	Plaisance
17	E13	**Collette** Rue	68	83 Av. de St-Ouen	6 R. J. Leclaire	Guy Môquet
9	G14	**Collin** Passage	33	18 R. Duperré	29 Bd de Clichy	Pigalle
19	F21	**Colmar** Rue de	73	154 R. de Crimée	1 R. Evette	Laumière
4	N17	**Colombe** Rue de la	16	21 Q. aux Fleurs	26 R. Chanoinesse	Cité
16	L3	**Colombie** Place de	62-63	2 Bd Suchet	Av. H. Martin	Kennedy-R. France (RER C)
16	N5	**Colonel Bonnet** Avenue du	62	68 R. Raynouard	10 R. A. Bruneau	Kennedy-R. France (RER C)
12	P22	**Colonel Bourgoin** Place du	46 à 48	31 R. Rambouillet	157 R. de Charenton	Reuilly Diderot
15	F9	**Colonel Colonna D'Ornano** R. du	58	12 R. F. Bonvin	12 Villa Poirier	Sèvres-Lecourbe
7	L10	**Colonel Combes** Rue du	28	6 R. J. Nicot	5 R. Malar	Pont de l'Alma (RER C)
13	V18	**Colonel Dominé** Rue du	51	Av. d'Italie	Bd Kellermann	Pte d'Italie
1	L15	**Colonel Driant** Rue du	3	29 R. J.-J. Rousseau	28 R. de Valois	Palais Royal-Louvre
10	I20	**Colonel Fabien** Place du	40	82 Bd de la Villette	1 R. de Meaux	Colonel Fabien
19	H20	**Colonel Fabien** Place du	40	82 Bd de la Villette	1 R. de Meaux	Colonel Fabien
14	S14	**Colonel Henri Rol-Tanguy** Av. du	53-55	Pl. Denfert-Rochereau		Denfert-Rochereau
17	D12	**Colonel Manhès** Rue du	68	57 R. Berzélius	3 Pas. des Épinettes	Pte de Clichy
17	H7-I7	**Colonel Moll** Rue du	65	15 R. des Acacias	9 R. St-Ferdinand	Argentine
14	U10	**Colonel Monteil** Rue du	56	36 Bd Brune	3 R. M. Bouchor	Pte de Vanves
12	R25	**Colonel Oudot** Rue du	45	271 Av. Daumesnil	25 Bd Soult	Pte Dorée
15	S5	**Colonel Pierre Avia** Rue du	60	R. L. Armand	R. Victor Hugo	Corentin Celton
12	P22	**Colonel Rozanoff** Rue du	46	42 R. de Reuilly	32 R. de Reuilly	Reuilly-Diderot
17	I7	**Colonels Renard** Rue des	65	10 R. du Col Moll	15 R. d'Armaillé	Argentine
13	U16	**Colonie** Rue de la	51	57 R. Vergniaud	8 Pl. Abbé G. Henocque	Tolbiac - Corvisart
2	K15	**Colonnes** Rue des	6	4 R. du 4 Septembre	23 R. Feydeau	Bourse
12	P24	**Colonnes du Trône** Rue des	46	19 Av. de St-Mandé	79 Bd de Picpus	Nation - Picpus
13	U15	**Coluche** Place	51	R. de Tolbiac	R. de la Santé	Glacière
14	U15	**Coluche** Place	54	R. d'Alésia	R. de la Santé	Glacière
12	S26	**Combattants d'Indochine** Sq. des	45	Pl. E. Renard		Pte Dorée
12	P20	**Combattants en Afrique du N.** Pl. des	48	Bd Diderot	R. de Lyon	Gare de Lyon
7	M10	**Comète** Rue de la	28	75 R. St-Dominique	160 R. de Grenelle	La Tour-Maubourg
7	N12	**Commaille** Rue de	28	8 R. de la Planche	103 R. du Bac	Sèvres-Babylone
17	G11	**Commandant Ch. Martel** Pass.	67	R. de Rome	R. Dulong	Rome
16	Q1	**Commandant Guilbaud** R. du	61	26 Av. de la Pte de St-Cloud	21 R. C. Farrère	Pte de St-Cloud
11	N20	**Commandant Lamy** Rue du	43	45 R. de la Roquette	30 R. Sedaine	Bréguet Sabin
15	R7	**Commandant Léandri** Rue du	57	152 R. de la Convention	2 R. J. Mawas	Convention
20	O27	**Commandant L'Herminier** R. du	80	23 Av. de la Pte Vincennes	R. de lagny	St-Mandé Tourelle
16	I6	**Commandant Marchand** R. du	63	Av de Malakoff	(en impasse)	Pte Maillot
10	J19	**Commandant Mortenol** R. du	39	125 Q. de Valmy	(en impasse)	Gare de l'Est
15	Q5	**Commandant Raynal** Allée du	60	21 R. Cauchy	16 A. Le Gramat	Javel
14	Q12	**Commandant René Mouchotte** R. du	56	58 Av. du Maine	R. J. Zay	Montparnasse-Bienv.
8	J10	**Commandant Rivière** Rue du	30	71 Av. F. D. Roosevelt	10 R. d'Artois	St-Philippe du R.
16	L6	**Commandant Schlœsing** Rue du	62	1 Av. P. Doumer	6 R. Pétrarque	Trocadéro
19	D22	**Commanderie** Boulevard de la	74	Pl. A. Baron	Bd Félix Faure	Pte de la Villette
14	T13	**Commandeur** Rue du	55	11 R. Bezout	9 R. Montbrun	Alésia
15	P8	**Commerce** Impasse du	59	70 R. du Commerce	(en impasse)	Commerce
15	P7	**Commerce** Place du	59	69 R. Violet	80 R. du Commerce	Commerce
15	O8-P8	**Commerce** Rue du	59	128 Bd de Grenelle	99 R. des Entrepreneurs	La Motte-P.-Grenelle
6	N15-O15	**Commerce Saint-André** Cour du	21	59 R. St-André des Arts	130 Bd St-Germain	Odéon

3	L17	**Commerce Saint-Martin** Pass. du	12	176 R. St-Martin	5 R. Brantôme	Rambuteau
8	L19	**Commines** Rue	10	90 R. de Turenne	11 Bd Filles du Calvaire	St-Sébastien-Froissart
8	H13	**Commun** Passage	22	Av. Montaigne	(en impasse)	Alma-Marceau
13	T16	**Commune de Paris** Pl. de la	51	R. de la Butte aux Cailles	R. de l'Espérance	Corvisart
19	H23-I24	**Compans** Rue	75	213 R. de Belleville	18 R. d'Hautpoul	Pl. des Fêtes
10	H17	**Compiègne** Rue de	37	122 Bd de Magenta	25 R. de Dunkerque	Gare du Nord
18	E12	**Compoint** Villa	68	38 R. Guy Môquet	(en impasse)	Guy Môquet
15	Q7	**Comtat Venaissin** Place du	60	R. de Javel	R. des Frères Morane	Félix faure
8	H10	**Comtesse De Ségur** Allée	32	Av. Van Dyck	Av. Velasquez	Monceau
8	K12-L12	**Concorde** Place de la	29-31	Jard. des Tuileries	Av. des Chps Élysées	Concorde
7	L12	**Concorde** Pont de la	26	Q. d'Orsay	Q. des Tuileries	Assemblée Nationale
8	L12	**Concorde** Pont de la	26	Q. d'Orsay	Q. des Tuileries	Concorde
8	L12	**Concorde** Port de la	29	Port des Chps-Élysées	Port des tuileries	Concorde
6	O15	**Condé** Rue de	22	1 R. Quatre Vents	22 R. de Vaugirard	Odéon
11	L22	**Condillac** Rue	42	99 Av. de la République	8 R. des Nanettes	Ménilmontant
9	H16	**Condorcet** Cité	36	27 R. Condorcet	(en impasse)	Anvers
9	H16-H15	**Condorcet** Rue	36	59 R. de Maubeuge	58 R. des Martyrs	Poissonnière
8	L9-L10	**Conférence** Port de la	29	Pont de l'Alma	Pont des Invalides	Alma-Marceau
12	Q22	**Congo** Rue du	47	38 R. du Charolais	204 R. de Charenton	Dugommier
16	M4	**Conseiller Collignon** Rue du	62	3 R. Verdi	2 R. d'Andigné	La Muette
16	I16-J16	**Conservatoire** Rue du	35	12 R. Bergère	5 R. Richer	Bonne Nouvelle
18	G14	**Constance** Rue	69	19 R. Lepic	11 R. J. de Maistre	Blanche
20	I23	**Constant Berthaut** Rue	77	5 R. du Jourdain	132 R. de Belleville	Jourdain
7	O11	**Constant Coquelin** Avenue	27	59 Bd des Invalides	(en impasse)	Duroc
14	L17-T22	**Constantin Brancusi** Place	56	R. de l'Ouest	R. Jules Guesde	Gaîté
18	F15	**Constantin Pecqueur** Place	69	15 R. Girardon	2 R. Lucien Gaulard	Lamarck-Caulaincourt
7	M11-L11	**Constantine** Rue de	26	105 R. de l'Université	144 R. de Grenelle	Invalides
8	H12-H11	**Constantinople** Rue de	32	Pl. de l'Europe	Pl. P. Goubaux	Villiers - Europe
3	K17	**Conté** Rue	9	57 R. de Turbigo	4 R. Vaucanson	Arts et Métiers
6	M15	**Conti** Impasse de	21	13 Q. de Conti	(en impasse)	Pont Neuf
6	M15	**Conti** Quai de	21	2 R. Dauphine	Pl. de l'Institut	Pont Neuf
5	P16-P17	**Contrescarpe** Place de la	17 à 20	85 R. du Card. Lemoine	57 R. Lacépède	Place Monge
15	P5-R8	**Convention** Rue de la	60-57	Pt Mirabeau	Pl. C. Vallin	Javel - Convention
13	V19	**Conventionnel Chiappe** Rue du	51	121 Bd Masséna	10 Av. Léon Bollée	Pte de Choisy
8	H12	**Copenhague** Rue de	32	67 R. de Rome	10 R. Constantinople	Rome - Europe
16	J7-K7	**Copernic** Rue de	64	52 Av. Kléber	1 Pl. Victor Hugo	Victor Hugo
16	J7	**Copernic** Villa	64	40 R. Copernic	(en impasse)	Victor Hugo
15	Q10	**Copreaux** Rue	58	31 R. Blomet	202 R. de Vaugirard	Volontaires
9	I13	**Coq** Avenue du	34	87 R. St-Lazare	(en impasse)	St-Lazare - Auber (RER A)
11	M20	**Coq** Cour du	42	60 R. St-Sabin	Al. Verte	Richard-Lenoir
1	L15	**Coq Héron** Rue	2	24 R. de la Coquillière	17 R. du Louvre	Louvre-Rivoli - Les Halles
1	L15	**Coquillière** Rue	2	R. du Jour	R. Croix des Petits Chps	Louvre-Rivoli - Les Halles
12	P21	**Corbera** Avenue de	48	131 R. de Charenton	11 R. Crozatier	Reuilly Diderot
12	R21	**Corbineau** Rue	47	96 R. de Bercy	48 Bd de Bercy	Cour St-Émilion
15	R9	**Corbon** Rue	57	40 R. d'Alleray	Pl. C. Vallin	Vaugirard
13	S16	**Cordelières** Rue des	52	27 Bd Arago	R. Corvisart	Les Gobelins
3	L19	**Corderie** Rue de la	10	2 R. Franche Comté	8 R. Dupetit Thouars	Temple
20	K24	**Cordon Boussard** Impasse	79	247 R. des Pyrénées	(en impasse)	Gambetta
19	D22	**Corentin Cariou** Avenue	74	Pt de Flandre SNCF	87 Bd Macdonald	Pte de la Villette
12	R23	**Coriolis** Rue	47	1 R. Nicolaï	68 Bd de Bercy	Dugommier
18	P3	**Corneille** Impasse	61	Av. Despréaux	(en impasse)	Michel Ange-Molitor
6	O15	**Corneille** Rue	22	7 Pl. de l'Odéon	Pl. Paul Claudel	Odéon
16	P4	**Corot** Rue	61	22 R. Wilhem	61 Av. T. Gautier	Église d'Auteuil
14	V15	**Corot** Villa	54	R. d'Arcueil	(en impasse)	Cité Univ. (RER B)
19	G24	**Corrèze** Rue de la	75	100 Bd Sérurier	2 Av. A. Rendu	Danube
4	N16	**Corse** Quai de la	16	1 R. d'Arcole	Pont au Change	Cité
16	L5-M5	**Cortambert** Rue	62	R. du Past. M. Bœgner	6 Pl. Possoz	La Muette
18	F15	**Cortot** Rue	70	19 R. du Mont Cenis	8 R. des Saules	Lamarck-Caulaincourt
8	I11	**Corvetto** Rue	32	6 R. Treilhard	15 R. de Lisbonne	Miromesnil
13	S16	**Corvisart** Rue	52	111 R. Nordmann	56 Bd A. Blanqui	Corvisart
1	L16	**Cossonnerie** Rue de la	2	39 Bd Sébastopol	6 R. P. Lescot	Châtelet-Les Halles
16	M6	**Costa Rica** Place de	62	1 R. Raynouard	23 Bd Delessert	Passy
15	R11	**Cotentin** Rue du	58	94 Bd Pasteur	93 R. Falguière	Volontaires - Pasteur
18	E15	**Cottages** Rue des	69	5 R. Duhesme	157 R. Marcadet	Lamarck-Caulaincourt
12	O21	**Cotte** Rue de	48	91 R. de Charenton	R. du Fbg St-Antoine	Ledru-Rollin
18	F16	**Cottin** Passage	70	17 R. Ramey	R. du Chev. de la Barre	Château Rouge
14	T13	**Couche** Rue	55	57 R. d'Alésia	12 R. Sarrette	Alésia
14	T14	**Couédic** Rue du	55	14 Av. René Coty	43 Av. du Gal Leclerc	Mouton-Duvernet
14	U12-U13	**Coulmiers** Rue de	55	124 Av. du Gal Leclerc	41 Av. J. Moulin	Pte d'Orléans
20	L25	**Cour des Noues** Rue de la	79	31 R. Pelleport	198 R. des Pyrénées	Gambetta
20	M25	**Courat** Rue	80	75 R. des Orteaux	46 R. St-Blaise	Maraîchers
8	H8-H11	**Courcelles** Boulevard de	30-32	5 Pl. P. Goubaux	4 Pl. des Ternes	Villiers - Monceau
17	H8-H11	**Courcelles** Boulevard de	30-32	5 Pl. P. Goubaux	4 Pl. des Ternes	Villiers - Monceau

Ar	Plan	Rues / Streets	Quart.	Commençant	Finissant	Métro
17	F8	**Courcelles** Porte de	66	Bd Périphérique		Pte de Champerret
8	F8-H10	**Courcelles** Rue de	30-32	66 R. La Boétie	R. du Pdt Wilson	Courcelles
17	F8-H8	**Courcelles** Rue de	66	66 R. La Boétie	R. du Pdt Wilson (Levallois-P.)	Pereire
15	Q7	**Cournot** Rue	57	13 R. Jules Simon	191 R. de Javel	Félix Faure
20	J23	**Couronnes** Rue des	77	56 Bd de Belleville	69 R. de la Mare	Pyrénées - Couronnes
1	M16	**Courtalon** Rue	2	21 R. St-Denis	6 R. Ste-Opportune	Châtelet-Les Halles
12	P26	**Courteline** Avenue	45	72 Bd Soult	Av. Victor Hugo	Pte de Vincennes
12	P25	**Courteline** Square	45-46	Av. de St-Mandé	Bd de Picpus	Picpus
11	M22	**Courtois** Passage	43	62 R. Léon Frot	16 R. de la Folie Regnault	Philippe Auguste
7	L12	**Courty** Rue de	26	237 Bd St-Germain	104 R. de l'Université	Assemblée Nationale
18	G14	**Coustou** Rue	69	64 Bd de Clichy	12 R. Lepic	Blanche
4	M17	**Coutellerie** Rue de la	13	31 R. de Rivoli	6 Av. Victoria	Hôtel de Ville
3	M18	**Coutures Saint-Gervais** R. des	11	5 R. de Thorigny	94 R. Vieille du Temple	St-Sébastien-Froissart
13	N22	**Couvent** Cité du	43	99 R. de Charonne	(en impasse)	Charonne
13	S17	**Coypel** Rue	49	142 Bd de l'Hôpital	75 Av. des Gobelins	Place d'Italie
18	E13	**Coysevox** Rue	69	6 R. Étex	235 R. Marcadet	Guy Môquet
13	T20	**Crayons** Passage des	50	97 R. du Chevaleret	(en impasse)	Bibl. F. Mitterrand
6	O15	**Crébillon** Rue	22	15 R. de Condé	2 Pl. de l'Odéon	Odéon
17	F10	**Crèche** Rue de la	67	142 R. de Saussure	(en impasse)	Pereire
13	V16	**Crédit Lyonnais** Impasse du	51	91 R. Aml Mouchez	(en impasse)	Cité Univ. (RER B)
12	P20	**Crémieux** Rue	48	228 R. de Bercy	19 R. de Lyon	Gare de Lyon
11	K21	**Crespin du Gast** Rue	42	148 R. Oberkampf	21 Pas. Ménilmont.	Ménilmontant
9	H15	**Cretet** Rue	36	5 R. Bochart de Saron	8 R. Lallier	Anvers
16	J6	**Crevaux** Rue	63	30 Av. Bugeaud	61 Av. Foch	Pte Dauphine
4	O19	**Crillon** Rue	15	4 Bd Morland	4 R. de l'Arsenal	Sully-Morland
19	E20	**Crimée** Passage de	73	219 R. de Crimée	52 R. Curial	Crimée
19	I23-G22	**Crimée** Rue de	73 à 76	25 R. des Fêtes	182 R. d'Aubervilliers	Pl. des Fêtes - Crimée
20	N24	**Crins** Impasse des	80	23 R. des Vignoles	(en impasse)	Buzenval
20	O27	**Cristino Garcia** Rue	80	10 R. Maryse Hilsz	125 R. de Lagny	St-Mandé Tourelle
15	P11	**Croisic** Square du	58	14 Bd du Montparnasse	(en impasse)	Falguière - Duroc
2	K16	**Croissant** Rue du	7	13 R. du Sentier	144 R. Montmartre	Sentier
1	K15-L15	**Croix des Petits Champs** Rue	3-2	170 R. St-Honoré	1 Pl. des Victoires	Louvre-Rivoli
11	M22	**Croix Faubin** Rue de la	43	7 R. de la Folie Regnault	166 R. de la Roquette	Philippe Auguste
13	T21	**Croix Jarry** Rue de la	50	34 R. Watt	R. J.-A. de Baïf	Bibl. F. Mitterrand
18	D19	**Croix Moreau** Rue de la	78	20 R. Tristan Tzara	R. Tchaikovski	Pte de la Chapelle
15	P9-S7	**Croix Nivert** Rue de la	57 à 60	2 Pl. Cambronne	370 R. de Vaugirard	Pte de Versailles
15	P8-P9	**Croix Nivert** Villa	58	31 R. de la Croix Nivert	34 R. Cambronne	Cambronne
20	N26	**Croix Saint-Simon** Rue de la	80	76 R. Maraîchers	105 Bd Davout	Pte de Montreuil
15	S9	**Cronstadt** Rue de	57	60 R. Dombasle	51 R. des Morillons	Convention
19	H23	**Cronstadt** Villa de	75	21 R. du Gal Brunet	18 R. M. Hidalgo	Botzaris
13	N14	**Croulebarbe** Rue de la	52	44 Av. des Gobelins	57 R. Corvisart	Corvisart
12	O21	**Crozatier** Impasse	48	45 R. Crozatier	(en impasse)	Reuilly Diderot
12	P22	**Crozatier** Rue	48	153 R. de Charenton	128 R. du Fbg St-Antoine	Reuilly Diderot
11	L19	**Crussol** Cité de	41	7 R. Oberkampf	10 R. de Crussol	Oberkampf
11	L20	**Crussol** Rue de	41	4 Bd du Temple	59 R. de la Folie Méricourt	Oberkampf
18	E19	**Cugnot** Rue	78	2 R. de Torcy	1 Pl. Hébert	Marx Dormoy
5	P15-P16	**Cujas** Rue	20	12 Pl. du Panthéon	51 Bd St-Michel	Luxembourg (RER B)
3	L17	**Cunin Gridaine** Rue	9	47 R. de Turbigo	252 R. St-Martin	Arts et Métiers
16	N4	**Cure** Rue de la	61	64 Av. Mozart	2 R. de l'Yvette	Jasmin
18	E18	**Curé** Impasse du	71	9 R. de la Chapelle	(en impasse)	Marx Dormoy
19	D21-F20	**Curial** Rue	73-74	46 R. Riquet	5 R. de Cambrai	Corentin Cariou
19	F20	**Curial** Villa	73	7 R. Curial	118 R. d'Aubervilliers	Riquet
17	E8-F8	**Curnonsky** Rue		R. A. Ladwig (Levallois-P.)	R. M. Ravel (Levallois-P.)	Pereire
18	F15-F16	**Custine** Rue	70	19 R. Poulet	34 R. du Mont Cenis	Château Rouge
5	P17-P18	**Cuvier** Rue	18-17	5 Q. St-Bernard	40 R. G. St-Hilaire	Jussieu
1	L16	**Cygne** Rue du	2	59 Bd de Sébastopol	28 R. Mondétour	Étienne Marcel
15	N6	**Cygnes** Allée des	59	Pt de Bir Hakeim	Pont de Grenelle	Bir Hakeim
18	F15	**Cyrano De Bergerac** Rue	70	12 R. Francœur	115 R. Marcadet	Lamarck-Caulaincourt

D

Ar	Plan	Rues / Streets	Quart.	Commençant	Finissant	Métro
20	N25	**Dagorno** Passage	80	100 R. des Haies	101 R. des Pyrénées	Maraîchers
12	Q24	**Dagorno** Rue	46	61 R. de Picpus	21 Bd de Picpus	Bel Air
14	R12-S13	**Daguerre** Rue	55-53	4 Av. du Gal Leclerc	109 Av. du Maine	Denfert-Rochereau
11	O22	**Dahomey** Rue du	44	10 R. St-Bernard	7 R. Faidherbe	Faidherbe-Chaligny
2	K14	**Dalayrac** Rue	5	2 R. Méhul	2 R. Monsigny	Pyramides
18	F15	**Dalida** Place	69	Al. des Brouillards	2 R. de l'Abreuvoir	Lamarck-Caulaincourt
13	V20	**Dalloz** Rue	50	8 R. Dupuy de Lôme	71 Bd Masséna	Pte d'Ivry
15	Q11	**Dalou** Rue	58	169 R. de Vaugirard	42 R. Falguière	Pasteur
17	G11-G13	**Dames** Rue des	67	25 Av. de Clichy	12 R. de Lévis	Villiers
13	U17	**Damesme** Impasse	51	57 R. Damesme	(en impasse)	Maison Blanche

13	U17-V17	**Damesme** Rue	51	161 R. de Tolbiac	30 Bd Kellermann	Maison Blanche
11	N24	**Damia** Jardin	44	91 Bd de Charonne	22 R. et S. Delaunay	Alexandre Dumas
2	K16	**Damiette** Rue de	8	1 R. des Forges	96 R. d'Aboukir	Sentier
11	N20	**Damoye** Cour	43	12 R. Daval	(en impasse)	Bastille
19	E22	**Dampierre** Rue	74	Pl. de l'Argonne	15 Q. de la Gironde	Corentin Cariou
19	E22	**Dampierre Rouvet** Square	74	Q. de la Gironde		Corentin Cariou
18	E14-F14	**Damrémont** Rue	69	11 R. Caulaincourt	99 R. Belliard	Lamarck-Caulaincourt
18	E15	**Damrémont** Villa	69	110 R. Damrémont	(en impasse)	Lamarck-Caulaincourt
18	G15	**Dancourt** Rue	70	96 Bd de Rochechouart	1 Villa Dancourt	Anvers
18	G15	**Dancourt** Villa	70	7 Pl. C. Dullin	104 Bd de Rochechouart	Anvers
16	N4	**Dangeau** Rue	61	79 Av. Mozart	42 R. Ribera	Jasmin
7	P11	**Daniel Loucour** Avenue	27	03 Bd des Invalides	(en impasse)	Duroc
15	O8	**Daniel Stern** Rue	59	20 Pl. Dupleix	59 Bd de Grenelle	Dupleix
14	R12	**Daniel Templier** Parvis	56	Av. du Maine		Gaîté
1	K13-K14	**Danielle Casanova** Rue	4	31 Av. de l'Opéra	2 R. de la Paix	Opéra
2	K13-K14	**Danielle Casanova** Rue	5	31 Av. de l'Opéra	2 R. de la Paix	Opéra
5	O16	**Dante** Rue	20	43 R. Galande	33 R. St-Jacques	Cluny-La Sorbonne
6	N15-O15	**Danton** Rue	21	Pl. St-André des Arts	116 Bd St-Germain	St-Michel - Odéon
15	S8	**Dantzig** Passage de	57	50 R. de Dantzig	27 R. de la Saïda	Pte de Versailles
15	S8	**Dantzig** Rue de	57	238 R. de la Convention	91 Bd Lefebvre	Convention
19	H23	**Danube** Hameau du	75	46 R. du Gal Brunet	(en impasse)	Danube
19	H24	**Danube** Villa du	75	72 R. D. d'Angers	11 R. de l'Égalité	Danube
14	S13	**Danville** Rue	55	41 R. Daguerre	16 R. Liancourt	Denfert-Rochereau
8	I12	**Dany** Impasse	32	44 R. du Rocher	(en impasse)	Europe
11	K20	**Darboy** Rue	41	132 Av. Parmentier	163 R. St-Maur	Goncourt
17	G13	**Darcet** Rue	67	18 Bd des Batignolles	23 R. des Dames	Place de Clichy
20	I25	**Darcy** Rue	78	49 R. Surmelin	16 R. Haxo	St-Fargeau
17	G6	**Dardanelles** Rue des	65	6 Bd Pershing	9 Bd de Dixmude	Pte Maillot
14	T14	**Dareau** Passage	54	34 R. Dareau	41 R. de la Tombe Issoire	St-Jacques
14	S15	**Dareau** Rue	54	17 Bd St-Jacques	17 Av. René Coty	St-Jacques
19	G22	**Darius Milhaud** Allée	75	95 R. Manin	120 R. Petit	Pte de Pantin - Ourcq
13	V21	**Darmesteter** Rue	50	10 Av. Boutroux	29 Bd Masséna	Pte d'Ivry
17	I9-H9	**Daru** Rue	30	254 R. du Fbg St-Honoré	75 R. Courcelles	Courcelles
18	F15	**Darwin** Rue	69	39 R. des Saules	6 R. de la Font. du But	Lamarck-Caulaincourt
5	Q17	**Daubenton** Rue	18	37 R. G. St-Hilaire	127 R. Mouffetard	Censier-Daubenton
17	G10	**Daubigny** Rue	66	77 R. Cardinet	6 R. Cernuschi	Malesherbes
12	O20-S26	**Daumesnil** Avenue	45 à 48	32 R. de Lyon	Av. Daumesnil	Daumesnil
12	R24	**Daumesnil** Villa	46	218 Av. Daumesnil	59 R. de Fécamp	Michel Bizot
16	Q3	**Daumier** Rue	61	179 Bd Murat	3 R. C. Terrasse	Exelmans
11	M22	**Daunay** Impasse	43	58 R. de la Folie Regnault	(en impasse)	Père Lachaise
18	E13	**Daunay** Passage	69	122 Av. de St-Ouen	126 Av. de St-Ouen	Guy Môquet
2	J13	**Daunou** Rue	5	13 R. Louis le Grand	35 Bd des Capucines	Opéra
6	N15	**Dauphine** Passage	21	30 R. Dauphine	27 R. Mazarine	Odéon
1	N15	**Dauphine** Place	1	2 R. de Harlay	28 R. Henri Robert	Pont Neuf
16	J4	**Dauphine** Porte	63	Bd Périphérique		Porte Dauphine
6	N15	**Dauphine** Rue	21	57 Q. Gds Augustins	R. St-André des Arts	Mabillon
17	F12	**Dautancourt** Rue	68	90 Av. de Clichy	5 R. Davy	La Fourche
11	N20	**Daval** Rue	43	14 Bd R. Lenoir	15 R. de la Roquette	Bastille
19	H23	**David D'Angers** Rue	75	34 R. d'Hautpoul	121 Bd Sérurier	Danube
14	V14	**David Weill** Avenue	54	32 Bd Jourdan	Av. A. Rivoire	Cité Univ. (RER B)
13	T16	**Daviel** Rue	51	30 R. Barrault	97 R. de la Glacière	Glacière - Corvisart
13	T16	**Daviel** Villa	51	7 R. Daviel	(en impasse)	Corvisart
16	N4	**Davioud** Rue	62	23 Av. Mozart	48 R. de l'Assomption	Ranelagh
12	L26-O26	**Davout** Boulevard	80	111 Crs Vincennes	2 Pl. de la Pte de Bagnolet	Pte de Vincennes
17	E12-F13	**Davy** Rue	68	43 Av. de St-Ouen	28 R. Guy Môquet	Guy Môquet
17	H6	**Débarcadère** Rue du	65	34 Pl. St-Ferdinand	271 Bd Péreire	Pte Maillot
3	M19-L19	**Debelleyme** Rue	10-11	83 R. Turenne	111 R. Turenne	St-Sébastien-Froissart
12	P25	**Debergue** Cité	45	28 R. du Rendez-Vous	(en impasse)	Picpus
19	H25	**Debidour** Avenue	75	66 Bd Sérurier	(en impasse)	Pré St-Gervais
11	N21	**Debille** Cour	43	162 Av. Ledru Rollin	(en impasse)	Voltaire
7	L8	**Debilly** Passerelle	28	Q. Branly	Av. de New York	Iéna
8	L8	**Debilly** Passerelle	28	Q. Branly	Av. de New York	Iéna
16	L8	**Debilly** Port	64	Pont d'Iéna	Pont de l'Alma	Iéna
20	L25	**Debrousse** Jardin	80	R. de Bagnolet	R. des Balkans	Pte de Bagnolet
16	L8	**Debrousse** Rue	64	6 Av. de New York	5 Av. du Pdt Wilson	Alma-Marceau
16	L5	**Decamps** Rue	63-62	5 Pl. de Mexico	110 R. de la Tour	Rue de la Pompe
1	M16	**Déchargeurs** Rue des	2	120 R. de Rivoli	15 R. des Halles	Châtelet
14	S11	**Decrès** Rue	56	36 R. Gergovie	176 R. d'Alésia	Plaisance
18	G13	**Défense** Impasse de la	69	20 Av. de Clichy	(en impasse)	Place de Clichy
18	O5	**Degas** Rue	61	40 Q. L. Blériot	23 R. F. David	Mirabeau
2	J17	**Degrés** Rue des	8	87 R. de Cléry	50 R. Beauregard	Strasbourg-St-Denis
11	K20	**Deguerry** Rue	41	128 Av. Parmentier	161 R. St-Maur	Goncourt
18	G17	**Dejean** Rue	70	21 R. des Poissonniers	26 R. Poulet	Château Rouge

Ar	Plan	Rues / Streets	Quart.	Commençant	Finissant	Métro
20	K22	**Delaitre** Rue	79	47 R. Panoyaux	42 R. de Ménilmontant	Ménilmontant
17	G6	**Delaizement** Rue	65	Bd D'Aurelle De Paladines	(en impasse)	Pte Maillot
14	Q13	**Delambre** Rue	53	202 Bd Raspail	54 Bd E. Quinet	Vavin - Edgar Quinet
14	Q13	**Delambre** Square	53	19 R. Delambre	32 Bd E. Quinet	Vavin - Edgar Quinet
10	I18	**Delanos** Passage	37	25 R. d'Alsace	R. du Fbg St-Denis	Gare de l'Est
11	N22	**Delaunay** Impasse	43	R. de Charonne	(en impasse)	Charonne
14	T12	**Delbet** Rue	56	149 R. d'Alésia	32 R. L. Morard	Plaisance - Alésia
8	J11	**Delcassé** Avenue	31	24 R. Penthièvre	37 R. La Boétie	Miromesnil
15	P7	**Delecourt** Avenue	59	63 R. Violet	(en impasse)	Commerce
11	N21	**Delépine** Cour	43	37 R. de Charonne	(en impasse)	Ledru-Rollin
11	N23	**Delépine** Impasse	44	R. Léon Frot	16 Imp. Delépine	Rue des Boulets
16	M6	**Delessert** Boulevard	62	R. Le Nôtre	Pl. du Costa Rica	Passy
10	H19	**Delessert** Passage	40	161 Q. de Valmy	8 R. P. Dupont	Château Landon
19	F22	**Delesseux** Rue	74	14 R. Ardennes	11 R. A. Mille	Ourcq
17	D12	**Deligny** Impasse	68	8 Pas. Pouchet	(en impasse)	Guy Môquet
13	U18	**Deloder** Villa	51	21 R. de la Vistule	(en impasse)	Maison Blanche
14	I22	**Delouvain** Rue	75	16 R. de la Villette	11 R. Lassus	Jourdain
9	H16	**Delta** Rue du	36	179 R. du Fbg Poissonnière	82 R. Rochechouart	Barbès-Rochechouart
10	H18	**Demarquay** Rue	37	23 R. de l'Aqueduc	R. du Fbg St-Denis	Gare du Nord
10	H17	**Denain** Boulevard de	37	114 Bd de Magenta	23 R. de Dunkerque	Gare du Nord
14	R14	**Denfert-Rochereau** Avenue	55-53	32 Av. Observatoire	Pl. Denfert-Rochereau	Denfert-Rochereau
14	S14	**Denfert-Rochereau** Place	55-53	110 Av. Denfert-Rochereau	Av. du Gal Leclerc	Denfert-Rochereau
17	I7	**Denis Poisson** Rue	65	50 Av. de la Gde Armée	33 Pl. St-Ferdinand	Pte Maillot
11	M21	**Denis Poulot** Square	43	Pl. Léon Blum	Bd Voltaire	Voltaire
20	J21	**Dénoyez** Rue	77	3 R. Ramponeau	8 R. de Belleville	Belleville
7	M10	**Denys Bühler** Square	28	R. de Grenelle		La Tour-Maubourg
7	N10	**Denys Cochin** Place	27	4 Av. de Tourville	2 Av. Lowendal	École Militaire
17	G10	**Déodat De Séverac** Rue	67	80 R. Tocqueville	19 R. Jouffroy	Malesherbes
18	F14	**Depaquit** Passage	69	55 R. Lepic	(en impasse)	Lamarck-Caulaincourt
14	S13-R13	**Deparcieux** Rue	53-56	49 R. Froidevaux	(en impasse)	Gaîté
14	Q12	**Départ** Rue du	53	68 Bd du Montparnasse	39 Av. du Maine	Montparnasse-Bienv.
15	Q12	**Départ** Rue du	58	68 Bd du Montparnasse	39 Av. du Maine	Montparnasse-Bienv.
18	F18	**Département** Rue du	72	9 R. de Tanger	34 R. M. Dormoy	Stalingrad
19	G19	**Département** Rue du	73	9 R. de Tanger	34 R. M. Dormoy	Stalingrad
15	N8	**Desaix** Rue	59	38 Av. de Suffren	39 Bd de Grenelle	Dupleix
15	N7	**Desaix** Square	59	33 Bd de Grenelle	(en impasse)	Bir Hakeim
11	K21	**Desargues** Rue	41	20 R. de l'Orillon	R. Fontaine au Roi	Belleville
16	P3	**Désaugiers** Rue	61	9 R. d'Auteuil	6 R. du Buis	Église d'Auteuil
16	L5	**Desbordes Valmore** Rue	62	75 R. de la Tour	6 R. Faustin Hélie	La Muette
5	P16	**Descartes** Rue	17-20	41 R. Mont. Ste-Genev.	6 R. Thouin	Card. Lemoine
17	G7	**Descombes** Rue	65	9 R. Guillaume Tell	145 Av. de Villiers	Pte de Champerret
12	Q22	**Descos** Rue	46	187 R. de Charenton	132 Av. Daumesnil	Dugommier
7	L10	**Desgenettes** Rue	28	45 Q. d'Orsay	144 R. de l'Université	Invalides
19	E20	**Desgrais** Passage	73	36 R. Curial	34 R. Mathis	Crimée
14	T11	**Deshayes** Villa	56	109 R. Didot	(en impasse)	Plaisance
10	J17-J18	**Désir** Passage du	39-38	89 R. du Fbg St-Martin	84 R. du Fbg St-Denis	Château d'Eau
18	E14	**Désiré Ruggieri** Rue	69	166 R. Ordener	167 R. Championnet	Guy Môquet
20	L23	**Désirée** Rue	79	31 Av. Gambetta	22 R. Partants	Gambetta
15	S6-R7	**Desnouettes** Rue	57	352 R. de Vaugirard	27 Bd Victor	Convention
15	S6	**Desnouettes** Square	57	17 Bd Victor	88 R. Desnouettes	Balard
16	P3	**Despréaux** Avenue	61	38 R. Boileau	Av. Molière	Michel Ange-Molitor
14	S11	**Desprez** Rue	56	81 R. Vercingétorix	98 R. de l'Ouest	Pernety
13	U20	**Dessous des Berges** Rue du	50	50 R. Regnault	23 R. de Domrémy	Bibl. F. Mitterrand
6	N14	**Deux Anges** Impasse des	24	6 R. St-Benoît	(en impasse)	St-Germain-des-Prés
13	N14	**Deux Avenues** Rue des	51	157 Av. de Choisy	33 Av. d'Italie	Tolbiac
1	M16	**Deux Boules** Rue des	1	17 R. Ste-Opportune	R. Bertin Poirée	Châtelet
17	G7	**Deux Cousins** Impasse des	65	11 R. d'Héliopolis	(en impasse)	Pte de Champerret
1	L15	**Deux Écus** Place des	2	22 R. J.-J. Rousseau	13 R. du Louvre	Louvre-Rivoli
10	H18	**Deux Gares** Rue des	37	29 R. d'Alsace	R. du Fbg St-Denis	Gare de l'Est
13	T18	**Deux Moulins** Jardin des	50	78 Av. Edison		Place d'Italie
18	E16	**Deux Néthes** Impasse des	69	30 Av. de Clichy	(en impasse)	Place de Clichy
1	K15	**Deux Pavillons** Passage des	3	6 R. de Beaujolais	R. des Petits Champs	Bourse
4	O17	**Deux Ponts** Rue des	16	2 Q. d'Orléans	1 Q. de Bourbon	Pont Marie
20	M25	**Deux Portes** Passage des	80	R. Galleron	R. Saint-Blaise	Pte de Bagnolet
9	I15	**Deux Sœurs** Passage des	35	42 R. du Fbg Montmartre	56 R. La Fayette	Le Peletier
14	Q12	**Deuxième D. B.** Allée de la	58	Gare Montparnasse		Montparnasse-Bienv.
15	Q12	**Deuxième D. B.** Allée de la	58	Gare Montparnasse		Montparnasse-Bienv.
20	J24	**Devéria** Rue	78	146 R. Pelleport	23 R. du Télégraphe	Télégraphe
20	K25	**Dhuis** Rue de la	78	16 R. E. Marey	34 R. du Surmelin	Pelleport
9	J14	**Diaghilev** Place	34	41 Bd Haussmann	2 R. de Mogador	Chée d'Antin-La Fayette
19	J21	**Diane De Poitiers** Allée	76	21 R. de Belleville	36 R. Rébeval	Belleville

19	F23	**Diapason** Square	74	6 R. Adolphe Mille		Pte de Pantin
18	F15	**Diard** Rue	70	125 R. Marcadet	18 R. Francœur	Lamarck-Caulaincourt
12	P20-P23	**Diderot** Boulevard	48-46	90 Q. de la Rapée	2 Pl. de la Nation	Reuilly Diderot
12	P20	**Diderot** Cour	48	R. de Bercy	Cour de Chalon	Gare de Lyon
14	U10	**Didot** Porte	56	Bd Brune	R. Didot	Pte de Vanves
14	S12	**Didot** Rue	56	Pl. de Moro Giafferi	79 Bd Brune	Plaisance
16	Q2	**Dietz Monnin** Villa	61	10 Villa Cheysson	6 R. Parent de Rosan	Exelmans
20	N25	**Dieu** Passage	80	105 R. des Haies	50 R. des Orteaux	Maraîchers
10	J19	**Dieu** Rue	39	18 R. Yves Toudic	55 Q. de Valmy	République
13	V20	**Dieudonné Costes** Rue	50	43 Av. de la Pte d'Ivry	R. E. Levassor	Pte d'Ivry
13	U17	**Dieulafoy** Rue	51	4 R. du Dr Leray	17 R. Henri Pape	Maison Blanche
12	R22	**Dijon** Rue du	47	R. Joseph Kessel	1 R. de Bercy	Cour St-Émilion
13	U19	**Disque** Rue du	51	28 Av. d'Ivry	70 Av. d'Ivry	Pte d'Ivry
6	P12	**Dix-Huit Juin 1940** Place du	23	171 R. de Rennes	61 Bd du Montparnasse	Montparnasse-Bienv.
15	P12	**Dix-Huit Juin 1940** Place du	23	171 R. de Rennes	61 Bd du Montparnasse	Montparnasse-Bienv.
17	G6	**Dixmude** Boulevard de	65	11 Av. de la Pte de Villiers	Av. de Salonique	Pte Maillot
12	P21	**Dix-Neuf Mars 1962** Place du	48	Av. Daumesnil	R. Legraverend	Gare de Lyon
17	G6	**Dobropol** Rue de	65	2 Bd Pershing	3 Bd de Dixmude	Pte Maillot
10	O14	**Docteur Alfred Fournier** Place du	39	43 R. Bichat	Av. Richerand	Goncourt
11	O22	**Docteur Antoine Béclère** Place du	48	182 R. du Fbg St-Antoine	R. Faidherbe	Faidherbe-Chaligny
11	O22	**Docteur Antoine Béclère** Pl. du	48	182 R. du Fbg St-Antoine	R. Faidherbe	Faidherbe-Chaligny
12	P25	**Docteur Arnold Netter** Av. du	45	31 R. du Sahel	80 Crs de Vincennes	Pte de Vincennes
18	D14	**Docteur Babinski** Rue du	69	Av. de la Pte Montmartre	26 Av. de la Pte de St-Ouen	Pte de St-Ouen
16	N3	**Docteur Blanche** Rue du	61	87 R. de l'Assomption	34 R. Raffet	Jasmin
16	O3	**Docteur Blanche** Square du	61	53 R. du Dr Blanche	(en impasse)	Jasmin
13	V17	**Docteur Bourneville** Rue du	51	1 Bd Kellermann	2 Av. de la Pte d'Italie	Pte d'Italie
7	N8	**Docteur Brouardel** Avenue du	28	Al. Thomy Thierry	35 Av. de Suffren	Ch. de Mars-Tr Eiffel (RER C)
14	T8	**Docteur Calmette** Square du	57	80 Bd Lefebvre	Av. A. Bartholomé	Pte de Vannes
13	S19	**Docteur Charles Richet** R. du	50	79 R. Jeanne d'Arc	160 R. Nationale	Nationale
17	F11	**Docteur Félix Lobligeois** Pl. du	67	76 R. Legendre	2 Pl. C. Fillion	La Fourche - Brochant
15	O7	**Docteur Finlay** Rue du	59	27 Q. de Grenelle	56 Bd de Grenelle	Dupleix
16	N5	**Docteur Germain Sée** Rue du	62	104 Av. du Pdt Kennedy	23 Av. Lamballe	Kennedy-R. France (RER C)
20	I26	**Docteur Gley** Avenue du	78	Av. de la Pte Lilas	R. Frères Flavien	Pte des Lilas
12	Q24	**Docteur Goujon** Rue du	46	55 Bd de Reuilly	86 R. de Picpus	Daumesnil
16	N5	**Docteur Hayem** Place du	61	2 R. J. De La Fontaine	R. de Boulainvilliers	Kennedy-R. France (RER C)
17	F12	**Docteur Heulin** Rue du	68	100 Av. de Clichy	15 R. Davy	Brochant
15	F22	**Dr Jacquemaire Clemenceau** R. du	57	36 R. Mademoiselle	1 R. Léon Séché	Commerce
18	K9	**Dr Jacques Bertillon** Imp. du	29	32 Av. Pierre Ier de Serbie	(en impasse)	Alma-Marceau
20	J26	**Docteur Labbé** Rue du	78	82 Bd Mortier	29 R. Le Vau	St-Fargeau
19	F20	**Docteur Lamaze** Rue du	73	36 R. Riquet	10 R. Archereau	Riquet
14	I10	**Docteur Lancereaux** Rue du	32	5 Pl. de Narvik	32 R. Courcelles	St-Philippe du R.
13	U17	**Docteur Landouzy** Rue du	51	4 R. Interne Loëb	39 R. des Peupliers	Maison Blanche
14	V13	**Docteur Lannelongue** Av. du	54	Av. A. Rivoire	R. E. Faguet	Cité Univ. (RER B)
13	U18	**Docteur Laurent** Rue du	51	102 Av. d'Italie	5 R. Damesme	Tolbiac
13	V17	**Docteur Lecène** Rue du	51	16 R. Interne Loëb	5 R. Dr Landouzy	Maison Blanche
13	U17	**Docteur Leray** Rue du	51	34 R. Damesme	13 Pl. G. Henocque	Maison Blanche
13	L17	**Dr Lucas Championnière** R. du	51	17 R. Dr Leray	44 R. Damesme	Maison Blanche
13	T18	**Docteur Magnan** Rue du	50	11 R. C. Moureu	120 Av. de Choisy	Tolbiac
13	T19	**Docteur Navarre** Place du	50	1 R. Sthrau	91 R. Nationale	Tolbiac - Nationale
20	K25	**Docteur Paquelin** Rue du	78	76 Av. Gambetta	11 R. E. Lefèvre	Pelleport
20	J25	**Docteur Paul Brousse** Rue du	68	94 R. De La Jonquière	95 Bd Bessières	Pte de Clichy
16	R2	**Docteur Paul Michaux** Pl. du	61	Av. de la Pte de St-Cloud	Parc des Princes	Pte de St-Cloud
19	I24	**Docteur Potain** Rue du	75	251 R. de Belleville	18 R. des Bois	Télégraphe
15	Q10	**Docteur Roux** Rue du	58	34 Bd Pasteur	49 R. des Volontaires	Pasteur
13	V17	**Docteur Tuffier** Rue du	51	52 R. Damesme	43 R. des Peupliers	Maison Blanche
20	I25	**Docteur Variot** Square du	78	Av. Gambetta	Bd Mortier	Pte des Lilas
13	G13	**Docteur Victor Hutinel** Rue	50	71 R. Jeanne D'Arc	14 R. J.-S. Bach	Nationale
13	V20	**Docteur Yersin** Place du	50	Av. de la Pte d'Ivry	23 Av. C. Regaud	Pte d'Ivry
20	N26	**Docteurs Déjérine** Rue des	80	7 Av. de la Pte de Montreuil	R. L. Lambeau	Pte de Montreuil
16	R2	**Dode De La Brunerie** Avenue	61	6 Av. Marcel Doret	104 Av. G. Lafont	Pte de St-Cloud
17	H7	**Doisy** Passage	65	55 Av. des Ternes	18 R. d'Armaillé	Ch. de Gaulle-Étoile
5	Q17	**Dolomieu** Rue	18	41 R. de la Clef	77 R. Monge	Place Monge
5	O16	**Domat** Rue	20	18 R. des Anglais	7 R. Dante	Maubert-Mutualité
15	R9	**Dombasle** Impasse	57	58 R. Dombasle	(en impasse)	Convention
15	R9	**Dombasle** Passage	57	126 R. de l'Abbé Groult	223 R. de la Convention	Convention
15	R8	**Dombasle** Rue	57	353 R. de Vaugirard	Pl. C. Vallin	Convention
16	J7	**Dôme** Rue du	64	24 R. Lauriston	27 Av. V. Hugo	Kléber
15	R7	**Dominique Pado** Rue	57	R. de la Croix Nivert		Pte de Versailles
13	T20	**Domrémy** Rue de	50	107 R. du Chevaleret	R. J. Colly	Bibl. F. Mitterrand
16	P3	**Donizetti** Rue	61	46 R. d'Auteuil	7 R. Poussin	Michel Ange-Auteuil
17	F9	**Dordogne** Square de la	66	122 Bd Berthier	(en impasse)	Pereire
12	S26	**Dorée** Porte	45	Av. Daumesnil		Pte Dorée
19	F23	**Dorées** Sente des	75	97 R. Petit	212 Av. J. Jaurès	Pte de Pantin

Ar	Plan	Rues / Streets	Quart.	Commençant	Finissant	Métro
12	P23	**Dorian** Avenue	46	9 R. de Picpus	4 Pl. de la Nation	Nation
12	P23	**Dorian** Rue	46	12 R. de Picpus	1 R. P. Bourdan	Nation
16	J6	**Dosne** Rue	63	159 R. de la Pompe	25 Av. Bugeaud	Victor Hugo
9	G13-H14	**Douai** Rue de	33	63 R. J.-B. Pigalle	77 Bd de Clichy	Pigalle
14	M15	**Douanier Rousseau** Rue	55	106 R. de la Tombe Issoire	13 R. du Père Corentin	Pte d'Orléans - Alésia
17	D10	**Douaumont** Boulevard de	67	36 Av. de la Pte de Clichy	Bd Fort de Vaux	Pte de Clichy
4	N16	**Double** Pont au	16	21 Q. de Montebello	R. d'Arcole	St-Michel
5	N16	**Double** Pont au	16	21 Q. de Montebello	R. d'Arcole	St-Michel
18	F16-F18	**Doudeauville** Rue	71-70	59 R. Marx Dormoy	58 R. de Clignancourt	Marx Dormoy
6	N13	**Dragon** Rue du	24	163 Bd St-Germain	56 R. du Four	St-Germain-des-Prés
11	K21	**Dranem** Rue	42	5 Impasse Gaudelet	15 Av. J. Aicard	Rue St-Maur
17	H5	**Dreux** Rue de	65	R. du Midi	Pte Maillot	Pte Maillot
18	G15	**Drevet** Rue	70	30 R. des Trois Frères	21 R. Gabrielle	Abbesses
12	O21	**Driancourt** Passage	48	33 R. de Cîteaux	58 R. Crozatier	Faidherbe-Chaligny
16	L7	**Droits de l'Homme et des Libertés** Parvis des	64	Pl. du Trocadéro	(Palais de Chaillot)	Trocadéro
9	I15-J15	**Drouot** Rue	35	2 Bd Haussmann	47 R. du Fbg Montmartre	Richelieu Drouot
12	O21	**Druinot** Impasse	48	41 R. de Cîteaux	(en impasse)	Faidherbe-Chaligny
15	O8	**Du Guesclin** Passage	59	14 R. Dupleix	11 R. de Presles	La Motte-P.-Grenelle
15	O8	**Du Guesclin** Rue	59	15 R. de Presles	22 R. Dupleix	La Motte-P.-Grenelle
10	J18	**Dubail** Passage	39	120 R. du Fbg St-Martin	50 R. Vinaigriers	Gare de l'Est
16	M5	**Duban** Rue	62	Pl. Chopin	1 R. Bois le Vent	La Muette
8	H12	**Dublin** Place de	32	18 R. de Moscou	R. de Turin	Liège
19	G22	**Dubois** Passage	76	38 R. Petit	(en impasse)	Laumière
20	L25	**Dubourg** Cité	79	52 R. Stendhal	57 R. des Prairies	Gambetta
12	O23	**Dubrunfaut** Rue	46	5 Bd de Reuilly	146 Av. Daumesnil	Dugommier
12	S23	**Dubuffet** Passage	47	53 Av. des Terroirs de Fr.	150 R. des Pirogues de Bercy	Cour St-Émilion
18	E16	**Duc** Rue	70	29 R. Hermel	52 R. Duhesme	Jules Joffrin
13	S20	**Duchefdelaville** Rue	50	153 R. du Chevaleret	30 R. Dunois	Chevaleret
11	L20	**Dudouy** Passage	42	48 R. St-Maur	59 R. Servan	Rue St-Maur
20	J24	**Duée** Passage de la	78	15 R. de la Duée	26 R. Pixérécourt	Télégraphe
20	J24	**Duée** Rue de la	78	8 R. Pixérécourt	24 R. des Pavillons	Télégraphe
16	K5	**Dufrenoy** Rue	63	184 Av. Victor Hugo	37 Bd Lannes	Av. H. Martin (RER C)
16	R3	**Dufresne** Villa	61	151 Bd Murat	39 R. C. Terrasse	Pte de St-Cloud
12	R23	**Dugommier** Rue	46	2 R. Dubrunfaut	152 Av. Daumesnil	Dugommier
8	P13	**Duguay Trouin** Rue	23	56 R. d'Assas	19 R. de Fleurus	N.-D. des Champs
18	D16	**Duhesme** Passage	70	R. Neuve de la Chard.	R. du Mont Cenis	Pte de Clignancourt
18	D16-E15	**Duhesme** Rue	69-70	108 R. du Mont Cenis	42 R. Championnet	Pte de Clignancourt
15	Q11	**Dulac** Rue	58	157 R. de Vaugirard	24 R. Falguière	Pasteur
20	K26	**Dulaure** Rue	78	36 Bd Mortier	9 R. Le Vau	Pte de Bagnolet
10	H18	**Dulcie September** Place	37	R. La Fayette	R. du Château Landon	Château Landon
17	G11	**Dulong** Rue	67	86 R. des Dames	140 R. Cardinet	Rome
11	O23	**Dumas** Passage	44	199 Bd Voltaire	69 Pl. de la Réunion	Alexandre-Dumas
13	R18	**Duméril** Rue	49	102 Bd de l'Hôpital	177 R. Jeanne d'Arc	Campo Formio
16	J8	**Dumont D'Urville** Rue	64	14 Pl. des États Unis	63 Av. d'Iéna	Kléber
19	I21	**Dunes** Rue des	76	8 R. Lauzun	49 Av. Simon Bolivar	Buttes Chaumont
9	H18	**Dunkerque** Rue de	36	43 R. d'Alsace	39 Bd de Rochechouart	Anvers
10	H17	**Dunkerque** Rue de	37	43 R. d'Alsace	39 Bd de Rochechouart	Gare du Nord
13	S19	**Dunois** Rue	50	30 R. de Domrémy	82 Bd V. Auriol	Chevaleret
13	S19	**Dunois** Square	50	76 R. Dunois	(en impasse)	Chevaleret
9	H14	**Duperré** Rue	33	11 Pl. Pigalle	20 R. de Douai	Pigalle
3	K18	**Dupetit Thouars** Cité	10	27 R. de Picardie	160 R. du Temple	Temple
3	L18	**Dupetit Thouars** Rue	10	14 R. Dupetit Thouars	(en impasse)	Temple
8	K13	**Duphot** Rue	4	382 R. St-Honoré	23 Bd de la Madeleine	Madeleine
8	K13	**Duphot** Rue	31	382 R. St-Honoré	23 Bd de la Madeleine	Madeleine
6	O13	**Dupin** Rue	23	47 R. de Sèvres	48 R. du Cherche Midi	Sèvres-Babylone
16	I6	**Duplan** Cité	64	12 R. Pergolèse	(en impasse)	Pte Maillot
15	O8	**Dupleix** Place	59	74 Av. de Suffren	83 Bd de Grenelle	Dupleix
15	O8	**Dupleix** Rue	59	74 Av. de Suffren	83 Bd de Grenelle	Dupleix
11	L21	**Dupont** Cité	42	50 R. St-Maur	(en impasse)	Rue St-Maur
16	I6	**Dupont** Villa	63	48 R. Pergolèse	(en impasse)	Pte Maillot
20	K24	**Dupont de l'Eure** Rue	79	115 Av. Gambetta	R. Villiers de l'Isle-Adam	Pelleport
7	M9	**Dupont des Loges** Rue	28	1 R. Sédillot	R. St-Dominique	Pont de l'Alma (RER C)
18	F18	**Dupuy** Impasse	72	74 R. P. de Girard	(en impasse)	Marx Dormoy
13	V20	**Dupuy de Lôme** Rue	50	3 R. Péan	44 Av. de la Pte d'Ivry	Pte d'Ivry
6	O15	**Dupuytren** Rue	22	29 R. Éc. de Médecine	5 R. Mr le Prince	Odéon
7	N10-O11	**Duquesne** Avenue	27	1 Pl. École Militaire	R. Eblé	St-Franç.-Xavier
12	R23	**Durance** Rue de la	46	29 R. Brèche Loups	24 Bd de Reuilly	Daumesnil
11	M22	**Duranti** Rue	43	20 R. St-Maur	59 R. de la Folie Regnault	Voltaire
18	F14	**Durantin** Rue	69	1 R. Ravignan	62 R. Lepic	Abbesses
15	Q6	**Duranton** Jardin	60	R. Duranton		Boucicaut

15	U6-R7	**Duranton** Rue	60	135 R. de Lourmel	274 R. Lecourbe	Boucicaut
8	J11	**Duras** Rue de	31	76 R. du Fbg St-Honoré	13 R. Montalivet	Miromesnil
16	I6	**Duret** Rue	64	48 Av. Foch	1 R. Pergolèse	Pte Maillot
20	L23	**Duris** Passage	79	9 R. Duris	(en impasse)	Père Lachaise
20	K22	**Duris** Rue	79	R. des Amandiers	36 R. des Panoyaux	Père Lachaise
11	K22	**Durmar** Cité	42	154 R. Oberkampf	(en impasse)	Ménilmontant
7	O11	**Duroc** Rue	27	52 Bd des Invalides	3 Pl. de Breteuil	Duroc
14	S13	**Durouchoux** Rue	55	3 R. C. Divry	178 Av. du Maine	Mouton-Duvernet
20	I25	**Dury Vasselon** Villa	78	292 R. de Belleville	7 Villa Gagliardini	Pte des Lilas
2	K16-L16	**Dussoubs** Rue	8	24 R. Tiquetonne	35 R. du Caire	Étienne Marcel
14	T11	**Duthy** Villa	56	99 R. Didot	(en impasse)	Plaisance
15	R10	**Dutot** Rue	58-57	52 R. des Volont.	5 Pl. d'Alleray	Volontaires
8	K11	**Dutuit** Avenue	29	Crs la Reine	Av. des Chps Élysées	Champs-Elysées-Clem.
19	F21	**Duvergier** Rue	73	79 Q. de la Seine	84 R. de Flandre	Crimée
7	M10	**Duvivier** Rue	28	157 R. de Grenelle	20 Av. La Motte-Picquet	École Militaire

E

16	M6	**Eaux** Passage des	62	R. Raynouard	8 R. C. Dickens	Passy
16	M6	**Eaux** Rue des	62	18 Av. du Pdt Kennedy	9 R. Raynouard	Passy
12	Q22	**Ebelmen** Rue	46	19 R. Montgallet	4 R. Ste-Claire Deville	Montgallet
7	O11	**Eblé** Rue	27	46 Bd des Invalides	39 Av. Breteuil	St-Franç.-Xavier
6	N14	**Échaudé** Rue de l'	24	40 R. de Seine	164 Bd St-Germain	Mabillon
5	L14	**Échelle** Rue de l'	3	182 R. de Rivoli	3 Av. de l'Opéra	Palais Royal-Louvre
10	J16-J17	**Échiquier** Rue de l'	38	33 R. du Fbg St-Denis	16 R. du Fbg Poissonnière	Strasbourg-St-Denis
10	I19	**Écluses Saint-Martin** Rue des	40	47 R. Grange aux Belles	146 Q. de Jemmapes	Colonel Fabien
9	H15	**École** Impasse de l'	36	5 R. de l'Agent Bailly	(en impasse)	St-Georges
1	M15	**École** Place de l'	1	12 Q. du Louvre	R. Prêtres St-Germain l'A.	Pont Neuf
6	O15	**École de Médecine** Rue de l'	22-21	26 Bd St-Michel	85 Bd St-Germain	Odéon
7	N9-N10	**École Militaire** Place de l'	28-27	85 Av. Bosquet	Av. La Motte-Picquet	École Militaire
5	P16	**École Polytechnique** Rue de l'	20	52 R. Mont. Ste-Genev.	1 R. Valette	Maubert-Mutualité
20	K24	**Écoles** Cité des	79	13 R. Orfila	R. Villiers de l'Isle Adam	Gambetta
5	O15-P17	**Écoles** Rue des	17-20	30 R. du Card. Lemoine	25 Bd St-Michel	Maubert-Mutualité
15	P7	**Écoliers** Passage des	59	75 R. Violet	3 Pas. Entrepreneurs	Commerce
5	P16	**Écosse** Rue d'	20	3 R. de Lanneau	(en impasse)	Maubert-Mutualité
4	M18	**Écouffes** Rue des	14	26 R. de Rivoli	19 R. des Rosiers	St-Paul
16	M3	**Écrivains Combattants Morts pour la France** Square	62	22 Bd Suchet	21 Av. du Mal Maunoury	La Muette
15	O8	**Edgar Faure** Rue	59	R. de Presles	R. Desaix	Dupleix
19	I21	**Edgar Poë** Rue	76	3 R. Barrelet de Ricou	17 R. de Gourmont	Buttes Chaumont
14	Q12-Q13	**Edgar Quinet** Boulevard	53	232 Bd Raspail	25 R. du Départ	Raspail - E. Quinet
19	F23	**Edgar Varèse** Rue	74	12 R. A. Mille	Gal. la Villette	Pte de Pantin
8	H12	**Edimbourg** Rue d'	32	59 R. de Rome	70 R. du Rocher	Europe
13	T18	**Edison** Avenue	50	20 R. Baudricourt	178 Av. Choisy	Place d'Italie
19	F21	**Édit de Nantes** Place de l'		Pl. de Bitche	R. Duvergier	Crimée
20	L25	**Édith Piaf** Place	78	R. Belgrand	5 R. Cap. Ferber	Pte de Bagnolet
16	L4	**Edmond About** Rue	62	17 R. de Siam	45 Bd E. Augier	Av. H. Martin (RER C)
13	R20	**Edmond Flamand** Rue	49	18 Bd Vincent Auriol	R. Fulton	Quai de la Gare
13	T16	**Edmond Gondinet** Rue	52	54 R. Corvisart	70 Bd A. Blanqui	Corvisart
15	Q11	**Edmond Guillout** Rue	58	10 R. Dalou	43 Bd Pasteur	Pasteur
4	M17	**Edmond Michelet** Place	13	107 R. St-Martin	1 R. Quincampoix	Rambuteau
15	P7	**Edmond Roger** Rue	59	62 R. Violet	65 R. des Entrepreneurs	Commerce
6	P15	**Edmond Rostand** Place	22	Bd St-Michel	R. de Médicis	Luxembourg (RER B)
14	U12	**Edmond Rousse** Rue	55	132 Bd Brune	39 Av. E. Reyer	Pte d'Orléans
7	M9	**Edmond Valentin** Rue	28	14 Av. Bosquet	23 Av. Rapp	Pont de l'Alma (RER C)
1	M16	**Édouard Colonne** Rue	1	2 Q. de la Mégisserie	1 R. St-Germain l'A.	Châtelet
17	G9	**Édouard Detaille** Rue	66	41 R. Cardinet	59 Av. de Villiers	Wagram
16	L4	**Édouard Fournier** Rue	62	19 Bd J. Sandeau	24 R. O. Feuillet	Av. H. Martin (RER C)
14	S12	**Édouard Jacques** Rue	56	23 R. R. Losserand	141 R. du Château	Gaîté
12	R26	**Édouard Lartet** Rue	45	R. du Gal Archinard	Bd de la Guyane	Pte Dorée
12	K20	**Édouard Lockroy** Rue	41	88 Av. Parmentier	60 R. Timbaud	Parmentier
13	S18	**Édouard Manet** Rue	49	28 Av. S. Pichon	161 Bd de l'Hôpital	Place d'Italie
19	H21	**Édouard Pailleron** Rue	76	114 Av. S. Bolivar	59 R. Manin	Bolivar
5	R16	**Édouard Quénu** Rue	19	142 R. Mouffetard	6 R. C. Bernard	Censier-Daubenton
12	S25	**Édouard Renard** Place	45	Bd Soult	Av. A. Rousseau	Pte Dorée
12	R24	**Édouard Robert** Rue	45	39 R. de Fécamp	6 R. Tourneux	Michel Bizot
16	R1	**Édouard Vaillant** Avenue	61	Av. de la Pte de St-Cloud	Av. F. Buisson	Pte de St-Cloud
20	K24	**Édouard Vaillant** Square	79	R. de la Chine	R. du Japon	Gambetta
9	J13	**Édouard VII** Place	34	5 R. Ed. VII	(en impasse)	Opéra
9	J13	**Édouard VII** Rue	34	16 Bd des Capucines	18 R. Caumartin	Opéra - Auber (RER A)
9	J13	**Édouard VII** Square	34	Pl. Edouard VII	R. Edouard VII	Opéra
8	K11	**Edward Tuck** Avenue	29	Crs la Reine	Av. Dutuit	Champs-Elysées-Clem.

19	H23	**Encheval** Rue de l'	75	92 R. de la Villette	37 R. de Crimée	Botzaris
14	P11	**Enfant Jésus** Impasse de l'	58	146 R. de Vaugirard	(en impasse)	Falguière
14	R24	**Enfer** Passage d'	53	21 R. Campagne Pr.	247 Bd Raspail	Raspail
10	J16	**Enghien** Rue d'	38	45 R. du Fbg St-Denis	20 R. du Fbg Poissonnière	Château d'Eau
15	P7	**Entrepreneurs** Passage des	59	87 R. des Entrepreneurs	10 Pl. du Commerce	Commerce
15	P7-Q8	**Entrepreneurs** Rue des	60-59	76 Av. Émile Zola	102 R. de la Croix Nivert	Ch. Michels
15	P6	**Entrepreneurs** Villa des	60	40 R. des Entrepreneurs	(en impasse)	Ch. Michels
20	J22	**Envierges** Rue des	77	18 R. Piat	71 R. de la Mare	Pyrénées
5	Q17	**Épée de Bois** Rue de l'	18	86 R. Monge	89 R. Mouffetard	Place Monge
6	N15	**Éperon** Rue de l'	21	41 R. St-André des Arts	10 R. Danton	Odéon
17	D12-E12	**Épinettes** Rue des	68	62 R. de la Jonquière	45 Bd Bessières	Guy Môquet
17	E13	**Épinettes** Square des	68	R. J. Leclaire	R. M. Deraismes	Guy Môquet
17	D12	**Épinettes** Villa des	68	40 R. des Épinettes	43 R. Lantiez	Pte de St-Ouen
19	I21-I22	**Équerre** Rue de l'	76	71 R. Rébeval	23 Av. S. Bolivar	Pyrénées
12	P22	**Érard** Impasse	46	7 R. Érard	(en impasse)	Reuilly Diderot
12	P22	**Érard** Rue	46	157 R. de Charenton	26 R. de Reuilly	Reuilly Diderot
5	Q16	**Erasme** Rue	19	R. Rataud	31 R. d'Ulm	Censier-Daubenton
18	H14	**Erckmann-Chatrian** Rue	71	32 R. Polonceau	9 R. Richomme	Château Rouge
19	G22	**Erik Satie** Rue	75	19 Al. D. Milhaud	R. G. Auric	Ourcq
16	P3	**Erlanger** Avenue	61	5 R. Erlanger	(en impasse)	Michel Ange-Auteuil
16	P2-P3	**Erlanger** Rue	61	65 R. d'Auteuil	88 Bd Exelmans	Michel Ange-Molitor
16	Q2	**Erlanger** Villa	61	25 R. Erlanger	(en impasse)	Michel Ange-Molitor
16	Q3	**Ermitage** Avenue de l'	10	Av. Villa Réunion	Gde Av. Villa de la Réunion	Chardon Lagache
20	J23	**Ermitage** Cité de l'	77	113 R. Ménilmontant	R. des Pyrénées	Ménilmontant
20	J23	**Ermitage** Rue de l'	77	105 R. Ménilmontant	23 R. O. Métra	Jourdain
20	J23	**Ermitage** Villa de l'	77	12 R. de l'Ermitage	315 R. des Pyrénées	Jourdain
17	F13	**Ernest Chausson** Jardin	67	Cité Lemercier	55 Av. de Clichy	La Fourche
14	S13	**Ernest Cresson** Rue	55	18 Av. du Gal Leclerc	33 R. Boulard	Mouton-Duvernet
6	Q15	**Ernest Denis** Place	22	Bd St-Michel	Av. de Observatoire	Port Royal (RER B)
13	U17	**Ernest et Henri Rousselle** Rue	51	16 R. Damesme	69 R. du Moulin des Prés	Tolbiac
17	F11	**Ernest Goüin** Rue	68	13 R. Émile Level	12 R. Boulay	Brochant
16	M3	**Ernest Hébert** Rue	62	10 Bd Suchet	11 Av. du Mal Maunoury	Av. H. Martin (RER C)
15	R5	**Ernest Hemingway** Rue	60	R. Leblanc	Bd du Gal Valin	Balard
12	S25	**Ernest Lacoste** Rue	45	107 Bd Poniatowski	151 R. de Picpus	Pte Dorée
12	Q26	**Ernest Lavisse** Rue	45	5 R. Albert Malet	11 R. Albert Malet	Pte Dorée
12	R26	**Ernest Lefébure** Rue	45	12 Bd Soult	2 Av. du Gal Messimy	Pte Dorée
20	K25	**Ernest Lefèvre** Rue	78	19 R. Surmelin	84 Av. Gambetta	Pelleport
7	M10	**Ernest Psichari** Rue	28	4 Cité Négrier	18 Av. La Motte-Picquet	La Tour-Maubourg
15	T6-S6	**Ernest Renan** Avenue	57	Pl. de la Pte de Versailles	35 R. Oradour-sur-Glane	Pte de Versailles
15	P10-Q10	**Ernest Renan** Rue	58	17 R. Lecourbe	174 R. de Vaugirard	Sèvres-Lecourbe
14	U12	**Ernest Reyer** Avenue	55	Av. de la Pte de Châtillon	Pl. du 25 Août 1944	Pte d'Orléans
17	D12	**Ernest Roche** Rue	68	2 R. du Dr Brousse	75 R. Pouchet	Pte de Clichy
18	F17	**Ernestine** Rue	71	44 R. Doudeauville	25 R. Ordener	Marcadet-Poissonniers
13	S20	**Escadrille Normandie-Niémen** Place de l'	50	R. de Vimoutiers	R. P. Gourdault	Chevaleret
19	E20	**Escaut** Rue de l'	73	229 R. de Crimée	60 R. Curial	Crimée
18	D15	**Esclangon** Rue	70	102 R. du Ruisseau	47 R. Letort	Pte de Clignancourt
12	U23	**Escoffier** Rue	47	Q. de Bercy	(en impasse)	Pte de Charenton
13	U16	**Espérance** Rue de l'	51	27 R. de la Butte aux Cailles	61 R. Barrault	Corvisart
13	S18	**Esquirol** Rue	49	11 Pl. Pinel	R. Jeanne d'Arc	Nationale
12	R18	**Essai** Rue de l'	18	34 Bd St-Marcel	35 R. Poliveau	St-Marcel
20	J23	**Est** Rue de l'	77	11 R. Pixérécourt	290 R. des Pyrénées	Télégraphe
13	V19	**Este** Villa d'	50	94 Bd Masséna	23 Av. d'Ivry	Pte d'Ivry
20	O26	**Esterel** Square de l'	80	8 Bd Davout	3 Sq. du Var	Pte de Vincennes
9	I14-N12	**Estienne D'Orves** Place D'	34-33	68 R. St-Lazare	60 R. Châteaudun	Trinité
5	P16	**Estrapade** Place de l'	20-19	R. de l'Estrapade	R. Lhomond	Luxembourg (RER B)
5	P16	**Estrapade** Rue de l'	19-20	2 R. Tournefort	1 Pl. l'Estrapade	Luxembourg (RER B)
7	O10	**Estrées** Rue D'	27	34 Bds des Invalides	1 Pl. de Fontenoy	St-Franç.-Xavier
18	K7	**États Unis** Place des	64	Av. d'Iéna	13 R. Galilée	Kléber - Iéna
18	F13	**Étex** Rue	69	R. Carpeaux	62 Av. de St-Ouen	Guy Môquet
18	F13	**Étex** Villa	69	10 R. Étex	(en impasse)	Guy Môquet
20	K22	**Étienne Dolet** Rue	77	6 Bd de Belleville	5 R. Julien Lacroix	Ménilmontant
18	F13	**Étienne Jodelle** Rue	69	11 Villa P. Ginier	10 Av. de St-Ouen	La Fourche
1	K15-L16	**Étienne Marcel** Rue	2	65 Bd de Sébastopol	7 Pl. des Victoires	Étienne-Marcel
2	K15-L16	**Étienne Marcel** Rue	2	65 Bd de Sébastopol	7 Pl. des Victoires	Étienne-Marcel
20	K25	**Étienne Marey** Rue	78	5 Pl. Oct. Chanute	50 R. du Surmelin	Pelleport
20	K25	**Étienne Marey** Villa	78	16 R. Étienne Marey	R. du Surmelin	St-Fargeau
15	Q7	**Étienne Pernet** Place	60	98 R. des Entrepreneurs	2 R. F. Faure	Félix Faure
	I8	**Étoile** Rue de l'	65	25 Av. de Wagram	20 Av. Mac Mahon	Ternes
11	O20	**Étoile d'Or** Cour de l'	44	75 R. du Fbg St-Antoine	(en impasse)	Ledru-Rollin
13	T17	**Eugène Atget** Rue	51	59 Bd A. Blanqui	1 R. Jonas	Corvisart
16	N3	**Eugène Beaudouin** Passage	61	38 R. de l'Yvette	(en impasse)	Jasmin
18	F14	**Eugène Carrière** Rue	69	44 R. J. de Maistre	R. Vauvenargues	Lamarck-Caulaincourt

115

Ar	Plan	Rues / Streets	Quart.	Commençant	Finissant	Métro
14	T15	**Eugène Claudius-Petit** Place	54	5 ter R. d'Alésia	13 Av. de la Sibelle	Glacière
16	L5	**Eugène Delacroix** Rue	62	37 R. Decamps	100 R. de la Tour	Rue de la Pompe
17	F8	**Eugène Flachat** Rue	66	1 R. Alfred Roll	51 Bd Berthier	Pereire
18	D15	**Eugène Fournière** Rue	69	120 Bd Ney	17 R. René Binet	Pte de Clignancourt
15	R8	**Eugène Gibez** Rue	57	373 R. de Vaugirard	42 R. O. de Serres	Convention
12	Q22	**Eugène Hatton** Square	47	124 Av. Daumesnil		Montgallet
19	F23	**Eugène Jumin** Rue	75	95 R. Petit	198 Av. J. Jaurès	Pte de Pantin
16	L4	**Eugène Labiche** Rue	62	27 Bd J. Sandeau	28 R. O. Feuillet	Av. H. Martin (RER C)
19	H23	**Eugène Leblanc** Villa	75	24 R. de Mouzaïa	11 R. de Bellevue	Danube
16	M6	**Eugène Manuel** Rue	62	7 R. C. Chahu	65 Av. P. Doumer	Passy
16	M6	**Eugène Manuel** Villa	62	7 R. E. Manuel	(en impasse)	Passy
15	R7	**Eugène Millon** Rue	57	172 R. de la Convention	23 R. St-Lambert	Convention
13	U21	**Eugène Oudiné** Rue	50	1 R. Cantagrel	30 R. Albert	Bibl. F. Mitterrand
14	S13	**Eugène Pelletan** Rue	53	13 R. Froidevaux	1 R. Lalande	Denfert-Rochereau
18	O5	**Eugène Poubelle** Rue	61	V. G. Pompidou	7 Q. Louis Blériot	Kennedy-R. France (RER C
20	M26	**Eugène Reisz** Rue	80	94 Bd Davout	R. des Drs Déjerine	Pte de Montreuil
3	L18	**Eugène Spuller** Rue	10	R. de Bretagne	R. Dupetit Thouars	Temple
18	H15	**Eugène Süe** Rue	70	92 R. Marcadet	105 R. de Clignancourt	Marcadet-Poissonniers
10	H19	**Eugène Varlin** Rue	40	145 Q. de Valmy	196 R. du Fbg St-Martin	Château Landon
10	H19	**Eugène Varlin** Square		R. Eugène Varlin	Q. de Valmy	Château Landon
19	H24	**Eugénie Cotton** Rue	75	52 R. Compans	23 R. des Lilas	Pl. des Fêtes
12	P22	**Eugénie Éboué** Rue	46	20 R. Érard	(en impasse)	Reuilly Diderot
20	L24	**Eugénie Legrand** Rue	79	16 R. Rondeaux	13 R. Ramus	Gambetta
8	J8	**Euler** Rue	29	31 R. de Bassano	66 R. Galilée	George V
20	K22	**Eupatoria** Passage d'	77	R. d'Eupatoria	(en impasse)	Menilmontant
20	K22	**Eupatoria** Rue d'	77	2 R. Julien Lacroix	1 R. de la Mare	Ménilmontant
14	K22	**Eure** Rue de l'	56	14 R. H. Maindron	23 R. Didot	Pernety
8	Q1	**Europe** Place de l'	32	R. de Constantinople	58 R. de Londres	Europe
19	G21	**Euryale Dehaynin** Rue	73	81 Av. J. Jaurès	64 Q. de la Loire	Laumière
18	E18-E19	**Évangile** Rue de l'	72	44 R. de Torcy	R. d'Aubervilliers	Marx Dormoy
20	J26	**Évariste Galois** Rue	78	R. de Noisy-le-Sec	R. Léon Frapié	Pte des Lilas
20	L25	**Éveillard** Impasse	79	36 R. Belgrand	(en impasse)	Pte de Bagnolet
19	F21	**Evette** Rue	73	3 R. de Thionville	10 Q. de la Marne	Crimée
16	Q3-P2	**Exelmans** Boulevard		168 Q. L. Blériot	R. d'Auteuil	Exelmans - Pte Auteui
16	Q2	**Exelmans** Hameau	61	1 Hameau Exelmans	66 Bd Exelmans	Exelmans
7	M9	**Exposition** Rue de l'	28	129 R. St-Dominique	206 R. de Grenelle	École Militaire
16	L6	**Eylau** Avenue d'	63	10 Pl. du Trocadéro	Pl. de Mexico	Trocadéro
16	J7	**Eylau** Villa d'	64	44 Av. Victor Hugo	(en impasse)	Kléber

Ar	Plan	Rues / Streets	Quart.	Commençant	Finissant	Métro
7	L10-M10	**Fabert** Rue	26	39 Q. d'Orsay	146 R. de Grenelle	La Tour-Maubourg
12	P24	**Fabre d'Églantine** Rue	46	1 Av. de St-Mandé	16 Pl. de la Nation	Nation
11	K20	**Fabriques** Cour des	41	70 R. J.-P. Timbaud	(en impasse)	Parmentier
13	S18	**Fagon** Rue	49	28 Av. St. Pichon	163 Bd de l'Hôpital	Place d'Italie
11	O22	**Faidherbe** Rue	44	235 R. du Fbg St-Antoine	92 R. de Charonne	Faidherbe-Chaligny
16	J5-K5	**Faisanderie** Rue de la	63	59 Av. Bugeaud	198 Av. V. Hugo	Pte Dauphine
16	J5	**Faisanderie** Villa de la	63	26 R. de la Faisanderie	88 Bd Flandrin	Pte Dauphine
18	D24	**Falaise** Cité	69	36 R. Leibniz	8 R. J. Dollfus	Pte de St-Ouen
20	K25	**Falaises** Villa des	78	68 R. de la Py	(en impasse)	Pte de Bagnolet
18	F16	**Falconet** Rue	70	6 R. du Chev. de la Barre	6 Pas. Cottin	Château Rouge
15	R10	**Falguière** Cité	58	72 R. Falguière	(en impasse)	Pasteur
15	R10	**Falguière** Place	57-58	R. de la Procession	R. Falguière	Vaugirard - Pernety
15	Q11-R10	**Falguière** Rue	58	131 R. de Vaugirard	3 Pl. Falguière	Falguière - Pasteur
15	O7-O8	**Fallempin** Rue	59	15 R. de Lourmel	18 R. Violet	Dupleix
16	Q3	**Fantin Latour** Rue	61	172 Q. L. Blériot	17 Bd Exelmans	Exelmans
17	H7	**Faraday** Rue	65	8 R. Lebon	49 R. Laugier	Pereire
10	K19-J21	**Faubourg du Temple** Rue du	39 à 40	10 R. de la République	1 Bd de la Villette	République
11	K19-M19	**Faubourg du Temple** Rue du	41	10 Pl. de la République	1 Bd de la Villette	République
9	I15-J15	**Faubourg Montmartre** Rue du	35	32 Bd Poissonnière	4 R. Fléchier	Grands Boulevards
9	G16-J16	**Faubourg Poissonnière** R. du	36	2 Bd Poissonnière	135 Bd Magenta	Bonne Nouvelle
10	J16-I16	**Faubourg Poissonnière** R. du	35 à 38	2 Bd Poissonnière	153 Bd de Magenta	Bonne Nouvelle
11	N20-O24	**Faubourg Saint-Antoine** R. du	43-44	2 R. de la Roquette	1 Pl. de la Nation	Bastille - Nation
12	N20-O24	**Faubourg Saint-Antoine** R. du	48	2 R. de la Roquette	1 Pl. de la Nation	Bastille - Nation
10	J17-H18	**Faubourg Saint-Denis** Rue du	38-37	2 Bd de Bonne Nouvelle	37 R. de la Chapelle	Gare du Nord - Gare de l'Est
8	H8-K19	**Faubourg Saint-Honoré** R. du	31-30	15 R. Royale	46 Av. Wagram	Concorde - Ternes
14	R15-S14	**Faubourg Saint-Jacques** R. du	53	117 Bd de Port Royal	Pl. St-Jacques	Port Royal (RER B)
10	J18-G19	**Faubourg Saint-Martin** R. du	37-40	2 Bd St-Denis	147 Bd de Villette	Gare de l'Est - L. Blanc
20	J22	**Faucheur** Villa	77	R. des Envierges	(en impasse)	Pyrénées
4	N18	**Fauconnier** Rue du	14	38 Q. des Célestins	13 R. Charlemagne	Pont Marie
16	M5	**Faustin Hélie** Rue	62	6 Pl. Possoz	10 R. de la Pompe	La Muette

Fi

F

Ar	Plan	Rues / Streets	Quart.	Commençant	Finissant	Métro
15	S7	**Firmin Gillot** Rue	57	399 R. de Vaugirard	51 Bd Lefebvre	Pte de Versailles
15	T9	**Fizeau** Rue	57	85 R. Brancion	118 R. Castagnary	Pte de Vanves
19	G20-E21	**Flandre** Avenue de	73-74	210 Bd de la Villette	Av. Corentin Cariou	Stalingrad - Crimée
19	F20	**Flandre** Passage de	73	48 R. de Flandre	47 Q. de la Seine	Riquet
16	J5-K4	**Flandrin** Boulevard	63	Pl. Tattegrain	83 Av. Foch	Pte Dauphine
5	R16	**Flatters** Rue	19	50 Bd de Port Royal	25 R. Berthollet	Les Gobelins
9	I15	**Fléchier** Rue	35	18 R. de Châteaudun	67 R. du Fbg Montmartre	N.-D. de Lorette
19	H22-I22	**Fleurie** Villa		14 r. Carducci	(en impasse)	Jourdain
17	E12	**Fleurs** Cité des	68	154 Av. de Clichy	59 R. de la Jonquière	Brochant
4	N17	**Fleurs** Quai aux	16	2 R. du Cloître N.-Dame	1 R. d'Arcole	St-Michel
6	P13-P14	**Fleurus** Rue de	22-23	22 R. Guynemer	7 R. N.-D. des Champs	St-Placide
18	G17	**Fleury** Rue	71	74 Bd de la Chapelle	17 R. de la Charbonnière	Barbès-Rochechouart
14	S12	**Flora Tristan** Place	56	R. Didot	R. de la Sablière	Pernety
13	V16	**Florale** Cité	51	R. des Glycines	R. Brillat Savarin	Cité Univ. (RER B)
16	O3	**Flore** Villa	61	120 Av. Mozart	(en impasse)	Michel Ange-Auteuil
17	D12	**Floréal** Rue	68	R. Arago (St-Ouen)	Bd du Bois le Prêtre	Pte de St-Ouen
8	H13	**Florence** Rue de	32	33 R. St-Petersbourg	28 R. de Turin	Place de Clichy
13	O5	**Florence Blumenthal** Rue	61	30 Av. de Versailles	9 R. Félicien David	Mirabeau
13	T19	**Florence Blumenthal** Square	50	R. de Tolbiac	R. Chât. Rentiers	Tolbiac
19	H23	**Florentine** Cité	75	84 R. de la Villette	(en impasse)	Botzaris
16	P3	**Florentine Estrade** Cité	61	8 R. Verderet	(en impasse)	Église d'Auteuil
20	M25	**Florian** Rue	80	37 R. Vitruve	104 R. de Bagnolet	Pte de Bagnolet
14	S11	**Florimont** Impasse	56	150 R. d'Alésia	(en impasse)	Plaisance
17	D13	**Flourens** Passage	68	19 Bd Bessières	39 R. J. Leclaire	Pte de St-Ouen
16	J5-J6	**Foch** Avenue	64-63	Pl. Ch. De Gaulle	Bd Lannes	Ch. de Gaulle-Étoile
3	M19	**Foin** Rue du	11	3 R. de Béarn	30 R. de Turenne	Chemin Vert
11	K19-L20	**Folie Méricourt** Rue de la	42-41	1 R. St-Ambroise	2 R. Fontaine au Roi	St-Ambroise
11	M22	**Folie Regnault** Passage de la	43	62 R. de la Folie Regnault	43 Bd de Ménilmontant	Père Lachaise
11	M22	**Folie Regnault** Rue de la	43	70 R. Léon Frot	132 R. du Chemin Vert	Père Lachaise
11	M22	**Folie Regnault** Square de la	43	R. de la Folie Regnault	Pas. Courtois	Philippe Auguste
15	O7-P8	**Fondary** Rue	59	23 R. de Lourmel	40 R. de la Croix Nivert	Émile Zola
15	P8	**Fondary** Villa	59	81 R. Fondary	(en impasse)	Émile Zola
11	K21	**Fonderie** Passage de la	41	72 R. J.-P. Timbaud	119 R. St-Maur	Parmentier
12	R23	**Fonds Verts** Rue des	47	44 R. Proudhon	264 R. de Charenton	Dugommier
13	U16	**Fontaine à Mulard** Rue de la	51	70 R. de la Colonie	2 Pl. de Rungis	Maison Blanche
11	J21-K20	**Fontaine au Roi** Rue de la	41	32 R. du Fbg du Temple	57 Bd de Belleville	Goncourt - Couronnes
19	F23	**Fontaine aux Lions** Place de la	74	219 Av. J. Jaurès	Gal. la Villette	Pte de Pantin
18	F15	**Fontaine du But** Rue de la	69	95 R. Caulaincourt	26 R. Duhesme	Lamarck-Caulaincourt
19	G23	**Fontainebleau** Allée de	75	98 R. Petit	118 R. Petit	Pte de Pantin
3	K18	**Fontaines du Temple** Rue des	9	181 R. du Temple	58 R. de Turbigo	Arts et Métiers
20	M25	**Fontarabie** Rue de	80	98 R. de la Réunion	135 R. des Pyrénées	Alexandre Dumas
19	H23	**Fontenay** Villa de	75	32 R. du Gal Brunet	7 R. de la Liberté	Danube
7	O10	**Fontenoy** Place de	27	Av. de Lowendal	Av. de Saxe	Ségur
19	D22	**Forceval** Rue	74	R. Berthier (Pantin)	R. du Chemin de Fer	Pte de la Villette
18	G13	**Forest** Rue	69	126 Bd de Clichy	2 R. Cavallotti	Place de Clichy
3	L19	**Forez** Rue du	10	57 R. Charlot	20 R. de Picardie	Temple
11	O21	**Forge Royale** Rue de la	44	165 R. du Fbg St-Antoine	R. C. Delescluze	Ledru-Rollin
2	K16	**Forges** Rue des	8	2 R. de Damiette	49 R. du Caire	Sentier
17	D10	**Fort de Douaumont** Boulevard du	67	Bd Fort de Vaux	Bd V. Hugo (Clichy)	Pte de Clichy
17	M3	**Fort de Vaux** Boulevard du	67	Pt du Chemin de Fer	32 Av. de la Pte d'Asnières	Pereire
12	S25	**Fortifications** Route des	.	14 Av. de la Pte Charenton	Pte de Reuilly	Pte de Charenton
8	J10	**Fortin** Impasse	30	9 R. F. Bastiat	(en impasse)	St-Philippe du R.
17	O17	**Fortuny** Rue	66	38 R. de Prony	39 Av. de Villiers	Malesherbes
5	O17	**Fossés Saint-Bernard** R. des		1 Bd St-Germain	R. Jussieu	Jussieu
5	P15-P16	**Fossés Saint-Jacques** Rue des	20-19	161 R. St-Jacques	R. de l'Estrapade	Luxembourg (RER B)
5	R17	**Fossés Saint-Marcel** Rue des	18	1 R. du Fer à Moulin	56 Bd St-Marcel	St-Marcel
5	O16	**Fouarre** Rue du	20	4 R. Lagrange	38 R. Galande	Maubert-Mutualité
13	U17	**Foubert** Passage	51	10 R. des Peupliers	175 R. de Tolbiac	Tolbiac
16	L8	**Foucault** Rue	64	30 Av. de New York	11 R. Fresnel	Iéna
20	J26	**Fougères** Rue des	78	Av. de la Pte Ménilmontant	12 R. de Guébriant	St-Fargeau
6	N14-O13	**Four** Rue du	22 à 24	133 Bd St-Germain	37 R. Dragon	St-Germain-des-Prés
15	R8	**Fourcade** Rue	57	331 R. de Vaugirard	4 R. O. de Serres	Convention
17	H8	**Fourcroy** Rue	65	14 Av. Niel	13 R. Rennequin	Ternes
4	N18	**Fourcy** Rue de	14	2 R. de Jouy	86 R. Fr. Miron	St-Paul
17	F12	**Fourneyron** Rue	68	43 R. des Moines	28 R. Brochant	Brochant
19	H20	**Fours à Chaux** Passage des	76	117 Av. S. Bolivar	(en impasse)	Bolivar
18	G15	**Foyatier** Rue	70	Pl. Suzanne Valadon	5 R. St-Eleuthère	Anvers
17	E11	**Fragonard** Rue	68	192 Av. de Clichy	R. de la Jonquière	Pte de Clichy
12	P21	**Fraisier** Ruelle	48	59 R. Daumesnil	(en impasse)	Bastille
13	V21	**Franc Nohain** Rue	50	18 Av. Boutroux	(en impasse)	Pte d'Ivry
1	L16	**Française** Rue	2	3 R. de Turbigo	25 R. Tiquetonne	Étienne Marcel

Fr

Ar	Plan	Rues / Streets	Quart.	Commençant	Finissant	Métro
13	T21	**Frigos** Rue des	50	R. Neuve Tolbiac	R. Thomas Mann	Bibl. F. Mitterrand
9	H15	**Frochot** Avenue	33	26 R. Victor Massé	3 Pl. Pigalle	Pigalle
9	H15	**Frochot** Rue	33	28 R. Victor Massé	7 Pl. Pigalle	Pigalle
14	R12-R13	**Froidevaux** Rue	53	6 Pl. Denfert-Rocherereau	89 Av. du Maine	Denfert-Rochereau
3	L19	**Froissart** Rue	10	3 Bd Filles du Calvaire	92 R. de Turenne	St-Sébastien-Froissart
11	M20	**Froment** Rue	43	23 R. Sedaine	18 R. du Chemin Vert	Bréguet Sabin
9	G14	**Fromentin** Rue	33	32 R. Duperré	39 Bd de Clichy	Blanche - Pigalle
17	D13	**Fructidor** Rue	68	R. La Fontaine (St-Ouen)	R. Vincent (St-Ouen)	Pte de St-Ouen
13	R20	**Fulton** Rue	49	13 Q. d'Austerlitz	18 R. Flamand	Quai de la Gare
6	N14	**Furstenberg** Rue de	24	3 R. Jacob	4 R. l'Abbaye	St-Germain-des-Prés
14	T12	**Furtado Heine** Rue	56	153 R. d'Alésia	8 R. Jacquier	Plaisance
5	R15	**Fustel De Coulanges** Rue	19	41 R. P. Nicole	344 R. St-Jacques	Port Royal (RER B)

G

Ar	Plan	Rues / Streets	Quart.	Commençant	Finissant	Métro
12	P26	**Gabon** Rue du	45	101 Av. de St-Mandé	52 R. de la Voûte	Pte de Vincennes
8	J11-K12	**Gabriel** Avenue	29-31	Pl. de la Concorde	2 Av. Matignon	Concorde
15	Q11	**Gabriel** Villa	58	2 R. Falguière	(en impasse)	Falguière
17	G11	**Gabriel Fauré** Square	67	25 R. Legendre	(en impasse)	Malesherbes
12	R22	**Gabriel Lamé** Rue	47	R. Joseph Kessel	R. des Pirogues de Bercy	Cour St-Émilion
10	J16	**Gabriel Laumain** Rue	38	27 R. d'Hauteville	36 R. du Fbg Poissonnière	Bonne Nouvelle
8	J12	**Gabriel Péri** Place	31	12 R. de Rome	R. St-Lazare	St-Lazare
6	M14	**Gabriel Pierné** Square	22	R. de Seine	R. Mazarine	Mabillon
3	L18	**Gabriel Vicaire** Rue	10	12 R. Perrée	11 R. Dupetit Thouars	Temple
18	G15	**Gabrielle** Rue	70	7 R. Foyatier	24 R. Ravignan	Abbesses
19	I21-J21	**Gabrielle D'Estrées** Allée	76	3 R. Rampal	(en impasse)	Belleville
11	M20	**Gaby Sylvia** Rue	43	4 R. Appert	51 Bd R. Lenoir	Richard-Lenoir
15	R10	**Gager Gabillot** Rue	57	36 R. de la Procession	45 R. des Favorites	Vaugirard
20	I25	**Gagliardini** Villa	78	100 R. Haxo	V. Dury Vasselon	Télégraphe
2	K14	**Gaillon** Place	5	1 R. de la Michodière	18 R. Gaillon	Quatre Septembre
2	K14	**Gaillon** Rue	5	28 Av. de l'Opéra	35 R. St-Augustin	Opéra
14	Q12	**Gaîté** Impasse de la	53	3 R. de la Gaîté	(en impasse)	Edgar Quinet
14	Q12-R12	**Gaîté** Rue de la	53	11 Bd Edgar Quinet	73 Av. du Maine	Gaîté - Edgar Quinet
5	O16	**Galande** Rue	20	10 R. Lagrange	17 R. du Petit Pont	St-Michel
8	J8	**Galilée** Rue	29	53 Av. Kléber	111 Av. des Chps Élysées	Ch. de Gaulle-Étoile
16	K7-J8	**Galilée** Rue	64-29	53 Av. Kléber	111 Av. des Chps Élysées	Ch. de Gaulle-Étoile
20	M25	**Galleron** Rue	80	8 R. Florian	20 R. St-Blaise	Pte de Bagnolet
12	P27	**Gallieni** Avenue	45-80	1 R. L'Herminier	Av. Gallieni	St-Mandé Tourelle
12	P27	**Gallieni** Avenue	45-80	1 R. L'Herminier	Av. Gallieni	St-Mandé Tourelle
15	T4-S4	**Gallieni** Boulevard	60	R. C. Desmoulins (Issy)	1 Bd Frères Voisin	Mairie d'Issy
16	K8	**Galliera** Rue de	64	14 Av. du Pdt Wilson	12 Av. Pierre Iʳᵉ de Serbie	Iéna
17	G7	**Galvani** Rue	65	65 R. Laugier	19 Bd Gouvion St-Cyr	Pte de Champerret
20	I25-L23	**Gambetta** Avenue	79-78	6 Pl. A. Métivier	Bd Mortier	Gambetta - Pte des Lilas
20	J25	**Gambetta** Passage	78	31 R. St-Fargeau	38 R. du Borrégo	St-Fargeau
20	L24	**Gambetta** Place	79	R. Belgrand	R. des Pyrénées	Gambetta
11	L20	**Gambey** Rue	41	53 R. Oberkampf	32 Av. de la République	Parmentier
20	V18	**Gandon** Rue	51	15 R. Caillaux	146 Bd Masséna	Pte d'Italie - Maison Blanche
18	F13	**Ganneron** Passage	69	42 Av. de St-Ouen	(en impasse)	La Fourche
18	F13	**Ganneron** Rue	69	38 Av. de Clichy	1 R. Étex	La Fourche
19	F23	**Garance** Allée de la	74	195 Av. Jean Jaurès	8 R. Edgar Varèse	Pte de Pantin
6	O14	**Garancière** Rue	22	29 R. St-Sulpice	34 R. de Vaugirard	Mabillon
18	G17	**Gardes** Rue des	71	26 R. de la Goutte d'Or	43 R. Myrha	Château Rouge
13	S21	**Gare** Port de la	50	Pont de Bercy	Pont de Tolbiac	Quai de la Gare
13	T22	**Gare** Porte de la	50	Q. Panhard et Levassor	Q. d'Ivry	Bibl. F. Mitterrand
13	S21	**Gare** Quai de la	50	R. de Tolbiac	1 Bd V. Auriol	Quai de la Gare
19	D20	**Gare** Rue de la	74	R. de la Haie du Coq	Q. Gambetta	Pte de la Villette
20	O26	**Gare de Charonne** Jardin de la	80	Bd Davout	R. du Volga	Pte de Montreuil
12	Q24	**Gare de Reuilly** Rue de la	46	119 R. de Reuilly	62 R. de Picpus	Daumesnil
14	S12	**Garenne** Place de la	56	7 Imp. Ste-Léonie		Pernety
15	P9-P10	**Garibaldi** Boulevard	58	7 Pl. Cambronne	2 R. Lecourbe	Sèvres-Lecourbe
15	R4	**Garigliano** Pont du	61	Q. A. Citroën	Q. L. Blériot	Bd Victor (RER C)
16	R4	**Garigliano** Pont du	61	Q. A. Citroën	Q. L. Blériot	Bd Victor (RER C)
15	P11	**Garnier** Villa	59	1 R. Falguière	131 R. de Vaugirard	Falguière
19	F22	**Garonne** Quai de la	74	R. de Thionville		Ourcq
18	G15	**Garreau** Rue	69	9 R. Ravignan	18 R. Durantin	Abbesses
20	N26	**Gascogne** Square de la	80	74 Bd Davout	1 R. des Drs Déjerine	Pte de Montreuil
20	L23	**Gasnier-Guy** Rue	79	28 R. des Partants	3 Pl. M. Nadaud	Gambetta
14	S13-R13	**Gassendi** Rue	53-56	39 R. Froidevaux	165 Av. du Maine	Mouton-Duvernet
18	E17	**Gaston Auguet** Rue	70	113 R. des Poissonniers	38 Rue Boinod	Marcadet-Poissonniers
14	U11	**Gaston Bachelard** Allée	56	97 Bd Brune	91 Bd Brune	Pte de Vanves
17	H7	**Gaston Bertandeau** Square	65	11 R. Labie	(en impasse)	Pte Maillot

Ar	Plan	Rues / Streets	Quart.	Commençant	Finissant	Métro
16	N6	**Général Mangin** Avenue du	62	7 R. d'Ankara	14 R. Germain Sée	Kennedy-R France (RER C)
7	T11	**Général Marguerite** Avenue du	28	Al. A. Lecouvreur	Al. Thomy Thierry	Ch. de Mars-Tr Eiffel (RER C)
15	J16-I16	**Général Martial Valin** Bd du	57	Q. d'Issy les Moulineaux	Bd Victor	Balard
12	R26	**Général Messimy** Avenue du	45	9 R. E. Lefébure	R. Nouv. Calédonie	Pte Dorée
12	S24-Q25	**Général Michel Bizot** Avenue du	46-45	R. de Charenton	36 R. du Sahel	Pte de Charenton
15	S10	**Général Monclar** Place du	57	R. de Vouillé	R. Saint-Amand	Plaisance
3	K17	**Général Morin** Square du	9	R. Réaumur	R. Vaucanson	Arts et Métiers
20	O26	**Général Niessel** Rue du	80	93 Crs de Vincennes	90 R. de Lagny	Pte de Vincennes
16	R3	**Général Niox** Rue du	61	Q. du Point du Jour	130 Bd Murat	Pte de St-Cloud
16	I6-I7	**Général Patton** Place du	64	Av. de la Gde Armée	R. Duret	Pte Maillot
11	L21	**Général Renault** Rue du	42	36 Av. Parmentier	5 R. du Gal Blaise	St-Ambroise
16	Q1	**Général Roques** Rue du	61	5 Pl. du Gal Stéfanik	Av. du Parc des Princes	Pte de St-Cloud
19	H21	**Général San Martin** Avenue du	76	R. Botzaris	R. Manin	Buttes Chaumont
16	P2	**Général Sarrail** Avenue du	61	Pl. de la Pte d'Auteuil	8 R. Lecomte du Noüy	Pte d'Auteuil
14	U10	**Général Séré De Rivières** R. du	56	6 Av. de la Pte Didot	10 Av. Lafenestre	Pte de Vanves
16	Q17	**Général Stefanik** Place du	61	99 Bd Murat	R. du Gal Roques	Pte de St-Cloud
20	O26	**Général Tessier De Marguerittes** Place du	80	R. de la Tour du Pin	R. Henri Tomasi	Pte de Montreuil
7	N8	**Général Tripier** Avenue du	28	Al. Thomy Thierry	Av. de Suffren	Ch. de Mars-Tr Eiffel (RER C)
19	H26	**Général Zarapoff** Square du	75	10 Av. R. Fonck	(en impasse)	Pte des Lilas
16	J5	**Généraux De Trentinian** Pl. des	63	Av. Foch		Pte Dauphine
20	J22	**Gênes** Cité de	77	7 R. Vilin	38 R. de Pali Kao	Couronnes
12	O23	**Génie** Passage du	46	246 R. du Fbg St-Antoine	95 Bd Diderot	Reuilly Diderot
14	V16	**Gentilly** Porte de	51-54	Bd Périphérique		Gentilly
20	K26	**Géo Chavez** Rue	78	Bd Mortier	6 Pl. O. Chanute	Pte de Bagnolet
20	L26	**Géo Chavez** Square	78	R. Géo Chavez	R. Irène Blanc	Pte de Bagnolet
4	M17	**Geoffroy L'Angevin** Rue	13	59 R. du Temple	6 R. Beaubourg	Rambuteau
4	N18	**Geoffroy L'Asnier** Rue	14	Q. de l'Hôtel de Ville	48 R. F. Miron	Pont Marie
9	J15	**Geoffroy Marie** Rue	35	20 R. du Fbg Montmartre	29 R. Richer	Grands Boulevards
5	Q17	**Geoffroy Saint-Hilaire** Rue	18	6 Av. St-Marcel	1 R. Lacépède	St-Marcel
10	I19	**Georg Friedrich Haendel** Rue	40	150 Q. de Jemmapes	Pl. Robert Desnos	Colonel Fabien
13	R20	**George Balanchine** Rue		Q. de la Gare	Av. de France	Quai de la Gare
13	T13	**George Eastman** Rue	50	61 Av. d'Ivry	162 Av. de Choisy	Place d'Italie
12	R22	**George Gershwin** Rue	47	R. de Pommard	R. P. Belmondo	Cour St-Émilion
16	O4	**George Sand** Rue	61	24 R. F. Gérard	113 R. Mozart	Église d'Auteuil
16	O4	**George Sand** Villa	61	24 R. George Sand	(en impasse)	Jasmin
8	J9-K9	**George V** Avenue	29	5 Pl. de l'Alma	99 Av. des Chps Élysées	George V
15	O7	**George-Bernard Shaw** Rue	59	R. Desaix	R. D. Stern	Dupleix
19	G22	**Georges Auric** Rue	75	47 R. d'Hautpoul	56 R. Petit	Ourcq
17	H10	**Georges Berger** Rue	66	2 Pl. de la Rép. Domin.	131 Bd Malesherbes	Monceau
5	Q14	**Georges Bernanos** Avenue	19	147 Bd St-Michel	100 Bd de Port Royal	Port Royal (RER B)
9	I13	**Georges Berry** Place	34	R. Joubert	R. Caumartin	St-Lazare
14	Q13	**Georges Besse** Allée	53	Av. du Montparnasse	Bd Raspail	Edgar Quinet
16	K8	**Georges Bizet** Rue	64	Pl. P. Brisson	2 R. de Bassano	Alma-Marceau
14	U14	**Georges Braque** Rue	54	14 R. Nansouty	(en impasse)	Cité Univ. (RER B)
14	S8	**Georges Brassens** Parc	57	R. de Dantzig	R. Brancion	Pte de Vanves
3	M18-19	**Georges Cain** Square	11	R. Payenne	(en impasse)	St-Paul
15	O7	**Georges Citerne** Rue	59	51 R. du Théâtre	50 R. Rouelle	Ch. Michels
12	R24	**Georges Contenot** Square	46	75 R. C. Decaen	7 R. de Gravelle	Daumesnil
14	V13	**Georges De Porto Riche** Rue	55	6 R. Monticelli	5 R. Henri Barboux	Pte d'Orléans
5	Q17	**Georges Desplas** Rue	18	12 R. Daubenton	1 Pl. Puits Ermite	Censier-Daubenton
13	S21	**Georges Duhamel** Jardin	50	R. Choderlos de Laclos	10 R. Jean Anouilh	Bibl. F. Mitterrand
15	R11	**Georges Duhamel** Rue	58	87 R. de la Procession	(en impasse)	Pernety
15	O8	**Georges Dumézil** Rue	59	16 R. Edgar Faure	Al. M. de Yourcenar	Dupleix
12	Q23	**Georges et Maï Politzer** Rue	46	38 R. Hénard	(en impasse)	Montgallet
8	I9	**Georges Guillaumin** Place	30	Av. de Friedland	R. Balzac	Ch. de Gaulle-Étoile
14	U10	**Georges Lafenestre** Avenue	56	56 Bd Brune	Bd Adolphe Pinard	Pte de Vanves
16	R1	**Georges Lafont** Avenue	61	Pl. de la Pte St-Cloud	Av. F. Buisson	Pte de St-Cloud
14	S13	**Georges Lamarque** Square	55	R. Froidevaux	R. de Grancey	Denfert-Rochereau
19	I21	**Georges Lardennois** Rue	76	38 Av. M. Moreau	1 R. Barrelet de Ricou	Bolivar
15	R11	**Georges Leclanché** Rue	58	R. Aristide Maillol	R. A. Gide	Volontaires - Pasteur
12	P19	**Georges Lesage** Square	48	3 Av. Ledru-Rollin	(en impasse)	Quai de la Rapée
16	L4	**Georges Leygues** Rue	62	31 R. O. Feuillet	22 R. Franqueville	Av. H. Martin (RER C)
16	L5-L6	**Georges Mandel** Avenue	62-63	Pl. du Trocadéro	82 R. de la Pompe	Trocadéro
12	Q26	**Georges Mélies** Square	45	Bd Soult	Av. E. Laurent	Pte de Vincennes
15	P10	**Georges Mulot** Place	58	R. Valentin Haüy	R. Bouchut	Sèvres-Lecourbe
20	K26	**Georges Perec** Rue	78	R. Jules Siegfried	R. Paul Strauss	Pte de Bagnolet
15	S10	**Georges Pitard** Rue	57	88 R. de la Procession	57 R. de Vouillé	Plaisance
4	L17-T22	**Georges Pompidou** Place	13	R. Rambuteau	R. St-Merri	Rambuteau
1	M15-O18	**Georges Pompidou** Voie	1	Pont Neuf	Q. Henry IV	Pont Neuf
4	M15-O18	**Georges Pompidou** Voie	13-15	Pont Neuf	Q. Henry IV	Pont Neuf

122

16	Q4-N18	Georges Pompidou Voie	61	Q. St-Exupéry		Bd Victor (RER C)
19	H20	Georges Recipon Allée	76	20 R. de Meaux	34 R. de Meaux	Colonel Fabien
16	Q2	Georges Risler Avenue	61	19 Villa C, Lorrain	Villa Choyoon	Exelmans
20	K22	Georges Rouault Allée	77	41 R. J. Lacroix	30 R. du Pressoir	Couronnes
14	S12	Georges Saché Rue	56	10 R. de la Sablière	11 R. Severo	Mouton-Duvernet
16	K5-J5	Georges Thill Rue	75	73 R. Petit	168 Av. Jean Jaurès	Ourcq
9	G14	Georges Ulmer Promenade	33	39 Bd de Clichy	Place Pigalle	Pigalle
16	J7	Georges Ville Rue	64	61 Av. Victor Hugo	17 R. P. Valéry	Victor Hugo
20	N16	Georges-Ambroise Boisselat et Blanche Cité	80	129 R. d'Avron	5 R. des Rasselins	Pte de Montreuil
18	D14	Georgette Agutte Rue	69	36 R. Vauvenargues	151 R. Belliard	Pte de St-Ouen
20	J24	Georgina Villa	70	9 R. Taclet	36 R. de la Duée	Télégraphe
18	H16	Gérando Rue	36	2 Pl. d'Anvers	93 R. Rochechouart	Anvers
13	T17	Gérard Rue	51	R. du Moulin des Prés	11 R. Jonas	Corvisart
18	D14	Gérard De Nerval Rue	69	10 R. H. Huchard	R. L. Pasteur Valléry Radot	Pte de St-Ouen
16	K4-L4	Gérard Philipe Rue	63	50 Bd Lannes	63 Av. du Mal Fayolle	Av. H. Martin (RER C)
15	R8	Gerbert Rue	57	111 R. Blomet	280 R. de Vaugirard	Vaugirard
14	M22	Gerbier Rue	43	15 R. de la Folie Regnault	168 R. de la Roquette	Philippe Auguste
14	S11	Gergovie Passage de	56	10 R. de Gergovie	128 R. Vercingétorix	Plaisance - Pernety
14	S11	Gergovie Rue de	56	R. de la Procession	134 R. d'Alésia	Plaisance - Pernety
16	O3	Géricault Rue	61	50 R. d'Auteuil	27 R. Poussin	Michel Ange-Auteuil
18	G14	Germain Pilon Cité	69	2 R. G. Pilon	(en impasse)	Abbesses
18	G14	Germain Pilon Rue	69	36 Bd de Clichy	31 R. des Abbesses	Pigalle - Abbesses
19	F22	Germaine Tailleferre Rue	74	24 R. des Ardennes		Ourcq
12	R22	Gerty Archimède Rue	47	15 Rue Baron Le Roy	(en impasse)	Cour St-Émilion
17	F8	Gervex Rue	66	7 R. Jules Bourdais	2 R. de Senlis	Pereire
4	M16	Gesvres Quai de	13	1 Pl. Hôtel de Ville	2 Pl. du Châtelet	Hôtel de Ville
13	R20	Giffard Rue	49	3 Q. d'Austerlitz	8 Bd V. Auriol	Quai de la Gare
14	S13	Gilbert Perroy Place	55	R. Mouton-Duvernet	Av. du Maine	Mouton-Duvernet
14	R13	Gilbert Privat Place	53	13 à 17 R. Froidevaux		Denfert-Rochereau
12	R22	Ginette Hamelin Place	47	50 R. de Bercy	R. de Pommard	Bercy
18	D16	Ginette Neveu Rue	70	R. F. de Croisset	32 Av. Pte de Clignancourt	Pte de Clignancourt
12	F10	Ginkgo Cour du	47	16 Pl. Bat. Pacifique	11 Bd de Bercy	Cour St-Émilion
15	P7	Ginoux Rue	59	53 R. Émeriau	52 R. de Lourmel	Ch. Michels
14	U11	Giordano Bruno Rue	56	68 R. des Plantes	29 R. Ledion	Pte d'Orléans
18	F15	Girardon Impasse	69	R. Girardon	(en impasse)	Lamarck-Caulaincourt
18	F15	Girardon Rue	69	83 R. Lepic	Pl. Pequeur	Lamarck-Caulaincourt
16	O3	Girodet Rue	61	48 R. d'Auteuil	11 R. Poussin	Michel Ange-Auteuil
19	E22	Gironde Quai de la	74	43 Q. de l'Oise	129 Bd Macdonald	Corentin Cariou
6	N15	Gît Le Cœur Rue	21	23 Q. Gds Augustins	28 R. St-André des Arts	St-Michel
13	T15-R16	Glacière Rue de la	52-51	37 Bd de Port Royal	137 R. de la Santé	Glacière
20	I26	Glaïeuls Rue des	78	R. C. Cros	Av. de la Pte des Lilas	Pte des Lilas
16	O5	Glizières Villa des	61	4 R. des Patures		Mirabeau
9	J14	Gluck Rue	34	Pl. J. Rouché	Pl. Diaghilev	Chée d'Antin-La Fayette
13	U16	Glycines Rue des	51	17 R. des Orchidées	37 R. A. Lançon	Cité Univ. (RER B)
13	R17-S17	Gobelins Avenue des	18	123 R. Monge	1 Pl. d'Italie	Les Gobelins
13	R17-S17	Gobelins Avenue des	49-52	123 R. Monge	1 Pl. d'Italie	Pl. d'Italie
13	R17	Gobelins Rue des	52	30 Av. des Gobelins	R. Berbier du Mets	Les Gobelins
13	S17	Gobelins Villa des	52	52 Av. des Gobelins	(en impasse)	Les Gobelins
11	N22	Gobert Rue	43	24 R. R. Lenoir	158 Bd Voltaire	Voltaire - Charonne
13	S18	Godefroy Rue	49	3 Pl. des Alpes	7 Pl. d'Italie	Place d'Italie
11	N21	Godefroy Cavaignac Rue	43	81 R. de Charonne	130 R. de la Roquette	Charonne - Voltaire
20	M25	Godin Villa	79	85 R. de Bagnolet	(en impasse)	Alexandre Dumas
9	J13	Godot De Mauroy Rue	34	8 Bd de la Madeleine	13 R. Mathurins	Havre-Caumartin
16	K8	Goethe Rue	64	Pl. P. Brisson	6 R. de Galliera	Alma-Marceau
19	G19	Goix Passage	73	16 R. d'Aubervilliers	11 R. du Département	Stalingrad
2	K16	Goldoni Place	73	R. Marie Stuart	R. Greneta	Étienne Marcel
1	K14	Gomboust Impasse	4	31 Pl. du Marché St-Honoré	(en impasse)	Pyramides
1	K14	Gomboust Rue	4	57 R. St-Roch	38 Pl. du Marché St-Honoré	Pyramides
11	K20	Goncourt Rue des	41	3 R. Darboy	66 R. du Fbg du Temple	Goncourt
11	O23	Gonnet Rue	44	285 R. du Fbg St-Antoine	60 R. de Montreuil	Rue des Boulets
16	P1	Gordon Bennett Avenue	61	Bd d'Auteuil	Av. de la Porte d'Auteuil	Porte d'Auteuil
12	R24	Gossec Rue	46	223 Av. Daumesnil	104 R. de Picpus	Michel Bizot
12	O25	Got Square	80	65 Crs de Vincennes	3 R. Mounet Sully	Pte de Vincennes
19	G23	Goubet Rue	75	125 R. Manin	88 R. Petit	Danube - Ourcq
17	G9	Gounod Rue	66	121 Av. de Wagram	79 R. de Prony	Pereire
17	F8	Gourgaud Avenue	66	6 Pl. du Mal Juin	51 Bd Berthier	Pereire
13	V17	Gouthière Rue	51	63 Bd Kellermann	Av. Caffieri	Maison Blanche
18	G17	Goutte d'Or Rue de la	71	2 R. de la Charbonnière	22 Bd Barbès	Barbès-Rochechouart
17	H6-G7	Gouvion Saint-Cyr Boulevard	65	Pl. de la Pte de Champerret	236 Bd Péreire	Pte Maillot
17	G7	Gouvion Saint-Cyr Square	65	43 Bd Gouvion St-Cyr	(en impasse)	Pte de Champerret
6	N14	Gozlin Rue	24	2 R. des Ciseaux	43 R. Bonaparte	St-Germain-des-Prés
10	J20	Grâce de Dieu Cour de la	40	129 R. du Fbg du Temple	(en impasse)	Belleville

Ar	Plan	Rues / Streets	Quart.	Commençant	Finissant	Métro
5	Q17	**Gracieuse** Rue	18	2 R. de l'Épée de Bois	29 R. Lacépède	Place Monge
17	G7	**Graisivaudan** Square du	65	13 R. A. Charpentier	4 Av. de la Pte de Villiers	Pte de Champerret
15	P8	**Gramme** Rue	59	65 R. du Commerce	68 R. de la Croix Nivert	Émile Zola - Commerce
2	J14	**Gramont** Rue de	5-6	12 R. St-Augustin	15 Bd des Italiens	Quatre Septembre
14	S13	**Grancey** Rue de	53	20 Pl. Denfert-Rochereau	8 R. Daguerre	Denfert-Rochereau
2	L16	**Grand Cerf** Passage du	8	146 R. St-Denis	8 R. Dussoubs	Étienne Marcel
15	R6	**Grand Pavois** Jardin du	60	R. de Lourmel	R. Lecourbe	Balard
11	K19	**Grand Prieuré** Rue du	41	27 R. de Crussol	18 Av. de la République	Oberkampf
3	M19	**Grand Veneur** Rue du	11	2 R. des Arquebusiers	Hôtel Grd Veneur	St-Sébastien-Froissart
16	I7	**Grande Armée** Avenue de la	64	Pl. Ch. De Gaulle	279 Bd Péreire	Pte Maillot
17	I7	**Grande Armée** Avenue de la	64	Pl. Ch. De Gaulle	279 Bd Péreire	Pte Maillot
17	I7	**Grande Armée** Villa de la	65	8 R. des Acacias	(en impasse)	Argentine
6	Q13	**Grande Chaumière** Rue de la	23	72 R. N.-D. des Champs	115 Bd du Montparnasse	Vavin
1	L16	**Grande Truanderie** Rue de la	2	55 Bd de Sébastopol	4 R. de Turbigo	Étienne Marcel
20	J23	**Grandes Rigolles** Place des	77	R. des Pyrénées	R. Levert	Jourdain
6	N15	**Grands Augustins** Quai des	21	2 Pl. St-Michel	1 R. Dauphine	St-Michel
6	N15	**Grands Augustins** Rue des	21	51 Q. des Gds Augustins	R. St-André des Arts	St-Michel
20	O25	**Grands Champs** Rue des	80	30 Bd de Charonne	48 R. du Volga	Maraîchers
5	O16	**Grands Degrés** Rue des	17	2 R. Maître Albert	3 R. du Haut Pavé	Maubert-Mutualité
13	T21	**Grands Moulins** Rue des		R. du Chevaleret	Av. de France	Bibl. F. Mitterrand
13	R16	**Grangé** Square	52	22 R. de la Glacière	(en impasse)	Glacière - Les Gobelins
10	I19	**Grange aux Belles** Rue de la	39-40	96 Q. de Jemmapes	3 Pl. du Col Fabien	Colonel Fabien
9	J15	**Grange Batelière** Rue de la	35	19 R. du Fbg Montmartre	R. Drouot	Grands Boulevards
12	R24	**Gravelle** Rue de	46	49 R. de Wattignies	55 R. C. Decaen	Daumesnil
3	L18	**Gravilliers** Passage des	12	10 R. Chapon	R. des Gravilliers	Arts et Métiers
3	L17-L18	**Gravilliers** Rue des	9-12	119 R. du Temple	38 R. de Turbigo	Arts et Métiers
8	J13	**Greffulhe** Rue	31	8 R. de Castellane	29 R. Mathurins	Madeleine
6	N15-O15	**Grégoire De Tours** Rue de	21-22	5 R. de Buci	18 R. Quatre Vents	Odéon - Mabillon
19	F24	**Grenade** Rue de la	75	R. des Sept Arpents	12 R. Marseillaise	Hoche
15	N7-O8	**Grenelle** Boulevard de	59	107 Q. Branly	1 Pl. Cambronne	La Motte-P.-Grenelle
16	O6	**Grenelle** Pont de	59-60	R. Maurice Bourdet	Pl. Fernand Forest	Kennedy-R. France (RER C)
16	O6	**Grenelle** Pont de	59-60	R. Maurice Bourdet	Pl. Fernand Forest	Kennedy-R. France (RER C)
15	O6	**Grenelle** Port de	59	Pt de Bir Hakeim	Pont de Grenelle	Bir-Hakeim
15	N6-O6	**Grenelle** Quai de	59	Bd de Grenelle	Pl. Forest	Bir-Hakeim
6	M10-N13	**Grenelle** Rue de	24	44 R. du Dragon	83 Av. De La Bourdonnais	St-Sulpice
7	M9-N13	**Grenelle** Rue de	25-28	44 R. du Dragon	83 Av. de La Bourdonnais	École Militaire
15	O8	**Grenelle** Villa de	59	14 R. Violet	9 Villa Juge	Dupleix
2	K16	**Greneta** Cour	8	163 R. St-Denis	32 R. Greneta	Étienne Marcel
2	K16-K17	**Greneta** Rue	8	241 R. St-Martin	78 R. Montorgueil	Réaumur-Sébastopol
3	K17-L16	**Greneta** Rue	8-9	241 R. St-Martin	78 R. Montorgueil	Réaumur-Sébastopol
3	L17	**Grenier Saint-Lazare** Rue du	12	43 R. Beaubourg	186 R. St-Martin	Rambuteau
4	N17	**Grenier sur l'Eau** Rue	14	R. du Pt Louis-Philippe	12 R. des Barres	Pont Marie
20	M25	**Grès** Place des	80	R. Vitruve	R. St-Blaise	Pte de Bagnolet
20	M25	**Grès** Square des	80	R. St-Blaise	R. Vitruve	Pte de Bagnolet
19	F21	**Gresset** Rue	73	174 R. de Crimée	11 R. de Joinville	Crimée
2	J15	**Grétry** Rue	6	1 R. Favart	18 R. de Gramont	Richelieu Drouot
16	L6	**Greuze** Rue	63	4 Av. G. Mandel	17 R. Decamps	Trocadéro
7	N13	**Gribeauval** Rue de	25	2 Pl. St-Thomas d'Aquin	43 R. du Bac	Rue du Bac
5	Q17	**Gril** Rue du	18	8 R. Censier	9 R. Daubenton	Censier-Daubenton
19	H23	**Grimaud** Impasse	75	24 R. d'Hautpoul	130 R. Compans	Botzaris
15	P9	**Grisel** Impasse	58	3 Bd Garibaldi	(en impasse)	Cambronne
11	K21	**Griset** Cité	41	125 R. Oberkampf	(en impasse)	Rue St-Maur
20	N25	**Gros** Impasse	80	3 Pas. Dieu	(en impasse)	Maraîchers
16	O5	**Gros** Rue	61	Pl. Clément Ader	15 R. J. De La Fontaine	Kennedy-R. France (RER C)
7	L9-L10	**Gros Caillou** Port du	28	Pont de l'Alma	Pont des Invalides	Pont de l'Alma (RER C)
7	M9	**Gros Caillou** Rue du	28	11 R. Augereau	208 R. de Grenelle	École Militaire
18	E15	**Grosse Bouteille** Impasse de la	69	67 R. du Poteau	(en impasse)	Pte de Clignancourt
20	J25	**Groupe Manouchian** Rue du	78	31 R. du Surmelin	100 Av. Gambetta	St-Fargeau
18	F18	**Guadeloupe** Rue de la	72	65 R. Pajol	8 R. L'Olive	Marx Dormoy
8	I11	**Guatemala** Place du	32	Bd Malesherbes	R. Beinfaisance	St-Augustin
16	R2	**Gudin** Rue	61	123 Bd Murat	215 Av. de Versailles	Pte de St-Cloud
18	D18	**Gué** Impasse du	71	79 R. de la Chapelle	(en impasse)	Pte de la Chapelle
20	J26	**Guébriant** Rue de	78	116 Bd Mortier	29 R. Fougères	St-Fargeau
18	G14	**Guelma** Villa de	69	26 Bd de Clichy	(en impasse)	Pigalle
4	N19	**Guéménée** Impasse	15	26 R. St-Antoine	(en impasse)	Bastille
6	N15	**Guénégaud** Rue	21	5 Q. de Conti	15 R. Mazarine	Pont Neuf - Mabillon
11	O23	**Guénot** Passage	44	221 Bd Voltaire	15 R. Guénot	Rue des Boulets
11	O23	**Guénot** Rue	44	243 Bd Voltaire	Imp. Jardiniers	Rue des Boulets
2	K17	**Guérin Boisseau** Rue	8	31 R. de Palestro	183 R. St-Denis	Réaumur-Sébastopol
17	G7-H7	**Guersant** Rue	65	6 Pl. T. Bernard	35 Bd Gouvion St-Cyr	Pte de Champerret
16	L5	**Guibert** Villa	62	83 R. de la Tour	(en impasse)	Rue de la Pompe

16	M5	**Guichard** Rue	62	70 R. de Passy	83 Av. P. Doumer	La Muette
20	J23	**Guignier** Place du	77	R. des Pyrénées	R. du Guignier	Jourdain
20	J23	**Guignier** Rue du	77	2 Pl. du Guignier	21 R. des Rigoles	Jourdain
16	M6	**Cuignières** Villa des	62	31 R. Singer		La Muette
11	L21	**Guilhem** Passage	42	18 R. du Gal Guilhem	51 R. St-Maur	Rue St-Maur
6	N14	**Guillaume Apollinaire** Rue	24	42 R. Bonaparte	11 R. St-Benoît	St-Germain-des-Prés
11	L21	**Guillaume Bertrand** Rue	42	58 R. St-Maur	71 R. Servan	Rue St-Maur
17	G8	**Guillaume Tell** Rue	65-66	60 R. Laugier	113 Av. de Villiers	Pte de Champerret
12	P21	**Guillaumot** Rue	48	42 Av. Daumesnil	R. J. Bouton	Gare de Lyon
17	R11	**Guilleminot** Rue	56	54 R. de l'Ouest	1 R. Crocé Spinelli	Pernety
4	M18	**Guillemites** Rue des	14	10 R. Ste-Croix la Br.	9 R. des Blancs Manteaux	Hôtel de Ville
6	O14	**Guisarde** Rue	22	12 R. Mabillon	19 R. des Canettes	Mabillon
17	I7	**Guizot** Villa	65	21 R. des Acacias	(en impasse)	Argentine
17	H6	**Gustave Charpentier** Rue	65	Bd D'Aurelle De Paladines	Pl. de Verdun	Pte Maillot
17	K6	**Gustave Courbet** Rue	63	98 R. Longchamp	128 R. de la Pompe	Rue de la Pompe
17	F9	**Gustave Doré** Rue	66	155 Av. de Wagram	75 Bd Péreire	Wagram - Pereire
7	M8	**Gustave Eiffel** Avenue	28	Av. S. de Sacy	Av. Octave Gréard	Ch. de Mars-Tr Eiffel (RER C)
17	H9	**Gustave Flaubert** Rue	66	105 R. de Courcelles	14 R. Rennequin	Ternes - Pereire
13	R17	**Gustave Geffroy** Rue	52	5 R. des Gobelins	R. Berbier du Mets	Les Gobelins
10	J17	**Gustave Goublier** Rue	39	41 R. du Fbg St-Martin	18 Bd de Strasbourg	Château d'Eau
15	P8-Q8	**Gustave Larroumet** Rue	57	24 R. Mademoiselle	9 R. L. Lhermitte	Commerce
14	U12	**Gustave Le Bon** Rue	55	1 R. C. Le Goffic	19 Av. E. Reyer	Pte d'Orléans
11	N22	**Gustave Lepeu** Passage	43	48 R. Léon Frot	31 R. E. Lepeu	Charonne
13	S18	**Gustave Mesureur** Square	49	103 R. Jeanne d'Arc	6 Pl. Pinel	Nationale
16	M5	**Gustave Nadaud** Rue	62	11 R. de la Pompe	12 Bd E. Augier	La Muette
18	D15	**Gustave Rouanet** Rue	69	89 R. du Ruisseau	82 R. du Poteau	Pte de Clignancourt
9	H15	**Gustave Toudouze** Place	33	R. Clauzel	R. Henri Monnier	St-Georges
16	L7	**Gustave V de Suède** Avenue	64	Pl. de Varsovie	J. du Trocadéro	Trocadéro
16	N4	**Gustave Zédé** Rue	62	1 R. du Gal Aubé	72 R. Ranelagh	Ranelagh
15	Q5	**Gutenberg** Rue	60	54 R. de Javel	63 R. Balard	Javel - Balard
17	E11	**Guttin** Rue	68	5 R. Fragonard	113 Bd Bessières	Pte de Clichy
5	P17	**Guy De La Brosse** Rue	17	11 R. Jussieu	R. Linné	Jussieu
17	L4	**Guy De Maupassant** Rue	62	2 R. Ed. About	54 Bd E. Augier	Av. H. Martin (RER C)
17	E12-E13	**Guy Môquet** Rue	68	152 Av. de Clichy	1 R. de la Jonquière	Guy Môquet
10	G17	**Guy Patin** Rue	37	R. Ambroise Paré	45 Bd de la Chapelle	Barbès-Rochechouart
12	R26-S26	**Guyane** Boulevard de la	45	Av. Daumesnil	Av. Courteline	Pte Dorée
20	N26	**Guyenne** Square de la	80	82 Bd Davout	6 R. Mendelssohn	Pte de Montreuil
6	P14	**Guynemer** Rue	22	21 R. de Vaugirard	55 R. d'Assas	St-Sulpice
13	U16	**Guyton De Morveau** Rue	51	76 R. Bobillot	43 R. de l'Espérance	Corvisart

H

7	L10	**Habib Bourguiba** Esplanade	28	Pt de l'Alma	Pt des Invalides	Invalides
19	D20	**Haie Coq** Rue de la	74	Pl. Skanderbeg	Q. L. Lefranc	Pte de la Villette
20	N25	**Haies** Rue des	80	4 R. Planchat	99 R. Maraîchers	Buzenval
19	F23	**Hainaut** Rue du	75	75 R. Petit	174 Av. J. Jaurès	Ourcq
9	J14	**Halévy** Rue	34	8 Pl. de l'Opéra	25 Bd Haussmann	Opéra - Chaó d'Antin-La F.
14	S14	**Hallé** Rue	55	40 R. de la Tombe Issoire	10 R. du Commandeur	Mouton-Duvernet
14	S14	**Hallé** Villa	55	36 R. Hallé	(en impasse)	Mouton-Duvernet
1	L15-L16	**Halles** Jardin des	2	R. Coquillière	R. Berger	Les Halles
1	L16-M16	**Halles** Rue des	2	104 R. de Rivoli	R. du Pont Neuf	Châtelet
15	S7	**Hameau** Rue du	57	226 R. de la Croix Nivert	51 Bd Victor	Pte de Versailles
19	I22	**Hannah Arendt** Place	72	R. des Alouettes	R. Carducci	Botzaris
2	J14	**Hanovre** Rue de	5	17 R. de Choiseul	26 R. Louis le Grand	Quatre Septembre
20	L25	**Hardy** Villa	79	44 R. Stendhal	(en impasse)	Gambetta
1	N15	**Harlay** Rue de	1	19 Q. de l'Horloge	42 Q. Orfèvres	Pont Neuf
15	S10	**Harmonie** Rue de l'	57	72 R. Castagnary	63 R. Labrouste	Pte de Vanves
5	N16	**Harpe** Rue de la	20	31 R. de la Huchette	98 Bd St-Germain	St-Michel
20	M26	**Harpignies** Rue	80	110 Bd Davout	R. L. Lumière	Pte de Montreuil
19	H22	**Hassard** Rue	76	24 R. du Plateau	52 R. Botzaris	Buttes Chaumont
3	L18	**Haudriettes** Rue des	12	53 R. des Archives	84 R. du Temple	Rambuteau
8	I10-J15	**Haussmann** Boulevard	31 à 32	2 Bd des Italiens	R. du Fbg St-Honoré	Richelieu Drouot
9	I13-J15	**Haussmann** Boulevard	34	2 Bd des Italiens	R. du Fbg St-Honoré	Rich. Drouot - Havre Caum.
5	N1-N5	**Haut Pavé** Rue du	17	9 Q. de Montebello	10 R. des Gds Degrés	Maubert-Mutualité
6	O15	**Hautefeuille** Impasse	21	3 R. Hautefeuille	(en impasse)	St-Michel
6	N15-O15	**Hautefeuille** Rue	21	9 Pl. St-André des Arts	R. Éc. de Médecine	St-Michel
19	H23	**Hauterive** Villa d'	75	27 R. du Gal Brunet	30 R. M. Hidalgo	Danube
13	T19	**Hautes Formes** Rue des	50	R. Baudricourt	R. Nationale	Tolbiac
20	N25	**Hautes Traverses** Villa des	80	88 R. des Haies	(en impasse)	Maraîchers
10	I17	**Hauteville** Cité d'	38	82 R. d'Hauteville	51 R. de Chabrol	Poissonnière
10	J16-I17	**Hauteville** Rue d'	38	30 Bd de Bonne Nouvelle	1 Pl. Franz Liszt	Strasbourg-St-Denis
19	H22-H22	**Hautpoul** Rue d'	75	56 R. de Crimée	140 Av. J. Jaurès	Ourcq - Botzaris

125

Ha

Ar	Plan	Rues / Streets	Quart.	Commençant	Finissant	Métro
20	J25	**Hauts de Belleville** Villa des	78	47 R. du Borrégo	(en impasse)	St-Fargeau
8	I13	**Havre** Cour du	32	R. St-Lazare	R. d'Amsterdam	St-Lazare
9	I13	**Havre** Passage du	34	19 R. Caumartin	12 R. du Havre	St-Lazare
8	I13	**Havre** Place du	31	R. St-Lazare	R. du Havre	St-Lazare
9	I13	**Havre** Place du	34	R. d'Amsterdam	R. du Havre	St-Lazare
8	I13	**Havre** Rue du	31	70 Bd Haussmann	13 Pl. du Havre	Havre-Caumartin
9	I13	**Havre** Rue du	34	70 Bd Haussmann	13 Pl. du Havre	Havre-Caumartin
20	K26	**Haxo** Impasse	78	16 R. A. Penaud	(en impasse)	Pte de Bagnolet
19	K25	**Haxo** Rue	75	39 R. du Surmelin	67 Bd Sérurier	Télégraphe
20	I25-J25	**Haxo** Rue	78	39 R. Surmelin	67 Bd Sérurier	Télégraphe
18	E19	**Hébert** Place	72	R. des Roses	R. Cugnot	Marx Dormoy
11	J20	**Hébrard** Passage	40	202 R. St-Maur	5 R. du Chalet	Goncourt - Belleville
12	Q22	**Hébrard** Ruelle des	47	60 R. du Charolais	112 Av. Daumesnil	Montgallet
19	J21	**Hector Guimard** Rue	76	R. Jules Romains	Pl. J. Rostand	Belleville
12	P21	**Hector Malot** Rue	48	48 R. de Chalon	106 R. de Charenton	Gare de Lyon
18	F13	**Hégésippe Moreau** Rue	69	15 R. Ganneron	29 R. Ganneron	La Fourche
9	J14	**Helder** Rue du	34	36 Bd Italiens	13 Bd Haussmann	Chée d'Antin-La Fayette
17	G12	**Hélène** Rue	67	41 Av. de Clichy	18 R. Lemercier	La Fourche
13	V18	**Hélène Boucher** Square	51	R. Fernand Widal	Av. de la Pte d'Italie	Pte d'Italie
13	T22	**Hélène Brion** Rue	50	39 Quai Panhard et Levassor	68 Avenue de France	Bibl. F. Mitterrand
20	H26	**Hélène Jakubowicz** Rue	79	144 R. Ménilmontant	97 R. Villiers de l'Isle-Adam	St-Fargeau
17	G8	**Héliopolis** Rue d'	65-66	19 R. Guillaume Tell	131 Av. de Villiers	Pte de Champerret
13	S20	**Héloïse et Abélard** Square	50	R. Duchefdelaville	R. de Vimoutiers	Chevaleret
12	P21	**Hennel** Passage	48	140 R. de Charenton	101 Av. Daumesnil	Reuilly Diderot
9	H14	**Henner** Rue	33	42 R. La Bruyère	15 R. Chaptal	Trinité - St-Georges
14	V13	**Henri Barboux** Rue	55	115 Bd Jourdan	16 Av. P. Appell	Pte d'Orléans
5	Q15-R15	**Henri Barbusse** Rue	19	21 R. Abbé de l'Épée	51 Av. de l'Observatoire	Luxembourg (RER B)
14	Q15-R15	**Henri Barbusse** Rue	19	21 R. Abbé de l'Épée	51 Av. de l'Observatoire	Luxembourg (RER B)
13	U15	**Henri Becque** Rue	51	43 R. Boussingault	13 R. de l'Aml Mouchez	Glacière
8	I12	**Henri Bergson** Place	32	R. de Vienne	Av. César Caire	St-Lazare
15	Q7	**Henri Bocquillon** Rue	60	162 R. de Javel	119 R. de la Convention	Boucicaut
18	D14	**Henri Brisson** Rue	69	156 Bd Ney	12 R. Arthur Ranc	Pte de St-Ouen
13	S15	**Henri Cadiou** Square	52	69 Bd Arago		Glacière
20	K23	**Henri Chevreau** Rue	77	83 R. de Ménilmontant	98 R. des Couronnes	Ménilmontant
16	O5	**Henri Collet** Square	61	32 R. Gros	15 R. J. De La Fontaine	Jasmin
16	L4	**Henri De Bornier** Rue	62	25 R. O. Feuillet	14 R. Franqueville	Av. H. Martin (RER C)
15	R4	**Henri De France** Esplanade	60	Bd Gal Martial Valin	Q. André Citroën	Bd Victor (RER C)
14	S13	**Henri Delorme** Square	55	5 R. Ernest-Cresson	(en impasse)	Mouton-Duvernet
12	O24	**Henri Desgrange** Rue	47	R. de Bercy	Bd de Bercy	Cour St-Émilion
20	J25	**Henri Dubouillon** Rue	78	60 R. Haxo	199 Av. Gambetta	St-Fargeau
19	P8	**Henri Duchène** Rue	59	32 R. Fondary	133 Av. E. Zola	Av. Émile Zola
17	G11	**Henri Duparc** Square	67	Sq. F. la Tombelle		Villiers
20	L26	**Henri Duvernois** Rue	80	74 R. L. Lumière	25 R. Serpollet	Pte de Bagnolet
14	S10	**Henri et Achille Duchêne** Sq.	56	R. Vercingétorix	R. d'Alésia	Plaisance
10	I20	**Henri Feulard** Rue	40	25 R. Sambre et M.	45 Bd de la Villette	Colonel Fabien
19	I21	**Henri Fiszbin** Place	75	19 R. Jules Romains	18 R. Rébeval	Belleville
12	P21	**Henri Frenay** Place	48	Pl. Rutebeuf	10 R. Hector Malot	Gare de Lyon
16	J5	**Henri Gaillard** Pass. souterrain	63	Bd de l'Amiral Bruix	Bd Lannes	Pte Dauphine
4	O18	**Henri Galli** Square	15	Bd Henri IV	Q. Henri IV	Sully-Morland
16	O3	**Henri Heine** Rue	61	R. de la Source	49 R. Dr Blanche	Jasmin
18	D14	**Henri Huchard** Rue	69	15 Av. de la Pte Montmartre	24 Av. de la Pte St-Ouen	Pte de St-Ouen
18	D13	**Henri Huchard** Square	69	Av. de la Pte de St-Ouen		Pte de St-Ouen
4	O18-O19	**Henri IV** Boulevard	16-15	12 Q. Béthune	1 Pl. de la Bastille	Sully-Morland
4	O18-P19	**Henri IV** Port	15	Pont de Sully	Pont d'Austerlitz	Pont Marie
4	O18	**Henri IV** Quai	15	1 Bd Morland	Pont de Sully	Sully-Morland
20	M24	**Henri Karcher** Square	79	R. des Pyrénées		Gambetta
20	J23	**Henri Krasucki** Place	77	R. des Envierges	R. Levert	Jourdain
13	T17	**Henri Langlois** Place	51	R. Bobillot	Av. d'Italie	Place d'Italie
16	L4-L5	**Henri Martin** Avenue	62- 63	77 R. de la Pompe	77 Bd Lannes	Rue de la Pompe
20	K23	**Henri Matisse** Place	79	2 R. Soleillet	R. Raoul Dufy	Gambetta
13	T17	**Henri Michaux** Rue	51	25 R. Vandrezanne	32 R. du Moulinet	Tolbiac
7	L10	**Henri Moissan** Rue	28	59 Q. d'Orsay	12 Av. R. Schuman	La Tour-Maubourg
6	O15	**Henri Mondor** Place	21-22	87 Bd St-Germain	103 Bd St-Germain	Odéon
19	H21	**Henri Murger** Rue	76	37 Av. M. Moreau	12 R. E. Pailleron	Bolivar
19	G20	**Henri Noguères** Rue	73	45 Av. J. Jaurès	Q. de la Loire	Jaurès
13	U17	**Henri Pape** Rue	51	18 R. Damesme	Pl. Abbé G. Henocque	Tolbiac
20	J25	**Henri Poincaré** Rue	78	141 Av. Gambetta	10 R. St-Fargeau	Pelleport
15	P10	**Henri Queuille** Place	58	Av. de Breteuil	Bd Pasteur	Sèvres-Lecourbe
11	M22	**Henri Ranvier** Rue	43	16 R. Gerbier	33 R. de la Folie Regnault	Philippe Auguste
13	U13	**Henri Regnault** Rue	55	132 R. de la Tombe Issoire	45 R. du Père Corentin	Pte d'Orléans
19	I24	**Henri Ribière** Rue	73	12 R. Compans	2 R. des Bois	Pl. des Fêtes

126

1	M15	**Henri Robert** Rue	1	27 Pl. Dauphine	13 Pl. du Pont Neuf	Pont Neuf
17	H10	**Henri Rochefort** Rue	66	24 R. de Prony	17 R. Phalsbourg	Malesherbes
15	R8	**Henri Rollet** Place	57	340 R. de Vaugirard	1 R. Desnouettes	Convention
13	U17	**Henri Rousselle** Square	51	R. Bobillot	R. de la Butte aux Cailles	Tolbiac
20	O26	**Henri Tomasi** Rue	80	Bd Davout	(en impasse)	Pte de Montreuil
19	I20	**Henry Turot** Rue	76	86 Bd de la Villette	93 Av. S. Bolivar	Colonel Fabien
16	N3	**Henry Bataille** Square	61	63 Bd Suchet	R. Mal Franchet d'E.	Jasmin
14	U11	**Henry De Bournazel** Rue	56	64 Bd Brune	Av. M. d'Ocagne	Pte de Vanves
6	O14	**Henry De Jouvenel** Rue	22	7 Pl. St-Sulpice	6 R. du Canivet	St-Sulpice
16	R2-R3	**Henry De La Vaulx** Rue	61	Q. St-Exupéry	Av. D. de la Brunerie	Pte de St-Cloud
7	M13	**Henry De Montherlant** Place	26	Q. A. France		Solférino
8	J9	**Henry Dunant** Place	29	R. François Ier	40 Av. George V	George V
15	S4	**Henry Farman** Rue	60	Av. de la Pte de Sèvres	R. C. Desmoulins	Balard
9	H14-H15	**Henry Monnier** Rue	33	38 R. N.-D. de Lorette	27 R. V. Massé	St-Georges
18	O4	**Henry Paté** Square	61	34 R. Félicien David	27 R. Fr. Gérard	Mirabeau
17	D12	**Hérault De Séchelles** Rue	68	R. Floréal	R. Morel (Clichy)	Pte de St-Ouen
15	O6	**Héricart** Rue	59	49 R. Émeriau	56 Pl. St-Charles	Ch. Michels
18	E17	**Hermann-Lachapelle** Rue	70	31 R. Boinod	19 R. des Amiraux	Simplon
18	F16	**Hermel** Cité	70	12 R. Hermel	(en impasse)	Jules Joffrin
18	E16	**Hermel** Rue	70	54 R. Custine	41 Bd Ornano	Lamarck-Caulaincourt
1	L15	**Herold** Rue	2	42 R. de la Coquillière	47 R. Étienne Marcel	Louvre-Rivoli
10	I19	**Héron** Cité	40	5 R. de l'Hôpital St-Louis	(en impasse)	Château Landon
16	K6	**Herran** Rue	63	16 R. Decamps	101 R. Longchamp	Rue de la Pompe
16	L5	**Herran** Villa	63	81 R. de la Pompe	(en impasse)	Rue de la Pompe
6	Q15	**Herschel** Rue	22	70 Bd St-Michel	9 Av. de l'Observatoire	Luxembourg (RER B)
15	R9	**Hersent** Villa	57	27 R. d'Alleray	(en impasse)	Vaugirard
3	M19	**Hesse** Rue de	11	12 R. Villehardouin	R. St-Claude	St-Sébastien-Froissart
9	I15	**Hippolyte Lebas** Rue	36	7 R. Maubeuge	10 R. des Martyrs	N.-D. de Lorette
14	S12-T12	**Hippolyte Maindron** Rue	56	53 R. M. Ripoche	130 R. d'Alésia	Pernety - Plaisance
13	V20	**Hippolyte Marquès** Boulevard	50	Av. M. Thorez (Ivry-s-S.)	Av. de la Pte de Choisy	Pte de Choisy
4	N15	**Hirondelle** Rue de l'	21	6 Pl. St-Michel	13 R. Gît le Coeur	St-Michel
10	J18	**Hittorf** Cité	39	Bd de Magenta	6 R. P. Bullet	Jacques Bonsergent
10	J18	**Hittorf** Rue	39	R. P. Bullet	R. du Fbg St-Martin	Château d'Eau
19	H21	**Hiver** Cité	76	73 Av. Secrétan	(en impasse)	Bolivar
8	I8-I9	**Hoche** Avenue	30	Pl. du Gal Brocard	Pl. Ch. de Gaulle	Ch. de Gaulle-Étoile
6	O14	**Honoré Chevalier** Rue	22-23	86 R. Bonaparte	21 R. Cassette	St-Sulpice
5	Q19-R18	**Hôpital** Boulevard de l'	18	3 Pl. Valhubert	3 Pl. d'Italie	St-Michel
13	Q19-S18	**Hôpital** Boulevard de l'	18-49	3 Pl. Valhubert	3 Pl. d'Italie	Gare d'Austerlitz
10	I19	**Hôpital Saint-Louis** Rue de l'	40	21 R. Grange aux Belles	122 Q. de Jemmapes	Colonel Fabien
1	M15-N16	**Horloge** Quai de l'	1	Pont au Change	Pont Neuf	Pont Neuf - Châtelet
3	L17	**Horloge à Automates** Pass. de l'	12	R. Rambuteau	Pl. G. Pompidou	Rambuteau
14	T11	**Hortensias** Allée des	56	R. Didot	(en impasse)	Plaisance
4	M18	**Hospitalières St-Gervais** R. des	14	46 R. des Rosiers	45 R. Francs Bourgeois	St-Paul
5	O16	**Hôtel Colbert** Rue de l'	20	13 Q. de Montebello	9 R. Lagrange	Maubert-Mutualité
4	M18	**Hôtel d'Argenson** Impasse de l'	14	20 R. Vieille du Temple	(en impasse)	St-Paul
4	M17	**Hôtel de Ville** Place de l'	13	2 Q. de Gesvres	31 R. de Rivoli	Hôtel de Ville
4	N17-N18	**Hôtel de Ville** Port de l'	14	Pont Louis-Philippe	Pont Marie	Pont Marie
4	N17-N18	**Hôtel de Ville** Quai de l'	4-13-14	Pont Marie	Pont d'Arcole	Pont Marie
4	N17-N18	**Hôtel de Ville** Rue de l'	14	R. du Fauconnier	2 R. de Brosse	Pont Marie
4	N19	**Hôtel St-Paul** Rue de l'	15	R. St-Antoine	R. Neuve St-Pierre	St-Paul
20	L22	**Houdart** Rue	79	9 Pl. A. Métivier	8 R. de Tlemcen	Père Lachaise
15	Q7	**Houdart De Lamotte** Rue	60	43 Av. Félix Faure	(en impasse)	Boucicaut
18	G15	**Houdon** Rue	69-70	16 Bd de Clichy	3 R. des Abbesses	Pigalle
20	L22	**Houseaux** Villa des	79	84 Bd de Ménilmontant	(en impasse)	Père Lachaise
15	Q8	**Hubert Monmarché** Place	57	R. Péclet	R. Lecourbe	Vaugirard
5	N16	**Huchette** Rue de la	20	4 R. du Petit Pont	3 Pl. St-Michel	St-Michel
11	N22	**Huit Février 1962** Place du	66	111 Rue de Charonne	167 Bd Voltaire	Charonne
10	I18	**Huit Mai 1945** Rue du	37 à 38	131 R. du Fbg St-Martin	R. du Fbg St-Denis	Gare de l'Est
10	I16	**Huit Novembre 1942** Place du	36	R. La Fayette	R. du Fbg Poissonnière	Poissonnière
10	I16	**Huit Novembre 1942** Place du	36	R. La Fayette	R. du Fbg Poissonnière	Poissonnière
1	K14	**Hulot** Passage	3	31 R. de Montpensier	34 R. de Richelieu	Palais Royal-Louvre
15	O8	**Humblot** Rue	59	61 Bd de Grenelle	1 R. Daniel Stern	Dupleix
16	L7	**Hussein Ier de Jordanie** Av.	62	Av. Albert Ier de Monaco	Av. Gustave V de Suède	Trocadéro
17	E9	**Hutte au Garde** Passage de la	67	17 R. Marguerite Long	2 Pl. Louis Bernier	Pereire
14	Q13	**Huyghens** Rue	53	206 Bd Raspail	24 Bd Edgar Quinet	Vavin
6	P13	**Huysmans** Rue	23	9 R. Dguay-Trouin	107 Bd Raspail	N.-D. des Champs

Ar	Plan	Rues / Streets	Quart.	Commençant	Finissant	Métro
		I				
20	K26	**Ibsen** Avenue	78	Av. Cartellier	Av. Gambetta	Pte de Bagnolet
16	K8	**Iéna** Avenue d'	64	6 Av. Albert de Mun	Pl. Ch. de Gaulle	Kléber
16	L8	**Iéna** Place d'	64	Av. du Pdt Wilson	Av. Pierre Ier de Serbie	Iéna
7	M7	**Iéna** Pont d'	28	Av. de New York	Q. Branly	Trocadéro
16	M7	**Iéna** Pont d'	28	Av. de New York	Q. Branly	Trocadéro
4	M17	**Igor Stravinsky** Place	13	R. St-Merri	R. Brisemiche	Rambuteau
12	P24	**Ile de la Réunion** Place de l'	46	Av. du Trône	Bd de Picpus	Nation
14	S15	**Ile de Sein** Place de l'	53	Bd Arago	R. Jean Dolent	St-Jacques
4	O17	**Ile-de-France** Place de l'	13	Q. de l'Archevêché		Pont Marie
11	O23	**Immeubles Industriels** Rue des	44	307 R. du Fbg St-Antoine	262 Bd Voltaire	Nation
19	G24	**Indochine** Boulevard d'	75	15 Av. de la Pte Brunet	144 Bd Sérurier	Pte de Pantin
20	L25	**Indre** Rue de l'	79	32 R. des Prairies	25 R. Pelleport	Pte de Bagnolet
11	K21	**Industrie** Cité de l'	42	90 R. St-Maur	98 R. Oberkampf	Rue St-Maur
11	O22	**Industrie** Cour de l'	44	37 R. de Montreuil	(en impasse)	Faidherbe-Chaligny
10	J17	**Industrie** Passage de l'	38	27 Bd de Strasbourg	42 R. du Fbg St-Denis	Strasbourg-St-Denis
13	U18	**Industrie** Rue de l'	51	7 R. Bourgon	14 R. du Tage	Maison Blanche
11	M21	**Industrielle** Cité	43	115 R. de la Roquette	(en impasse)	Voltaire
1	M14	**Infante** Jardin de l'	1	Q. F. Mitterrand	Cour Carrée	Louvre-Rivoli
16	P6	**Ingénieur Robert Keller** Rue de l'	60	11 Q. A. Citroën	67 R. Émile Zola	Ch. Michels
16	M4	**Ingres** Avenue	62	Chée de la Muette	35 Bd Suchet	Ranelagh - La Muette
1	M16	**Innocents** Rue des	2	43 R. St-Denis	2 R. de la Lingerie	Châtelet-Les Halles
18	H24	**Inspecteur Allès** Rue de l'	75	21 R. des Bois	66 R. de Mouzaïa	Pré St-Gervais
6	M15	**Institut** Place de l'	51	23 Q. de Conti	1 Q. Malaquais	Pont Neuf
7	T7	**Insurgés de Varsovie** Place des	57	Av. de la Pte Plaine	R. L. Vicat	Pte de Versailles
7	N10	**Intendant** Jardin de l'	27	Av. de Tourville	Bd de La Tr-Maubourg	La Tour-Maubourg
8	I13	**Intérieure** Rue	32	Cour de Rome	Cour du Havre	St-Lazare
7	U17	**Interne Loëb** Rue de l'	51	2 R. Championnière	(en impasse)	Tolbiac
7	O11	**Invalides** Boulevard des	26-27	127 R. de Grenelle	R. de Sèvres	Varenne - Duroc
7	M11	**Invalides** Esplanade des	26	Q. d'Orsay	Hôtel des Invalides	Invalides
7	M11	**Invalides** Place des	26	Espl. Invalides	R. de Grenelle	La Tour-Maubourg
7	L10	**Invalides** Pont des	26-28-29	Pl. du Canada	Q. d'Orsay	Invalides
8	L10	**Invalides** Pont des	26-28-29	Pl. du Canada	Q. d'Orsay	Invalides
7	L10-L11	**Invalides** Port des	26	Pont des Invalides	Pont de la Concorde	Invalides
20	K26	**Irénée Blanc** Rue	78	4 R. Géo Chavez	22 R. J. Siegfried	Pte de Bagnolet
13	U16	**Iris** Rue des	51	50 R. Brillat Savarin	R. des Glycines	Cité Univ. (RER B)
19	I25	**Iris** Villa des	75	1 Pas. des Mauxins	(en impasse)	Pte des Lilas
5	P16	**Irlandais** Rue des	19	15 R. de l'Estrapade	9 R. Lhomond	Card. Lemoine
16	O3	**Isabey** Rue	61	48 R. d'Auteuil	15 R. Poussin	Michel Ange-Auteuil
18	G17	**Islettes** Rue des	71	112 Bd de la Chapelle	57 R. de la Goutte d'Or	Barbès-Rochechouart
8	I13	**Isly** Rue de l'	31	7 R. du Havre	10 R. de Rome	St-Lazare
17	G9	**Israël** Place d'	66	130 Av. Wagram	41 R. Ampère	Wagram
15	S6	**Issy-les-Moulineaux** Porte d'	57	Bd Victor		Balard
15	R4	**Issy-les-Moulineaux** Quai d'	60	Pont du Garigliano	Q. Pdt Roosevelt	Bd Victor (RER C)
13	T17-V18	**Italie** Avenue d'	51	20 Pl. d'Italie	2 Bd Kellermann	Place d'Italie - Pte d'Italie
13	S17	**Italie** Place d'	49 à 52	R. des Gobelins	Bd A. Blanqui	Place d'Italie
13	V18	**Italie** Porte d'	51	Bd Périphérique		Pte d'Italie
13	U17	**Italie** Rue d'	51	24 R. Damesme	99 R. du Moulin des Prés	Tolbiac - Pte d'Ivry
2	J15	**Italiens** Boulevard des	5-6	103 R. Richelieu	34 R. Louis le Grand	Opéra
9	J15	**Italiens** Boulevard des	34-35	103 R. Richelieu	34 R. Louis le Grand	Opéra
9	J14	**Italiens** Rue des	34	26 Bd des Italiens	3 R. Taitbout	Quatre Septembre
13	U19	**Ivry** Avenue d'	50	78 Bd Masséna	R. de Tolbiac	Tolbiac
13	V20	**Ivry** Porte d'	50	Bd Périphérique		Bibl. F. Mitterrand
13	U22	**Ivry** Quai d'	50	1 Bd Masséna	2 R. Bruneseau	Bibl. F. Mitterrand
		J				
6	N14	**Jacob** Rue	24	45 R. de Seine	29 R. des Sts-Pères	St-Germain-des-Prés
9	I15	**Jacob Kaplan** Place	35	R. La Fayette	R. Laffitte	Le Peletier
11	L20	**Jacquard** Rue	42	15 R. Ternaux	54 R. Oberkampf	Parmentier
17	F12	**Jacquemont** Rue	68	87 Av. de Clichy	50 R. Lemercier	La Fourche
17	F12	**Jacquemont** Villa	68	12 R. Jacquemont	(en impasse)	La Fourche
14	S14	**Jacques Antoine** Square	55	Pl. Denfert-Rochereau	Bd Raspail	Denfert-Rochereau
17	G6	**Jacques Audiberti** Jardin	65	R. Cino Del Duca	Av. de la Pte de Villiers	Pte de Champerret
7	M12	**Jacques Bainville** Place	26	229 Bd St-Germain	6 R. St-Dominique	Solférino
15	T9	**Jacques Baudry** Rue	57	115 R. Castagnary	181 Bd Lefebvre	Pte de Vanves
17	G10	**Jacques Bingen** Rue	66	18 Pl. Malesherbes	17 R. Legendre	Malesherbes
10	J18	**Jacques Bonsergent** Place	39	Bd de Magenta	R. L. Sampaix	Jacques Bonsergent
6	N14	**Jacques Callot** Rue	21	42 R. Mazarine	47 R. de Seine	Mabillon

18	E13	**Jacques Cartier** Rue	69	228 R. Championnet	20 R. Lagille	Guy Môquet
7	O10	**Jacques Chaban-Delmas** Espl.	27	Pl. de Breteuil	Av. Duquesne	St-Franç.-Xavier
4	O19	**Jacques Cœur** Rue	3	4 R. de la Cerisaie	3 R. St-Antoine	Bastille
6	N14	**Jacques Copeau** Place	24	141 Bd St-Germain	145 Bd St-Germain	St-Germain-des-Prés
14	U15	**Jacques Debu-Bridel** Place	54	Av. Reille	R. Gazan	Cité Univ. (RER B)
14	S13	**Jacques Demy** Place	55	R. Mouton-Duvernet	R. Saillard	Mouton-Duvernet
13	V17	**Jacques Destrée** Rue	51	Av. Gabriel Péri (Gentilly)	Av. Gallieni (Gentilly)	Pte d'Italie
19	D20	**Jacques Duchesne** Rue	74	192 Bd Macdonald	55 R. Émile Bollaert	Pte de la Chapelle
15	Q11	**Jacques et Thérèse Tréfouel** Pl.	58	R. de Vaugirard	R. Dr Roux	Pasteur
18	E13	**Jacques Froment** Place	69	R. J. de Maistre	R. Lamarck	Guy Môquet
12	Q23	**Jacques Hillairet** Rue	46	2 R. Montgallet	68 R. de Reuilly	Montgallet
18	F7	**Jacques Ibert** Rue	65	R. P. Wilson (Levallois-P.)	Av. de la Pte de Champerret	Louise Michel
18	G18	**Jacques Kablé** Rue	72	33 R. du Département	56 R. P. de Girard	La Chapelle
17	D13	**Jacques Kellner** Rue	68	125 Av. de St-Ouen	39 Bd Bessières	Pte de St-Ouen
12	J20	**Jacques Louvel Tessier** Rue	40	22 R. Bichat	195 R. St-Maur	Goncourt
15	S9	**Jacques Marette** Place	57	R. de Cronstadt	R. des Morillons	Convention
15	R7	**Jacques Mawas** Rue	57	R. du Cdt Léandri	R. Fr. Mouthon	Convention
16	N4	**Jacques Offenbach** Rue	62	3 R. du Gal Aubé	6 R. A. Arnauld	Ranelagh
20	L23	**Jacques Prévert** Rue	79	R. des Amandiers	18 R. de Tlemcen	Père Lachaise
9	J14	**Jacques Rouché** Place	34	R. Meyerbeer	R. Gluck	Chée d'Antin-La Fayette
7	N8	**Jacques Rueff** Place	28	Av. J. Bouvard	Av. J. Bouvard	Ch. de Mars-Tr Eiffel (RER C)
11	N20	**Jacques Viguès** Cour	43	3 Cour St-Joseph	(en impasse)	Ledru-Rollin
5	P17	**Jacques-Henri Lartigue** Rue	17	50 R. du Card. Lemoine	24 R. Monge	Card. Lemoine
14	T11	**Jacquier** Rue	56	37 R. L. Morard	17 R. Bardinet	Plaisance
17	H9	**Jadin** Rue	66	39 R. de Chazelles	34 R. Médéric	Courcelles
5	Q17	**Jaillot** Passage	18	3 R. St-Médard	10 R. Ortolan	Place Monge
13	R20	**James Joyce** Jardin	50	R. G. Balanchine	R. A. Gance	Quai de la Gare
13	T11	**Jamot** Villa	56	105 R. Didot	(en impasse)	Plaisance
16	K4	**Jan Doornik** Jardin	63	Bd Flandrin	R. de Longchamp	Av. Foch (RER C)
19	I21	**Jandelle** Cité	76	53 R. Rébeval	(en impasse)	Buttes Chaumont
16	M4	**Jane Evrard** Place	62	Av. Paul Doumer	R. de Passy	La Muette
19	H24	**Janssen** Rue	75	18 R. des Lilas	11 R. Inspecteur Allès	Pré St-Gervais
20	K24	**Japon** Rue du	79	1 R. Belgrand	48 Av. Gambetta	Gambetta
11	N22	**Japy** Rue	43	4 R. Neufchâteau	7 R. Gobert	Voltaire
6	N15	**Jardinet** Rue du	21	12 R. de l'Éperon	Cour de Rohan	Odéon
11	O23	**Jardiniers** Impasse des	44	215 Bd Voltaire	(en impasse)	Rue des Boulets
12	S24	**Jardiniers** Rue des	46	313 R. de Charenton	29 R. des Meuniers	Pte de Charenton
4	N18	**Jardins Saint-Paul** Rue des	14	28 Q. Célestins	7 R. Charlemagne	St-Paul
4	N19	**Jarente** Rue de	14	R. de Turenne	12 R. de Sévigné	St-Paul
10	I17	**Jarry** Rue	38	67 Bd de Strasbourg	90 R. du Fbg St-Denis	Château d'Eau
16	O3	**Jasmin** Cour	61	16 R. Jasmin	(en impasse)	Jasmin
16	O3	**Jasmin** Rue	61	78 Av. Mozart	14 R. Raffet	Jasmin
16	N3	**Jasmin** Square	61	8 R. Jasmin		Jasmin
12	P24	**Jaucourt** Rue	46	17 R. de Picpus	8 Pl. de la Nation	Nation
15	O5	**Javel** Port de	60	Pont Garigliano	Pont de Grenelle	Mirabeau
15	P5-Q7	**Javel** Rue de	60-57	37 Q. A. Citroën	152 R. Blomet	Javel - Convention
13	U19	**Javelot** Rue du	50	103 R. de Tolbiac	49 R. Baudricourt	Tolbiac
11	K21	**Jean Aicard** Avenue	50	R. Oberkampf	Pas. Ménilmontant	Ménilmontant
13	S21	**Jean Anouilh** Rue	50	R. E. Durkheim	R. de Tolbiac	Bibl. F. Mitterrand
13	T22	**Jean-Antoine De Baïf** Rue	50	Q. Panhard et Levassor	4 R. de la Croix Jarry	Bibl. F. Mitterrand
13	R20	**Jean Arp** Rue	50	Bd V. Auriol	R. G. Balanchine	Quai de la Gare
13	U22	**Jean-Baptiste Berlier** Rue	50	Q. d'Ivry	Bd Masséna	Bibl. F. Mitterrand
18	F15	**Jean-Baptiste Clément** Place	69-70	38 R. Gabrielle	9 R. Norvins	Abbesses
17	G7	**Jean-Baptiste Dumas** Rue	65	44 R. Bayen	57 R. Laugier	Pte de Champerret
20	I22	**Jean-Baptiste Dumay** Rue	77	346 R. des Pyrénées	114 R. de Belleville	Jourdain - Pyrénées
18	P7	**Jean-Baptiste Luquet** Villa	59	43 R. des Entrepreneurs	86 Av. Émile Zola	Ch. Michels
9	H14	**Jean-Baptiste Pigalle** Rue	33	18 R. Blanche	9 Pl. Pigalle	Trinité - Pigalle
9	H15	**Jean-Baptiste Say** Rue	36	1b R. Bochart de Saron	2 R. Lallier	Anvers - Pigalle
19	G24-G25	**Jean-Baptiste Semanaz** Rue	75	R. S. Freud	R. A. Joineau	Danube
6	P13	**Jean Bart** Rue	23	29 R. de Vaugirard	10 R. de Fleurus	Rennes
4	N19	**Jean Beauvais** Impasse	15	19 R. J. Beauvais	(en impasse)	Bastille
4	N19	**Jean Beauvais** Passage	15	11 R. Jean Beauvais	12 R. des Tournelles	Bastille
4	N19	**Jean Beausire** Rue	15	7 R. de la Bastille	13 Bd Beaumarchais	Bastille
16	M5	**Jean Bologne** Rue	62	12 R. de l'Annonciation	51 R. de Passy	Passy - La Muette
12	P21	**Jean Bouton** Rue	48	16 R. Hector Malot	R.P.H. Grauwin	Gare de Lyon
5	Q16	**Jean Calvin** Rue	28	94 R. Mouffetard	Pl. Lucien Herr	Censier-Daubenton
7	N9	**Jean Carriès** Rue	28	Al. Thomy Thierry	61 Av. Suffren	La Motte-P.-Grenelle
14	S14	**Jean-Claude Arnould** Rue	55	77 Bd St-Jacques	R. Jean Minjoz	Denfert-Rochereau
13	V16	**Jean-Claude-Nicolas Forestier** Sq.	51	Bd Kellermann	R. Thomire	Pte d'Italie
18	D16	**Jean Cocteau** Rue	70	15 Av. de la Pte Poissonnière	1 R. F. de Croisset	Pte de Clignancourt
13	R5	**Jean Cocteau** Square	60	R. Modigliani	R. Jongkind	Lourmel
13	T20	**Jean Colly** Rue	50	48 R. de Tolbiac	104 R. Chât. Rentiers	Pte d'Ivry - Nationale
18	E18	**Jean Cottin** Rue	72	22 R. des Roses	(en impasse)	Pte de la Chapelle

13	S18-T20	Jeanne D'Arc Rue	50-49	52 R. de Domrémy	41 Bd St-Marcel	Nationale
15	Q8	Jeanne Hachette Rue	57	163 R. Lecourbe	112 R. Blomet	Vaugirard
12	P27	Jeanne Jugan Rue	45	29 Av. Courteline	72 Av. de la Pte de Vincennes (en impasse)	St-Mandé Tourelle
18	G15	Jehan Rictus Square	69-70	Pl. des Abbesses		Abbesses
10	J19-K19	Jemmapes Quai de	39-40	29 R. du Fbg du Temple	131 Bd de la Villette	Goncourt - Jaurès
13	R18-S19	Jenner Rue	49	80 Bd V. Auriol	140 R. Jeanne d'Arc	Nationale
17	G8	Jérôme Bellat Square	65	Bd Berthier	Pl. Stuart Merryl	Pte de Champerret
18	G18	Jessaint Rue de	71	28 Pl. de la Chapelle	1 R. de la Charbonnière	La Chapelle
18	G18	Jessaint Square	71	Pl. de la Chapelle		La Chapelle
11	K19	Jeu de Boules Passage du	41	142 R. Amelot	45 R. de Malte	Oberkampf
2	K16-J15	Jeûneurs Rue des	7	5 R. Poissonnière	156 R. Montmartre	Sentier
1	M16	Joachim Du Bellay Place	1	R. Berger	R. des Innocents	Châtelet-Les Halles
13	V18	Joan Miró Jardin	51	R. Oandon	R. Tagore	Pte d'Italie
14	T11	Joanès Passage	56	93 R. Didot	10 R. Joanès	Plaisance
14	T11	Joanès Rue	56	54 R. de l'Abbé Carton	7 R. Boulitte	Plaisance
15	S8	Jobbé Duval Rue	57	40 R. Dombasle	R. des Morillons	Convention
16	K5	Jocelyn Villa	63	1 Sq. Lamartine	(en impasse)	Rue de la Pompe
7	N9	Joffre Place	28-27	Av. de La Bourdonnais	Av. de Suffren	École Militaire
3	K18	Johann Strauss Place	39	R. René Boulanger	Bd St-Martin	République
18	K18	Johann Strauss Place	39	R. René Boulanger	Bd St-Martin	République
19	E21	Joinville Impasse de	73	106 R. de Flandre	R. de Joinville	Crimée
19	F21	Joinville Place de	73	R. Jomard	Q. de l'Oise	Crimée
19	F21	Joinville Rue de	73	3 Q. de l'Oise	102 R. de Flandre	Crimée
14	Q12	Jolivet Rue	53	R. du Maine	R. Poinsot	Edgar Quinet
11	L22	Joly Cité	42	121 R. du Chemin Vert	(en impasse)	Père Lachaise
19	F21	Jomard Rue	73	160 R. de Crimée	R. de Joinville	Crimée
13	T17	Jonas Rue	51	R. E. Atget	28 R. Samson	Corvisart
14	R5	Jongkind Rue	60	R. St-Charles	R. Varet	Lourmel
14	T10	Jonquilles Rue des	56	182 R. R. Losserand	211 R. Vercingétorix	Pte de Vanves
14	T11	Jonquoy Rue	56	9 R. des Suisses	78 R. Didot	Plaisance
7	P10	José-Maria De Heredia Rue	27	67 Av. de Ségur	16 R. Pérignon	Ségur
16	L6	José Marti Place	62	R. du Cdt Schlœsing	Av. P. Doumer	Trocadéro
9	I15	José Rizal Place		R. de Maubeuge	R. Charon	Cadet
6	S3	Joseph Bara Rue	23	108 R. d'Assas	93 R. N.-D. des Champs	Vavin - Port Royal (RER B)
13	V20	Joseph Bédier Avenue	50	15 R. M. Bastié	4 Pl. Dr Yersin	Pte d'Ivry
7	N8	Joseph Bouvard Avenue	28	Pl. du Gal Gouraud	35 Av. de Suffren	École Militaire
12	S25	Joseph Chailley Rue	45	92 Bd Poniatowski	5 Av. de Foucauld	Pte Dorée
14	R11	Joseph Crocé Spinelli Rue	56	61 R. Vercingétorix	80 R. de l'Ouest	Pernety
18	G14-E13	Joseph De Maistre Rue	69	31 R. Lepic	217 R. Championnet	Guy Môquet
18	E16	Joseph Dijon Rue	70	25 Bd Ornano	86 R. du Mont Cenis	Simplon
20	L23	Joseph Epstein Place	79	13 R. des Mûriers	14 R. des Partants	Gambetta
16	H5	Joseph et Marie Hackin Rue	64	2 Bd Maillot	23 Av. de Neuilly	Pte Maillot
7	N10	Joseph Granier Rue	28	3 R. L. Codet	8 Av. Tourville	École Militaire
12	S22	Joseph Kessel Rue	47	Q. de Bercy	R. de Dijon	Cour St-Émilion
19	F22	Joseph Kosma Rue	74	26 R. des Ardennes	Q. de la Garonne	Ourcq
20	P8	Joseph Liouville Rue	58	4 R. A. Dorchain	43 R. Mademoiselle	Commerce
20	L26	Joseph Python Rue	80	90 R. L. Lumière	(en impasse)	Pte de Bagnolet
8	I12	Joseph Sansbœuf Rue	32	6 R. de la Pépinière	5 R. du Rocher	St-Lazare
18	D15	Joséphine Rue	69	117 R. Damrémont	(en impasse)	Pte de Clignancourt
14	Q12	Joséphine Baker Place	53	Bd Edgar Quinet	R. Poinsot	Edgar Quinet
20	N25	Josseaume Passage	80	67 R. des Haies	72 R. des Vignoles	Buzenval
11	N21	Josset Passage	44	38 R. de Charonne	(en impasse)	Ledru-Rollin
9	I13-I14	Joubert Rue	34	35 R. Chée d'Antin	Pl. G. Berry	Chée d'Antin-La Fayette
11	N24	Joudrier Impasse	44	87 Bd de Charonne	(en impasse)	Alexandre Dumas
9	J15	Jouffroy Passage	35	10 Bd Montmartre	9 R. Grange Batelière	Grands Boulevards
17	G10-F11	Jouffroy D'Abbans Rue	67-66	145 R. Cardinet	80 Av. de Wagram	Wagram
1	L16	Jour Rue du	2	2 R. de la Coquillière	9 R. Montmartre	Les Halles
20	I23	Jourdain Rue du	77	336 R. Pyrénées	134 R. de Belleville	Jourdain
14	V15-U13	Jourdan Boulevard	54-55	100 R. Aml Mouchez	1 Pl. du 25 Août 1944	Pte d'Orléans
16	Q3	Jouvenet Rue	61	150 Av. de Versailles	49 R. Boileau	Chardon Lagache
16	Q3	Jouvenet Square	61	14 R. Jouvenet	(en impasse)	Chardon Lagache
20	N18	Jouy Rue de	14	13 R. Nonnains d'H.	50 R. F. Miron	St-Paul
20	J22	Jouye Rouve Rue	77	60 R. de Belleville	66 R. J. Lacroix	Pyrénées
17	D12	Joyeux Cité	68	51 R. des Épinettes	(en impasse)	Pte de St-Ouen
15	Q7	Juge Rue	59	9 R. Viala	6 R. Violet	Dupleix
15	Q7	Juge Villa	59	20 R. Juge	4 Villa Grenelle	Dupleix
4	M17	Juges Consuls Rue des	13	68 R. de la Verrerie	R. du Cloître St-Merri	Hôtel de Ville
20	K23	Juillet Rue	79	44 R. de la Bidassoa	54 R. de la Bidassoa	Gambetta
17	F8	Jules Bourdais Rue	66	130 Bd Berthier	1 Av. Massard	Pereire
13	R18	Jules Breton Rue	49	166 R. Jeanne d'Arc	35 Bd St-Marcel	Campo Formio
12	O19	Jules César Rue	48	22 Bd de la Bastille	43 R. de Lyon	Quai de la Rapée
6	Q13	Jules Chaplain Rue	23	60 R. N.-D. des Champs	21 R. Bréa	Vavin
20	N26	Jules Chéret Square	80	11 R. Mendels	9 R. des Drs Déjerine	Pte de Montreuil

Ar	Plan	Rues / Streets	Quart.	Commençant	Finissant	Métro
16	L5	**Jules Claretie** Rue	62	36 Bd Émile Augier	(en impasse)	La Muette
18	D14	**Jules Cloquet** Rue	69	20 Pas. C. Albert	131 Bd Ney	Pte de St-Ouen
4	O19	**Jules Cousin** Rue	15	15 Bd Henri IV	10 R. du Petit Musc	Sully-Morland
20	J25	**Jules Dumien** Rue	78	106 R. de Pelleport	3 R. H. Poincaré	Pelleport
15	T8	**Jules Dupré** Rue	57	4 R. des Périchaux	93 Bd Lefebvre	Pte de Versailles
11	K19	**Jules Ferry** Boulevard	41	13 Av. de la République	28 R. du Fbg du Temple	République
11	K19	**Jules Ferry** Square	41	Bd Jules Ferry		République
14	R12	**Jules Guesde** Rue	56	17 R. Vercingétorix	16 R. R. Losserand	Gaîté
14	U13	**Jules Hénaffe** Place	54	R. de la Tombe Issoire	Av. Reille	Pte d'Orléans
13	S20	**Jules Isaac** Promenade	50	172 Avenue de France	2 Rue de Tolbiac	Bibl. F. Mitterrand
16	M5	**Jules Janin** Avenue	62	12 R. de la Pompe	32 R. de la Pompe	La Muette
18	E16	**Jules Joffrin** Place	70	R. Ordener	R. du Mont Cenis	Jules Joffrin
18	F15	**Jules Jouy** Rue	70	16 R. Francoeur	3 R. Cyrano de Bergerac	Lamarck-Caulaincourt
19	H23	**Jules Laforgue** Villa	79	13 R. M. Hidalgo	(en impasse)	Botzaris
9	H13	**Jules Lefebvre** Rue	33	49 R. de Clichy	66 R. d'Amsterdam	Liège
12	Q26	**Jules Lemaître** Rue	45	62 Bd Soult	13 Av. M. Ravel	Pte de Vincennes
12	S24	**Jules Pichard** Rue	46	33 R. des Meuniers	(en impasse)	Pte de Charenton
17	G7	**Jules Renard** Place	65	Bd Gouvion St-Cyr	R. A. Charpentier	Pte de Champerret
16	Q1	**Jules Rimet** Place	61	Av. du Parc des Princes		Pte de St-Cloud
19	J21	**Jules Romains** Rue	76	R. de Belleville	R. Henri Ribière	Belleville
16	L4	**Jules Sandeau** Boulevard	62	2 R. Oct. Feuillet	Av. H. Martin	La Muette
19	I26	**Jules Senard** Place	75	11 Av. de la Pte des Lilas	(en impasse)	Pte des Lilas
20	K26	**Jules Siegfried** Rue	78	1 R. Irénée Blanc	32 R. P. Strauss	Pte de Bagnolet
15	Q7	**Jules Simon** Rue	57	141 R. de la Croix Nivert	2 R. Cournot	Félix Faure
1	J16	**Jules Supervielle** Allée	2	R. Berger	Pl. René Cassin	Les Halles
11	N22	**Jules Vallès** Rue	44	23 R. Chanzy	102 R. de Charonne	Charonne
11	J20	**Jules Verne** Rue	41	21 R. de l'Orillon	98 R. du Fbg du Temple	Belleville
14	U9	**Julia Bartet** Rue	56	Pl. de la Pte de Vanves	Bd Adolphe Pinard	Pte de Vanves
20	K22-J22	**Julien Lacroix** Rue	77	49 R. de Ménilmontant	56 R. de Belleville	Pyrénées
13	S16	**Julienne** Rue de	52	62 R. Pascal	45 Bd Arago	Les Gobelins
10	I20	**Juliette Dodu** Rue	40	3 Av. C. Vellefaux	20 R. Grange aux Belles	Colonel Fabien
17	F9	**Juliette Lamber** Rue	66	36 Bd Péreire	190 Bd Malesherbes	Wagram - Pereire
18	F14	**Junot** Avenue	69	3 R. Girardon	66 R. Caulaincourt	Lamarck-Caulaincourt
13	R17	**Jura** Rue du	49	49 Bd St-Marcel	14 R. Oudry	Campo Formio
2	K16	**Jussienne** Rue de la	7	40 R. Étienne Marcel	41 R. Montmartre	Sentier
5	P17	**Jussieu** Place	17	22 R. Jussieu	R. Linné	Jussieu
5	P17	**Jussieu** Rue	17	12 R. Cuvier	35 R. du Card. Lemoine	Jussieu
18	F14	**Juste Métivier** Rue	69	37 Av. Junot	56 R. Caulaincourt	Lamarck-Caulaincourt
4	N17	**Justes de France** Allée des	14	17 R. Geoffroy l'Asnier	14 R. du Pt Louis-Philippe	Pont Marie
20	K26	**Justice** Rue de la	78	70 R. du Surmelin	61 Bd Mortier	St-Fargeau
6	M14	**Justin Godart** Place	21	Pont du Carrousel	Face au 11 Quai Malaquais	St-Germain-des-Prés

K

Ar	Plan	Rues / Streets	Quart.	Commençant	Finissant	Métro
19	G19	**Kabylie** Rue de	73	216 Bd de la Villette	12 R. de Tanger	Stalingrad
11	N21	**Keller** Rue	43	41 R. de Charonne	72 R. de la Roquette	Ledru-Rollin
13	V17	**Kellermann** Boulevard	51	192 Av. d'Italie	99 R. Aml Mouchez	Pte d'Italie - Cité Univ. (RER B)
13	V17	**Kellermann** Parc	51	R. de la Poterne des Peupliers	Bd Kellerman	Pte d'Italie
16	J8	**Kepler** Rue	64	19 R. de Bassano	40 R. Galilée	George V - Kléber
13	V17	**Keufer** Rue	51	31 Bd Kellermann	R. Max Jacob	Pte d'Italie
16	J7-J8	**Kléber** Avenue	64	Pl. Ch. De Gaulle	Pl. du Trocadéro	Trocadéro - Kléber
16	K7	**Kléber** Impasse	64	Av. Kléber	R. Lauriston	Boissière
9	I15	**Kossuth** Place	35	R. de Maubeuge	R. de Châteaudun	N.-D. de Lorette
18	E16	**Kracher** Passage	70	137 R. de Clignancourt	10 R. Nve la Chardonnière	Simplon
13	V17	**Küss** Rue	51	38 R. des Peupliers	R. Brillat Savarin	Maison Blanche
15	N7	**Kyoto** Place de	59	Q. Branly	R. de la Fédération	Bir Hakeim

L

Ar	Plan	Rues / Streets	Quart.	Commençant	Finissant	Métro
18	F15-F16	**La Barre** Rue du Chevalier De	70	9 R. Ramey	8 R. du Mont Cenis	Château Rouge
8	I10	**La Baume** Rue De	32	20 R. de Courcelles	11 Av. Percier	St-Philippe du R.
8	J10-I12	**La Boétie** Rue	30 à 32	3 Pl. St-Augustin	60 Av. de Chps Élysées	St-Philippe du R.
7	M8-N9	**La Bourdonnais** Avenue De	28	61 Q. Branly	2 Pl. Éc. Militaire	École Militaire
7	L8	**La Bourdonnais** Port De	28	Pont d'Iéna	Pont de l'Alma	Alma-Marceau
9	H14	**La Bruyère** Rue	33	31 R. N.-D. de Lorette	48 R. Blanche	St-Georges
9	H14	**La Bruyère** Square	33	19 R. J.-B. Pigalle		Trinité - St-Georges
19	F23	**La Champmeslé** Square	75	182 Av. Jean Jaurès	(en impasse)	Pte de Pantin
17	G12-F12	**La Condamine** Rue	68-67	73 Av. de Clichy	12 R. Dulong	Rome - La Fourche
9	J14-H19	**La Fayette** Rue	34 à 37	38 R. de la Chée d'Antin	1 Pl. de Stalingrad	Chée d'Antin-La Fayette
10	I17-H19	**La Fayette** Rue	37	38 R. de la Chée d'Antin	1 Pl. de Stalingrad	Gare du Nord

	K15	**La Feuillade** Rue	3-6	4 Pl. des Victoires	2 R. des Petits Pères	Bourse - Sentier
	K15	**La Feuillade** Rue	6	4 Pl. des Victoires	2 R. des Petits Pères	Bourse - Sentier
	N5	**La Fontaine** Hameau	61	8 R. J. De La Fontaine	(en impasse)	Kennedy-R.France (RER C)
	Q3	**La Fontaine** Rond-Point	61	Av. Molière	Impasse Voltaire	Michel Ange-Molitor
	O4	**La Fontaine** Square	61	33 R. J. De La Fontaine	(en impasse)	Ranelagh - Jasmin
	R10	**La Fresnaye** Villa	58	R. Dutor	(en impasse)	Volontaires
	Q2	**La Frilière** Avenue De	61	41 R. C. Lorrain	R. Parent de Rosan	Exelmans
	E11	**La Jonquière** Impasse De	60	101 R. de la Jonquière	(en impasse)	Pte de Clichy
	E12-D11	**La Jonquière** Rue De	68	81 Av. de St-Ouen	107 Bd Bessières	Pte de Clichy
	J14	**La Michodière** Rue De	5	28 R. St-Augustin	29 Bd des Italiens	Quatre Septembre
	O8-O9	**La Motte-Picquet** Avenue De	59	64 Bd de la Tr Maubourg	111 Bd de Grenelle	La Tour-Maubourg
	O8-O9	**La Motte-Picquet** Avenue De	59	64 Bd de la Tr Maubourg	111 Bd de Grenelle	La Tour-Maubourg
	O8	**La Motte-Picquet** Square De	59	11 Pl. Cal Amette	5 R. d'Ouessant	La Motte-P.-Grenelle
	J8	**La Pérouse** Rue	64	4 R. de Belloy	5 R. de Presbourg	Kléber
	N13	**La Planche** Rue De	25	15 R. Varenne	(en impasse)	Sèvres-Babylone
	R10-R9	**La Quintinie** Rue	58	18 R. Bargue	31 R. d'Alleray	Volontaires
	M16	**La Reynie** Rue De	2	89 R. St-Martin	32 R. St-Denis	Châtelet
	M16-M17	**La Reynie** Rue De	2-13	89 R. St-Martin	32 R. St-Denis	Châtelet
	I14-H14	**La Rochefoucauld** Rue De	33	52 R. St-Lazare	52 R. J.-B. Pigalle	Trinité
	N12	**La Rochefoucauld** Square De	25	108 R. du Bac	(en impasse)	Sèvres-Babylone
	K14	**La Sourdière** Rue De	4	306 R. St-Honoré	1 R. Gomboust	Tuileries
	H15	**La Tour D'Auvergne** Impasse De	36	34 R. de la Tr d'Auvergne	(en impasse)	Anvers
	H15	**La Tour D'Auvergne** Rue De	36	35 R. Maubeuge	52 R. des Martyrs	St-Georges
	M10-L10	**La Tour-Maubourg** Bd De	26 à 28	43 Q. d'Orsay	2 Av. Lowendal	La Tour-Maubourg
	M10	**La Tour-Maubourg** Square De	28	143 R. de Grenelle	(en impasse)	La Tour-Maubourg
	K9	**La Trémoille** Rue De	29	14 Av. George V	27 R. François Ier	Alma-Marceau
	M22	**La Vacquerie** Rue	43	3 R. Folie Regnault	164 R. de la Roquette	Charonne
	G15	**La Vieuville** Rue De	70	Pl. Abbesses	31 R. des Trois Frères	Abbesses
	K15	**La Vrilière** Rue	3	41 R. Croix des Petits Chps	7 R. La Feuillade	Bourse
	F16-F17	**Labat** Rue	70	61 R. des Poissonniers	14 R. Bachelet	Marcadet-Poissonniers
	H7	**Labie** Rue	65	79 Av. des Ternes	44 R. Brunel	Pte Maillot
	R20	**Labois Rouillon** Rue	73	25 R. Curial	164 R. d'Aubervilliers	Crimée
	I11-I12	**Laborde** Rue de	32	15 R. du Rocher	58 R. de Miromesnil	St-Lazare
	T9	**Labrador** Impasse du	57	5 R. Camulogène	(en impasse)	Pte de Vanves
	S10	**Labrouste** Rue	57	6 Pl. Falguière	109 R. des Morillons	Volontaires
	K22	**Labyrinthe** Cité du	79	24 R. de Ménilmontant	35 R. des Panoyaux	Ménilmontant
	V15	**Lac** Allée du	54	Parc Montsouris		Cité Univ. (RER B)
	E13	**Lacaille** Rue	68	51 R. Guy Môquet	19 R. de la Jonquière	Guy Môquet
	U13	**Lacaze** Rue	55	128 R. de la Tombe Issoire	35 R. du Père Corentin	Pte d'Orléans - Alésia
	Q17	**Lacépède** Rue	18-17	59 R. G. St-Hilaire	1 Pl. de la Contrescarpe	Place Monge
	R22	**Lachambeaudie** Place	47	R. de Dijon	R. Proudhon	Cour St-Émilion
	L21	**Lacharrière** Rue	42	73 Bd Voltaire	61 R. St-Maur	Rue St-Maur
	V19	**Lachelier** Rue	50	Pl. Port au Prince	107 Bd Masséna	Pte de Choisy
	Q6	**Lacordaire** Rue	60	80 R. de Javel	177 R. St-Charles	Lourmel - Boucicaut
	S7	**Lacretelle** Rue	57	393 R. Vaugirard	47 R. Vaugelas	Pte de Versailles
	F12	**Lacroix** Rue	68	112 Av. de Clichy	29 R. Davy	Brochant
	O20	**Lacuée** Rue	48	32 Bd de la Bastille	45 R. de Lyon	Bastille
	H15	**Laferrière** Rue	33	10 R. N.-D. de Lorette	2 R. H. Monnier	St-Georges
	J15-I15	**Laffitte** Rue	34-35	18 Bd des Italiens	19 R. Châteaudun	Richelieu Drouot
	Q16	**Lagarde** Rue	19	11 R. Vauquelin	16 R. de l'Arbalète	Censier-Daubenton
	L5	**Lagarde** Square	19	7 R. Lagarde	(en impasse)	Censier-Daubenton
	F17	**Laghouat** Rue de	71	39 R. Stephenson	18 R. Léon	Marx Dormoy
	E13	**Lagille** Rue	69	116 Av. de St-Ouen	(en impasse)	Guy Môquet
	O26	**Lagny** Passage de	80	87 R. de lagny	18 R. Philidor	Pte de Vincennes
	O25-O26	**Lagny** Rue de	80	10 Bd de Charonne	Av. L. Gaumont	Pte de Vincennes
	O16	**Lagrange** Rue	20	21 Q. de Montebello	18 Pl. Maubert	Maubert-Mutualité
	T19	**Lahire** Rue	50	33 Pl. Jeanne d'Arc	116 Pl. Nationale	Nationale
	P8	**Lakanal** Rue	59	85 R. du Commerce	88 R. de la Croix Nivert	Commerce
	S13	**Lalande** Rue	53-55	17 R. Froidevaux	8 R. Liancourt	Denfert-Rochereau
	H15	**Lallier** Rue	36	26 Av. Trudaine	53 Bd de Rochechouart	Pigalle
	G20	**Lally-Tollendal** Rue	73	71 R. de Meaux	38 Av. J. Jaurès	Bolivar - Jaurès
	I5	**Lalo** Rue	63	62 R. Pergolèse	32 Bd Marbeau	Pte Dauphine
	G12	**Lamandé** Rue	67	6 R. Bridaine	78 R. Legendre	Rome - La Fourche
	E14-F16	**Lamarck** Rue	70-69	R. Cal Dubois	68 Av. de St-Ouen	Lamarck-Caulaincourt
	E14	**Lamarck** Square	69	102 R. Lamarck	(en impasse)	Lamarck-Caulaincourt
	I15	**Lamartine** Rue	35-36	1 R. Rochechouart	72 R. du Fbg Montmartre	Cadet - N.-D. de Lorette
	L5	**Lamartine** Square	63	189 Av. V. Hugo	70 Av. H. Martin	Rue de la Pompe
	N5-N6	**Lamballe** Avenue de	62	68 Av. du Pdt Kennedy	63 R. Raynouard	Kennedy-R.France (RER C)
	F16	**Lambert** Rue	70	8 R. Nicolet	29 R. Custine	Château Rouge
	O24	**Lamblardie** Rue	46	7 Pl. Félix Éboué	84 R. de Picpus	Daumesnil
	I9	**Lamennais** Rue	30	27 R. Washington	19 Av. de Friedland	George V
	M23	**Lamier** Impasse	43	8 R. Mont Louis	(en impasse)	Philippe Auguste
	P26	**Lamoricière** Avenue	45	5 Av. Courteline	8 R. F. Foureau	Pte de Vincennes

133

Ar	Plan	Rues / Streets	Quart.	Commençant	Finissant	Métro
12	R23	Lancette Rue de la	46	2 R. Taine	25 R. Nicolaï	Dugommier
16	Q3	Lancret Rue	61	138 Av. de Versailles	10 R. Jouvenet	Chardon Lagache
10	J18	Lancry Rue de	39	50 R. R. Boulanger	83 Q. de Valmy	Jacques Bonsergent
7	M9	Landrieu Passage	28	169 R. de l'Université	R. St-Dominique	Pont de l'Alma (RER C
15	R7	Langeac Rue de	57	11 R. Desnouettes	356 R. de Vaugirard	Convention
5	O16	Lanneau Rue de	20	2 R. Valette	29 R. de Beauvais	Maubert-Mutualité
16	J5-K4	Lannes Boulevard	63	5 Pl. du Mal de Lattre de Tassigny	98 Av. H. Martin	Av. H. Martin (RER C)
17	E12	Lantiez Rue	68	50 R. de la Jonquière	13 R. du Gal Henrys	Pte de St-Ouen
17	D13	Lantiez Villa	68	32 R. Lantiez	(en impasse)	Guy Môquet
19	H24	Laonnais Square du	75	58 Bd Sérurier	(en impasse)	Pré St-Gervais
15	O9	Laos Rue du	59	88 Av. Suffren	12 R. A. Cabanel	La Motte-P.-Grenell
18	E15	Lapeyrère Rue	70	110 R. Marcadet	115 R. Ordener	Jules Joffrin
5	P16	Laplace Rue	20	58 R. Mont. Ste-Genev.	11 R. Valette	Maubert-Mutualité
11	N20	Lappe Rue de	43	32 R. de la Roquette	13 R. de Charonne	Bastille
16	M14	Largillière Rue	62	12 Av. Mozart	1 Bd de Beauséjour	La Muette
14	R12	Larochelle Rue	53	31 R. de la Gaîté	(en impasse)	Gaîté
5	P16	Laromiguière Rue	19	7 R. Estrapade	8 R. Amyot	Place Monge
5	Q17	Larrey Rue	18	18 R. Daubenton	75 R. Monge	Place Monge
8	H11	Larribe Rue	32	33 R. Constant.	86 R. du Rocher	Villiers
7	M12	Las Cases Rue	26	38 R. Bellechasse	13 R. Bourgogne	Solférino
12	Q25-Q26	Lasson Rue	45	34 Av. Dr. Netter	9 R. Marguettes	Picpus
19	I23	Lassus Rue	75	137 R. de Belleville	1 R. Fessart	Jourdain
16	J6	Lasteyrie Rue de	63	101 Av. R. Poincaré	180 R. de la Pompe	Victor Hugo
18	G13	Lathuille Passage	69	12 Av. de Clichy	11 Pas. de Clichy	Place de Clichy
5	O16	Latran Rue de	20	10 R. de Beauvais	7 R. Thénard	Maubert-Mutualité
17	G7-H8	Laugier Rue	65	23 R. Poncelet	7 Bd Gouvion St-Cyr	Ternes
17	G8	Laugier Villa	65	86 R. Laugier	(en impasse)	Pte de Champerret
19	G21	Laumière Avenue de	76-73	2 R. A. Carrel	94 Av. J. Jaurès	Laumière
15	P5	Laure Surville Rue	60	4 Av. Émile Zola	3 R. de la Convention	Javel
20	K23	Laurence Savart Rue	79	16 R. Boyer	19 R. du Retrait	Gambetta
16	J6	Laurent Pichat Rue	63	52 Av. Foch	49 R. Pergolèse	Victor Hugo
6	N14	Laurent Prache Square	24	R. de l'Abbaye	R. Bonaparte	St-Germain-des-Pré
16	J7-K7	Lauriston Rue	64-63	9 R. de Presbourg	70 R. de Longchamp	Trocadéro - Kléber
1	L16	Lautréamont Terrasse	2	Forum des Halles	Niveau +1	Châtelet-Les Halles
19	I21	Lauzin Rue	72	39 R. Rébeval	59 Av. S. Bolivar	Buttes Chaumont
1	M16	Lavandières Sainte-Opportune R. des	1-2	24 Av. Victoria	7 R. des Halles	Châtelet-Les Halles
10	J18	Lavoir Villa du	39	68 R. René Boulanger	(en impasse)	Strasbourg-St-Den
8	I12	Lavoisier Rue	31	57 R. d'Anjou	22 R. d'Astorg	St-Augustin
14	V13	Le Brix et Mesmin Rue	55	107 Bd Jourdan	6 R. Porto Riche	Pte d'Orléans
13	R17	Le Brun Rue	49	55 Bd St-Marcel	47 Av. des Gobelins	Les Gobelins
20	K25	Le Bua Rue	78	56 R. Pelleport	24 R. du Surmelin	Pelleport
17	G8	Le Châtelier Rue	66	120 Av. de Villiers	183 R. Courcelles	Pereire
6	O13	Le Corbusier Place	23	R. de Sèvres	R. de Babylone	Sèvres-Babylone
13	T16	Le Dantec Rue	51	81 Bd A. Blanqui	12 R. Barrault	Corvisart
5	P15	Le Goff Rue	20-19	15 R. Soufflot	9 R. Gay Lussac	Luxembourg (RER
15	Q5	Le Gramat Allée	60	R. A. Lefebvre	R. de Gutenberg	Javel
16	R2	Le Marois Rue	61	195 Av. de Versailles	117 Bd Murat	Pte de St-Cloud
16	M7	Le Nôtre Rue	62	Av. de New York	1 Bd Delessert	Passy
9	I15	Le Peletier Rue	35	16 Bd Italiens	Pl. Kossuth	Richelieu Drouot
4	O17	Le Regrattier Rue	16	22 Q. d'Orléans	19 Q. Bourbon	Pont Marie
16	I7	Le Sueur Rue	64	32 Av. Foch	38 R. Duret	Argentine
16	M6	Le Tasse Rue	62	20 R. B. Franklin	(en impasse)	Passy - Trocadéro
20	J26-K26	Le Vau Rue	78	Av. Ibsen	Av. de la Pte Ménilmontant	Pte de Bagnolet
6	Q14	Le Verrier Rue	23	114 R. d'Assas	R. N.-D. des Champs	Vavin - Port Royal (RER
8	H12	Lévy Place Jean-Pierre	32	22 R. de Constantinople	1 Rue Andrieux	Villiers - Europe
18	F14	Léandre Villa	69	23 Av. Junot	(en impasse)	Lamarck-Caulaincou
15	R5	Leblanc Rue	60	171 Q. A. Citroën	364 R. Lecourbe	Balard - Bd Victor (RER
17	H7	Lebon Rue	65	11 R. P. Demours	195 Bd Péreire	Pereire
14	R12	Lebouis Impasse	56	5 R. Lebouis	(en impasse)	Gaîté
14	R12	Lebouis Rue	56	21 R. de l'Ouest	10 R. R. Losserand	Gaîté
17	G11	Lebouteux Rue	67	13 R. de Saussure	32 R. de Lévis	Villiers
17	G12	Lechapelais Rue	67	33 Av. de Clichy	6 R. Lemercier	La Fourche
11	L21	Léchevin Rue	42	64 Av. Parmentier	9 Pas. St-Ambroise	Rue St-Maur
20	M25	Leclaire Cité	80	17 R. Riblette	(en impasse)	Pte de Bagnolet
14	S14	Leclerc Rue	53	72 R. du Fbg St-Jacques	50 Bd St-Jacques	St-Jacques
17	G13	Lécluse Rue	67	14 Bd des Batignolles	15 R. des Dames	Place de Clichy
17	F12	Lecomte Rue	68	97 R. Legendre	15 R. Clairaut	Brochant
16	Q1	Lecomte Du Noüy Rue	61	58 Bd Murat	41 Av. du Gal Sarrail	Pte de St-Cloud
16	Q4	Leconte De Lisle Rue	61	60 Av. T. Gautier	8 R. P. Guérin	Église d'Auteuil
16	O4	Leconte De Lisle Villa	61	9 R. Leconte de Lisle	(en impasse)	Église d'Auteuil
15	P10-R6	Lecourbe Rue	58-57-60	2 Bd Pasteur	5 Bd Victor	Sèvres-Lecourbe
15	R7	Lecourbe Villa	60	295 R. Lecourbe	(en impasse)	Lourmel

14	T12	Lecuirot Rue	56	141 R. d'Alésia	18 R. L. Morard	Alésia
18	F16	Lécuyer Rue	70	41 R. Ramey	48 R. Custine	Jules Joffrin
11	T11	Ledion Rue	56	115 R. Didot	28 R. G. Bruno	Plaisance
11	N21	Ledru-Rollin Avenue	48	96 Q. de la Rapée	114 R. de la Roquette	Voltaire
12	O20	Ledru-Rollin Avenue	43	96 Q. de la Rapée	114 R de la Roquette	Quai de la Rapée
15	T8	Lefebvre Boulevard	57	407 R. de Vaugirard	3 Bd Brune	Pte de Versailles
15	S7	Lefebvre Rue	57	108 R. O. de Serres	35 R. Firmin Gillot	Pte de Versailles
17	E13	Legendre Passage	68	59 Av. de St-Ouen	186 R. Legendre	Guy Môquet
17	E13-F11	Legendre Rue	66 à 68	Pl. du Gal Catroux	79 Av. de St-Ouen	Villiers - Guy Môquet
17	G10	Léger Impasse	66	57 R. Tocqueville	(en impasse)	Malesherbes
7	M12	Légion d'Honneur Rue de la	26	Pl. H. De Montherlant	R. de Lille	Solférino
14	V12	Légion Étrangère Rue de la	55	Av. de la Pte d'Orléans	Bd Romain Rolland	Pte d'Orléans
10	J18	Legouvé Rue	39	57 R. Je lancry	24 R. L. Sampaix	Jacques Bonsergent
19	I21	Legrand Rue	76	12 R. Burnouf	83 Av. S. Bolivar	Bolivar - Col. Fabien
12	P21	Legraverend Rue	48	27 Bd Diderot	32 Av. Daumesnil	Gare de Lyon
18	D14	Leibniz Rue	69	91 R. du Poteau	132 Av. de St-Ouen	Pte de St-Ouen
18	D14	Leibniz Square	69	62 R. Leibniz	(en impasse)	Pte de St-Ouen
	M5	Lekain Rue	62	29 R. Annonciation	2 Pl. Chopin	La Muette
14	U15	Lemaignan Rue	54	26 R. Aml Mouchez	23 Av. Reille	Cité Univ. (RER B)
19	I25	Léman Rue du	75	349 R. de Belleville	9 Bd Sérurier	Pte des Lilas
17	F12	Lemercier Cité	67	28 R. Lemercier	(en impasse)	La Fourche
17	G13-F11	Lemercier Rue	66-67	14 R. des Dames	168 R. Cardinet	Place de Clichy
	K17	Lemoine Passage	8	135 Bd Sébastopol	232 R. St-Denis	Strasbourg-St-Denis
20	J21	Lémon Rue	77	120 Bd de Belleville	9 R. Dénoyez	Belleville
14	U13	Leneveux Rue	55	12 R. Marguerin	14 R. A. Daudet	Alésia
18	H16	Lentonnet Rue	36	16 R. Condorcet	21 R. Pétrelle	Poissonnière
9	K7	Léo Delibes Rue	64	88 Av. Kléber	99 R. Lauriston	Boissière
16	R17	Léo Hamon Esplanade	52	Bd Arago	Bd de Port Royal	Les Gobelins
18	F17	Léon Rue	71	34 R. Cavé	33 R. Ordener	Marcadet-Poissonniers
18	G17	Léon Square	71	3 R. St-Luc	25 R. Cavé	Château Rouge
11	M21	Léon Blum Place	43	97 R. de la Roquette	128 Bd Voltaire	Voltaire
13	V18-V19	Léon Bollée Avenue	51	Pl. de Port au Prince	Av. de la Pte d'Italie	Pte de Choisy
18	O4	Léon Bonnat Rue	61	16 R. Ribera	(en impasse)	Jasmin
7	M7-N8	Léon Bourgeois Allée	28	67 Q. Branly	2 Av. O. Gréard	Bir Hakeim
2	K15	Léon Cladel Rue	7	111 R. Montmartre	130 R. Réaumur	Bourse
17	H9	Léon Cogniet Rue	66	17 R. Médéric	14 R. Cardinet	Courcelles
17	G10	Léon Cosnard Rue	66	19 R. Legendre	40 R. Tocqueville	Malesherbes
15	S6	Léon Delagrange Rue	57	37 Bd Victor	(en impasse)	Pte de Versailles
15	R9	Léon Delhomme Rue	57	3 R. François Villon	4 R. Yvart	Vaugirard
16	R2	Léon Deubel Place	61	47 R. Le Marois	R. Gudin	Pte de St-Cloud
15	T8	Léon Dierx Rue	57	86 Bd Lefebvre	42 Av. A. Bartholomé	Pte de Vanves
17	G12	Léon Droux Rue	67	78 Bd des Batignolles	2 R. de Chéroy	Rome
20	J26	Léon Frapié Rue	78	R. de Guébriant	5 R. Evariste Galois	Pte des Lilas
20	M22-N22	Léon Frot Rue	43-44	195 Bd Voltaire	158 R. de la Roquette	Rue des Boulets
20	O27	Léon Gaumont Avenue	80	R. de Lagny	Av. Benoît Frachon	St-Mandé Tourelle
19	F22	Léon Giraud Rue	73	144 R. de Crimée	19 R. de l'Ourcq	Ourcq
15	S9	Léon Guillot Square	57	11 R. de Dantzig	(en impasse)	Convention
16	P4	Léon Heuzey Avenue	61	19 R. de Rémusat	(en impasse)	Mirabeau
17	H9	Léon Jost Rue	66	1 R. de Chazelles	6 R. Cardinet	Courcelles
10	J19	Léon Jouhaux Rue	39	12 Pl. de la République	43 Q. de Valmy	République
11	Q8	Léon Lhermitte Rue	57	91 R. de la Croix Nivert	4 R. Péclet	Commerce
13	S15-S16	Léon-Maurice Nordmann Rue	52	45 Bd Arago	61 R de la Santé	Glacière
6	P11	Léon-Paul Fargue Place	23	Bd du Montparnasse	R. de Sèvres	Duroc
15	P11	Léon-Paul Fargue Place	23	Bd du Montparnasse	R. de Sèvres	Duroc
15	P11	Léon-Paul Fargue Place	23	Bd du Montparnasse	R. de Sèvres	Duroc
15	Q8	Léon Séché Rue	57	21 R. Dr Jacquemaire-Clem.	2 R. Petel	Vaugirard
18	E15	Léon Serpollet Square	69	Imp. des Cloÿs		Jules Joffrin
7	P10	Léon Vaudoyer Rue	27	40 Av. de Saxe	12 R. Pérignon	Ségur
12	R21	Léonard Bernstein Place	47	5161 R. de Bercy		Cour St-Émilion
16	J6	Léonard De Vinci Rue	64	37 R. P. Valéry	2 Pl. Victor Hugo	Victor Hugo
16	K8	Léonce Reynaud Rue	64	5 Av. Marceau	10 R. Freycinet	Alma-Marceau
11	T11	Léone Villa	56	16 R. Bardinet	(en impasse)	Plaisance
14	T12	Léonidas Rue	56	32 R. des Plantes	31 R. H. Maindron	Plaisance - Alésia
12	Q5	Léontine Rue	60	38 R. S. Mercier	29 R. des Cévennes	Javel
2	K16	Léopold Bellan Rue	7	1 R. des P. Carreaux	82 R. Montmartre	Sentier
16	O4	Léopold II Avenue	61	36 R. J. De La Fontaine	Pl. Rodin	Ranelagh - Jasmin
14	Q13	Léopold Robert Rue	53	122 Bd du Montparnasse	213 Bd Raspail	Vavin - Raspail
1	L12-L13	Léopold Sédar Senghor Plle	1	Q. des Tuileries	Q. A. France	Musée d'Orsay (RER C)
1	L12-L13	Léopold Sédar Senghor Plle	26	Q. des Tuileries	Q. A. France	Musée d'Orsay (RER C)
19	H20	Lepage Cité	73	31 R. de Meaux	168 Bd de la Villette	Bolivar - Jaurès
18	G14	Lepic Passage	69	16 R. Lepic	10 R. R. Planquette	Blanche
18	F14-G14	Lepic Rue	69	82 Bd de Clichy	7 Pl. J.-B. Clément	Lamarck-Caulaincourt
13	T20	Leredde Rue	50	17 R. de Tolbiac	R. du Dessous des Berges	Bibl. F. Mitterrand

Ar	Plan	Rues / Streets	Quart.	Commençant	Finissant	Métro
15	R8	**Leriche** Rue	57	375 R. de Vaugirard	52 R. O. de Serres	Convention
15	O8	**Leroi Gourhan** Rue	59	13 R. Bernard Shaw	12 Al. Gal Denain	Dupleix
16	J7	**Leroux** Rue	64	54 Av. V. Hugo	33 Av. Foch	Victor Hugo
20	J23	**Leroy** Cité	77	315 R. des Pyrénées	(en impasse)	Jourdain
20	N4	**Leroy-Beaulieu** Square	61	6 Av. A. Hébrard	(en impasse)	Ranelagh
12	Q25	**Leroy-Dupré** Rue	45	40 Bd de Picpus	25 R. Sibuet	Picpus
20	J21	**Lesage** Cour	77	13 R. Lesage	46 R. de Belleville	Belleville - Pyrénée
20	J22	**Lesage** Rue	77	28 R. de Tourtille	16 R. Jouye Rouve	Pyrénées
4	O19	**Lesdiguières** Rue de	15	8 R. de la Cerisaie	9 R. St-Antoine	Bastille
20	M23	**Lespagnol** Rue	79	4 R. du Repos	(en impasse)	Philippe Auguste
20	M24	**Lesseps** Rue de	79	81 R. de Bagnolet	(en impasse)	Alexandre Dumas
15	O8-P8	**Letellier** Rue	59	21 R. Violet	26 R. de la Croix Nivert	Émile Zola
15	O8	**Letellier** Villa	59	18 R. Letellier	(en impasse)	Émile Zola
18	D16	**Letort** Impasse	70	32 R. Letort	(en impasse)	Pte de Clignancourt
18	D16-E15	**Letort** Rue	70	71 R. Duhesme	R. Belliard	Pte de Clignancourt
20	L25	**Leuck Mathieu** Rue	79	40 R. des Prairies	5 R. de la Cr des Noues	Pte de Bagnolet
12	T23-S23	**Levant** Cour du	47	R. Baron Le Roy	(en impasse)	Cour St-Émilion
20	I23	**Levert** Rue	77	84 R. de la Mare	67 R. O. Métra	Jourdain
17	G11	**Lévis** Impasse de	67	20 R. de Lévis	(en impasse)	Villiers
17	G11	**Lévis** Place de	66	R. Legendre	R. de Lévis	Villiers
17	G10-G11	**Lévis** Rue de	66- 67	2 Pl. P. Goubaux	100 R. Cardinet	Villiers
12	Q25	**Lheureux** Rue	47	R. des Pirogues de Bercy	Av. des Terroirs de Fr.	Cour St-Émilion
11	N21	**Lhomme** Passage	44	26 R. de Charonne	10 Pas. Josset	Ledru-Rollin
5	Q16	**Lhomond** Rue	19	1 Pl. Estrapade	10 R. de l'Arbalète	Censier-Daubenton
15	S8	**Lhuillier** Rue	59	83 R. O. de Serres	(en impasse)	Convention
14	S12-S13	**Liancourt** Rue	55-56	32 R. Boulard	129 Av. du Maine	Denfert-Rochereau
14	V15	**Liard** Rue	54	78 R. Aml Mouchez	1 R. Cité Universitaire	Cité Univ. (RER B)
20	K22	**Liban** Rue du	77	7 R. J. Lacroix	46 R. des Maronites	Ménilmontant
19	H23	**Liberté** Rue de la	75	11 R. de Mouzaïa	1 R. de la Fraternité	Danube
12	S22	**Libourne** Rue de	47	Av. des Terroirs de Fr.	R. des Pirogues de Bercy	Cour St-Émilion
8	J9	**Lido** Arcades du	30	Av. des Champs-Elysées	R. de Ponthieu	Franklin D. Roosevelt
13	T20	**Liégat** Cour du	50	113 R. Chevaleret	(en impasse)	Bibl. F. Mitterrand
8	H12-H13	**Liège** Rue de	32	37 R. de Clichy	Pl. de l'Europe	Europe
9	H12-H13	**Liège** Rue de	33	37 R. de Clichy	Pl. de l'Europe	Liège
20	O26	**Lieutenance** Sentier de la	45	81 Bd Soult	Villa du Bel Air	Pte de Vincennes
20	K25	**Lieutenant Chauré** Rue du	78	37 R. du Cap. Ferber	14 R. E. Marey	Pte de Bagnolet
18	D15	**Lieutenant-Colonel Dax** Rue du	69	36 R. René Binet	R. J. Henri Fabre	Pte de Clignancourt
16	R2	**Lieutenant-Colonel Deport** R. du	61	1 Pl. du Gal Stéfanik	4 Pl. Dr Michaux	Pte de St-Cloud
1	L15	**Lieutenant Henri Karcher** Pl. du	2	R. Croix des Petits Chps	R. du Col. Driant	Palais Royal-Louvre
14	U10	**Lieutenant Lapeyre** Rue du	56	46 Bd Brune	R. Séré Rivières	Pte de Vanves
14	T11	**Lieutenant Stéphane Piobetta** Pl. du	56	Av. Villemain	R. d'Alésia	Plaisance
15	T9	**Lieuvin** Rue du	57	72 R. des Morillons	13 R. Fizeau	Pte de Vanves
20	M24	**Ligner** Rue	79	39 R. de Bagnolet	55 R. de Bagnolet	Alexandre Dumas
19	H26	**Lilas** Porte des	75-78	Bd Périphérique		Pte des Lilas
19	H24-I24	**Lilas** Rue des	75	25 R. Pré St-Gervais	117 Bd Sérurier	Pré St-Gervais
19	H24	**Lilas** Villa des	75	36 R. de Mouzaïa	21 R. de Bellevue	Danube
9	H13	**Lili Boulanger** Place	33	5 R. Ballu	36 R. de Vintimille	Place de Clichy
7	L12-M13	**Lille** Rue de	25-26	4 R. Sts-Pères	1 R. A. Briand	Assemblée Nationale
17	F7	**Lily Laskine** Jardin	65	R. Jacques Ibert	R. du Caporal Peugeot	Pte de Champerret
13	U21	**Limagne** Square de la	50	2 Av. Boutroux	21 Bd Masséna	Pte d'Ivry
13	U21	**Limousin** Square du	50	17 Av. de la Pte Vitry	6 R. Darmesteter	Pte d'Ivry
11	N23	**Linadier** Cité	44	142 R. de Charonne	(en impasse)	Charonne
8	J9	**Lincoln** Rue	29	56 R. François Iᵉʳ	73 Av. des Chps Élysées	George V
1	L16	**Lingères** Passage des	2	R. Berger	Pl. M. de Navarre	Châtelet-Les Halles
1	M16	**Lingerie** Rue de la	2	22 R. des Halles	15 R. Berger	Châtelet-Les Halles
5	P17	**Linné** Rue	17	2 R. Lacépède	21 R. Jussieu	Jussieu
9	H15	**Lino Ventura** Place	36	R. des Martyrs	Av. Trudaine	Pigalle
15	O6-P6	**Linois** Rue	59-60	7 Pl. F. Forest	2 Pl. C. Michels	Ch. Michels
4	N18-O18	**Lions Saint-Paul** Rue des	15	7 R. Petit Musc	6 R. St-Paul	Sully-Morland
20	O26	**Lippmann** Rue	80	108 R. de lagny	7 R. L. Delaporte	Pte de Vincennes
11	M21	**Lisa** Passage	43	26 R. Popincourt	(en impasse)	Voltaire
8	I10-H11	**Lisbonne** Rue de	32	13 R. du Gal Foy	60 R. Courcelles	Courcelles - Europe
13	U16	**Liserons** Rue des	51	46 R. Brillat Savarin	R. des Glycines	Cité Univ. (RER B)
20	L25	**Lisfranc** Rue	79	18 R. Stendhal	21 R. des Prairies	Gambetta
6	P12	**Littré** Rue	23	81 R. de Vaugirard	148 R. de Rennes	Montparnasse-Bienv
18	G16	**Livingstone** Rue	34	4 R. d'Orsel	2 R. C. Nodier	Anvers
4	N17	**Lobau** Rue de	14-13	Q. Hôtel de Ville	R. de Rivoli	Hôtel de Ville
6	O14	**Lobineau** Rue	22	76 R. de Seine	5 R. Mabillon	Mabillon
17	H10	**Logelbach** Rue de	66	1 R. de Phalsbourg	18 R. H. Rochefort	Monceau
20	N25	**Loi** Passage de la	80	R. des Haies	(en impasse)	Buzenval
14	T13	**Loing** Rue du	55	65 R. d'Alésia	18 R. Sarrette	Alésia
19	G20-F21	**Loire** Quai de la	73	1 Av. J. Jaurès	155 R. de Crimée	Jaurès - Laumière

13	U21	**Loiret** Rue du	50	8 R. Regnault	12 R. Chevaleret	Bibl. F. Mitterrand
1	M17	**Lombards** Rue des	2	11 R. St-Martin	2 R. Ste-Opportune	Châtelet
4	M16	**Lombards** Rue des	13	11 R. St-Martin	2 R. Ste-Opportune	Châtelet
9	I13	**Londres** Cité de	33	84 R. St-Lazare	13 R. de Londres	St-Lazare
8	I13	**Londres** Rue de	32	Pl. d'Estienne d'Orves	Pl. de l'Europe	Europe
9	I13	**Londres** Rue de	33	Pl. d'Estienne d'Orves	Pl. de L'Europe	Europe
16	K7-L7	**Longchamp** Rue de	64-63	8 Pl. d'Iéna	9 Bd Lannes	Trocadéro - Av. Foch (RER C)
16	K7	**Longchamp** Villa de	64	36 R. Longchamp	(en impasse)	Boissière
13	V16	**Longues Raies** Rue des	51	17 Bd Kellermann	66 R. Cacheux	Cité Univ. (RER B)
8	J9	**Lord Byron** Rue	30	11 R. Chateaubriand	6 R. A. Houssaye	Ch. de Gaulle-Étoile
19	F21-G22	**Lorraine** Rue de	75-73	96 R. de Crimée	134 R. de Crimée	Ourcq
19	H23	**Lorraine** Villa de	75	22 R. de la Liberté	(en impasse)	Danube
14	T11	**Losserand Suisses** Square	56	R. des Suisses	R. Pauly	Plaisance
19	D21	**Lot** Quai du	74	Q. Gambetta	Bd Macdonald	Pte de la Villette
16	K5	**Lota** Rue de	63	131 R. Longchamp	11 R. B. Godard	Rue de la Pompe
3	M18-19	**Louis Achille** Square	11	R. du Parc Royal	(en impasse)	St-Paul
1	L15	**Louis Aragon** Allée	2	Jard. des Halles	Al. B. Cendrars	Châtelet-Les Halles
12	P20	**Louis Armand** Place	48	Gare de Lyon		Gare de Lyon
15	S5	**Louis Armand** Rue	60	Av. de la Pte de Sèvres	Av. de la Pte d'Issy	Balard
8	R18	**Louis Armstrong** Place	49	R. Esquirol	R. Jenner	Campo Formio
16	L4	**Louis Barthou** Avenue	63	Av. du Mal Fayolle	Pl. de Colombie	Av. H. Martin (RER C)
17	E9	**Louis Bernier** Place	67	R. Marguerite Long	(en impasse)	Pereire
10	H19-H20	**Louis Blanc** Rue	40-37	11 Pl. du Col Fabien	230 R. du Fbg St-Denis	Louis Blanc
16	O5-Q4	**Louis Blériot** Quai	61	9 Av. de Versailles	191 Bd Murat	Mirabeau
16	M3	**Louis Boilly** Rue	62	20 Av. Raphaël	19 Bd Suchet	La Muette
11	J21	**Louis Bonnet** Rue	41	35 R. de l'Orillon	79 Bd de Belleville	Belleville
12	Q25	**Louis Braille** Rue	45	4 Bd de Picpus	113 Av. du Gal M. Bizot	Bel Air
7	N10	**Louis Codet** Rue	28	88 Bd de la Tr-Maubourg	19 R. Chevert	La Tour-Maubourg
16	L6	**Louis David** Rue	62	39 R. Scheffer	72 R. de la Tour	Rue de la Pompe
20	O27	**Louis Delaporte** Rue	80	7 R. N. Ballay	112 R. Lagny	Pte de Vincennes
20	K22	**Louis Delgrès** Rue	79	19 R. des Cendriers	16 R. des Panoyaux	Ménilmontant
20	L26	**Louis Ganne** Rue	80	162 Bd Davout	73 R. L. Lumière	Pte de Bagnolet
8	S25	**Louis Gentil** Square	45	5 R. J. Chailley	6 Av. du Gal Dodds	Pte Dorée
2	K14	**Louis le Grand** Rue	5	16 R. D. Casanova	31 Bd des Italiens	Opéra
4	N16	**Louis Lépine** Place	16	Q. de la Corse	R. de la Cité	Cité
17	D13	**Louis Loucheur** Rue	68	24 Bd Bessières	8 R. F. Pelloutier	Pte de St-Ouen
20	L26-M26	**Louis Lumière** Rue	80	R. E. Reisz	Av. de la Pte de Bagnolet	Pte de Bagnolet
20	O21	**Louis Majorelle** Square	44	21 R. St-Bernard	24 R. de la Forge Royale	Faidherbe-Chaligny
5	P15	**Louis Marin** Place	19-22	66 Bd St-Michel	1 R. H. Barbusse	Luxembourg (RER B)
14	T12	**Louis Morard** Rue	56	56 R. des Plantes	1 R. Jacquier	Alésia
8	I10	**Louis Murat** Rue	32	26 R. Dr Lancereaux	24 R. de Monceau	St-Philippe du R.
20	L23	**Louis-Nicolas Clérambault** R.	79	24 R. Duris	75 R. Amandiers	Père Lachaise
18	D14	**Louis Pasteur Valléry Radot** R.	69	Av. de la Pte de Saint-Ouen	36 Av. de la Pte de St-Ouen	Pte de St-Ouen
13	V16	**Louis Pergaud** Rue	51	R. F. de Miomandre	R. du Val-de-Marne	Cité Univ. (RER B)
11	N20	**Louis Philippe** Passage	43	21 R. de lappe	27 Pas. Thiéré	Bastille
4	N17	**Louis Philippe** Pont	14-16	Q. Hôtel de Ville	Q. de Bourbon	Pont Marie
20	J23	**Louis Robert** Impasse	77	R. de l'Ermitage	(en impasse)	Gambetta
13	S18	**Louis Say** Square	50	147 Bd V. Auriol	163 R. Nationale	Nationale
5	Q15	**Louis Thuillier** Rue	19	42 R. d'Ulm	41 R. Gay Lussac	Luxembourg (RER B)
15	M8	**Louis Vicat** Rue	57	Pl. Insurgés de Varsovie	Pte Brancion	Malakoff-Plat. Vanves
5	F7	**Louis Vierne** Rue	65	R. J. Ibert	(en impasse)	Louise Michel
4	N19	**Louis XIII** Square	15	Pl. des Vosges		Bastille
8	I12	**Louis XVI** Square	31	Bd Haussmann		St-Augustin
18	G18	**Louise De Marillac** Square	72	R. Pajol		La Chapelle
14	T13	**Louise et Tony** Square	55	7 R. du Loing	(en impasse)	Alésia
19	I21	**Louise Labé** Allée	76	19 R. Rébeval	61 Av. S. Bolivar	Belleville
19	I23-H24	**Louise Thuliez** Rue	75	48 R. Compans	19 R. Henri Ribière	Pl. des Fêtes
13	S20	**Louise Weiss** Rue	50	108 R. Chevaleret	57 Bd V. Auriol	Chevaleret
18	E18	**Louisiane** Rue de la	72	2 R. Guadeloupe	21 R. de Torcy	Marx Dormoy
17	F9	**Loulou Gasté** Place	66	1 R. Alfred Roll	86 Bd Pereire	Pereire Levallois
14	T15	**Lourcine** VIlla de	54	20 R. Cabanis	7 R. Dareau	St-Jacques
15	O7-Q6	**Lourmel** Rue de	59-60	62 Bd Grenelle	101 R. Leblanc	Dupleix - Ch. Michels
14	S13	**Louvat** Impasse	55	3 R. Sivel	(en impasse)	Mouton-Duvernet
14	S13	**Louvat** Villa	55	38 R. Boulard	(en impasse)	Mouton-Duvernet
2	K14	**Louvois** Rue de	6	71 R. de Richelieu	60 R. Ste-Anne	Quatre Septembre
2	K14-15	**Louvois** Square	6	R. Rameau		Bourse
1	M15	**Louvre** Place du	1	R. Aml de Coligny		Louvre-Rivoli
1	M14	**Louvre** Port du	1	Pont Royal	Ponts des Arts	Palais Royal-Louvre
1	M14-M15	**Louvre** Quai du	1	1 R. de la Monnaie	R. de l'Aml de Coligny	Pont Neuf
1	L15	**Louvre** Rue du	1-2	154 R. de Rivoli	67 R. Montmartre	Louvre-Rivoli
1	K15	**Louvre** Rue du	1	154 R. de Rivoli	67 R. Montmartre	Louvre
7	N10-O10	**Lowendal** Avenue	27	Av. de Tourville	Bd de Grenelle	École Militaire
15	N10-O10	**Lowendal** Avenue	58-59	Av. de Tourville	Bd de Grenelle	Cambronne

137

Ar	Plan	Rues / Streets	Quart.	Commençant	Finissant	Métro
15	O9	**Lowendal** Square	59	5 R. A. Cabanel	(en impasse)	Cambronne
16	K8-L7	**Lübeck** Rue de	64	23 Av. d'Iéna	34 Av. du Pdt Wilson	Iéna
15	R4	**Lucien Bossoutrot** Rue	57	Bd Gal Martial Valin	R. du Gal Lucotte	Balard
14	V14	**Lucien Descaves** Avenue		Av. Vaillant Couturier	Av. A. Rivoire	Gentilly
20	O25	**Lucien et Sacha Guitry** Rue	80	47 Crs de Vincennes	48 R. de lagny	Pte de Vincennes
17	G6	**Lucien Fontanarosa** Jardin	65	Bd D'Aurelle De Paladines	R. Cino Del Duca	Louise Michel
18	F15	**Lucien Gaulard** Rue	69	Pl. C. Pecqueur	98 R. Caulaincourt	Lamarck-Caulaincourt
5	Q16	**Lucien Herr** Place	19	R. Vauquelin	R. P. Brossolette	Censier-Daubenton
20	M26	**Lucien Lambeau** Rue		R. des Drs Déjerine	Av. A. Lemierre	Pte de Montreuil
20	M25	**Lucien Leuwen** Rue	79	3 R. Stendhal	(en impasse)	Pte de Bagnolet
10	J18	**Lucien Sampaix** Rue	39	32 R. du Château d'Eau	R. des Récollets	Jacques Bonsergent
2	K14	**Lulli** Rue	6	2 R. Rameau	1 R. de Louvois	Quatre Septembre
14	T13	**Lunain** Rue du	55	69 R. d'Alésia	24 R. Sarrette	Alésia
2	K16	**Lune** Rue de la	8	5 Bd de Bonne Nouvelle	36 R. Poissonnière	Strasbourg-St-Denis
19	G22-F22	**Lunéville** Rue de	75	148 Av. J. Jaurès	65 R. Petit	Ourcq
4	N16	**Lutèce** Rue de	16	Pl. L. Lépine	3 Bd du Palais	Cité
6	P14	**Luxembourg** Jardin du	22	Bd St-Michel	R. de Vaugirard	Vavin
7	N13	**Luynes** Rue de	25	199 Bd St-Germain	9 Bd Raspail	Rue du Bac
7	N13	**Luynes** Square de	25	5 R. de Luynes	(en impasse)	Rue du Bac
20	L25	**Lyanes** Rue des	78	147 R. de Bagnolet	32 R. Pelleport	Pte de Bagnolet
20	L25	**Lyanes** Villa des	78	14 R. des Lyanes	(en impasse)	Pte de Bagnolet
16	M6	**Lyautey** Rue	62	30 R. Raynouard	1 R. de l'Abbé Gillet	Passy
12	O20-P20	**Lyon** Rue de	48	21 Bd Diderot	52 Bd de la Bastille	Gare de Lyon
5	R16	**Lyonnais** Rue des	19	40 R. Broca	19 R. Berthollet	Censier-Daubenton

M

Ar	Plan	Rues / Streets	Quart.	Commençant	Finissant	Métro
6	O14	**Mabillon** Rue	22	13 R. du Four	30 R. St-Sulpice	Mabillon
17	H8-I8	**Mac Mahon** Avenue	65	Pl. Ch. De Gaulle	33 Av. des Ternes	Ch. de Gaulle-Étoile
19	D21	**Macdonald** Boulevard	74	Bd Sérurier	R. d'Aubervilliers	Pte de la Villette
12	S22	**Maconnais** Rue des	47	R. Baron Le Roy	Pl. des Vins de France	Cour St-Émilion
12	S24	**Madagascar** Rue de	46	32 R. des Meuniers	56 R. de Wattignies	Pte de Charenton
6	O14	**Madame** Rue	23-22	55 R. de Rennes	49 R. d'Assas	St-Sulpice
1	J13	**Madeleine** Boulevard de la	4	53 R. Cambon	10 Pl. de la Madeleine	Madeleine
8	J13	**Madeleine** Boulevard de la	34	53 R. Cambon	10 Pl. de la Madeleine	Madeleine
9	J13	**Madeleine** Boulevard de la	34	53 R. Cambon	10 Pl. de la Madeleine	Madeleine
8	J12	**Madeleine** Galerie de la	31	9 Pl. de la Madeleine	30 R. Boissy d'Anglas	Madeleine
8	J12	**Madeleine** Marché de la	31	11 R. Castellane	12 R. Tronchet	Madeleine
8	J12	**Madeleine** Passage de la	31	19 Pl. de la Madeleine	4 R. de l'Arcade	Madeleine
8	J12	**Madeleine** Place de la	31	24 R. Royale	1 R. Tronchet	Madeleine
20	N26	**Madeleine Marzin** Rue	80	57 Rue du Volga	128 Rue d'Avron	Pte de Montreuil
15	Q7-Q9	**Mademoiselle** Rue	57 à 59	105 R. des Entrepreneurs	80 R. Cambronne	Commerce - Vaugirard
18	E18	**Madone** Rue de la	72	32 R. Marc Séguin	13 R. des Roses	Marx Dormoy
18	E18	**Madone** Square de la	72	R. de la Madone		Marx Dormoy
8	H12	**Madrid** Rue de	32	Pl. de l'Europe	16 R. du Gal Foy	Europe
17	E9	**Magasins de l'Opéra Comique** Place des	67	72 Bd Berthier	2 R. Marguerite Long	Pereire
16	L7	**Magdebourg** Rue de	64	38 R. de Lübeck	79 Av. Kléber	Trocadéro
8	J9	**Magellan** Rue	29	15 R. Q. Bauchart	48 R. de Bassano	George V
13	S16	**Magendie** Rue	52	8 R. Corvisart	7 R. des Tanneries	Glacière
10	G17-K19	**Magenta** Boulevard de	37-39	Pl. de la République	1 Bd de Rochechouart	Barbès-Rochechouart
10	J18	**Magenta** Cité de	39	33 Bd de Magenta	3 Cité Hittorff	Jacques Bonsergent
19	C23	**Magenta** Rue	74	Av. J. Jaurès (Pantin)	Av. E. Vaillant (Pantin)	Pte de la Villette
20	O25	**Maigrot Delaunay** Passage	80	36 R. des Ormeaux	15 R. de la Plaine	Buzenval
2	K15	**Mail** Rue du	7	R. Vide Gousset	83 R. Montmartre	Sentier
11	M22	**Maillard** Rue	43	8 R. La Vacquerie	5 R. Gerbier	Philippe Auguste
17	I5	**Maillot** Porte	63	Av. de la Gde Armée	Av. de Neuilly	Pte Maillot
11	O21	**Main d'Or** Passage de la	44	131 R. du Fbg St-Antoine	58 R. de Charonne	Ledru-Rollin
11	O21	**Main d'Or** Rue de la	44	9 R. Trousseau	4 Pas. la Main d'Or	Ledru-Rollin
14	P12-S12	**Maine** Avenue du	53-55-56	38 Bd du Montparnasse	Pl. Victor Basch	Montparnasse-Bienv.
15	Q12	**Maine** Avenue du	58	38 Bd du Montparnasse	Pl. V. Basch	Montparnasse-Bienv.
14	Q12	**Maine** Rue du	53	8 R. de la Gaîté	45 Av. du Maine	Montparnasse-Bienv.
6	P12	**Maintenon** Allée	23	114 R. de Vaugirard	(en impasse)	Montparnasse-Bienv.
3	L18	**Maire** Rue au	9	9 R. des Vertus	42 R. de Turbigo	Arts et Métiers
18	G15	**Mairie** Cité de la	70	20 R. La Vieuville	(en impasse)	Abbesses
13	U18	**Maison Blanche** Rue de la	51	63 Av. d'Italie	141 R. de Tolbiac	Tolbiac
11	O21	**Maison Brulée** Cour de la	44	89 R. du Fbg St-Antoine	(en impasse)	Ledru-Rollin
14	R12	**Maison Dieu** Rue	56	21 R. R. Losserand	124 Av. du Maine	Gaîté
5	O16	**Maître Albert** Rue	17	73 Q. de la Tournelle	29 Pl. Maubert	Maubert-Mutualité
16	I6-J6	**Malakoff** Avenue de	63-64	50 Av. Foch	89 Av. de la Gde Armée	Victor Hugo
16	I6	**Malakoff** Impasse de	63	Bd de l'Amiral Bruix	(en impasse)	Pte Maillot

16	K7	**Malakoff** Villa	64	30 Av. R. Poincaré	(en impasse)	Trocadéro
8	M14	**Malaquais** Quai	24	2 R. de Seine	1 R. des Sts-Pères	St-Germain-des-Prés
7	L10	**Malar** Rue	28	71 U. d'Ursay	88 R. St-Dominique	Pont de l'Alma (RER C)
15	S8	**Malassis** Rue	57	23 R. Vaugelas	76 R. O. de Serres	Convention
8	P15	**Malebranche** Rue	19-20	84 R. St-Jacques	1 R. Le Goff	Luxembourg (RER B)
8	J12-G10	**Malesherbes** Boulevard	31-32	9 Pl. de la Madeleine	Bd Berthier	Wagram
17	F9-H10	**Malesherbes** Boulevard	66	9 Pl. de la Madeleine	Bd Berthier	Wagram
9	H15	**Malesherbes** Cité	33	59 R. des Martyrs	20 R. Victor Massé	Pigalle
17	G10	**Malesherbes** Villa	66	112 Bd Malesherbes	(en impasse)	Malesherbes
4	I11	**Maleville** Rue	32	7 R. Corvetto	4 R. Mollien	Miromesnil
4	N18	**Malher** Rue	11	6 R. do Rivoli	20 R. Pavée	St-Paul
16	O2	**Malherbe** Square	61	134 Bd Suchet	41 Av. du Mal Lyautey	Pte d'Auteuil
14	T11	**Mallebay** Villa	56	86 R. Didot	(en impasse)	Plaisance
16	N3	**Mallet-Stevens** Rue	56	9 R. Dr Blanche	8 R. Dr Blanche	Jasmin - Ranelagh
13	V18	**Malmaisons** Rue des	51	29 Av. de Choisy	21 R. Gandon	Pte de Choisy
11	L19-L20	**Malte** Rue de	41	21 R. Oberkampf	14 R. du Fbg du Temple	Oberkampf
20	L24	**Malte Brun** Rue	79	17 R. E. Landrin	36 Av. Gambetta	Gambetta
5	Q17	**Malus** Rue	18	45 R. de la Clef	75 R. Monge	Place Monge
2	K16	**Mandar** Rue	7	57 R. Montorgueil	66 R. Montmartre	Sentier
19	I21-G23	**Manin** Rue	76-75	42 Av. S. Bolivar	124 R. Petit	Pte de Pantin
19	G23	**Manin** Villa	75	8 R. Car. Amérique	25 R. de la Solidarité	Danube
9	H14	**Mansart** Rue	33	25 R. de Douai	80 R. Blanche	Blanche
9	H15	**Manuel** Rue	36	13 R. Milton	26 R. des Martyrs	N.-D. de Lorette
16	L8	**Manutention** Rue de la	64	24 Av. de New York	15 Av. du Pdt Wilson	Iéna
19	H26	**Maquis du Vercors** Place du	75	Av. René Fonck	Av. de la Pte des Lilas	Pte des Lilas
19	H26	**Maquis du Vercors** Place du	78	Av. René Fonck	Av. de la Pte des Lilas	Pte des Lilas
20	O26-N25	**Maraîchers** Rue des	80	Crs de Vincennes	R. des Pyrénées	Maraîchers
12	J18	**Marais** Passage des	39	R. Albert Thomas	R. Legouvé	Jacques Bonsergent
16	I5	**Marbeau** Boulevard	63	23 R. Marbeau	15 R. Lalo	Pte Dauphine
16	I5	**Marbeau** Rue	63	54 R. Pergolèse	Bd de l'Amiral Bruix	Pte Maillot
8	K9	**Marbeuf** Rue		18 Av. George V	37 Av. des Chps Élysées	Franklin D. Roosevelt
13	U21	**Marc-Antoine Charpentier** R.	50	5 R. E. Oudiné	26 R. de Patay	Bibl. F. Mitterrand
20	N25	**Marc Bloch** Place	80	35 R. de la Réunion		Maraîchers
13	V18	**Marc Chagall** Allée	51	42 R. Gandon	Av. D'Italie	Pte d'Italie
14	U10	**Marc Sangnier** Avenue	56	Av. de la Pte de Vanves	14 Av. G. Lafenestre	Pte de Vanve
18	E19	**Marc Séguin** Rue	72	7 R. Cugnot	24 R. de la Chapelle	Marx Dormoy
18	F17	**Marcadet** Rue	69 à 71	R. Ordener	86 Av. de St-Ouen	Marcadet-Poissonniers
8	J8-K9	**Marceau** Avenue	29	6 Av. du Pdt Wilson	Pl. Ch. de Gaulle	Alma-Marceau
16	J8-K8	**Marceau** Avenue	64	6 Av. du Pdt Wilson	Pl. Ch. de Gaulle	Alma-Marceau
19	H23	**Marceau** Villa	75	28 R. du Gal Brunet	3 R. de la Liberté	Danube - Botzaris
19	I21	**Marcel Achard** Place	76	R. Rébeval	Bd de Villette	Belleville
18	F15	**Marcel Aymé** Place	70	2 Impasse Girardon	1 Av. Junot	Lamarck-Caulaincourt
15	O7	**Marcel Cerdan** Place	59	Bd de Grenelle	R. Viala	Dupleix
16	R2	**Marcel Doret** Avenue	61	126 Bd Murat	Périphérique	Pte de St-Cloud
12	S25	**Marcel Dubois** Rue	45	98 Bd Poniatowski	5 Av. du Gal Laperrine	Pte Dorée
13	U19	**Marcel Duchamp** Rue	50	R. Chât. Rentiers	40 R. Nationale	Pte d'Ivry
11	M19	**Marcel Gromaire** Rue	42	94 Bd Beaumarchais	83 R. Amelot	St-Sébastien-Froissart
13	V17	**Marcel Jambenoire** Allée	51	88 Bd Kellermann	(en impasse)	Cité Univ. (RER B)
19	G21	**Marcel Mouloudji** Square	73	8 R. Reverdy	7 V. R. Belleau	Laumière
8	I12	**Marcel Pagnol** Square	32	R. Laborde	Av. C. Caire	St-Augustin
14	S12	**Marcel Paul** Place	56	5 Rue Sainte-Léonie		Pernety
17	D9	**Marcel Paul** Rue	67	Bd F. Douaumont	R. Cailloux	Pte de Clichy
8	K11	**Marcel Proust** Allée	31	Av. de Marigny	Pl. de la Concorde	Champs-Elysées-Clem.
16	N6	**Marcel Proust** Avenue	62	R. René Boylesve	18 R. Berton	Passy
11	M22	**Marcel Rajman** Square	43	R. de la Roquette		Philippe Auguste
17	H7	**Marcel Renault** Rue	65	5 R. Villebois Mareuil	10 R. P. Demours	Ternes
18	D15	**Marcel Sembat** Rue	69	R. F. Schneider	R. René Binet	Pte de Clignancourt
18	D15	**Marcel Sembat** Square	69	R. René Binet	R. Marcel Sembat	Pte de Clignancourt
15	D15	**Marcel Toussaint** Square	57	7 R. de Dantzig	(en impasse)	Convention
5	O16	**Marcellin Berthelot** Place	20	33 R. J. de Beauvais	91 R. St-Jacques	Cluny-La Sorbonne
11	M20	**Marcès** Villa	43	39 R. Popincourt	(en impasse)	St-Ambroise
19	G24	**Marchais** Rue des	75	Bd d'Indochine	Av. de la Pte Brunet	Danube
10	J18	**Marché** Passage du	39	19 R. Bouchardon	R. du Fbg St-Martin	Château d'Eau
5	R17-R18	**Marché aux Chevaux** Imp. du	14	5 R. G. St-Hilaire		Les Gobelins
4	M17-M18	**Marché des Blancs Manteaux** R. du	14	1 R. Hospitalières St-G.	46 R. Vieille du Temple	St-Paul
5	Q16-Q17	**Marché des Patriarches** R. du	18	9 R. de Mirbel	7 R. des Patriarches	Censier-Daubenton
4	N16	**Marché Neuf** Quai du	16	6 R. de la Cité	Pont St-Michel	St-Michel
18	E14	**Marché Ordener** Rue du	69	172 R. Ordener	175 R. Championnet	Guy Môquet
11	L20	**Marché Popincourt** Rue du	42	12 R. Ternaux	17 R. Ternaux	Parmentier
12	P20	**Marché Saint-Antoine** Cour du	44	39 Av. Daumesnil	86 R. de Charenton	Gare de Lyon
4	N18	**Marché Sainte-Catherine** Pl. du	14	4 R. d'Ormesson	7 R. Caron	St-Paul
1	K14	**Marché Saint-Honoré** Place du	4	13 R. du Marché St-H.	R. du Marché St-Honoré	Tuileries - Opéra
1	K14	**Marché Saint-Honoré** Rue du	4	326 R. St-Honoré	15 R. D. Casanova	Tuileries - Opéra

Ar	Plan	Rues / Streets	Quart.	Commençant	Finissant	Métro
6	Q14	**Marco Polo** Jardin	22	Sq. Observatoire		Port Royal (RER B)
20	J23	**Mare** Impasse de la	77	14 R. de la Mare	(en impasse)	Pyrénées
20	J23-K23	**Mare** Rue de la	77	Pl. de Ménilmontant	383 R. des Pyrénées	Pyrénées
16	J4-J5	**Mal De Lattre De Tassigny** Pl. du	63	Bd Lannes	Bd de Aml Bruix	Pte Dauphine
16	K4-J4	**Maréchal Fayolle** Avenue du	63	Pl. du Mal De L. De Tassigny	Av. L. Barthou	Av. H. Martin (RER C)
16	M3-N3	**Mal Franchet D'Espérey** Av. du	61	9 Pl. de la Pte Passy	Sq. Tolstoï	Jasmin - Ranelagh
7	L11	**Maréchal Gallieni** Avenue du		Q. d'Orsay	Pl. des Invalides	Invalides
7	M8	**Maréchal Harispe** Rue du	28	26 Av. de la Bourdonnais	Al. A. Lecouvreur	Ch. de Mars-Tr Eiffel (RER C)
17	G8	**Maréchal Juin** Place du	66	107 Av. de Villiers	Bd Péreire	Pereire
16	N2-O2	**Maréchal Lyautey** Avenue du	61	1 Sq. Tolstoï	Pl. de la Pte d'Auteuil	Pte d'Auteuil
16	L3	**Maréchal Maunoury** Avenue du	62	Pl. de Colombie	Pl. de la Pte Passy	Ranelagh
1	L15	**Marengo** Rue de	2-3	162 R. de Rivoli	149 R. St-Honoré	Louvre-Rivoli
14	T13	**Marguerin** Rue	55	71 R. d'Alésia	2 R. Leneveux	Alésia
15	Q6	**Marguerite Boucicaut** Rue	60	111 R. de Lourmel	3 R. Sarasate	Boucicaut
1	M16	**Marguerite De Navarre** Place	2	R. des Innocents	R. de la Lingerie	Châtelet-Les Halles
13	T21	**Marguerite Duras** Rue	50	22 R. Françoise Dolto	13 R. Thomas Mann	Bibl. F. Mitterrand
17	E9	**Marguerite Long** Rue	67	74 Bd Berthier	19 Bd du Fort de Vaux	Pereire
15	O8	**Marguerite Yourcenar** Allée	59	21 R. Desaix	26 R. Edgar Faure	Dupleix
17	H9	**Marguerite** Rue	66	104 Bd de Courcelles	76 Av. de Wagram	Courcelles
12	Q26	**Marguettes** Rue des		R. Lasson	100 Av. de St-Mandé	Pte de Vincennes
16	L6	**Maria Callas** Allée	62-63	2 Av. Georges Mandel		Trocadéro
16	L9	**Maria Callas** Place		Av. de New York	Pl. de l'Alma	Alma-Marceau
17	E13	**Maria Deraismes** Rue	68	8 R. Collette	1 R. A. Brière	Guy Môquet
17	D12	**Marie** Cité	68	91 Bd Bessières	(en impasse)	Pte de Clichy
4	N18	**Marie** Pont	16	Q. des Célestins	Q. d'Anjou	Pont Marie
13	T21	**M.-Andrée Lagroua Weill-Hallé** R.	50	25 R. Thomas Mann		Bibl. F. Mitterrand
11	O23	**Marie-José Nicoli** Place	44	15 Rue Guénot	Impasse des Jardiniers	Rue des Boulets
12	P23	**Marie Benoist** Rue	46	1 R. Dorian	(en impasse)	Nation
18	G14	**Marie Blanche** Impasse	69	9 R. Constance	(en impasse)	Blanche
13	Q19	**Marie Curie** Square	49	Bd de l'Hôpital	Hôpital La Pitié	St-Marcel
14	U13	**Marié Davy** Rue	55	R. Sarrette	R. du Père Corentin	Alésia
20	N26	**Marie De Miribel** Place	80	Bd Davout	R. des Orteaux	Pte de Montreuil
16	N6	**Marie De Régnier** Impasse	62	14 Av. René Boylesve		Passy
10	J19	**Marie et Louise** Rue	39	33 R. Bichat	8 Av. Richerand	Goncourt
12	O25	**Marie Laurencin** Rue	45	46 R. du Sahel	R. A. Derain	Bel Air
20	O25	**Marie Laurent** Allée	80	R. de Buzenval	15 R. Mounet Sully	Buzenval
15	O8	**Marie-Madeleine Fourcade** Pl.	59	14 Pl. Dupleix		Dupleix
6	O14	**Marie Pape Carpantier** Rue	23	20 R. Madame	1 R. Cassette	St-Sulpice
14	U13	**Marie Rose** Rue	55	23 R. du Père Corentin	R. Sarette	Alésia
2	L16	**Marie Stuart** Rue	8	1 R. Dussoubs	60 R. Montorgueil	Étienne Marcel
15	Q12	**Marie Vassilieff** Villa	58	21 Av. du Maine	(en impasse)	Montparnasse-Bienv.
16	N4	**Marietta Martin** Rue	62	67 R. des Vignes	R. des Bauches	La Muette
8	K10	**Marignan** Passage	29	24 R. de Marignan	31 Av. des Chps Élysées	Franklin D. Roosevelt
8	K10	**Marignan** Rue de	29	24 R. François Ier	33 Av. des Chps Élysées	Franklin D. Roosevelt
8	J11-S11	**Marigny** Avenue de	31	Av. des Champs-Elysées	59 R. du Fg St-Honoré	Champs-Elysées-Clem.
15	S6	**Marin La Meslée** Square	57	Bd Victor	Sq. Desnouettes	Pte de Versailles
14	T10	**Mariniers** Rue des	56	Sq. Lichtenberger	108 R. Didot	Pte de Vanves
7	N9	**Marinoni** Rue	28	48 Av. de La Bourdonnais	Al. A. Lecouvreur	École Militaire
15	O9	**Mario Nikis** Rue	58	112 Av. Suffren	8 R. Chasseloup Laubat	Cambronne
17	G12	**Mariotte** Rue	67	54 R. des Dames	19 Av. des Batignolles	Rome
19	H25	**Marius Barroux** Allée	75	18 Bd Sérurier	15 R. au Maire	Porte des Lilas
2	J14	**Marivaux** Rue de	6	4 R. Grétry	11 Bd des Italiens	Richelieu Drouot
16	K7	**Marlène Dietrich** Place	64	R. Boissière	R. de Lübeck	Boissière
15	R9	**Marmontel** Rue	57	10 R. Yvart	209 R. de la Convention	Vaugirard
13	R17	**Marmousets** Rue des	52	24 R. Gobelins	15 Bd Arago	Les Gobelins
19	F21-E22	**Marne** Quai de la	73-74	158 R. de Crimée	Q. de Metz	Ourcq - Crimée
19	F22	**Marne** Rue de la	74	17 R. de Thionville	28 Q. de la Marne	Ourcq
19	F19	**Maroc** Impasse du	73	6 Pl. du Maroc	(en impasse)	Stalingrad
19	G20	**Maroc** Place du	73	18 R. de Tanger	18 R. du Maroc	Stalingrad
19	G20	**Maroc** Rue du	73	25 R. de Flandre	54 R. d'Aubervilliers	Stalingrad
20	K22	**Maronites** Rue des	77	16 Bd de Belleville	17 R. J. Lacroix	Ménilmontant
17	F9	**Marquis D'Arlandes** Rue du	66	19 Av. Brunetière	Bd de Reims	Pereire
16	N5	**Marronniers** Rue des	62	74 R. Raynouard	40 R. Boulainvilliers	La Muette
19	F24	**Marseillaise** Rue de la	75	Av. de la Pte Chaumont	2 R. Sept Arpents	Pte de Pantin
19	F24	**Marseillaise** Square de la	75	R. de la Marseillaise		Pte de Pantin
10	J19	**Marseille** Rue de	39	4 R. Yves Toudic	33 R. Beaurepaire	Jacques Bonsergent
2	K14	**Marsollier** Rue	5	1 R. Méhul	1 R. Monsigny	Pyramides
12	P25	**Marsoulan** Rue		45 Av. de St-Mandé	48 Crs de Vincennes	Picpus
18	D18	**Marteau** Impasse	72	Av. de la Pte Chapelle	(en impasse)	Pte de la Chapelle
10	I17	**Martel** Rue	38	14 R. Ptes Écuries	15 R. de Paradis	Château d'Eau
7	M11-N11	**Martignac** Cité	26	111 R. de Grenelle	(en impasse)	Varenne
7	M11-M12	**Martignac** Rue de	26	33 R. St-Dominique	130 R. de Grenelle	Varenne

Ar	Plan	Rues / Streets	Quart.	Commençant	Finissant	Métro
6	N15	**Mazarine** Rue	21	3 R. de Seine	52 R. Dauphine	Odéon
12	P19	**Mazas** Place	48	Q. de la Rapée	Bd Diderot	Quai de la Rapée
12	P19	**Mazas** Voie	48	Q. Henri IV	Q. de la Rapée	Quai de la Rapée
11	H20-G21	**Meaux** Rue de	73-76	8 Pl. du Col Fabien	108 Av. J. Jaurès	Laumière - Bolivar
14	R15	**Méchain** Rue	53	32 R. de la Santé	R. du Fbg St-Jacques	St-Jacques
17	H9	**Médéric** Rue	66	108 R. Courcelles	41 R. de Prony	Wagram - Courcelles
6	O15-P15	**Médicis** Rue de	22	Pl. P. Claudel	6 Pl. Ed. Rostand	Luxembourg (RER B)
1	M15	**Mégisserie** Quai de la	1	1 Pl. du Châtelet	2 R. du Pont Neuf	Pont Neuf - Châtelet
6	O14	**Mehdi Ben Barka** Place	22	28 Rue du Four	62 Rue Bonaparte	St-Germain-des-Prés
2	K14	**Méhul** Rue	5	44 R. Petits Champs	1 R. Marsollier	Pyramides
15	P8	**Meilhac** Rue	15	53 R. de la Croix Nivert	1 R. Neuve du Théatre	Commerce
17	G9	**Meissonnier** Rue	66	48 R. de Prony	77 R. Jouffroy	Wagram
19	I22	**Mélingue** Rue	76	101 R. de Belleville	29 R. Fessart	Pyrénées
19	G21	**Melun** Passage de	73	60 Av. J. Jaurès	95 R. de Meaux	Laumière
2	J15	**Ménars** Rue	6	79 R. de Richelieu	10 R. 4 Septembre	Bourse
20	N26	**Mendelssohn** Rue	80	88 Bd Davout	3 R. des Drs Déjerine	Pte de Montreuil
3	L17	**Ménétriers** Passage des	12	31 R. Beaubourg	2 R. Brantôme	Rambuteau
11	M23-K22	**Ménilmontant** Boulevard de	42-43	19 R. de Mont Louis	162 R. Oberkampf	Père Lachaise
20	K22-M23	**Ménilmontant** Boulevard de	79	19 R. de Mont Louis	162 R. Oberkampf	Père Lachaise
11	L22-K22	**Ménilmontant** Passage de	42	4 Av. J. Aicard	113 Bd de Ménilmontant	Ménilmontant
20	K22	**Ménilmontant** Place de	77	R. de la Mare	67 R. de Ménilmontant	Ménilmontant
20	J26	**Ménilmontant** Porte de	78	R. du Surmelin	Av. de la Pte de Ménilmontant	St-Fargeau
20	K22-J24	**Ménilmontant** Rue de	77 à 79	152 Bd de Ménilmontant	105 R. Pelleport	St-Fargeau
20	J24	**Ménilmontant** Square de	78	R. de Ménilmontant	R. Pixérécourt	St-Fargeau
11	M22	**Mercœur** Rue	43	127 Bd Voltaire	5 R. La Vacquerie	Voltaire
14	U14	**Méridienne** Villa	54	53 Av. René Coty	(en impasse)	Pte d'Orléans
16	K5	**Mérimée** Rue	63	59 R. des Belles Feuilles	20 R. E. Ménier	Pte Dauphine
12	Q26	**Merisiers** Sentier des	45	101 Bd Soult	R. du Niger	Pte de Vincennes
11	M22	**Merlin** Rue	43	151 R. de la Roquette	126 R. du Chemin Vert	Père Lachaise
16	P1-P2	**Meryon** Rue	61	Bd Murat	31 Av. du Gal Sarrail	Pte d'Auteuil
3	K18	**Meslay** Passage	9	32 R. Meslay	25 Bd St-Martin	République
3	K17-K18	**Meslay** Rue	9	205 R. du Temple	328 R. St-Martin	République
16	K6	**Mesnil** Rue	63	7 Pl. Victor Hugo	52 R. St-Didier	Victor Hugo
10	I17	**Messageries** Rue des	38	69 R. d'Hauteville	78 R. du Fbg Poissonnière	Poissonnière
12	Q25	**Messidor** Rue	45	36 R. de Toul	117 Av. du Gal M. Bizot	Bel Air
14	S15	**Messier** Rue	53	77 Bd Arago	4 R. J. Dolent	St-Jacques
8	I10-I11	**Messine** Avenue de	32	134 Bd Haussmann	1 Pl. Rio Janeiro	Miromesnil
8	I10	**Messine** Rue de	32	12 R. Dr Lancereaux	23 Av. de Messine	St-Philippe du R.
20	I22	**Métairie** Cour de la	77	92 R. de Belleville	403 R. des Pyrénées	Pyrénées
19	F27	**Metz** Quai de	74	R. de Thionville	Q. de la Marne	Ourcq - Pte de Pantin
10	J17	**Metz** Rue de	38	19 Bd de Strasbourg	24 R. du Fbg St-Denis	Strasbourg-St-Denis
12	S24	**Meuniers** Rue des	46	33 Bd Poniatowski	10 R. Brêche Loups	Pte de Charenton
19	F22	**Meurthe** Rue de la	73	39 R. de l'Ourcq	24 Q. de la Marne	Ourcq
16	K6	**Mexico** Place de	63	84 R. de Longchamp	2 R. Decamps	Rue de la Pompe
9	J14	**Meyerbeer** Rue	34	3 R. Chée d'Antin	Pl. J. Rouché	Chée d'Antin-La Fayette
19	G22	**Meynadier** Rue	76	4 Pl. A. Carrel	97 R. de Crimée	Laumière
6	O13-O14	**Mézières** Rue de	22-23	78 R. Bonaparte	79 R. de Rennes	St-Sulpice
13	T16	**Michal** Rue	51	39 R. Barrault	16 R. M. Bernard	Corvisart
14	T13	**Michel Audiard** Place	55	R. Hallé	R. du Couédic	Mouton-Duvernet
13	V20	**Michel Bréal** Rue	50	R. Dupuy de Lôme	65 Bd Masséna	Pte d'Ivry
12	P20	**Michel Chasles** Rue	48	23 Bd Diderot	28 R. Traversière	Gare de Lyon
20	N24-N25	**Michel De Bourges** Rue	80	42 R. des Vignoles	48 R. des Vignoles	Buzenval
6	O13	**Michel Debré** Place	23-24	25 Rue du Vieux Colombier	1 Rue de Sèvres	Saint-Sulpice
3	L17	**Michel Le Comte** Rue	12	87 R. du Temple	54 R. Beaubourg	Rambuteau
13	R17	**Michel Peter** Rue	49	79 Bd St-Marcel	22 R. Reine Blanche	Les Gobelins
18	E16	**Michel Petrucciani** Place	70	R. Versigny	R. Ste-Isaure	Jules Joffrin
19	I 21	**Michel Tagrine** Rue	76	R. G. Lardennois	R. G. Lardennois	Colonel Fabien
16	Q2	**Michel-Ange** Hameau	61	21 R. Parent de Rosan	(en impasse)	Exelmans
16	Q3	**Michel-Ange** Rue	61	53 R. d'Auteuil	8 Pl. de la Pte St-Cloud	Michel Ange-Auteuil
16	P2-P3	**Michel-Ange** Villa	61	3 R. Bastien Lepage	(en impasse)	Michel Ange-Auteuil
6	Q14	**Michelet** Rue	22	82 Bd St-Michel	81 R. d'Assas	Luxembourg (RER B)
18	G14	**Midi** Cité du	69	48 Bd de Clichy	(en impasse)	Pigalle - Blanche
16	L5	**Mignard** Rue	62	83 Av. H. Martin	18 R. de Siam	Rue de la Pompe
16	O4	**Mignet** Rue	61	9 R. George Sand	12 R. Leconte de Lisle	Église d'Auteuil
6	N15	**Mignon** Rue	21	7 R. Danton	110 Bd St-Germain	Odéon
16	L6	**Mignot** Square	62	20 R. Pétrarque	(en impasse)	Trocadéro
19	H23	**Mignottes** Rue des	75	86 R. Compans	14 R. de Mouzaïa	Botzaris
19	H23	**Miguel Hidalgo** Rue	75	116 R. Compans	Pl. Rhin et Danube	Danube
9	H13	**Milan** Rue de	33	31 R. de Clichy	46 R. d'Amsterdam	Liège
16	N4	**Milleret De Brou** Avenue	61	21 R. de l'Assomption	22 Av. R. Poincaré	Ranelagh - Jasmin
17	G7	**Milne Edwards** Rue	65	164 Bd Pereire	4 R. J.-B. Dumas	Pte de la Chapelle
18	D13	**Milord** Impasse	69	140 Av. de St-Ouen	(en impasse)	Pte de St-Ouen

Ar	Plan	Rues / Streets	Quart.	Commençant	Finissant	Métro
14	T13	**Montbrun** Passage	55	41 R. R. Dumoncel	(en impasse)	Alésia
14	T13	**Montbrun** Rue	55	39 R. R. Dumoncel	30 R. d'Alésia	Mouton-Duvernet
18	E14-E15	**Montcalm** Rue	69	78 R. Damrémont	65 R. du Ruisseau	Lamarck-Caulaincourt
18	E14	**Montcalm** Villa	69	17 R. Montcalm	55 R. des Cloys	Lamarck-Caulaincourt
20	N24	**Monte Cristo** Rue	80	26 R. de Bagnolet	81 R. A. Dumas	Alexandre Dumas
5	O16-O17	**Montebello** Port de	20	Pont au double	Pont de l'Archevêché	Maubert-Mutualité
5	N16-O17	**Montebello** Quai de	17-20	2 R. des Gds Degrés	Pl. du Petit Pont	St-Michel
15	T9	**Montebello** Rue de	57	5 R. Chauvelot	(en impasse)	Pte de Vanves
12	Q26	**Montempoivre** Porte de	45	Bd Soult	Av. E. Laurent	Bel Air
12	Q25-Q26	**Montempoivre** Rue de	45	120 Av. du Gal M. Bizot	67 Bd Soult	Bel Air
12	Q25	**Montempoivre** Sentier de	45	16 Bd de Picpus	37 R. de Toul	Bel Air
19	I25	**Montenegro** Passage du	75	26 R. de Romainville	125 R. Haxo	Télégraphe
17	I8	**Montenotte** Rue de	65	21 Av. des Ternes	16 Av. Mac Mahon	Ternes
4	P26	**Montéra** Rue	43	83 Av. de St-Mandé	133 Bd Soult	Pte de Vincennes
16	K5	**Montespan** Avenue de	63	177 Av. Victor Hugo	99 R. de la Pompe	Rue de la Pompe
1	L15	**Montesquieu** Rue	3	11 R. Croix des Petits Chps	14 R. des Bons Enfants	Palais-Royal-Louvre
12	R26	**Montesquieu Fezensac** Rue	45	14 Av. A. Rousseau	(en impasse)	Pte Dorée
16	K4	**Montevideo** Rue de	63	147 R. de Longchamps	16 R. Dufrénoy	Av. H. Martin (RER C)
6	N14	**Montfaucon** Rue de	22	131 Bd St-Germain	8 R. Clément	Mabillon
12	P22	**Montgallet** Passage	46	23 R. Montgallet	(en impasse)	Montgallet
12	Q22	**Montgallet** Rue	46	187 R. de Charenton	66 R. de Reuilly	Montgallet
3	K18	**Montgolfier** Rue	9	2 R. Conté	21 R. du Vertbois	Arts et Métiers
13	T17	**Montgolfière** Jardin de la	51	R. Henri Michaux	P. Vandrezanne	Tolbiac
9	H13	**Monthiers** Cité	33	55 R. de Clichy	72 Cour Amsterdam	Liège
9	I16	**Montholon** Rue de	35-36	85 R. du Fbg Poissonnière	42 R. Cadet	Poissonnière - Cadet
20	K25	**Montibœufs** Rue des	78	19 R. Cap. Ferber	26 R. Le Bua	Pte de Bagnolet
14	V13	**Monticelli** Rue	55	95 Bd Jourdan	6 Av. P. Appell	Pte d'Orléans
2	J15	**Montmartre** Boulevard	6	169 R. Montmartre	112 R. de Richelieu	Grands Boulevards
9	J15	**Montmartre** Boulevard	35	169 R. Montmartre	112 R. de Richelieu	Grands Boulevards
2	K16	**Montmartre** Cité	7	5 R. Montmartre	(en impasse)	Sentier
2	J15	**Montmartre** Galerie	6	161 R. Montmartre	25 Pas. Panoramas	Grands Boulevards
18	D14-15	**Montmartre** Porte	69	Boulevard Ney	Av. de la Pte Montmartre	Pte de Clignancourt
1	L16-K16	**Montmartre** Rue	2	1 R. Montorgueil	1 Bd Montmartre	Sentier - Les Halles
2	J15-J16	**Montmartre** Rue	7	1 R. Montorgueil	1 Bd Montmartre	Sentier - Les Halles
16	O3	**Montmorency** Avenue de	61	Av. des Peupliers	Av. du Sq.	Michel Ange-Auteuil
16	N3-O3	**Montmorency** Boulevard de	61	93 R. de l'Assomption	76 R. d'Auteuil	Pte d'Auteuil
3	L17	**Montmorency** Rue de	12	103 R. du Temple	212 R. St-Martin	Rambuteau
16	O2	**Montmorency** Villa de	61	12 R. Poussin	93 Bd Montmorency	Michel Ange-Auteuil
1	L16-K16	**Montorgueil** Rue	2	2 R. Montmartre	59 R. St-Sauveur	Les Halles
6	P11-Q13	**Montparnasse** Boulevard du	23	145 R. de Sèvres	20 Av. de l'Observatoire	Vavin
14	P11-Q13	**Montparnasse** Boulevard du	14	145 R. de Sèvres	20 Av. de l'Observatoire	Montparnasse-Bienv
15	P11-Q13	**Montparnasse** Boulevard du	58	145 R. de Sèvres	20 Av. de l'Observatoire	Duroc
14	Q12	**Montparnasse** Passage	33	R. du Départ	12 R. d'Odessa	Montparnasse-Bienv
6	Q13-P13	**Montparnasse** Rue du	23	28 R. N.-D. des Champs	38 R. Delambre	Edgar Quinet
14	Q13	**Montparnasse** Rue du	14	28 R. N.-D. des Champs	38 R. Delambre	Edgar Quinet
1	L14	**Montpensier** Galerie	3	Gal. de Beaujolais	Palais Royal	Palais-Royal-Louvre
1	L14-L15	**Montpensier** Rue de	3	8 R. de Richelieu	21 R. de Beaujolais	Palais-Royal-Louvre
20	N27	**Montreuil** Porte de	20	Bd Périphérique		Pte de Montreuil
11	O22-O23	**Montreuil** Rue de	44	225 R. du Fbg St-Antoine	33 Bd de Charonne	Avron - Faidherbe-Ch
14	U12	**Montrouge** Porte de	55	Bd Brune	Av. de la Pte de Montrouge	Pte d'Orléans
14	U14-V14	**Montsouris** Allée de	54	Al. du Puits	R. Deutsch de la M.	Pte d'Orléans
14	V14-V15	**Montsouris** Parc de	54	Bd Jourdan	Av. Reille	Cité Univ. (RER B)
14	U14	**Montsouris** Square de	54	8 R. Nansouty	51 Av. Reille	Cité Univ. (RER B)
7	M8	**Monttessuy** Rue de	28	18 Av. Rapp	21 Av. de La Bourdonnais	Pont de l'Alma (RER C)
9	J16	**Montyon** Rue de	35	7 R. de Trévise	18 R. du Fbg Montmartre	Grands Boulevards
16	K5	**Mony** Rue	63	68 R. Spontini	9 R. de Lota	Rue de la Pompe
11	K21	**Morand** Rue	41	79 R. J.-P. Timbaud	16 R. de l'Orillon	Couronnes
12	O20	**Moreau** Rue	48	7 Av. Daumesnil	38 R. de Charenton	Gare de Lyon
14	U12	**Morère** Rue	54	40 R. Friant	45 Av. J. Moulin	Pte d'Orléans
11	K21	**Moret** Rue	41	133 R. Oberkampf	102 R. J.-P. Timbaud	Ménilmontant
15	N8	**Morieux** Cité	55	56 R. de la Fédération	(en impasse)	Dupleix
15	S9	**Morillons** Rue des	57	45 R. O. de Serres	88 R. Castagnary	Pte de Vanves
4	O19	**Morland** Boulevard	15	2 Q. Henri IV	6 Bd Henri IV	Sully-Morland
4	P19	**Morland** Pont	15	Bd Bourdon	Bd de la Bastille	Quai de la Rapée
4	P19	**Morland** Pont	48	Bd Bourdon	Bd de la Bastille	Quai de la Rapée
11	O24	**Morlet** Impasse	44	113 R. de Montreuil	(en impasse)	Avron
9	I14	**Morlot** Rue	33	77 Pl. d'Estienne d'Orves	3 R. de la Trinité	Trinité
4	O19	**Mornay** Rue	15	19 Bd Bourdon	2 R. de Sully	Sully-Morland
14	S12	**Moro Giafferi** Place de	54	141 R. du Château	2 R. Didot	Pernety
20	I25-K26	**Mortier** Boulevard	78	4 R. Belgrand	261 Av. Gambetta	St-Fargeau
11	M21	**Morvan** Rue du	43	32 R. Pétion	23 R. St-Maur	Voltaire
8	H12-H13	**Moscou** Rue de	32	20 R. de Liège	41 Bd des Batignolles	Rome - Liège

19	G21	**Moselle** Passage de la	73	70 Av. J. Jaurès	101 R. de Meaux	Laumière
19	G21	**Moselle** Rue de la	73	63 Av. J. Jaurès	50 Q. de la Loire	Laumière
18	D14	**Moskova** Rue de la	69	24 R. Leibniz	12 R. J. Dollfus	Pte de St-Ouen
5	Q16	**Mouffetard** Rue	17 à 20	3 R. Thouin	2 R. Censier	Place Monge
5	Q17	**Mouffetard Monge** Galerie	18	17 R. Gracieuse	76 R. Mouffetard	Place Monge
11	M20	**Moufle** Rue	42	35 R. du Chemin Vert	62 Bd R. Lenoir	Richard-Lenoir
11	N23	**Moulin Dagobert** Villa du	44	21ter R. Voltaire	(en impasse)	Rue des Boulets
15	Q4	**Moulin de Javel** Place du	60	Quai André Citroën	Rue Leblanc	Bd Victor (RER C)
13	V18	**Moulin de la Pointe** Jardin du	51	R. du Moulin de la Pointe	Av. d'Italie	Maison Blanche
13	U18	**Moulin de la Pointe** Rue du	51	R. du Dr Laurent	22 Bd Kellermann	Tolbiac
14	S11	**Moulin de la Vierge** Jardin du	56	R. Vercingétorix		Pernety
14	S11	**Moulin de la Vierge** Rue du	56	110 R. R. Losserand	131 R. Vercingétorix	Plaisance
14	S12	**Moulin des Lapins** Rue du	56	138 R. du Château	Pl. de la Garenne	Pernety
13	T17	**Moulin des Prés** Passage du	51	19 R. du Moulin des Prés	22 R. Bobillot	Place d'Italie
13	T17	**Moulin des Prés** Rue du	51	25 Bd A. Blanqui	30 R. Damesme	Tolbiac - Place d'Italie
11	K21	**Moulin Joly** Rue du	41	93 R. J.-P. Timbaud	36 R. de l'Orillon	Couronnes
14	T12	**Moulin Vert** Impasse du	55	27 R. des Plantes	(en impasse)	Alésia
14	S12-T13	**Moulin Vert** Rue du	55-56	218 Av. du Maine	69 R. Gergovie	Plaisance - Alésia
13	U17	**Moulinet** Passage du	51	45 R. du Moulinet	154 R. de Tolbiac	Tolbiac
13	T17	**Moulinet** Rue du	51	58 Av. d'Italie	57 R. Bobillot	Tolbiac
1	K14	**Moulins** Rue des	3	18 R. Thérèse	49 R. Petits Champs	Pyramides
20	O25	**Mounet Sully** Rue	80	3 R. des Pyrénées	50 R. de la Plaine	Pte de Vincennes
20	N26	**Mouraud** Rue	80	19 R. Croix St-Simon	80 R. St-Blaise	Pte de Montreuil
12	P23	**Mousset** Impasse	46	81 R. de Reuilly	(en impasse)	Montgallet
12	Q25	**Mousset Robert** Rue	45	31 Av. Dr Netter	28 R. Sibuet	Picpus
18	D19	**Moussorgsky** Rue	72	R. de l'Évangile	(en impasse)	Marx Dormoy
4	M17	**Moussy** Rue de	14	4 R. de la Verrerie	19 R. Ste-Croix la Br.	Hôtel de Ville
14	S13	**Mouton-Duvernet** Rue	55	36 Av. du Gal Leclerc	Av. du Maine	Mouton-Duvernet
19	H23-H24	**Mouzaïa** Rue de	75	8 R. du Gal Brunet	103 Bd Sérurier	Botzaris
12	Q22	**Moynet** Cité	46	179 R. de Charenton	1 R. Ste-Claire Deville	Reuilly Diderot
16	M4-N4	**Mozart** Avenue	62-61	1 Chée de la Muette	24 R. P. Guérin	Ranelagh - La Muette
16	N4	**Mozart** Square	62	28 Av. Mozart	(en impasse)	Ranelagh
16	N4	**Mozart** Villa	61	71 Av. Mozart	(en impasse)	Jasmin
16	M4	**Muette** Chaussée de la	62	65 R. de Boulainvilliers	Av. Ingres	La Muette
16	L3	**Muette** Porte de la	62-63	Bd Périphérique		Av. H. Martin (RER C)
2	K16	**Mulhouse** Rue de	7	27 R. de Cléry	7 R. Jeûneurs	Sentier
16	Q2	**Mulhouse** Villa	61	R. C. Lorrain	R. Parent de Rosan	Exelmans
18	F16	**Muller** Rue	70	49 R. de Clignancourt	8 R. P. Albert	Château Rouge
16	Q2-P2	**Murat** Boulevard	61	Pl. de la Pte d'Auteuil	182 Q. L. Blériot	Pte de St-Cloud
16	R3	**Murat** Villa	61	37 R. C. Terrasse	153 Bd Murat	Pte de St-Cloud
20	L23	**Mûriers** Rue des	79	27 Av. Gambetta	14 R. des Partants	Gambetta
8	I10	**Murillo** Rue	32	1 Av. Ruysdaël	66 R. Courcelles	Monceau - Courcelles
16	Q3	**Musset** Rue de	61	7 R. Jouvenet	67 R. Boileau	Chardon Lagache
8	O17	**Mutualité** Square de la	17	24 R. St-Victor	(en impasse)	Maubert-Mutualité
18	G16-F17	**Myrha** Rue	71-70	29 R. Stephenson	2 R. Poulet	Château Rouge
8	I10	**Myron Herrick** Avenue	30	162 R. du Fbg St-Honoré	25 R. Courcelles	St-Philippe du R.

N

17	E12	**Naboulet** Impasse	68	68 R. de la Jonquière	(en impasse)	Brochant
19	H26	**Nafissa Sid Cara** Passage	75	Avenue René Fonck		Porte des Lilas
10	J18	**Nancy** Rue de	39	35 Bd de Magenta	86 R. du Fbg St-Martin	Jacques Bonsergent
11	L22	**Nanettes** Rue des	42	91 Av. de la République	101 Bd de Ménilmontant	Père Lachaise
14	U14	**Nansouty** Impasse	54	14 R. Deutsch de la M.	(en impasse)	Cité Univ. (RER B)
14	U14	**Nansouty** Rue	54	25 Av. Reille	2 R. Deutsch de la M.	Cité Univ. (RER B)
19	E21-E22	**Nantes** Rue de	74	17 Q. de l'Oise	130 R. de Flandre	Corentin Cariou
15	S10	**Nanteuil** Rue	57	19 R. Brancion	16 R. St-Amand	Vaugirard
8	H12	**Naples** Rue de	32	61 R. de Rome	72 Bd Malesherbes	Villiers - Europe
1	M14	**Napoléon** Cour	1	Palais du Louvre		Palais Royal Louvre
10	H17	**Napoléon III** Place	37	R. de St-Quentin	R. de Compiègne	Gare du Nord
7	N13	**Narbonne** Rue de	25	4 R. de la Planche	(en impasse)	Sèvres-Babylone
16	P4	**Narcisse Diaz** Rue	61	72 Av. de Versailles	17 R. Mirabeau	Mirabeau
8	N11	**Narvik** Place de	32	12 R. de Téhéran	20 Av. de Messine	Miromesnil
11	O23-P24	**Nation** Place de la	44	R. du Faubourg St-Antoine	Av. du Trône	Nation
12	O23-P23	**Nation** Place de la	46	R. du Faubourg St-Antoine	Av. du Trône	Nation
13	U20	**National** Passage	50	25 R. Chât. Rentiers	20 R. Nationale	Pte d'Ivry
12	T22	**National** Pont	47	Q. de la Gare	Bd Poniatowski	Bibl. F. Mitterrand
13	T22	**National** Pont	47	Q. de la Gare	Bd Poniatowski	Bibl. F. Mitterrand
13	U19	**Nationale** Impasse	50	52 R. Nationale	(en impasse)	Pte d'Ivry
13	T19	**Nationale** Place	50	R. Nationale	R. du Chât. Rentiers	Nationale
13	U19-S18	**Nationale** Rue	50	76 Bd Masséna	Bd Vincent Auriol	Pte d'Ivry - Nationale
16	M7	**Nations Unies** Avenue des	62	Av. Albert de Mun	Bd Delessert	Trocadéro

Ar	Plan	Rues / Streets	Quart.	Commençant	Finissant	Métro
12	R22-S22	**Nativité** Rue de la	47	R. de Dijon	R. de l'Aubrac	Cour St-Émilion
18	F14	**Nattier** Place	69	R. Eugène Carrière	R. F. Ziem	Lamarck-Caulaincourt
9	H15	**Navarin** Rue de	9	37 R. des Martyrs	16 R. H. Monnier	St-Georges
5	P17	**Navarre** Rue de	17	R. Lacépède	57 R. Monge	Place Monge
17	D13	**Navier** Rue	68	121 Av. de St-Ouen	66 R. Pouchet	Pte de St-Ouen
4	N19	**Necker** Rue	14	2 R. d'Ormesson	1 R. de Jarente	St-Paul
15	O10	**Necker** Square	58	R. La Quintinie	R. Tessier	Volontaires
7	M10	**Négrier** Cité	28	151 R. de Grenelle	6 R. E. Psichari	La Tour-Maubourg
15	N7	**Nélaton** Rue	59	4 Bd de Grenelle	7 R. Dr Finlay	Bir Hakeim
1	L14	**Nemours** Galerie de	3	R. St-Honoré	Gal. Théatre Fr.	Palais Royal-Louvre
11	K20	**Nemours** Rue de	41	R. Oberkampf	R. J.-P. Timbaud	Parmentier
6	N15	**Nesle** Rue de	21	22 R. Dauphine	17 R. de Nevers	Odéon - St-Michel
1	M15-N15	**Neuf** Pont	1	Q. du Louvre	Q. de Conti	Pont Neuf
6	M15-N15	**Neuf** Pont	1	Q. du Louvre	Q. de Conti	Pont Neuf
16	H5	**Neuilly** Avenue de	65	Pl. de la Pte Maillot	Av. Ch. de Gaulle	Pte Maillot
17	H5	**Neuilly** Avenue de	65	Pl. de la Pte Maillot	Av. Ch. de Gaulle	Pte Maillot
18	D16-E16	**Neuve de la Chardonnière** R.	70	50 R. du Simplon	41 R. Championnet	Simplon
11	N23	**Neuve des Boulets** Rue		12 R. Léon Frot	1 R. de Montreuil	Rue des Boulets
11	L20	**Neuve Popincourt** Rue	42	58 R. Oberkampf	17 Pas. Beslay	Parmentier
4	N19	**Neuve Saint-Pierre** Rue	15	19 R. Beautreillis	32 R. St-Paul	St-Paul
13	S21	**Neuve Tolbiac** Rue	50	1 Q. F. Mauriac	114 Av. de France	Bibl. F. Mitterrand
8	I9	**Néva** Rue de la	30	260 R. du Fbg St-Honoré	75 Bd de Courcelles	Ternes
6	N15	**Nevers** Impasse de	21	22 R. de Nevers	(en impasse)	Odéon
6	N15	**Nevers** Rue de	21	1 Q. de Conti	12 R. de Nesle	Pont Neuf
16	M7-L8	**New York** Avenue de	64-62	Pont de l'Alma	2 R. Beethoven	Alma-Marceau
16	J8	**Newton** Rue	64	73 Av. Marceau	82 Av. d'Iéna	Kléber
18	D13-D19	**Ney** Boulevard	69 à 71	215 R. Aubervil.	156 Av. de St-Ouen	Pte de St-Ouen
17	G10	**Nicaragua** Place du		Bd Malesherbes	R. Ampère	Wagram
11	N23	**Nice** Rue de	44	29 R. Neuve Boulets	152 R. de Charonne	Rue des Boulets
12	S23-R24	**Nicolaï** Rue	47-46	R. de Charenton	(en impasse)	Dugommier
20	M26	**Nicolas** Rue	80	139 Bd Davout	(en impasse)	Pte de Montreuil
11	M20	**Nicolas Appert** Rue	18	Pas. Ste-Anne Popin	Al. Verte	St-Sébastien-Froissart
15	Q11	**Nicolas Charlet** Rue	58	175 R. de Vaugirard	48 R. Falguière	Pasteur
17	F9	**Nicolas Chuquet** Rue	66	199 Bd Malesherbes	14 R. P. Delorme	Wagram - Pereire
11	M21	**Nicolas De Blégny** Villa	43	11 R. de Popincourt	(en impasse)	Voltaire
4	M16	**Nicolas Flamel** Rue	13	88 R. de Rivoli	7 R. des Lombards	Châtelet
13	T18	**Nicolas Fortin** Rue	50	65 Av. Edison	164 Av. Choisy	Place d'Italie
5	Q18	**Nicolas Houël** Rue	18	Bd de l'Hôpital	(en impasse)	Gare d'Austerlitz
14	R13	**Nicolas Poussin** Cité	53	240 Bd Raspail	(en impasse)	Raspail
13	R17	**Nicolas Roret** Rue	49	23 R. de la Reine Blanche	30 R. Le Brun	Les Gobelins
14	U12	**Nicolas Taunay** Rue	55	5 Pl. de la Pte de Châtillon	11 Av. E. Reyer	Pte d'Orléans
17	F17	**Nicolay** Square	67	16 R. des Moines	77 R. Legendre	Brochant
19	G21	**Nicole Chouraqui** Rue	73	22 R. Tandou	(en impasse)	Laumière
15	O8	**Nicole De Hauteclocque** Jardin	8	Pl. Alfred Sauvy	Pl. M.-M. Fourcade	Dupleix
18	F16	**Nicolet** Rue	70	21 R. Ramey	2 R. Bachelet	Château Rouge
16	M5	**Nicolo** Hameau	62	13 R. Nicolo		La Muette
16	L4-M5	**Nicolo** Rue	62	36 R. Passy	36 R. de la Pompe	La Muette
17	H8-G8	**Niel** Avenue	65-66	30 Av. des Ternes	5 Pl. du Mal Juin	Ternes - Pereire
17	H8	**Niel** Villa	65	30 Av. Niel	(en impasse)	Ternes - Pereire
14	S11	**Niepce** Rue	56	79 R. de l'Ouest	56 R. R. Losserand	Pernety
13	U20	**Nieuport** Villa	50	39 R. Terres Curé	(en impasse)	Pte d'Ivry
12	Q26	**Niger** Rue du	45	111 Bd Soult	92 Av. de St-Mandé	Pte de Vincennes
2	K16	**Nil** Rue du	8	1 R. de Damiette	30 R. des Petits Carreaux	Sentier
18	F15	**Nobel** Rue	70	119 R. Caulaincourt	9 R. Francœur	Lamarck-Caulaincourt
15	N7	**Nocard** Rue	59	13 Q. de Grenelle	8 R. Nélaton	Bir Hakeim
3	L17	**Noël** Cité	12	22 R. Rambuteau	(en impasse)	Rambuteau
20	P26	**Noël Ballay** Rue	80	2 Bd Davout	1 R. L. Delaporte	Pte de Vincennes
16	K5	**Noisiel** Rue de	63	41 R. Émile Ménier	23 R. Spontini	Pte Dauphine
20	J26	**Noisy-le-Sec** Rue de	78	R. des Fougères	R. de Noisy-le-Sec	St-Fargeau
17	G12	**Nollet** Rue	67	20 R. des Dames	164 R. Cardinet	Place de Clichy
17	F11	**Nollet** Square	67	103 R. Nollet	(en impasse)	Brochant
18	E15	**Nollez** Cité	69	146 R. Ordener	(en impasse)	Lamarck-Caulaincourt
11	O20	**Nom de Jésus** Cour du	43	47 R. du Fbg St-Antoine	(en impasse)	Bastille
4	N18	**Nonnains d'Hyères** Rue des	14	Q. Hôtel de Ville	1 R. de Jouy	Pont Marie - St-Paul
19	G21	**Nord** Passage du	76	25 R. Petit	31 R. Petit	Laumière
18	E16-E17	**Nord** Rue du	70	97 R. des Poissonniers	114 R. Clignanc.	Marcadet-Poissonniers
3	L19	**Normandie** Rue de	10	39 R. Debelleyme	62 R. Charlot	Filles du Calvaire
18	F15	**Norvins** Rue	62-70-69	Pl. du Tertre	4 R. Girardon	Abbesses
4	N16	**Notre-Dame** Pont	13	Q. de Gesvres	Q. de la Corse	Cité - Châtelet
2	J16	**N.-D. de Bonne Nouvelle** Rue	8	19 R. Beauregard	21 Bd Bonne Nouvelle	Bonne Nouvelle
9	I15-H14	**Notre-Dame de Lorette** Rue	33	2 R. St-Lazare	R. J.-B. Pigalle	St-Georges
3	K17-K18	**Notre-Dame de Nazareth** Rue	9	201 R. Temple	104 Bd Sébastopol	Temple

Ar	Plan	Rues / Streets	Quart.	Commençant	Finissant	Métro
18	G15	**Orsel** Cité d'	70	32 R. d'Orsel	19 Pl. St-Pierre	Abbesses
18	G16	**Orsel** Rue d'	70	3 R. de Clignancourt	88 R. Martyrs	Anvers
20	N24	**Orteaux** Impasse des	80	14 R. des Orteaux	Sq. Monsoreau	Alexandre Dumas
20	M24-N26	**Orteaux** Rue des	80	36 R. de Bagnolet	59 R. Croix St-Simon	Alexandre Dumas
5	Q16-17	**Ortolan** Rue	18	23 R. Gracieuse	55 R. Mouffetard	Place Monge
5	Q17	**Ortolan** Square	18	R. St-Médard	R. Ortolan	Place Monge
15	Q6-Q7	**Oscar Roty** Rue	60	109 R. de Lourmel	32 Av. F. Faure	Boucicaut
18	E13	**Oslo** Rue d'	69	154 R. Lamarck	239 R. Marcadet	Guy Môquet
16	M4	**Oswaldo Cruz** Rue	62	R. du Ranelagh	Bd du Beauséjour	Ranelagh
16	M4	**Oswaldo Cruz** Villa	62	12 R. Oswaldo Cruz	(en impasse)	Ranelagh
20	I25	**Otages** Villa des	78	85 R. Haxo	(en impasse)	Télégraphe
7	O12	**Oudinot** Impasse	25	55 R. Vaneau	(en impasse)	Vaneau
7	O11-O12	**Oudinot** Rue	27	56 R. Vaneau	47 Bd des Invalides	Vaneau
13	R17	**Oudry** Rue	49	14 R. du Jura	3 R. Le Brun	Les Gobelins
15	O8	**Ouessant** Rue d'	59	7 R. Pondichéry	64 Av. La Motte-Picquet	La Motte-P.-Grenelle
14	R12	**Ouest** Rue de l'	56	92 Av. du Maine	180 R. d'Alésia	Plaisance - Gaîté
19	E23	**Ourcq** Galerie de l'	74	Parc de la Villette	Gal. de la Villette	Pte de la Villette
19	F22-E20	**Ourcq** Rue de l'	73-74	143 Av. J. Jaurès	168 R. d'Aubervilliers	Ourcq - Crimée
11	O21	**Ours** Cour de l'	44	95 R. du Fbg St-Antoine	(en impasse)	Ledru-Rollin
3	L17	**Ours** Rue aux	12	187 R. St-Martin	58 Bd Sébastopol	Étienne Marcel
6	O13	**Ozanam** Place	23	R. de Cicé	Bd du Montparnasse	Vavin
6	O13	**Ozanam** Square	23	R. de Cicé	Bd du Montparnasse	Vavin

P

Ar	Plan	Rues / Streets	Quart.	Commençant	Finissant	Métro
15	O6	**Pablo Casals** Square	59	R. Émeriau	R. Ginoux	Ch. Michels
6	Q13	**Pablo Picasso** Place	23	Bd Raspail	Bd du Montparnasse	Vavin
14	Q13	**Pablo Picasso** Place	23	Bd Raspail	Bd du Montparnasse	Vavin
11	M22	**Pache** Rue	43	121 R. de la Roquette	11 R. St-Maur	Voltaire
16	O2	**Padirac** Square de	61	108 Bd Suchet	17 Av. du Mal Lyautey	Pte d'Auteuil
20	O27	**Paganini** Rue	80	46 Bd Davout	R. Maryse Hilsz	Pte de Montreuil
5	P15	**Paillet** Rue	20	9 R. Soufflot	4 R. Malebranche	Luxembourg (RER B)
2	K13	**Paix** Rue de la	5	2 R. des Capucines	1 Pl. de l'Opéra	Opéra
18	G18-E19	**Pajol** Rue	72	8 Pl. de la Chapelle	1 Pl. Hébert	La Chapelle
16	M4	**Pajou** Rue	62	77 R. des Vignes	8 R. du Gal Aubé	La Muette
1	N16	**Palais** Boulevard du	1	1 Q. de l'Horloge	8 Q. du Marché Neuf	Cité
4	N16	**Palais** Boulevard du	16	Pont St-Michel	Pont au Change	Cité
7	L13	**Palais Bourbon** Place du	26	85 R. de l'Université	4 R. de Bourgogne	Assemblée Nationale
1	L15	**Palais Royal** Jardin du	3	Palais Royal		Palais Royal-Louvre
1	L14	**Palais Royal** Place du	3	168 R. de Rivoli	155 R. St-Honoré	Palais Royal-Louvre
19	I23	**Palais Royal de Belleville** Cité du	75	38 R. des Solitaires	(en impasse)	Jourdain
6	O14	**Palatine** Rue	22	4 R. Garancière	1 Pl. St-Sulpice	Mabillon - St-Sulpice
19	I23	**Palestine** Rue de	75	139 R. de Belleville	26 R. des Solitaires	Jourdain
2	L17-K17	**Palestro** Rue de	8	29 R. de Turbigo	7 R. du Caire	Réaumur-Sébastopol
20	J22	**Pali Kao** Rue de	77	74 Bd de Belleville	73 R. J. Lacroix	Couronnes
18	F17	**Panama** Rue de	71	15 R. Léon	32 R. des Poissonniers	Château Rouge
11	M20	**Paname** Galerie de	42	69 Bd Richard-Lenoir	79 Bd Richard-Lenoir	Richard-Lenoir
13	S21-T22	**Panhard et Levassor** Quai	50	Pont National	Pont de Tolbiac	Bibl. F. Mitterrand
11	N20	**Panier Fleuri** Cour du	43	17 R. de Charonne	(en impasse)	Bastille
2	J15	**Panoramas** Passage des	6	10 R. St-Marc	11 Bd Montmartre	Grands Boulevards
2	J15	**Panoramas** Rue des	6	14 R. Feydeau	9 R. St-Marc	Bourse
20	K22	**Panoyaux** Impasse des	79	6 R. des Panoyaux	(en impasse)	Ménilmontant
20	K23	**Panoyaux** Rue des	79	130 Bd de Ménilmontant	R. des Plâtrières	Ménilmontant
5	P16	**Panthéon** Place du	20	R. Cujas	R. Clotaire	Card. Lemoine
19	F24	**Pantin** Porte de	75	Bd Sérurier	Pl. de la Pte Pantin	Pte de Pantin
9	I16	**Papillon** Rue	35	2 R. Bleue	17 R. Montholon	Poissonnière - Cade
3	K17	**Papin** Rue	9	259 R. St-Martin	98 Bd Sébastopol	Réaumur-Sébastopol
10	I16-I17	**Paradis** Cité	38	43 R. de Paradis	(en impasse)	Poissonnière
10	I16-I17	**Paradis** Rue de	38	95 R. du Fbg St-Denis	64 R. du Fbg Poissonnière	Poissonnière
16	J5	**Paraguay** Place du	63	85 Av. Foch	50 Av. Bugeaud	Pte Dauphine
19	D22	**Parc La Terrasse** du	74	Bd Macdonald	Espl. de la Rotonde	Pte de la Villette
19	I22	**Parc** Villa du	72	21 R. Pradier	10 R. Botzaris	Buttes Chaumont
20	M25	**Parc de Charonne** Chemin du	79	5 R. Prairies	2 R. Stendhal	Pte de Bagnolet
13	U18	**Parc de Choisy** Allée du	50	123 Av. Choisy	(en impasse)	Tolbiac
14	V14	**Parc de Montsouris** Rue du	54	4 R. Deutsch de la M.	18 R. Nansouty	Cité Univ. (RER B)
14	V14	**Parc de Montsouris** Villa du	54	8 R. Deutsch de la M.	(en impasse)	Cité Univ. (RER B)
16	N6	**Parc de Passy** Avenue du	62	34 Av. du Pdt Kennedy	25 R. Raynouard	Passy
16	Q1	**Parc des Princes** Avenue du	61	1 R. Claude Farrère	Pl. Dr P. Michaux	Pte de St-Cloud
3	M19	**Parc Royal** Rue du	11	49 R. Turenne	4 Pl. de Thorigny	Chemin Vert
11	N20	**Parchappe** Cité	43	21 R. du Fbg St-Antoine	10 Pas. Cheval Blanc	Bastille
5	O16	**Parcheminerie** Rue de la	20	28 R. St-Jacques	41 R. de la Harpe	Cluny-La Sorbonne

16	Q2	**Parent de Rosan** Rue	61	98 R. Boileau	89 R. Michel Ange	Exelmans
9	H13	**Parme** Rue de	33	59 R. de Clichy	78 R. d'Amsterdam	Liège
10	M21-J20	**Parmentier** Avenue	33	10 Pl. Léon Blum	24 R. Alibert	Parmentier
11	K20-M21	**Parmentier** Avenue	41-43	10 Pl. Léon Blum	24 R. Alibert	Parmentier
13	Q13	**Parnassiens** Galerie des	53	Bd du Montparnasse	R. Delambre	Vavin
12	P20	**Parrot** Rue	48	4 R. de Lyon	30 Av. Daumesnil	Gare de Lyon
20	L23	**Partants** Rue des	79	52 R. Amandiers	24 R. Soleillet	Père Lachaise
18	D22	**Parvis** Place du	74	Av. Corentin Cariou	Espl. de la Rotonde	Pte de la Villette
18	G16	**Parvis du Sacré Cœur** Place du	70	Parvis Basilique	R. du Cardinal Dubois	Abbesses - Anvers
4	N16	**Parvis Notre-Dame** Place du	16	23 R. d'Arcole	6 R. de la Cité	Cité
5	R16-C16	**Pascal** Rue	10-10	2 R. de Bazeilles	50 R. Cordelières	Censier-Daubenton
13	R16-S16	**Pascal** Rue	52	2 R. de Bazeilles	50 R. Cordelières	Censier-Daubenton
3	N19	**Pas-de-la-Mule** Rue du	11	R. Francs Bourgeois	Bd Beaumarchais	Chemin Vert
4	N19	**Pas-de-la-Mule** Rue du	15	R. Francs Bourgeois	Bd Beaumarchais	Chemin Vert
11	L19	**Pasdeloup** Place	41	108 R. Amelot	Bd du Temple	Filles du Calvaire
8	J12	**Pasquier** Rue	31	6 Bd Malesherbes	3 R. de la Pépinière	St-Lazare
16	M5	**Passy** Place de	62	67 R. de Passy	22 R. Duban	La Muette
16	O5-M7	**Passy** Port de	62	Pont de Grenelle	Pont d'Iéna	Passy
16	M3	**Passy** Porte de	62	Pont d'Iéna	Pont de Grenelle	Passy
16	M5-M6	**Passy** Rue de	62	Pl. de Costa Rica	60 R. de Boulainvilliers	Passy - La Muette
16	M5	**Passy-Plaza** Galerie	62	R. de Passy	R. de l'Annonciation	La Muette
15	P10-Q11	**Pasteur** Boulevard	58	165 R. de Sèvres	Pl. des 5 Mart. du Lyc. Buffon	Sèvres-Lecourbe
11	L20	**Pasteur** Rue	42	8 R. de la Folie Méricourt	41 Av. Parmentier	St-Ambroise
15	P10	**Pasteur** Square	58	3 R. Lecourbe	(en impasse)	Sèvres-Lecourbe
16	L6	**Pasteur Marc Bœgner** Rue du	62	43 Av. G. Mandel	46 R. Scheffer	Rue de la Pompe
11	N20	**Pasteur Wagner** Rue du	43	26 Bd Beaumarchais	7 Bd R. Lenoir	Chemin Vert
3	L18	**Pastourelle** Rue	10 à 12	17 R. Charlot	124 R. du Temple	Arts et Métier
13	U20	**Patay** Rue de	50	12 Bd Masséna	49 R. de Domrémy	Pte d'Ivry
13	O25	**Patenne** Square	80	3 R. Frédéric Loliée	66 R. de la Plaine	Maraîchers
5	Q17	**Patriarches** Passage des	18	6 R. des Patriarches	99 R. Mouffetard	Censier-Daubenton
5	Q17	**Patriarches** Rue des	18	7 R. de l'Épée de Bois	44 R. Daubenton	Censier-Daubenton
16	O4	**Patrice Boudart** Villa	61	25 R. J. De La Fontaine	(en impasse)	Jasmin
20	O26	**Patrice De La Tour Du Pin** Rue	80	33 Bd Davout	Pl. Tessier de Marg.	Pte de Montreuil
16	O5	**Pâtures** Rue des	61	40 Av. de Versailles	19 R. Félicien David	Mirabeau
14	T10	**Paturle** Rue	56	R. R. Losserand	235 R. Vercingétorix	Pte de Vanves
13	S21	**Pau Casals** Rue	57	R. E. Durkheim	R. Neuve Tolbiac	Bibl. F. Mitterrand
17	F8	**Paul Adam** Avenue	66	148 Bd Berthier	9 E. et A. Massard	Pereire
18	G16	**Paul Albert** Rue	70	24 R. A. del Sarte	25 R. du Chev. de la Barre	Anvers
15	V13	**Paul Appell** Avenue	55	R. Émile Faguet	7 Pl. du 25 Août 1944	Pte d'Orléans
15	R9	**Paul Barruel** Rue	58	249 R. de Vaugirard	1 Pl. d'Alleray	Volontaires
8	J10	**Paul Baudry** Rue	30	54 R. de Ponthieu	9 R. d'Artois	St-Philippe du R.
16	O4	**Paul Beauregard** Place	61	R. de Rémusat	Av. Th.Gautier	Église d'Auteuil
12	R22-S22	**Paul Belmondo** Rue	47	R. Joseph Kessel	R. Michel Audiart	Cour St-Émilion
11	O22	**Paul Bert** Rue	44	10 R. Faidherbe	24 R. Chanzy	Faidherbe-Chaligny
12	S25	**Paul Blanchet** Square	45	5 Av. du Gal Dodds	6 R. Marcel Dubois	Pte Dorée
17	E11	**Paul Bodin** Rue	68	174 Av. de Clichy	3 R. Erne St-Goüin	Pte de Clichy
17	G10	**Paul Borel** Rue	66	126 Bd Malesherbes	9 R. Daubigny	Malesherbes
13	V18	**Paul Bourget** Rue	51	Av. de la Pte d'Italie	(en impasse)	Pte d'Italie
8	I10	**Paul Cézanne** Rue	30	168 R. du Fbg St-Honoré	25 R. Courcelles	St-Philippe du R.
15	P9	**Paul Chautard** Rue	58	20 R. Cambronne	Sq. J. Thébaut	Cambronne
6	O15	**Paul Claudel** Place	22	1 R. de Médicis	15 R. de Vaugirard	Odéon
12	Q25	**Paul Crampel** Rue	45	39 R. du Sahel	8 R. Rambervillers	Michel Bizot
19	I24	**Paul De Kock** Rue	75	4 R. Émile Desvaux	30 R. Émile Desvaux	Télégraphe
16	M5	**Paul Delaroche** Rue	62	40 R. Vital	81 Av. P. Doumer	La Muette
15	S8	**Paul Delmet** Rue	59	13 R. Vaugelas	64 R. O. de Serres	Convention
15	O8	**Paul Déroulède** Avenue	59	15 Av. Champaubert	54 Av. La Motte-Picquet	La Motte-P.-Grenelle
7	M8	**Paul Deschanel** Allée	28	67 Q. Branly	Av. S. de Sacy	Ch. de Mars-Tr Eiffel (RER C)
16	M5-L6	**Paul Doumer** Avenue	62	Pl. du Trocadéro	82 R. de Passy	Trocadéro - La Muette
3	L18	**Paul Dubois** Rue	10	18 R. Perrée	15 R. Dupetit Thouars	Temple
12	Q27	**Paul Dukas** Rue	46	177 Av. Daumesnil	15 Al. Vivaldi	Daumesnil
16	O4	**Paul Dupuy** Rue	61	20 R. Félicien David	(en impasse)	Mirabeau
18	F18	**Paul Eluard** Place	72	R. Marx Dormoy	R. de Girard	Marx Dormoy
9	H14	**Paul Escudier** Rue	33	56 R. Blanche	9 R. Henner	Blanche - Liège
7	M10	**Paul et Jean Lerolle** Rue	26	Espl. Invalides	7 R. Fabert	Invalides
18	F15	**Paul Féval** Rue	70	35 R. du Mont Cenis	26 R. des Saules	Lamarck-Caulaincourt
14	U13	**Paul Fort** Rue	55	140 R. de la Tombe Issoire	61 R. du Père Corentin	Pte d'Orléans
13	S16	**Paul Gervais** Rue	52	40 R. Corvisart	72 Bd A. Blanqui	Corvisart - Glacière
15	P5	**Paul Gilot** Square	60	R. S. Mercier	40 R. de la Convention	Javel
14	U16	**Paul Grimault** Square	51	20 R. du Rungis	R. Bobillot	Maison Blanche
12	P21	**Paul-Henri Grauwin** Rue	48	Pl. Rutebeuf	5 R. Guillaumot	Gare de Lyongp
15	P5	**Paul Hervieu** Rue	60	16 Av. Émile Zola	6 R. Cap. Ménard	Javel
20	M25	**Paul-Jean Toulet** Rue	80	R. du Clos	Sq. la Salamandre	Maraîchers
13	R20	**Paul Klee** Rue	49	6 R. Fulton	34 Av. P. Mendès-France	Quai de la Gare

Ar	Plan	Rues / Streets	Quart.	Commençant	Finissant	Métro
5	P16	**Paul Langevin** Square	17	R. des Écoles	R. Monge	Card. Lemoine
19	F19	**Paul Laurent** Rue	73	48 R. d'Aubervilliers	R. du Maroc	Stalingrad
17	F8	**Paul Léautaud** Place	66	142 Bd Berthier	51 Bd Berthier	Pereire
2	K15	**Paul Lelong** Rue	6-7	89 R. Montmartre	14 R. de la Banque	Sentier
7	N12	**Paul-Louis Courier** Impasse	25	7 R. P. L. Courier	(en impasse)	Rue du Bac
7	N12	**Paul-Louis Courier** Rue	25	62 R. du Bac	3 R. Saint-Simon	Rue du Bac
20	I26	**Paul Meurice** Rue	78	10 R. Léon Frapié	(en impasse)	Pte des Lilas
5	O16	**Paul Painlevé** Place	20	1 R. de la Sorbonne	47 R. des Écoles	Cluny-La Sorbonne
17	G11	**Paul Paray** Square	67	R. de Saussure	(en impasse)	Pereire
16	R2-R3	**Paul Reynaud** Place	61	195 Av. de Versailles	R. Le Marois	Pte de St-Cloud
16	M5	**Paul Saunière** Rue	62	13 R. E. Manuel	20 R. Nicolo	Passy
6	Q14	**Paul Séjourné** Rue	23	82 R. N.-D. des Champs	129 Bd du Montparnasse	Vavin
20	K25	**Paul Signac** Place	79	121 Av. Gambetta	92 R. Pelleport	Pelleport
20	K26	**Paul Strauss** Rue	78	R. Géo Chavez	5 R. P. Mouillard	Pte de Bagnolet
17	E9	**Paul Tortelier** Place	67	20 R. Marguerite Long	2 Pl. Louis Bernier	Pereire
14	V14	**Paul Vaillant-Couturier** Avenue	54	Av. Mazagran	Av. L. Descaves	Gentilly
16	J7	**Paul Valéry** Rue	64	50 Av. Kléber	27 Av. Foch	Victor Hugo
13	T17	**Paul Verlaine** Place	51	49 R. Bobillot	R. de la Butte aux Cailles	Corvisart
19	H23	**Paul Verlaine** Villa	75	9 R. M. Hidalgo	(en impasse)	Botzaris
13	V18	**Paulin Enfert** Rue	51	125 Bd Masséna	18 Av. Léon Bollée	Pte d'Italie
13	T17	**Paulin Méry** Rue	51	8 R. Bobillot	7 R. du Moulin des Prés	Place d'Italie
20	N25-N26	**Pauline Kergomard** Rue	80	13 R. Mouraud	R. P. Kergomard	Maraîchers
14	T11	**Pauly** Rue	56	151 R. R. Losserand	16 R. Suisses	Plaisance
4	N18	**Pavée** Rue	14	10 R. de Rivoli	R. Francs Bourgeois	St-Paul
17	G7-H7	**Pavillons** Avenue des	65	15 Av. Verzy	Av. Y. du Manoir	Pte de Champerret
18	D14	**Pavillons** Impasse des	69	4 R. Leibniz	(en impasse)	Pte de St-Ouen
20	J24	**Pavillons** Rue des	78	42 R. Pixérécourt	129 R. Pelleport	Télégraphe
3	M18	**Payenne** Rue	11	20 R. Francs Bourgeois	R. du Parc Royal	St-Paul
13	V20	**Péan** Rue	50	55 Bd Masséna	10 Av. C. Regaud	Pte d'Ivry
15	Q9	**Péclet** Rue	57	42 R. Mademoiselle	102 R. Blomet	Vaugirard
4	M17	**Pecquay** Rue	13	34 R. des Blancs Manteaux	5 R. Rambuteau	Rambuteau
15	S3	**Pégoud** Rue	60	9 Q. d'Issy les Moulineaux	Av. du Mal Gallieni	Bd Victor (RER C)
6	P13	**Péguy** Rue	23	11 R. Stanislas	93 Bd du Montparnasse	Vavin
2	L17	**Peintres** Impasse des	8	112 R. St-Denis	(en impasse)	Étienne Marcel
20	J22	**Pékin** Passage de	77	62 R. J. Lacroix	56 R. J. Lacroix	Couronnes - Pyrénées
11	M20	**Pelée** Rue	42	62 R. St-Sabin	63 Bd R. Lenoir	Richard-Lenoir
17	E11	**Pélerin** Impasse du	68	97 R. de la Jonquière	(en impasse)	Pte de Clichy
1	L15	**Pélican** Rue du	2	R. J.-J. Rousseau	8 R. Croix des Petits Chps	Palais Royal-Louvre
20	L25-I24	**Pelleport** Rue	79-78	143 R. de Bagnolet	234 R. de Belleville	Gambetta - Pelleport
20	I24	**Pelleport** Villa	78	155 R. Pelleport	(en impasse)	Télégraphe
8	H11	**Pelouze** Rue	32	7 R. Andrieux	36 R. Constantinople	Villiers
18	D15	**Penel** Passage	70	84 R. Championnet	92 R. du Ruisseau	Pte de Clignancourt
12	P24	**Pensionnat** Rue du	46	Av. du Bel Air	R. des Col. du Trône	Nation
8	J11	**Penthièvre** Rue de	31	21 R. Cambacérès	124 R. du Fbg St-Honoré	Miromesnil
8	I12	**Pépinière** Rue de la	31-32	Pl. Gabriel Péri	4 Pl. St-Augustin	St-Lazare
14	R12	**Perceval** Rue de	56	9 R. Vercingétorix	24 R. de l'Ouest	Gaîté
16	O3	**Perchamps** Rue des	61	20 R. d'Auteuil	59 R. J. De La Fontaine	Église d'Auteuil
3	M18	**Perche** Rue du	11	107 R. Vieille du Temple	6 R. Charlot	St-Sébastien-Froissart
8	I11	**Percier** Avenue	32	38 R. La Boétie	121 Bd Haussmann	Miromesnil
10	G18	**Perdonnet** Rue	37	214 R. du Fbg St-Denis	33 R. P. de Girard	La Chapelle
16	O4	**Père Brottier** Rue du	61	R. J. De La Fontaine	R. Th. Gautier	Église d'Auteuil
11	M21	**Père Chaillet** Place du	43	175 Av. Ledru-Rollin	128 R. de la Roquette	Voltaire
14	U13	**Père Corentin** Rue du	55	92 R. de la Tombe Issoire	100 Bd Jourdan	Pte d'Orléans
13	T17	**Père Guérin** Rue du	51	4 R. Bobillot	3 R. du Moulin des Prés	Place d'Italie
20	J22	**Père Julien Dhuit** Allée du	77	9 R. Père J. Dhuit	13 R. des Envierges	Pyrénées
20	J22	**Père Julien Dhuit** Rue du	77	36 R. Piat		Pyrénées
20	L24	**Père Lachaise** Avenue du	79	56 R. des Rondeaux	3 Pl. Gambetta	Gambetta
16	M5	**Père Marcellin Champagnat** Pl. du	62	6 R. Annonciation	10 R. Annonciation	Passy
14	S10	**Père Plumier** Square du	56	R. Vercingétorix	R. d'Alésia	Plaisance
20	L25	**Père Prosper Enfantin** Rue du	78	R. Géo Chavez	R. Irène Blanc	Pte de Bagnolet
4	O18	**Père Teilhard De Chardin** Pl. du	15	Bd Henri IV	R. de Mornay	Sully-Morland
5	Q17	**Père Teilhard De Chardin** Rue du	18	6 R. des Patriarches	15 R. Épée de Bois	Censier-Daubenton
17	F9-H7	**Péreire Nord** Boulevard	65 à 67	R. J. Gouvion St-Cyr	R. de Saussure	Pte Maillot
17	F9-H7	**Péreire Sud** Boulevard	65 à 67	R. J. d'Abbans	Av. de la Gde Armée	Pte Maillot
16	I6	**Pergolèse** Rue	64-63	61 Av. de la Gde Armée	66 Av. Foch	Pte Maillot
15	T8	**Périchaux** Rue des	57	49 R. de Dantzig	112 R. Brancion	Pte de Vanves
15	T8	**Périchaux** Square des	57	R. des Périchaux	Bd Lefèbvre	Pte de Vanves
7	P10	**Pérignon** Rue	27	48 Av. de Saxe	35 Bd Garibaldi	Ségur
15	P10	**Pérignon** Rue	27	48 Av. de Saxe	35 Bd Garibaldi	Ségur
20	M26	**Périgord** Square du	80	7 Sq. la Gascogne	4 Sq. la Guyenne	Pte de Montreuil
19	G24	**Périgueux** Rue de	75	106 Bd Sérurier	5 Bd d'Indochine	Danube
3	M18	**Perle** Rue de la	11	1 Pl. de Thorigny	78 R. Vieille du Temple	St-Paul

4	M16	**Pernelle** Rue	13	7 R. St-Bon	4 Bd Sébastopol	Châtelet
19	I21	**Pernette Du Guillet** Allée	76	8 R. de l'Atlas	Al. L. Labé	Belleville
14	S12	**Pernety** Rue	56	24 R. Didot	71 R. Vercingétorix	Pernety
8	I11	**Pérou** Place	32	4 av. de Messine	134 Bd Haussmann	Miromesnil
1	M15	**Perrault** Rue	1	4 Pl. du Louvre	85 R. de Rivoli	Louvre-Rivoli
3	L18	**Perrée** Rue	10	21 R. de Picardie	158 R. du Temple	Temple
20	K25	**Perreur** Passage	78	40 R. du Cap. Marchal	21 R. de la Dhuys	Pelleport
20	K25	**Perreur** Villa	78	22 R. de la Dhuys	(en impasse)	Pelleport
16	O4	**Perrichont** Avenue	61	31 Av. Th. Gautier	24 R. Félicien David	Mirabeau
7	N13	**Perronet** Rue	25	32 R. Sts-Pères	15 R. du Pré Clercs	St-Germain-des-Prés
18	F16	**Pers** Impasse	70	47 R. Ramey	(en impasse)	Marcadet-Poissonniers
17	H6	**Pershing** Boulevard	65	46 Bd Gouvion St-Cyr	Pl. de Verdun	Pte Maillot
17	Q17	**Pestalozzi** Rue	18	80 R. Monge	6 R. Épée de Bois	Place Monge
15	Q8	**Petel** Rue	57	12 R. Péclet	106 R. Blomet	Vaugirard
17	G7	**Peterhof** Avenue de	65	Av. des Pavillons	43 R. Guersant	Pte de Champerret
17	E13	**Petiet** Rue	68	101 Av. de St-Ouen	8 R. M. Deraismes	Guy Môquet
19	I24	**Petin** Impasse	75	24 R. des Bois	(en impasse)	Pré St-Gervais
19	M21	**Pétion** Rue	43	119 R. de la Roquette	86 R. du Chemin Vert	Voltaire
19	G21-G23	**Petit** Rue	76-75	32 Av. Laumière	Bd Sérurier	Pte de Pantin
18	E11	**Petit Cerf** Passage	69	184 Av. de Clichy	19 R. Boulay	Pte de Clichy
13	S18	**Petit Modèle** Impasse du	49	19 Av. S. Pichon	(en impasse)	Place d'Italie
5	R17	**Petit Moine** Rue du	18	23 R. de la Collégiale	7 Av. des Gobelins	Les Gobelins
4	N19	**Petit Musc** Rue du	15	2 Q. des Célestins	23 R. St-Antoine	Sully-Morland
5	N16	**Petit Pont** Place du	20	Q. du Marché Neuf	Q. de Montebello	St-Michel
4	N16	**Petit Pont** Pont	16	Pl. du Petit Pont	R. de la Cité	St-Michel
4	N16	**Petit Pont** Pont	20	Pl. du Petit Pont	R. de la Cité	St-Michel
5	N16	**Petit Pont** Rue du	20	Q. de Montebello	R. Galande	St-Michel
5	R2-R3	**Petite Arche** Rue de la	61	21 R. Malleterre	R. A. Ferry	Pte de St-Cloud
6	N14	**Petite Boucherie** Passage	24	1 R. de l'Abbaye	166 Bd St-Germain	St-Germain-des-Prés
11	N23	**Petite Pierre** Rue de la	44	21 R. Neuve des Boulets	150 R. de Charonne	Rue des Boulets
1	L16	**Petite Truanderie** Rue de la	2	16 R. Mondétour	11 R. P. Lescot	Les Halles
11	L20	**Petite Voirie** Passage de la	42	20 R. du Marché Pop.	4 R. N. Popincourt	Parmentier
10	J17	**Petites Écuries** Cour des	38	18 R. d'Enghien	61 R. du Fbg St-Denis	Château d'Eau
10	J17	**Petites Écuries** Passage des	38	15 R. des Petites Écuries	Cr des Petites Écuries	Château d'Eau
10	I16-J17	**Petites Écuries** Rue des	38	71 R. du Fbg St-Denis	42 R. du Fbg Poissonnière	Château d'Eau
2	I23	**Petitot** Rue	75	15 R. Pré St-Gervais	Pl. des Fêtes	Pl. des Fêtes
2	K16	**Petits Carreaux** Rue des	7-8	36 R. St-Sauveur	44 R. de Cléry	Sentier
1	K14-K15	**Petits Champs** Rue des	3	1 R. de la Banque	26 Av. de l'Opéra	Pyramides
2	K14-K15	**Petits Champs** Rue des	1	1 R. de la Banque	76 Av. de l'Opéra	Pyramides
10	I17	**Petits Hôtels** Rue des	37	87 Bd de Magenta	4 R. de la Banque	Gare du Nord
2	K15	**Petits Pères** Passage des	6	R. de la Banque	Pl. Petits Pères	Bourse - Sentier
2	K15	**Petits Pères** Place des	6-7	R. des Petits Pères	R. du Mail	Bourse - Sentier
2	K15	**Petits Pères** Rue des	6	R. La Feuillade	1 R. Vide Gousset	Bourse - Sentier
19	E24	**Petits Ponts** Route des	74	Av. de la Pte de Pantin	Av. du Gal Leclerc (Pantin)	Hoche
16	L6	**Pétrarque** Rue	62	10 Av. P. Doumer	28 R. Scheffer	Trocadéro
16	L6	**Pétrarque** Square	62	31 R. Scheffer	(en impasse)	Trocadéro
9	H16	**Pétrelle** Rue	36	155 R. du Fbg Poissonnière	8 R. Rochechouart	Poissonnière
9	H16	**Pétrelle** Square	36	4 R. Pétrelle	(en impasse)	Poissonnière
16	O3	**Peupliers** Avenue des	61	12 R. Poussin	2 Av. Sycomores	Michel Ange-Auteuil
13	U17-V17	**Peupliers** Rue des	51	74 R. du Moulin des Prés	Bd Kellermann	Tolbiac
13	U17	**Peupliers** Square des	51	72 R. du Moulin des Prés	R. du Repos	Tolbiac
11	N22	**Phalsbourg** Cité de	43	149 Bd Voltaire	49 R. Léon Frot	Charonne
17	G10-H10	**Phalsbourg** Rue de	66	2 R. de Logelbach	30 R. H. Rochefort	Monceau
17	F9	**Philibert Delorme** Rue	76	76 Bd Péreire	205 Bd Malesherbes	Wagram - Pereire
13	V18	**Philibert Lucot** Rue	51	47 Av. Choisy	7 R. Gandon	Maison Blanche
20	O26	**Philidor** Rue	36	8 R. Maraîchers	17 Pas. de lagny	Maraîchers
11	N23-O23	**Philippe Auguste** Avenue	44-43	5 Pl. de la Nation	149 Bd de Charonne	Nation
11	O23	**Philippe Auguste** Passage	44	12 Pas. Turquetil	35 Av. Philippe-Auguste	Rue des Boulets
13	S17	**Philippe De Champagne** Rue	49	144 Bd de l'Hôpital	77 Av. des Gobelins	Place d'Italie
10	G18-H18	**Philippe De Girard** Rue	37	191 R. La Fayette	76 R. M. Dormoy	La Chapelle
18	F18-G18	**Philippe De Girard** Rue	72	212 Bd de Charonne	R. du Repos	La Chapelle
19	I21	**Philippe Hecht** Rue	76	17 R. Barrelet de Ricou	37 R. Lardennois	Buttes Chaumont
11	N25	**Philosophe** Allée du	43	145b Bd Voltaire	9 Cité de Phalsbourg	Charonne
20	J22	**Piat** Passage	77	63 R. des Couronnes	R. Piat	Pyrénées
20	J22	**Piat** Rue	77	Pas. Piat	64 R. de Belleville	Pyrénées
15	Q5	**Pic de Barette** Rue du	60	30 R. Balard	R. Mont. de l'Espérou	Javel
3	L18	**Picardie** Rue de	10	40 R. de Bretagne	2 R. Franche Comté	Temple
16	I6	**Piccini** Rue	64	44 Av. Foch	134 Av. Malakoff	Victor Hugo
16	J6	**Picot** Rue	63	24 Av. Bugeaud	49 Av. Foch	Victor Hugo
12	Q24-Q25	**Picpus** Boulevard de	45-46	89 R. de Picpus	2 Cours de Vincennes	Picpus - Bel Air
12	P23-S25	**Picpus** Rue de	46-45	254 R. du Fbg St-Antoine	97 Bd Poniatowski	Pte Dorée - M. Bizot
18	G15	**Piémontési** Rue	69	21 R. Houdon	10 R. A. Antoine	Abbesses
15	R11	**Pierre-Adrien Delpayrat** Sq.	58	R. André Gide	R. Maurice Maignen	Pasteur

Ar	Plan	Rues / Streets	Quart.	Commençant	Finissant	Métro
4	M17	**Pierre au Lard** Rue	13	12 R. St-Merri	22 R. du Renard	Rambuteau
20	M23	**Pierre Bayle** Rue	79	212 Bd de Charonne	R. du Repos	Philippe Auguste
20	M25	**Pierre Bonnard** Rue	80	13 R. Galleron	28 R. Florian	Pte de Bagnolet
12	P23	**Pierre Bourdan** Rue	46	15 R. Dorian	150 Bd Diderot	Nation
16	K8-K9	**Pierre Brisson** Place	64	R. Goethe	19 Av. Marceau	Alma-Marceau
5	Q16	**Pierre Brossolette** Rue	19	6 Pl. Lucien Herr	R. Rataud	Censier-Daubenton
18	F17	**Pierre Budin** Rue	71	49 R. Léon	54 R. des Poissonniers	Marcadet-Poissonniers
10	J18	**Pierre Bullet** Rue	39	52 R. du Château d'Eau	1 R. Hittorff	Château d'Eau
8	J9	**Pierre Charron** Rue	29	30 Av. George V	55 Av. Chps Élysées	Franklin D. Roosevelt
10	J18	**Pierre Chausson** Rue	39	24 R. du Château d'Eau	21 Bd de Magenta	Jacques Bonsergent
18	F15	**Pierre Dac** Rue	69	95 R. Caulaincourt	53 R. Lamarck	Lamarck-Caulaincourt
13	V16	**Pierre De Coubertin** Avenue	51	Bd Jourdan	Bd Périphérique	Cité Univ. (RER B)
14	V16	**Pierre De Coubertin** Avenue	53	Bd Jourdan	Bd Périphérique	Cité Univ. (RER B)
17	G8-G9	**Pierre Demours** Rue	65-66	4 Pl. T. Bernard	93 Av. de Villiers	Pereire
10	H19	**Pierre Dupont** Rue	40	12 R. Eugène Varlin	11 R. A. Parodi	Louis Blanc
5	P15-P16	**Pierre et Marie Curie** Rue	19	14 R. d'Ulm	189 R. St-Jacques	Luxembourg (RER B)
20	J26	**Pierre Foncin** Rue	78	100 Bd Mortier	5 R. des Fougères	St-Fargeau
9	H14-G14	**Pierre Fontaine** Rue	33	R. J.-B. Pigalle	1 Pl. Blanche	Blanche
18	F13	**Pierre Ginier** Rue	69	50 Av. de Clichy	9 R. H. Moreau	La Fourche
18	F13	**Pierre Ginier** Villa	69	7 R. P. Ginier	R. H. Moreau	La Fourche
19	G21	**Pierre Girard** Rue	73	89 Av. J. Jaurès	12 R. Tandou	Laumière
13	S20	**Pierre Gourdault** Rue	50	139 R. du Chevaleret	22 R. Dunois	Chevaleret
16	O3	**Pierre Guérin** Rue	61	30 R. d'Auteuil	(en impasse)	Michel Ange-Auteuil
9	G13	**Pierre Haret** Rue	33	54 R. de Douai	75 Bd de Clichy	Place de Clichy
8	K8-K9	**Pierre Iᵉʳ de Serbie** Avenue	29	Pl. d'Iéna	27 Av. George V	Alma-Marceau
16	K8-K9	**Pierre Iᵉʳ de Serbie** Avenue	29	Pl. d'Iéna	27 Av. George V	Alma-Marceau
19	F22	**Pierre-Jean Jouve** Rue	74	10 R. de l'Ourcq	23 R. Ardennes	Ourcq
13	V21	**Pierre-Joseph Desault** Rue	50	Av. Porte de Vitry	R. Mirabeau (Vitry)	Pierre Curie
11	N23	**Pierre-Joseph Redouté** Square	44	132b R. de Charonne		Charonne
6	P13	**Pierre Lafue** Place	23	Bd Raspail	R. Stanislas	N.-D. des Champs
5	Q15	**Pierre Lampué** Place	19	R. Claude Bernard	R. Feuillantines	Luxembourg (RER B)
7	O10	**Pierre Laroque** Rue	27	8 Avenue de Ségur	35 Avenue Duquesne	St-François-Xavier
14	T11	**Pierre Larousse** Rue	56	92 R. Didot	161 R. R. Losserand	Plaisance
2	K16	**Pierre Lazareff** Allée	8	R. Petits Carreaux	R. Saint-Denis	Sentier
8	H9	**Pierre le Grand** Rue	30	11 R. Daru	73 Bd de Courcelles	Ternes
14	U10	**Pierre Le Roy** Rue	56	40 Bd Brune	7 R. M. Bouchor	Pte de Vanves
18	G17	**Pierre l'Ermite** Rue	71	2 R. Polonceau	9 R. St-Bruno	Barbès-Rochechouart
7	O12	**Pierre Leroux** Rue	27	7 R. Oudinot	60 R. de Sèvres	Vaneau
1	L16	**Pierre Lescot** Rue	2	2 R. des Innocents	14 R. de Turbigo	Étienne Marcel
11	K20	**Pierre Levée** Rue de la	41	1 R. Trois Bornes	R. Fontaine au Roi	Oberkampf
7	N8	**Pierre Loti** Avenue	28	Q. Branly	Pl. Joffre	Ch. de Mars-Tr Eiffel (RER C)
16	O5	**Pierre Louys** Rue	61	24 Av. de Versailles	7 R. F. David	Mirabeau
18	D18	**Pierre Mac Orlan** Place	72	R. J. Cottin	R. Tristan Tzara	Pte de la Chapelle
14	V14	**Pierre Masse** Avenue	54	Av. P. Vaillant Couturier	R. Descaves	Gentilly
13	R20	**Pierre Mendès France** Av.	49	24 Bd V. Auriol	71 Q. d'Austerlitz	Gare d'Austerlitz
15	S7	**Pierre Mille** Rue	57	43 R. Vaugelas	98 R. O. de Serres	Pte de Versailles
19	D20	**Pierre Mollaret** Allée	74	204 Bd Macdonald	69 R. Émile Bollaert	Pte de la Chapelle
20	K26	**Pierre Mouillard** Rue	78	41 Bd Mortier	54 R. Cap. Ferber	Pte de Bagnolet
5	Q15	**Pierre Nicole** Rue	19	27 R. Feuillantines	88 Bd de Port Royal	Port Royal (RER B)
12	R25	**Pierre Pasquier** Square	45	Bd Soult		Pte Dorée
18	G16	**Pierre Picard** Rue	70	13 R. de Clignancourt	2 R. C. Nodier	Barbès-Rochechouart
20	K26	**Pierre Quillard** Rue	78	3 R. Dulaure	6 R. V. Dejeante	Pte de Bagnolet
17	D11	**Pierre Rebière** Rue	68	1 Bd du Bois le Prêtre	1 R. Saint-Just	Pte de Clichy
19	G21	**Pierre Reverdy** Rue	73	R. de la Moselle	R. E. Dehaynin	Laumière
6	O15	**Pierre Sarrazin** Rue	21	24 Bd St-Michel	19 R. Hautefeuille	Cluny-La Sorbonne
20	J24	**Pierre Seghers** Square	79	R. H. Jakubowicz		St-Fargeau
9	H16	**Pierre Semard** Rue	36	81 R. La Fayette	80 R. Maubeuge	Poissonnière
20	J26	**Pierre Soulié** Rue	78	R. Hoche (Bagnolet)	R. de Noisy-le-Sec	St-Fargeau
20	L25	**Pierre Vaudrey** Place	80	19 R. des Balkans	21 Cité Leclaire	Pte de Bagnolet
7	M9	**Pierre Villey** Rue	28	92 R. St-Dominique	(en impasse)	École Militaire
15	P5	**Piet Mondrian** Rue	60	20 R. S. Mercier	Pl. Mont. du Goulet	Javel
9	H14	**Pigalle** Cité	33	41 R. J.-B. Pigalle	(en impasse)	St-Georges
9	G14	**Pigalle** Place	33	15 Bd de Clichy	9 R. Frochot	Pigalle
11	L20	**Pihet** Rue	42	9 Pas. Beslay	10 R. du Marché Pop.	Parmentier
16	M4	**Pilâtre de Rozier** Allée	62	Av. Raphaël	Chée de la Muette	La Muette
20	M23	**Pilier** Impasse du	79	8 Bd de Ménilmontant	(en impasse)	Philippe Auguste
9	J14	**Pillet Will** Rue	34	15 R. Laffitte	20 R. La Fayette	Richelieu Drouot
18	F13	**Pilleux** Cité	69	30 Av. de St-Ouen	(en impasse)	La Fourche
13	S18	**Pinel** Place	49	Bd V. Auriol	R. Esquirol	Nationale
13	S18	**Pinel** Rue	49	9 Pl. Pinel	137 Bd de l'Hôpital	Nationale
13	R18	**Pirandello** Rue	49	15 R. Duméril	21 R. Le Brun	Campo Formio
12	S22-S23	**Pirogues de Bercy** Rue des	47	Q. de Bercy	R. Baron Le Roy	Cour St-Émilion

152

Ar	Plan	Rues / Streets	Quart.	Commençant	Finissant	Métro
11	M21	**Popincourt** Rue	43-42	79 R. de la Roquette	90 Bd Voltaire	Voltaire
13	V19	**Port au Prince** Place de	50	Av. de la Pte de Choisy	R. Lachelier	Pte de Choisy
2	K14	**Port Mahon** Rue de	5	30 R. St-Augustin	31 R. du 4 Septembre	Quatre Septembre
5	R15-R16	**Port Royal** Boulevard de	18-19	22 Av. des Gobelins	49 Av. de l'Observatoire	Les Gobelins - Port Royal (RER B)
13	R15-R16	**Port Royal** Boulevard de	52	22 Av. des Gobelins	49 Av. de l'Observatoire	Les Gobelins - Port Royal (RER B)
14	R15-R16	**Port Royal** Boulevard de	53	22 Av. des Gobelins	49 Av. de l'Observatoire	Les Gobelins - Port Royal (RER B)
13	R15	**Port Royal** Square de	52	15 R. de la Santé	(en impasse)	Censier-Daubenton
13	R16	**Port Royal** Villa de	52	49 Bd de Port Royal	(en impasse)	Censier-Daubenton
8	I12	**Portalis** Rue	32	14 R. de la Bienfaisance	47 R. du Rocher	Europe
15	T9	**Porte Brancion** Avenue de la	57	94 Bd Lefebvre	R. L. Vicat	Pte de Vanves
19	G24	**Porte Brunet** Avenue de la	75	94 Bd Sérurier	R. des Marchais	Danube
19	G24	**Porte Chaumont** Avenue de la	75	124 Bd Sérurier	R. Estienne D'Orves	Pte de Pantin
18	D20	**Porte d'Aubervilliers** Av. de la	72	4 Bd Ney	Pl. Skanderbeg	Pte de la Chapelle
18	D20	**Porte d'Aubervilliers** Av. de la	72	4 Bd Ney	Pl. Skanderbeg	Pte de la Chapelle
17	E9-F9	**Porte d'Asnières** Av. de la	66-67	96 Bd Berthier	R. V. Hugo (Levallois-P.)	Wagram - Pereire
16	P2	**Porte d'Auteuil** Place de la	61	Av. de la Pte d'Auteuil	Av. du Mal Lyautey	Pte d'Auteuil
20	L26-L27	**Porte de Bagnolet** Av. de la	80-78	6 Pl. de la Pte de Bagnolet	Av. Ibsen	Pte de Bagnolet
20	L26	**Porte de Bagnolet** Place de la	80-78	227 Bd Davout	1 Bd Mortier	Pte de Bagnolet
17	G7	**Porte de Champerret** Av. de la	65	2 Bd de l'Yser	Bd Bineau	Pte de Champerret
17	G7	**Porte de Champerret** Pl. de la	65	8 Bd Gouvion St-Cyr	25 Bd de la Somme	Pte de Champerret
12	T24	**Porte de Charenton** Av. de la	46-47	203 Av. de Paris	60 Bd Poniatowski	Pte de Charenton
14	U11	**Porte de Châtillon** Av. de la	55	Pl. de la Pte de Châtillon	Bd R. Rolland	Pte d'Orléans
14	U12	**Porte de Châtillon** Place de la	55-56	104 Bd Brune	106 Bd Brune	Pte d'Orléans
13	V19	**Porte de Choisy** Avenue de la	50-51	R. C. Leroy	111 Bd Masséna	Pte de Choisy
17	D10	**Porte de Clichy** Avenue de la	68	2 Bd Berthier	Porte de Clichy	Pte de Clichy
18	D16	**Porte de Clignancourt** Av. de la	70-69	106 Bd Ney	Av. Michelet (St-Ouen)	Pte de Clignancourt
18	D18	**Porte de la Chapelle** Av. de la	71-72	2 Bd Ney	21 Av. du Pdt Wilson	Pte de la Chapelle
15	T7	**Porte de la Plaine** Avenue de la	57	38 Bd Lefebvre	Pl. Insurgés de Varsovie	Pte de Versailles
19	D22	**Porte de la Villette** Av. de la	74	84 Bd Macdonald	R. E. Reynaud	Pte de la Villette
20	J26	**Porte de Ménilmontant** Av. de la	78	94 Bd Mortier	1 R. des Fougères	St-Fargeau
18	D14	**Porte de Montmartre** Av. de la	69	142 Bd Ney	R. du Dr Babinski	Pte de St-Ouen
20	N27	**Porte de Montreuil** Av. de la	80	72 Bd Davout	Av. L. Gaumont	Pte de Montreuil
20	N26	**Porte de Montreuil** Place de la	80	6 Av. de la Pte de Montreuil		Pte de Montreuil
14	V12	**Porte de Montrouge** Av. de la	55	126 Bd Brune	Bd Romain Rolland	Pte d'Orléans
19	F24	**Porte de Pantin** Avenue de la	75-74	Pl. de la Pte de Pantin	Av. J. Lolive (Pantin)	Pte de Pantin - Hoche
19	F24	**Porte de Pantin** Place de la	75	148 Bd Sérurier	Bd d'Indochine	Pte de Pantin
16	M3	**Porte de Passy** Place de la	62	Bd Suchet	Av. du Mal Maunoury	Ranelagh
15	T8	**Porte de Plaisance** Av. de la	57	58 Bd Lefebvre	Av. A. Bartholomé	Pte de Versailles
16	R1	**Porte de Saint-Cloud** Av. de la	61	Pl. de la Pte de St-Cloud	47 Av. F. Buisson	Pte de St-Cloud
16	R2	**Porte de Saint-Cloud** Pl. de la	61	111 Bd Murat	219 Av. de Versailles	Pte de St-Cloud
17	D13	**Porte de Saint-Ouen** Av. de la	68	2 Bd Bessière	R.Toulouse-Lautrec	Pte de St-Ouen
18	D13	**Porte de Saint-Ouen** Av .de la	69	2 Bd Bessière	R.Toulouse-Lautrec	Pte de St-Ouen
15	R5	**Porte de Sèvres** Avenue de la	60	8 Bd Victor	Héliport	Balard
14	U9	**Porte de Vanves** Avenue de la	56	Pl. de la Pte de Vanves	Bd Adolphe Pinard	Pte de Vanves
14	T9	**Porte de Vanves** Place de la	56	2 Bd Brune	Av. de la Pte de Vanves	Pte de Vanves
14	U9	**Porte de Vanves** Square de la	56	16 Av. de la Pte Vanves	(en impasse)	Pte de Vanves
15	S7	**Porte de Versailles** Place de la	57	Bd Victor	Av. E. Renan	Pte de Versailles
17	G6	**Porte de Villiers** Avenue de la	65	30 Bd Gouvion St-Cyr	Bd de Villiers	Pte de Champerret
12	P26	**Porte de Vincennes** Av. de la	45	Bd Davout	R. Elie Faure	Pte de Vincennes
20	P26	**Porte de Vincennes** Av. de la	80	Bd Davout	R. Elie Faure	Pte de Vincennes
13	U21	**Porte de Vitry** Avenue de la	50	Av. P. Sémard	7 Bd Masséna	Bibl. F. Mitterrand
19	I26	**Porte des Lilas** Avenue de la	75	2 Bd Sérurier	R. de Paris (les Lilas)	Ptes des Lilas
20	I26	**Porte des Lilas** Avenue de la	78	2 Bd Sérurier	R. de Paris (les Lilas)	Ptes des Lilas
18	D17	**Porte des Poissonniers** Avenue de la	70-71	100 Bd Ney	R. des Poissonniers	Pte de la Chapelle
17	H6	**Porte des Ternes** Avenue de la	65	Pl. du Gal Kœnig	31 Av. du Roule	Pte Maillot
14	U10	**Porte Didot** Avenue de la	56	42 Bd Brune	Av. M. Sangnier	Pte de Vanves
15	S6	**Porte d'Issy** Rue de la	57	32 Bd Victor	R. Oradour-sur-Glane	Balard
13	V18	**Porte d'Italie** Avenue de la	51	Bd Masséna	Av. Vaillant-Couturier	Pte d'Italie
13	V20	**Porte d'Ivry** Avenue de la	50	Av. M. Thorez (Ivry-s-S.)	75 Bd Masséna	Pte d'Ivry
12	S25	**Porte Dorée** Villa de la	45	159 R. de Picpus	8 Villa de la Pte Dorée	Pte Dorée
14	V13	**Porte d'Orléans** Avenue de la	55	Pl. du 25 août 1944	Rte d'Orléans	Pte d'Orléans
19	H25	**Porte du Pré Saint-Gervais** Avenue de la	75	6 Bd Sérurier	R. A. Fleming	Pré St-Gervais
16	I6	**Porte Maillot** Place de la	63 à 65	Bd Pershing	Bd Gouvion St-Cyr	Pte Maillot
17	I6	**Porte Maillot** Place de la	63 à 65	Bd Pershing	Bd Gouvion St-Cyr	Pte Maillot
16	P1	**Porte Molitor** Avenue de la	61	24 Av. du Gal Sarrail	R. Nungesser et Coli	Pte d'Auteuil
16	P1	**Porte Molitor** Place de la	61	27 Bd Murat	Av. du Gal Sarrail	Pte d'Auteuil
17	D12	**Porte Pouchet** Avenue de la	68	44 Bd Bessières	Pl. A. Tzanck	Pte de St-Ouen

Ar	Plan	Rues / Streets	Quart.	Commençant	Finissant	Métro
8	I13-I15	**Provence** Rue de	31	35 R. du Fbg Montmartre	4 R. de Rome	Le Peletier
9	I13-I15	**Provence** Rue de	34	35 R. du Fbg Montmartre	4 R. de Rome	Le Peletier
20	N25	**Providence** Passage	80	70 R. des Haies	(en impasse)	Buzenval
13	U16	**Providence** Rue de la	51	62 R. Bobillot	51 R. Barrault	Corvisart
16	M4	**Prudhon** Avenue	62	Chée de la Muette	Av. Raphaël	La Muette
20	L23	**Pruniers** Rue des	79	10 Pas. des Mûriers	23 Av. Gambetta	Gambetta
18	G14	**Puget** Rue	69	2 R. Lepic	11 R. Coustou	Blanche
14	U14-V15	**Puits** Allée du	54	Al. de Montsouris	Parc Montsouris	Cité Univ. (RER B)
5	Q17	**Puits de l'Ermite** Place du	18	1 R. de Quatrefages	10 R. Larrey	Place Monge
5	Q17	**Puits de l'Ermite** Rue du	18	9 R. Larrey	83 R. Monge	Place Monge
8	F10	**Pusy** Cité de	67	23 Bd Péreire	(en impasse)	Malesherbes
8	J12	**Puteaux** Passage	31	28 R. Pasquier	31 R. de l'Arcade	St-Augustin
17	G12	**Puteaux** Rue	67	52 Bd des Batignolles	59 R. des Dames	Rome
17	G9	**Puvis De Chavannes** Rue	66	38 R. Ampère	97 Bd Péreire	Wagram - Pereire
20	L25	**Py** Rue de la	78	169 R. de Bagnolet	8 R. Le Bua	Pte de Bagnolet
1	L14	**Pyramides** Place des	3	192 R. de Rivoli	1 R. des Pyramides	Tuileries
1	L14-K14	**Pyramides** Rue des	3	19 R. des Pyramides	19 Av. de l'Opéra	Tuileries
20	O25-J23	**Pyrénées** Rue des	80-77	67 Crs de Vincennes	92 R. de Belleville	Pte de Vincennes
20	N25	**Pyrénées** Villa des	80	75 R. des Pyrénées	(en impasse)	Maraîchers

<!-- Q -->

Ar	Plan	Rues / Streets	Quart.	Commençant	Finissant	Métro
10	J17	**Quarante-neuf Faubourg Saint-Martin** Impasse du	39	49 R. du Faubourg St-Martin	(en impasse)	Château d'Eau
13	V17	**Quarante-Quatre Enfants d'Izieu** Place des	51	62 Rue du Moulin de la Pointe		Maison Blanche
3	M18	**Quatre Fils** Rue des	11	93 R. Vieille Temple	60 R. des Archives	Rambuteau
15	P6	**Quatre Frères Peignot** Rue	60	36 R. Linois	45 R. de Javel	Ch. Michels
2	J14-K15	**Quatre Septembre** Rue du	5-6	27 R. Vivienne	2 Pl. de l'Opéra	Bourse - Opéra
6	O15	**Quatre Vents** Rue des	22	2 R. de Condé	95 R. de Seine	Odéon
5	Q17	**Quatrefages** Rue de	18	8 Pl. du Puits de l'Ermite	3 R. Lacépède	Place Monge
6	N14	**Québec** Place du	24	Bd St-Germain	R. de Rennes	St-Germain-des-Prés
11	N20	**Quellard** Cour	43	9 Pas. Thiéré	(en impasse)	Ledru-Rollin
8	J9	**Quentin Bauchart** Rue	29	44 Av. Marceau	79 Av. des Chps Élysées	George V
20	N26	**Quercy** Square du	80	1 R. Charles et Robert	2 Av. de la Pte de Montreuil	Pte de Montreuil
11	K21	**Questre** Impasse	41	19 Bd de Ménilmontant	(en impasse)	Couronnes
15	P8	**Quinault** Rue	58	6 Av. A. Dorchain	55 R. Mademoiselle	Émile Zola - Commerce
3	M16-L17	**Quincampoix** Rue	12	16 R. des Lombards	17 R. aux Ours	Étienne Marcel
4	M16-L17	**Quincampoix** Rue	13	16 R. des Lombards	17 R. aux Ours	Étienne Marcel

<!-- R -->

Ar	Plan	Rues / Streets	Quart.	Commençant	Finissant	Métro
8	J10	**Rabelais** Rue	30-31	17 Av. Matignon	26 R. J. Mermoz	St-Philippe du R.
16	O2	**Racan** Square	61	126 Bd Suchet	33 Av. du Mal Lyautey	Pte d'Auteuil
18	G14	**Rachel** Avenue	69	110 Bd de Clichy	Cimetière de Montmartre	Blanche
18	D19	**Rachmaninov** Jardin	78	R. Tristan Tzara	R. de la Croix Moreau	Marx Dormoy
16	Q3	**Racine** Impasse	61	Av. Molière	(en impasse)	Exelmans
6	O15	**Racine** Rue	22	30 Bd St-Michel	3 Pl. de l'Odéon	Odéon
1	K15	**Radziwill** Rue	3	1 R. des Petits Champs	(en impasse)	Bourse
16	Q1	**Raffaëlli** Rue	61	52 Bd Murat	35 Av. du Gal Sarrail	Pte d'Auteuil
16	O3	**Raffet** Impasse	61	7 R. Raffet	(en impasse)	Jasmin
16	O3	**Raffet** Rue	61	34 R. de la Source	43 Bd Montmorency	Michel Ange-Auteuil
12	P21	**Raguinot** Passage	48	R.-P.-H. Grauwin	56 Av. Daumesnil	Gare de Lyon
12	Q25	**Rambervillers** Rue de	45	6 Av. Dr Netter	53 R. du Sahel	Bel Air
12	Q21-P22	**Rambouillet** Rue de	47-48	144 R. de Bercy	160 R. de Charenton	Gare de Lyon
1	L19-M17	**Rambuteau** Rue	2	41 R. des Archives	R. du Jour	Rambuteau - Les Halles
3	L19-M17	**Rambuteau** Rue	12	41 R. des Archives	R. du Jour	Rambuteau
4	L19-M17	**Rambuteau** Rue	13	41 R. des Archives	R. du Jour	Rambuteau
2	K14	**Rameau** Rue	6	69 R. de Richelieu	56 R. Ste-Anne	Quatre Septembre
18	F16	**Ramey** Passage	70	40 R. Ramey	73 R. Marcadet	Jules Joffrin
18	F16-E16	**Ramey** Rue	70	51 R. de Clignancourt	20 R. Hermel	Jules Joffrin
19	J21	**Rampal** Rue	76	35 R. de Belleville	48 R. Rébeval	Belleville
11	K19	**Rampon** Rue	42	9 Bd Voltaire	83 R. de la Folie Méricourt	Oberkampf
20	J21	**Ramponeau** Rue	77	108 Bd de Belleville	85 R. J. Lacroix	Couronnes - Pyrénées
20	L24	**Ramus** Rue	79	5 R. C. Renouvier	4 Av. du Père Lachaise	Gambetta
20	N25	**Rançon** Impasse	80	84 R. des Vignoles	(en impasse)	Buzenval
16	M3-M4	**Ranelagh** Avenue du	62	Av. Ingres	Av. Raphaël	La Muette
16	M4	**Ranelagh** Jardin du	62	Av. Raphaël		La Muette
16	N4	**Ranelagh** Rue du	62	106 Av. du Pdt Kennedy	59 Bd Beauséjour	Ranelagh
16	N4	**Ranelagh** Square du	62	117 R. Ranelagh	(en impasse)	Ranelagh

QR

Ar	Plan	Rues / Streets	Quart.	Commençant	Finissant	Métro
14	S14-U14	**René Coty** Avenue	55-54	5 Pl. Denfert-Rochereau	58 Av. Reille	Denfert-Rochereau
19	H26	**René Fonck** Avenue	75	5 Av. du Belvédère	Av. de la Pte des Lilas	Pte des Lilas
13	T21	**René Goscinny** Rue	50	Q. Panhard et Levassor	Av. de France	Bibl. F. Mitterrand
13	S16	**René Le Gall** Square	52	R. de Croulebarbe	R. Corvisart	Les Gobelins
13	R18	**René Panhard** Rue	49	18 R. des Wallons	19 Bd St-Marcel	St-Marcel
8	R4	**René Ravaud** Rue	60	18 Gal Martial Valin	Bd Périphérique	Bd Victor (RER C)
11	L22	**René Villermé** Rue	43	70 R. de la Folie Regnault	138 R. du Chemin Vert	Père Lachaise
17	G8-H8	**Rennequin** Rue	65-66	85 Av. de Wagram	22 R. Guillaume Tell	Ternes - Pereire
6	P13-O13	**Rennes** Rue de	22-23-24	Bd St-Germain	1 Pl. du 18 Juin 1940	St-Germain-des-Prés
20	M23	**Repos** Rue du	79	194 Bd de Charonne	28 Bd de Ménilmontant	Philippe Auguste
11	K19-L20	**République** Avenue de la	41-42	8 Pl. de la République	71 Bd de Ménilmontant	Père Lachaise
3	K19	**République** Place de la	9-10	Bd du Temple	Bd St-Martin	République
10	K19	**République** Place de la	39	Bd du Temple	Bd St-Martin	République
11	K19	**République** Place de la	41	Bd du Temple	Bd St-Martin	République
8	H9	**Rép. de l'Équateur** Place de la	30	Bd de Courcelles	R. de Chazelles	Courcelles
17	H9	**Rép. de l'Équateur** Place de la	66	Bd de Courcelles	R. de Chazelles	Courcelles
15	P10	**Rép. de Panama** Place de la	58	Av. de Suffren	Bd Garibaldi	Sèvres-Lecourbe
8	H10	**Rép. Dominicaine** Place de la	32	Parc de Monceau	50 Bd de Courcelles	Monceau
17	H10	**Rép. Dominicaine** Place de la	66	Parc de Monceau	50 Bd de Courcelles	Monceau
13	U20	**Résal** Rue	50	19 R. Cantagrel	44 R. Dessous des Berges	Bibl. F. Mitterrand
7	L9	**Résistance** Place de la	28	Av. Bosquet	Av. Rapp	Pont de l'Alma (RER C)
8	K12-J12	**Retiro** Cité du	31	R. du Fbg St-Honoré	35 R. Boissy d'Anglas	Madeleine
20	K24	**Retrait** Passage du	79	34 R. du Retrait	295 R. des Pyrénées	Gambetta
20	K24	**Retrait** Rue du	79	271 R. des Pyrénées	106 R. de Ménilmontant	Gambetta
12	R23-R24	**Reuilly** Boulevard de	46	211 R. de Charenton	94 R. de Picpus	Daumesnil
12	Q22-23	**Reuilly** Jardin de	46	Av. Daumesnil		Montgallet
12	S25	**Reuilly** Porte de	46	Rte des Fortifications	Rte de la Croix Rouge	Pte Dorée
12	O22-Q22	**Reuilly** Rue de	46	202 R. du Fbg St-Antoine	1 Pl. F. Éboué	Faidherbe-Chaligny
20	N24-N25	**Réunion** Place de la	80	105 R. A. Dumas	62 R. de la Réunion	Buzenval
20	M24-N25	**Réunion** Rue de la	80-79	73 R. d'Avron	Cimetière du Père Lachaise	Maraîchers
16	Q3	**Réunion** Villa de la	61	R. Chardon	Av. de Versailles	Exelmans
20	O26	**Reynaldo Hahn** Rue	80	109 R. de lagny	R. Paganini	Pte de Vincennes
19	G21	**Rhin** Rue du	76	104 Av. de Meaux	1 R. Meynadier	Laumière
19	H23	**Rhin et Danube** Place	75	45 R. du Gal Brunet	37 R. D. d'Angers	Danube
17	F9	**Rhône** Square du	66	118 Bd Berthier	(en impasse)	Pereire
16	O4	**Ribera** Rue	61	66 R. J. De La Fontaine	83 Av. Mozart	Jasmin
20	M24	**Riberolle** Villa	79	35 R. de Bagnolet	(en impasse)	Alexandre Dumas
15	P9	**Ribet** Passage	58	29 R. de la Croix Nivert	(en impasse)	Émile Zola
20	M25	**Riblette** Rue	80	13 R. St-Blaise	3 R. des Balkans	Pte de Bagnolet
11	K21	**Ribot** Cité	41	139 R. Oberkampf	112 R. J.-P.Timbaud	Couronnes
9	I16	**Riboutté** Rue	35	12 R. Bleue	82 R. La Fayette	Cadet
13	T18	**Ricaut** Rue	50	167 R. Chât. Rentiers	50 Av. Edison	Nationale
15	S10	**Richard** Impasse	57	40 R. de Vouillé	(en impasse)	Convention
17	G12	**Richard Baret** Place	67	R. des Dames	Mairie du 17éme	Rome
16	J8	**Richard De Coudenhove** Kal. Pl.	64	Av. d'Iéna	R. A. Vacquerie	Kléber
11	L20-N20	**Richard-Lenoir** Boulevard	41 à 43	14 Pl. de la Bastille	22 Av. de la République	St-Ambroise
11	N21	**Richard-Lenoir** Rue	43	R. de Charonne	132 Bd Voltaire	Voltaire
11	L20	**Richard-Lenoir** Square	42	Bd Richard-Lenoir		Richard-Lenoir
1	L14	**Richelieu** Passage de	3	15 R. Montpensier	18 R. de Richelieu	Palais Royal-Louvre
1	L14-J15	**Richelieu** Rue de	3	2 Pl. A. Malraux	1 Bd des Italiens	Palais Royal-Louvre
2	L14-J15	**Richelieu** Rue de	6	2 Pl. A. Malraux	1 Bd des Italiens	Richelieu Drouot
13	T20	**Richemont** Rue de	50	53 R. de Domrémy	58 R. de Tolbiac	Pte d'Ivry
9	I15-I16	**Richer** Rue	35	41 R. du Fbg Poissonnière	32 R. du Fbg Montmartre	Cadet - Le Peletier
18	J19	**Richerand** Avenue	39	74 Q. de Jemmapes	47 R. Bichat	République - Goncourt
18	G17	**Richomme** Rue	71	25 R. des Gardes	10 R. des Poissonniers	Château Rouge
14	S10	**Ridder** Rue de	56	150 R. R. Losserand	161 R. Vercingétorix	Plaisance
12	Q23	**Riesener** Rue	46	21 R. Hénard	40 R. J. Hillairet	Montgallet
19	I24	**Rigaunes** Impasse des	75	10 R. du Dr Potain		Télégraphe
8	I12	**Rigny** Rue de	32	7 Pl. St-Augustin	6 R. Roy	St-Augustin
20	J23	**Rigoles** Rue des	75	23 R. Pixérécourt	2 R. du Jourdain	Jourdain
19	H23	**Rimbaud** Villa	75	3 R. Miguel Hidalgo	(en impasse)	Botzaris
14	T13	**Rimbaut** Passage	55	72 Av. du Gal Leclerc	197 Av. du Maine	Alésia
18	D19	**Rimski-Korsakov** Allée	78	10 R. Tristan Tzara	Pte de la Chapelle	Pte de la Chapelle
8	I10	**Rio de Janeiro** Place de	32	41 R. de Monceau	28 R. de Lisbonne	Monceau
18	F19	**Riquet** Rue	72	67 Q. de la Seine	Pl. P. Eluard	Marx Dormoy
19	F19	**Riquet** Rue	73	67 Q. de la Seine	Pl. P. Eluard	Riquet
10	J18	**Riverin** Cité	39	74 R. R. Boulanger	29 R. du Château d'Eau	Jacques Bonsergent
1	K12-N18	**Rivoli** Rue de	1 à 4	45 R. F. Miron	Pl. de la Concorde	Concorde
4	K12-N18	**Rivoli** Rue de	13-14	45 R. F. Miron	Pl. de la Concorde	St-Paul
18	D15	**Robert** Impasse	69	115 R. Championnet	(en impasse)	Pte de Clignancourt
13	T21	**Robert Antelme** Place	50	36 Rue des Grands Moulins	82 Avenue de France	Bibl. F. Mitterrand
13	H18	**Robert Bajac** Square	51	Bd Kellermann	Av. de la Pte d'Italie	Pte d'Italie
10	I19	**Robert Blache** Rue	40	6 R. du Terrage	5 R. E. Varlin	Château Landon

Ar	Plan	Rues / Streets	Quart.	Commençant	Finissant	Métro
15	P7	**Rosière** Rue de la	60	68 R. des Entrepreneurs	51 R. de l'Église	F. Faure - Commerce
4	M18	**Rosiers** Rue des	14	31 R. Malher	40 R. Vieille du Temple	St-Paul
13	V18	**Rosny Aîné** Square	51	R. Dr Bourneville	(en impasse)	Pte d'Italie
9	J15	**Rossini** Rue	35	19 R. Grange Batelière	26 R. Laffitte	Richelieu Drouot
18	E13	**Rothschild** Impasse	69	16 Av. de St-Ouen	(en impasse)	La Fourche
6	O15	**Rotrou** Rue	22	8 Pl. de l'Odéon	20 R. de Vaugirard	Odéon
12	R25	**Rottembourg** Rue	45	94 Av. du Gal M. Bizot	49 Bd Soult	Pte Dorée
10	H17	**Roubaix** Place de	37	Bd de Magenta	R. de Maubeuge	Gare du Nord
11	O22	**Roubo** Rue	44	261 R. du Fbg St-Antoine	40 R. de Montreuil	Faidherbe-Chaligny
15	O6-O7	**Rouelle** Rue	59	47 Q. de Grenelle	26 R. de Lourmel	Dupleix
19	F20	**Rouen** Rue de	73	55 Q. de la Seine	54 R. de Flandre	Riquet
14	T13	**Rouet** Impasse du	55	4 Av. J. Moulin		Alésia
9	J16	**Rougemont** Cité	35	17 R. Bergère	5 R. Rougemont	Grands Boulevards
9	J16	**Rougemont** Rue	35	16 Bd Poissonnière	13 R. Bergère	Bonne Nouvelle
1	K13	**Rouget De L'Isle** Rue	34	238 R. de Rivoli	19 R. du Mont Thabor	Concorde
1	M15	**Roule** Rue du	2	136 R. de Rivoli	77 R. St-Honoré	Pont Neuf
8	I19	**Roule** Square du	30	223 R. du Fbg St-Honoré	(en impasse)	Ternes
7	O11	**Rousselet** Rue	27	17 R. Oudinot	68 R. de Sèvres	Vaneau
19	E22	**Rouvet** Rue	74	3 Q. de la Gironde	2 Av. C. Cariou	Corentin Cariou
16	P3	**Rouvray** Avenue de	61	20 R. Boileau		Chardon Lagache
17	H8	**Roux** Passage	45	19 R. Rennequin	42 R. des Renaudes	Pereire - Ternes
8	I11	**Roy** Rue	32	4 R. La Boétie	39 R. de laborde	St-Augustin
1	M13	**Royal** Pont	1	Q. Voltaire	Q. Fr. Mitterrand	Musée d'Orsay (RER C)
7	M13	**Royal** Pont	25	Q. Voltaire	Q. Fr. Mitterrand	Musée d'Orsay (RER C)
8	K12	**Royale** Galerie	31	R. Royale	R. Boissy d'Anglas	Concorde
8	K12	**Royale** Rue	31	2 Pl. de la Concorde	2 Pl. de la Madeleine	Madeleine - Concorde
5	P15	**Royer Collard** Impasse	19	15 R. Royer Collard		Luxembourg (RER B)
5	P15	**Royer Collard** Rue	19	202 R. St-Jacques	71 Bd St-Michel	Luxembourg (RER B)
13	S17	**Rubens** Rue	49	31 R. du Banquier	140 Bd de l'Hôpital	Les Gobelins
16	I7	**Rude** Rue	64	12 Av. Foch	11 Av. de la Gde Armée	Ch. de Gaulle-Étoile
17	E9	**Rudolf Noureev** Rue	67	8 R. Albert Roussel	(en impasse)	Pereire
17	F18	**Ruelle** Passage	71	29 R. M. Dormoy	Imp. Jessaint	La Chapelle
17	H6	**Ruhmkorff** Rue	65	47 Bd Gouvion St-Cyr	55 Bd Gouvion St-Cyr	Pte Maillot
18	E15-D15	**Ruisseau** Rue du	69-78	31 R. Duhesme	45 Bd Ney	Lamarck-Caulaincourt
20	K23	**Ruisseau de Ménilmontant** Passage du	79	25 R. du Retrait	26 R. Boyer	Gambetta
13	V16	**Rungis** Place de	51	40 R. Brillat Savarin	100 R. Barrault	Corvisart
13	V16	**Rungis** Rue de	51	2 Pl. de Rungis	65 R. Aml Mouchez	Cité Univ. (RER B)
12	P21	**Rutebeuf** Place	48	Pas. Raguinot	Pas. Gatbois	Gare de Lyon
8	H10	**Ruysdaël** Avenue	32	5 Pl. Rio de Janeiro	Parc de Monceau	Monceau

S

Ar	Plan	Rues / Streets	Quart.	Commençant	Finissant	Métro
14	S12	**Sablière** Rue de la	55-56	186 Av. du Maine	35 R. Didot	Pernety
16	L6-K6	**Sablons** Rue des	63	35 R. St-Didier	32 Av. G. Mandel	Victor Hugo
17	H5	**Sablonville** Rue de	65	Pl. du Marché	R. G. Charpentier	Pte Maillot
6	N14	**Sabot** Rue du	24	11 R. B. Palissy	64 R. de Rennes	St-Germain-des-Prés
18	F15	**Sacré Cœur** Cité du	70	38 R. du Chev. de la Barre	(en impasse)	Abbesses
19	H24	**Sadi Carnot** Villa	75	40 R. de Mouzaïa	25 R. de Bellevue	Pré St-Gervais
19	H20	**Sadi Lecointe** Rue	76	40 R. de Meaux	119 Av. S. Bolivar	Bolivar
12	S25	**Sahel** Rue du	45	30 Bd de Picpus	69 Bd Soult	Bel Air
12	Q25	**Sahel** Villa du	45	45 R. du Sahel	(en impasse)	Bel Air
16	I5	**Saïd** Villa	63	68 R. Pergolèse	(en impasse)	Pte Dauphine
15	S8	**Saïda** Rue de la	57	75 R. O. de Serres	62 R. de Dantzig	Pte de Versailles
16	I7	**Saïgon** Rue de	64	3 R. Rude	4 R. d'Argentine	Ch. de Gaulle-Étoile
14	S13	**Saillard** Rue	55	1 R. C. Divry	30 R. Brézin	Mouton-Duvernet
3	L17	**Saint-Aignan** Jardin	12	Cité Noël		Rambuteau
14	U13	**Saint-Alphonse** Impasse	55	77 R. du Père Corentin	(en impasse)	Pte d'Orléans
15	S10	**Saint-Amand** Rue	57	8 Pl. d'Alleray	53 R. de Vouillé	Plaisance
11	L21	**Saint-Ambroise** Passage	42	29 R. St-Ambroise	(en impasse)	Rue St-Maur
11	L21	**Saint-Ambroise** Rue	42	2 R. de la Folie Méricourt	67 R. St-Maur	Rue St-Maur
6	N15	**Saint-André des Arts** Place	21	7 R. Hautefeuille	21 R. St-André des Arts	St-Michel
6	N15	**Saint-André des Arts** Rue	21	Pl. St-André des Arts	1 R. de l'Anc. Comédie	St-Michel
17	D13	**Saint-Ange** Passage	68	131 Av. de St-Ouen	20 R. J. Leclaire	Pte de St-Ouen
17	D13	**Saint-Ange** Villa	68	8 Passage St-Ange	(en impasse)	Pte de St-Ouen
11	N21	**Saint-Antoine** Passage	44	34 R. de Charonne	8 Pas. Josset	Ledru-Rollin
4	N18-N19	**Saint-Antoine** Rue	15-14	3 Pl. de la Bastille	2 R. de Sévigné	St-Paul - Bastille
8	I12	**Saint-Augustin** Place	31-32	Bd Haussmann	Bd Malesherbes	St-Augustin
2	K14-K15	**Saint-Augustin** Rue	5-6	75 R. Richelieu	14 R. d'Antin	Quatre Septembre
6	N14	**Saint-Benoît** Rue	24	31 R. Jacob	170 Bd St-Germain	St-Germain-des-Prés
11	O21	**Saint-Bernard** Passage	44	159 R. du Fbg St-Antoine	8 R. C. Delescluze	Ledru-Rollin
5	P18-P19	**Saint-Bernard** Port	17-18	Pont d'Austerlitz	Pont de Sully	Gare d'Austerlitz

5	P18-P19	**Saint-Bernard** Quai	18	21 Pl. Valhubert	Pont de Sully	Gare d'Austerlitz
41	O21	**Saint-Bernard** Rue	44	183 R. du Fbg St-Antoine	78 R. de Charonne	Faidherbe-Chaligny
20	M25	**Saint-Blaise** Place	80	119 R. de Bagnolet	R. Saint-Blaise	Pte de Bagnolet
20	M25-M26	**Saint-Blaise** Rue	80	Pl. Saint-Blaise	109 Bd Davout	Pte de Bagnolet
4	M17	**Saint-Bon** Rue	13	82 R. de Rivoli	91 R. de la Verrerie	Hôtel de Ville
18	G17	**Saint-Bruno** Rue	71	13 R. Stephenson	6 R. St-Luc	La Chapelle
15	O7	**Saint-Charles** Place	59	47 R. St-Charles	41 R. du Théâtre	Ch. Michels
15	Q6	**Saint-Charles** Rond-Point	60	154 R. St-Charles	63 R. des Cévennes	Lourmel
15	O7-R5	**Saint-Charles** Rue	59-60	32 Bd Grenelle	77 R. Leblanc	Balard - Bir Hakeim
12	P23	**Saint-Charles** Square	46	55 R. de Reuilly	17 R. P. Bourdan	Reuilly Diderot
15	P6	**Saint-Charles** Villa	60	98 R. St-Charles	(en impasse)	Ch. Michels
19	I20	**Saint-Chaumont** Cité	76	50 Bd de la Villette	71 Av. S. Bolivar	Belleville
15	P5	**Saint-Christophe** Rue	60	28 R. de la Convention	29 R. S. Mercier	Javel
3	M19	**Saint-Claude** Impasse	11	14 R. St-Claude	(en impasse)	St-Sébastien-Froissart
3	M19	**Saint-Claude** Rue	11	99 Bd Beaumarchais	70 R. de Turenne	St-Sébastien-Froissart
16	R2	**Saint-Cloud** Porte de	61	Bd Périphérique		Pte de St-Cloud
3	J17-K17	**Saint-Denis** Boulevard	8	1 R. du Fbg St-Martin	2 R. du Fbg St-Denis	Strasbourg-St-Denis
3	J17-K17	**Saint-Denis** Boulevard	9	1 R. du Fbg St-Martin	2 R. du Fbg St-Denis	Strasbourg-St-Denis
10	J17-K17	**Saint-Denis** Boulevard	38-39	1 R. du Fbg St-Martin	2 R. du Fbg St-Denis	Strasbourg-St-Denis
3	K16	**Saint-Denis** Impasse	8	177 R. St-Denis	(en impasse)	Réaumur-Sébastopol
1	M16-K17	**Saint-Denis** Rue	1-2	12 Av. Victoria	1 Bd Bonne Nouvelle	Châtelet-Les Halles
1	M16-K17	**Saint-Denis** Rue	8	12 Av. Victoria	1 Bd Bonne Nouvelle	Châtelet-Les Halles
16	K6-K7	**Saint-Didier** Rue	64-63	92 Av. Kléber	36 R. des Belles Feuilles	Victor Hugo
7	M9-M12	**Saint-Dominique** Rue	25-26-28	219 Bd St-Germain	Pl. du Gal Gouraud	Solférino - Invalides
3	M19	**Sainte-Anastase** Rue	11	69 R. de Turenne	12 R. de Thorigny	St-Sébastien-Froissart
2	K14	**Sainte-Anne** Passage	5	59 R. Ste-Anne	52 Pas. Choiseul	Quatre Septembre
1	K14	**Sainte-Anne** Rue	3	12 Av. de l'Opéra	13 R. St-Augustin	Pyramides
2	K14	**Sainte-Anne** Rue	5-6	12 Av. de l'Opéra	13 R. St-Augustin	Quatre Septembre
11	M20	**Sainte-Anne** Popincourt Pass.	8	42 R. St-Sabin	43 Bd R. Lenoir	Bréguet Sabin
2	K17	**Sainte-Apolline** Rue	8	357 R. St-Martin	248 R. St-Denis	Strasbourg-St-Denis
3	L17-M17	**Sainte-Avoie** Passage	12	8 R. Rambuteau	62 R. du Temple	Rambuteau
6	Q13-P13	**Sainte-Beuve** Rue	23	44 R. N.-D. des Champs	131 Bd Raspail	N.-D. des Champs
9	J16	**Sainte-Cécile** Rue	35	29 R. du Fbg Poissonnière	6 R. de Trévise	Bonne Nouvelle
12	Q22	**Sainte-Claire** Deville Rue	46	21 Cité Moynet	9 Pas. Montgallet	Montgallet
17	P22	**Sainte-Croix** Villa	68	37 R. de la Jonquière	(en impasse)	Guy Môquet
4	M17	**Sainte-Croix** la Bretonnerie Rue	14-13	31 R. Vieille du Temple	24 R. du Temple	Hôtel de Ville
4	M17	**Sainte-Croix** la Bretonnerie Sq.	13	13 R. des Archives	35 R. Ste-Croix la Br.	Hôtel de Ville
3	K18	**Sainte-Elisabeth** Passage	9	195 R. du Temple	72 R. de Turbigo	Temple
3	K18	**Sainte-Elisabeth** Rue	9	8 R. des Font. du Temple	70 R. de Turbigo	Temple
15	R8	**Sainte-Eugénie** Avenue	57	30 R. Dombasle	(en impasse)	Convention
15	R9	**Sainte-Félicité** Rue	57	12 R. de la Procession	17 R. des Favorites	Vaugirard
2	K17	**Sainte-Foy** Galerie	8	57 Pas. du Caire		Sentier
2	K17	**Sainte-Foy** Passage	8	261 R. St-Denis	14 R. Ste-Foy	Strasbourg-St-Denis
2	K17	**Sainte-Foy** Rue	8	33 R. d'Alexandrie	279 R. St-Denis	Strasbourg-St-Denis
5	P16	**Sainte-Geneviève** Place	20	62 R. Mont. Ste-Genev.	Pl. du Panthéon	Maubert-Mutualité
13	V17	**Sainte-Hélène** Rue de	51	Av. Caffieri	R. Poterne des Peupliers	Maison Blanche
18	D15	**Sainte-Hélène** Square	70	R. Letort	R. Esclangon	Pte de Clignancourt
18	D15	**Sainte-Henriette** Impasse	70	51 R. Letort	(en impasse)	Pte de Clignancourt
3	E16	**Sainte-Isaure** Rue	70	4 R. du Poteau	7 R. Versigny	Jules Joffrin
4	S12	**Sainte-Léonie** Rue	56	22 R. Pernety	(en impasse)	Pernety
18	G15	**Sainte-Eleuthère** Rue	70	11 R. Foyatier	2 R. du Mont Cenis	Anvers - Abbesses
12	P23	**Saint-Eloi** Cour	46	39 R. de Reuilly	134 Bd Diderot	Reuilly Diderot
15	P6	**Sainte-Lucie** Rue	60	20 R. de l'Église	95 R. de Javel	Ch. Michels
12	S26	**Sainte-Marie** Avenue	45	Bd de la Guyane	Jeanne d'Arc	Pte Dorée
20	J26	**Sainte-Marie** Villa	78	9 Pl. Adj. Vincenot	(en impasse)	St-Fargeau
10	J20	**Sainte-Marthe** Impasse	40	25 R. Ste-Marthe	(en impasse)	Colonel Fabien
10	I20	**Sainte-Marthe** Place	40	32 R. Ste-Marthe	R. du Chalet	Belleville
10	J20	**Sainte-Marthe** Rue	40	214 R. St-Maur	38 R. Sambre et Meuse	Goncourt - Belleville
2	S22	**Saint-Émilion** Cour	47	Q. de Bercy	R. Gabriel Lamé	Cour St-Émilion
2	S22	**Saint-Émilion** Passage	47	35 R. des Pirogues de Bercy	34 R. F. Truffaut	Cour St-Émilion
2	D13	**Sainte-Monique** Impasse	69	15 R. des Tennis	(en impasse)	Pte de St-Ouen
17	F7	**Sainte-Odile** Square	66	Av. St. Mallarmé	R. de Courcelles	Pte de Champerret
1	M16	**Sainte-Opportune** Place	2	8 R. des Halles	1 R. Ste-Opportune	Châtelet
1	M16	**Sainte-Opportune** Rue	2	10 Pl. Ste-Opport.	19 R. de la Ferronnerie	Châtelet
1	O21	**Saint-Esprit** Cour du	44	127 R. du Fbg St-Antoine	(en impasse)	Ledru-Rollin
2	T22	**Saint-Estèphe** Rue	47	Av. des Terroirs de Fr.	Q. de Bercy	Cour St-Émilion
5	P16	**Saint-Étienne** du Mont Rue	20	24 R. Descartes	Pl. Ste-Geneviève	Card. Lemoine
1	L16	**Saint-Eustache** Impasse	2	3 R. Montmartre	(en impasse)	Les Halles
16	R3	**Saint-Exupéry** Quai	61	Bd Murat	Q. du Point du Jour	Pte de St-Cloud
20	J25	**Saint-Fargeau** Place	78	108 Av. Gambetta	30 R. St-Fargeau	St-Fargeau
20	J25	**Saint-Fargeau** Rue	78	130 R. Pelleport	125 Bd Mortier	St-Fargeau
20	J25	**Saint-Fargeau** Villa	78	25-27 R. St-Fargeau		St-Fargeau
17	H7	**Saint-Ferdinand** Place	65	21 R. Brunel	34 R. St-Ferdinand	Argentine
17	H7	**Saint-Ferdinand** Rue	65	5 Pl. T. Bernard	64 Av. de la Gde Armée	Pte Maillot
2	J16	**Saint-Fiacre** Rue	7	26 R. des Jeûneurs	9 Bd Poissonnière	Bonne Nouvelle

Ar	Plan	Rues / Streets	Quart.	Commençant	Finissant	Métro
1	K12	**Saint-Florentin** Rue	4	2 Pl. de la Concorde	271 R. St-Honoré	Concorde
8	K12	**Saint-Florentin** Rue	31	2 Pl. de la Concorde	271 R. St-Honoré	Concorde
18	D16	**Saint-François** Impasse	70	48 R. Letort	(en impasse)	Pte de Clignancourt
9	H14-H15	**Saint-Georges** Place	33	1 R. Saint-Georges	30 R. N.-D. de Lorette	St-Georges
9	I14-I15	**Saint-Georges** Rue	34-33	32 R. de Provence	25 R. N.-D. de Lorette	St-Georges
5	O17-L12	**Saint-Germain** Boulevard	17-20	1 Q. de la Tournelle	31 Q. A. France	Maubert-Mutualité
6	O17-L12	**Saint-Germain** Boulevard	21-22-24	1 Q. de la Tournelle	31 Q. A. France	St-Germain-des-Prés
7	O17-L12	**Saint-Germain** Boulevard	25-26	1 Q. de la Tournelle	31 Q. A. France	Solférino
1	M16	**Saint-Germain l'Auxerrois** Rue	1	R. des Lavandières Ste-O.	4 R. des Bourdonnais	Pont Neuf
6	N14	**Saint-Germain-des-Prés** Place	24	R. Bonaparte	168 Bd St-Germain	St-Germain-des-Prés
4	N17	**Saint-Gervais** Place	14	4 R. de Lobau	10 R. de Brosse	Hôtel de Ville
3	M19	**Saint-Gilles** Rue	11	63 Bd Beaumarchais	48 R. de Turenne	Chemin Vert
14	T14	**Saint-Gothard** Rue du	54	45 R. Dareau	6 R. d'Alésia	St-Jacques
7	N13	**Saint-Guillaume** Rue	25	18 R. du Pré aux Clercs	32 R. de Grenelle	Rue du Bac
13	R16	**Saint-Hippolyte** Rue	52	42 R. Pascal	9 R. de la Glacière	Les Gobelins
1	K13-L15	**Saint-Honoré** Rue	2-3-4	21 R. des Halles	14 R. Royale	Concorde - Madeleine
8	K13-L15	**Saint-Honoré** Rue	31	21 R. des Halles	14 R. Royale	Concorde
16	K6	**Saint-Honoré d'Eylau** Avenue	64	58 Av. R. Poincaré	(en impasse)	Victor Hugo
11	L21	**Saint-Hubert** Rue	42	66 R. St-Maur	86 Av. de la République	Rue St-Maur
1	K14	**Saint-Hyacinthe** Rue	4	13 R. La Sourdière	8 R. du Marché St-Honoré	Pyramides
11	M21	**Saint-Irénée** Square		R. Lacharrière	(en impasse)	St-Ambroise
14	S14-S15	**Saint-Jacques** Boulevard	54-55-53	50 R. de la Santé	3 Pl. Denfert-Rochereau	St-Jacques
14	S14	**Saint-Jacques** Place	53	83 R. du Fbg St-Jacques	48 Bd St-Jacques	St-Jacques
5	O16-Q15	**Saint-Jacques** Rue	20-19	79 R. Galande	84 Bd de Port Royal	St-Michel
14	S14	**Saint-Jacques** Villa	55	61 Bd St-Jacques	20 R. de la Tombe Issoire	St-Jacques
17	F13	**Saint-Jean** Place	68	R. Saint-Jean	Passage St-Michel	La Fourche
17	F12	**Saint-Jean** Rue	68	80 Av. de Clichy	4 R. Dautancourt	La Fourche
6	P12	**St-Jean-Baptiste de la Salle** R.	23	117 R. de Sèvres	110 R. du Cherche Midi	Vaneau
3	G17	**Saint-Jérôme** Rue	71	8 R. St-Mathieu	11 R. Cavé	Château Rouge
1	L16	**Saint-John Perse** Allée	2	R. Berger	Pl. René Cassin	Les Halles
11	N20	**Saint-Joseph** Cour	43	5 R. de Charonne	(en impasse)	Bastille
2	K16	**Saint-Joseph** Rue	7	7 R. du Sentier	140 R. Montmartre	Sentier
18	D14	**Saint-Jules** Passage	69	18 R. Leibniz	2 R. A. Compoint	Pte de St-Ouen
5	O16	**Saint-Julien le Pauvre** Rue	20	25 Q. de Montebello	52 R. Galande	St-Michel
17	D11	**Saint-Just** Rue	68	88 R. P. Rebière	(en impasse)	Pte de Clichy
15	R7	**Saint-Lambert** Rue	57	259 R. Lecourbe	4 R. Desnouettes	Convention
15	Q8	**Saint-Lambert** Square	57	R. L. Lhermitte	R. T. Renaudot	Commerce
10	I18	**Saint-Laurent** Rue	39-38	127 R. du Fbg St-Martin	72 Bd de Magenta	Gare de l'Est
10	I18	**Saint-Laurent** Square	39	Bd de Magenta		Gare de l'Est
8	I13-I14	**Saint-Lazare** Rue	31-32	9 R. Bourdaloue	14 Pl. Gabriel Péri	St-Lazare
9	I13-I14	**Saint-Lazare** Rue	33-34	9 R. Bourdaloue	14 Pl. Gabriel Péri	Trinité
11	N20	**Saint-Louis** Cour	43	45 R. du Fbg St-Antoine	26 R. de lappe	Bastille
4	N17	**Saint-Louis** Pont	16	Q. d'Orléans	Q. aux Fleurs	St-Michel
4	N17-O18	**Saint-Louis en l'Ile** Rue	16	1 Q. d'Anjou	4 R. J. du Bellay	Sully-Morland - Pt Mar
3	G17	**Saint-Luc** Rue	71	10 R. Polonceau	21 R. Cavé	Barbès-Rochechouar
12	P24-P26	**Saint-Mandé** Avenue de	46-45	29 R. de Picpus	115 Bd Soult	Picpus - Nation
12	P24	**Saint-Mandé** Porte de	45	Av. Courteline	Av. Victor Hugo	St-Mandé Tourelle
12	P24	**Saint-Mandé** Villa de	46	29 Av. de St-Mandé	63 Bd de Picpus	Picpus
2	J15	**Saint-Marc** Galerie	6	8 R. St-Marc	23 Gal. des Variétés	Grands Boulevards
2	J15	**Saint-Marc** Rue	6	149 R. Montmartre	10 R. Favart	Grands Boulevards
17	F9	**Saint-Marceaux** Rue de	66	110 Bd Berthier	Av. Brunetière	Pereire
13	R17-R18	**Saint-Marcel** Boulevard	18	42 Bd de l'Hôpital	23 Av. des Gobelins	St-Marcel - Les Gobelins
13	R17-R18	**Saint-Marcel** Boulevard	49	42 Bd de l'Hôpital	23 Av. des Gobelins	St-Marcel - Les Gobelins
3	K17-K18	**Saint-Martin** Boulevard	9	16 Pl. de la République	332 R. St-Martin	République
3	K17-K18	**Saint-Martin** Boulevard	39	16 Pl. de la République	332 R. St-Martin	République
10	J18	**Saint-Martin** Cité	39	90 R. du Fbg St-Martin	(en impasse)	Jacques Bonsergen
4	K17-M17	**Saint-Martin** Rue	9-12	8 Q. de Gesvres	1 Bd Saint-Denis	Arts et Métiers
1	K17-M17	**Saint-Martin** Rue	13	8 Q. de Gesvres	1 Bd Saint-Denis	Châtelet-Les Halle
18	G17	**Saint-Mathieu** Rue	71	21 R. Stephenson	8 R. St-Luc	La Chapelle
11	L21	**Saint-Maur** Passage	42	81 R. St-Maur	9 Pas. St-Ambroise	Rue St-Maur
10	J20-M22	**Saint-Maur** Rue	40	133 R. de la Roquette	22 Av. C. Vellefaux	Goncourt
11	J20-M22	**Saint-Maur** Rue	41 à 43	133 R. de la Roquette	22 Av. C. Vellefaux	Rue St-Maur
5	Q17	**Saint-Médard** Rue	18	35 R. Gracieuse	33 R. Mouffetard	Place Monge
4	M17	**Saint-Merry** Rue	13	23 R. du Temple	100 St-Martin	Rambuteau
5	Q15-O15	**Saint-Michel** Boulevard	19-20	7 Pl. St-Michel	29 Av. G. Bernanos	St-Michel
6	Q15-O15	**Saint-Michel** Boulevard	21-22	7 Pl. St-Michel	29 Av. G. Bernanos	Luxembourg (RER
17	F12	**Saint-Michel** Passage	68	15 Av. de St-Ouen	15 R. St-Jacques	La Fourche
5	N15-N16	**Saint-Michel** Place	20	29 Q. St-Michel	1 Bd St-Michel	St-Michel
6	N15-N16	**Saint-Michel** Place	21	29 Q. St-Michel	1 Bd St-Michel	St-Michel
5	N15-N16	**Saint-Michel** Pont	20	Q. des Orfèvres	Q. St-Michel	St-Michel
4	N15-N16	**Saint-Michel** Pont	20	Q. des Orfèvres	Q. St-Michel	St-Michel
5	N15-N16	**Saint-Michel** Pont	20	Q. des Orfèvres	Q. St-Michel	St-Michel
6	N15-N16	**Saint-Michel** Pont	20	Q. des Orfèvres	Q. St-Michel	St-Michel

Ar	Plan	Rues / Streets	Quart.	Commençant	Finissant	Métro
15	S9	**Santos Dumont** Villa	57	32 R. Santos Dumont	(en impasse)	Pte de Vanves
14	T13	**Saône** Rue de la	55	27 R. du Commander	32 R. d'Alésia	Alésia
20	O25	**Sarah Bernhardt** Square	80	R. Lagny	R. Buzenval	Pte de Vincennes
15	Q6	**Sarasate** Rue	60	93 R. de la Convention	6 R. Oscar Roty	Boucicaut
14	U13	**Sarrette** Rue	55	88 R. de la Tombe Issoire	109 Av. du Gal Leclerc	Pte d'Orléans - Alésia
20	N25	**Satan** Impasse	80	92 R. des Vignoles	(en impasse)	Buzenval
17	E12	**Sauffroy** Rue	68	132 Av. de Clichy	49 R. de la Jonquière	Brochant
20	M23	**Saulaie** Villa de la	79	168 Bd de Charonne	(en impasse)	Philippe Auguste
18	F15	**Saules** Rue des	69-70	20 R. Norvins	135 R. Marcadet	Lamarck-Caulaincour
9	I16	**Saulnier** Rue	35	34 R. Richer	70 R. La Fayette	Cadet
8	J12	**Saussaies** Place des	31	1 R. Cambacérès	R. de la Ville l'Evêque	Miromesnil
8	J11	**Saussaies** Rue des	31	92 Pl. Beauvau	1 Pl. des Saussaies	Miromesnil
17	H8	**Saussier Leroy** Rue	66	15 R. Poncelet	22 Av. Niel	Ternes
17	G11	**Saussure** Rue de	67	94 R. des Dames	Bd Berthier	Rome - Maleshserbes
1	L15	**Sauval** Rue	2	16 R. St-Honoré	1 R. de Viarmes	Louvre-Rivoli
20	N25	**Savart** Passage	80	79 R. des Haies	82 R. des Vignoles	Buzenval
20	J23	**Savies** Rue de	77	56 R. de la Mare	55 R. des Cascades	Jourdain
6	N15	**Savoie** Rue de	21	11 R. des Gds Augustins	6 R. Séguier	St-Michel
7	N9	**Savorgnan De Brazza** Rue	28	68 Av. de La Bourdonnais	Al. A. Lecouvreur	École Militaire
7	O10-P11	**Saxe** Avenue de	27	3 Pl. de Fontenoy	98 R. de Sèvres	Ségur
15	O10-P11	**Saxe** Avenue de	58	3 Pl. de Fontenoy	98 R. de Sèvres	Sèvres-Lecourbe
7	O10	**Saxe** Villa de	27	17 Av. de Saxe	(en impasse)	Ségur
11	M19	**Scarron** Rue	42	72 Bd Beaumarchais	61 R. Amelot	Chemin Vert
16	L6-M6	**Scheffer** Rue	62	17 R. B. Franklin	59 Av. Mandel	Rue de la Pompe
16	L5	**Scheffer** Villa	62	49 R. Scheffer	(en impasse)	Rue de la Pompe
4	O19	**Schomberg** Rue de	15	30 Q. Henri IV	1 R. de Sully	Sully-Morland
20	O26	**Schubert** Rue	80	R. Paganini	R. Charles et Robert	Pte de Montreuil
16	K4	**Schuman** Square	63	Av. de Pologne	Av. du Mal Fayolle	Pte Dauphine
15	O7	**Schutzenberger** Rue	59	20 R. Émeriau	16 R. S. Michel	Bir Hakeim - Duple
5	R17	**Scipion** Rue	18	68 Bd St-Marcel	25 R. du Fer à Moulin	Les Gobelins
5	R17	**Scipion** Square	18	8 R. Scipion	19 R. du Fer à Moulin	Censier-Daubenton
9	J13-J14	**Scribe** Rue	34	12 Bd des Capucines	Pl. Diaghilev	Chée d'Antin-La Faye
7	M13	**Sébastien Bottin** Rue	25	19 R. de l'Université	(en impasse)	Rue du Bac
15	P5	**Sébastien Mercier** Rue	60	67 Q. A. Citroën	146 R. St-Charles	Javel
1	M16-K17	**Sébastopol** Boulevard de	1-2	12 Av. Victoria	9 Bd St-Denis	Châtelet-Les Halles
2	M16-K17	**Sébastopol** Boulevard de	8	12 Av. Victoria	9 Bd St-Denis	Réaumur-Sébastopol
3	M16-K17	**Sébastopol** Boulevard de	9-12	12 Av. Victoria	9 Bd St-Denis	Réaumur-Sébastopol
4	M16-K17	**Sébastopol** Boulevard de	13	12 Av. Victoria	9 Bd St-Denis	Châtelet-Les Halles
19	Q8	**Secrétan** Avenue	73-76	198 Bd de la Villette	31 R. Manin	Jaurès - Bolivar
15	O8	**Sécurité** Passage	49	112 Bd de Grenelle	19 R. Tiphaine	La Motte-P.-Grenel
11	M21	**Sedaine** Cour	43	40 R. Sedaine	(en impasse)	Bréguet Sabin
11	N20-M21	**Sedaine** Rue	43	18 Bd R. Lenoir	3 Av. Parmentier	Voltaire - Brég. Sabin
7	M9	**Sédillot** Rue	28	25 Av. Rapp	112 R. St-Dominique	Pont de l'Alma (RER
7	M9	**Sédillot** Square	28	133 R. St-Dominique		École Militaire
6	N15	**Séguier** Rue	21	33 Q. Gds Augustins	36 R. St-André des Arts	St-Michel
7	O10-N10	**Ségur** Avenue de	27	Pl. Vauban	29 Bd Garibaldi	Ségur
15	O10-N10	**Ségur** Avenue de	58	Pl. Vauban	29 Bd Garibaldi	St-Franç.-Xavier
7	O10	**Ségur** Villa de	27	41 Av. de Ségur	(en impasse)	Ségur
19	G20-F21	**Seine** Quai de la	73	2 R. de Flandre	161 R. de Crimée	Stalingrad - Riquet
6	N14-O14	**Seine** Rue de	21-24-22	3 Q. Malaquais	16 R. St-Sulpice	Mabillon
8	K10	**Selves** Avenue de	29	Av. des Champs-Elysées	Av. F. D. Roosevelt	Champs-Elysées-Cle
6	O14	**Séminaire** Allée du	22	Pl. St-Sulpice	58 R. de Vaugirard	St-Sulpice
20	J22	**Sénégal** Rue du	77	39 R. Bisson	75 R. Julien Lacroix	Couronnes
17	F8	**Senlis** Rue de	66	2 Av. P. Adam	1 av. E. et A. Massard	Pereire
2	K16-J16	**Sentier** Rue du	7	114 R. Réaumur	7 Bd Poissonnière	Sentier
14	R11	**Séoul** Place de	56	R. Guilleminot		Pernety
19	F24	**Sept Arpents** Rue des	75	Av. de la Pte de Pantin	R. des Sept Arpents	Pte de Pantin - Hoch
19	H22	**Septième Art** Cours du	76	53 R. de la Villette	34 R. des Alouettes	Botzaris
16	N3	**Serge Prokofiev** Rue	61	64 Av. Mozart	(en impasse)	Ranelagh
12	P23	**Sergent Bauchat** Rue du	46	33 R. de Reuilly	20 R. de Picpus	Montgallet
17	H8	**Sergent Hoff** Rue du	65	25 R. P. Demours	10 R. Saint-Senoch	Ternes
16	Q1	**Sergent Maginot** Rue du	61	R. du Gal Roques	3 R. de l'Arioste	Pte de St-Cloud
14	V12	**Serment de Koufra** Square	55	Av. de la Pte Montrouge	R. de la Légion Etrangère	Pte d'Orléans
6	N15	**Serpente** Rue	21	18 Bd St-Michel	9 R. de l'Éperon	Odéon
20	M26	**Serpollet** Rue	80	132 Bd Davout	(en impasse)	Pte de Bagnolet
16	P1	**Serres d'Auteuil** Jardin des	61	Av. G. Bennett		Pte d'Auteuil
15	Q7	**Serret** Rue	60	37 Av. F. Faure	20 R. Bocquillon	Boucicaut
19	E23-H25	**Sérurier** Boulevard	75-74	353 R. de Belleville	Bd Macdonald	Pte des Lilas
11	L21-M22	**Servan** Rue	43-42	141 R. de la Roquette	92 Av. de la République	Voltaire - Rue St-Ma
11	M22	**Servan** Square	43	31 R. Servan		Voltaire
6	O14	**Servandoni** Rue	22	5 R. Palatine	40 R. de Vaugirard	Mabillon - St-Sulpice
14	U14	**Seurat** Villa	54	101 R. de la Tombe Issoire	(en impasse)	Alésia
20	K26	**Séverine** Square	78	Bd Mortier	Av. de la Pte de Bagnolet	Pte de Bagnolet

Sp

Ar	Plan	Rues / Streets	Quart.	Commençant	Finissant	Métro
16	O3	**Square** Avenue du	61	27 R. P. Guérin	69 Bd Montmorency	Michel Ange-Auteu...
18	E14	**Square Carpeaux** Rue du	69	53 R. E. Carrière	228 R. Marcadet	Guy Môquet
15	Q10	**Staël** Rue de	58	11 R. Lecourbe	166 R. de Vaugirard	Pasteur
6	P13	**Stanislas** Rue	23	42 R. N.-D. des Champs	93 Bd du Montparnasse	Vavin
20	K26	**Stanislas Meunier** Rue	78	3 R. M. Berteaux	4 R. Vidal de la Blache	Pte de Bagnolet
19	D22	**Station** Sentier de la	74	1 Av. Pont Flandre	(en impasse)	Corentin Cariou
18	G15	**Steinkerque** Rue de	70	70 Bd de Rochechouart	13 R. St-Pierre	Anvers
18	F14	**Steinlen** Rue	69	17 R. Damrémont	4 R. E. Carrière	Blanche
19	I20	**Stemler** Cité	76	56 Bd de la Villette		Belleville
20	L25	**Stendhal** Passage	79	19 R. Stendhal	6 R. C. Renouvier	Gambetta
20	L25	**Stendhal** Rue	79	Pl. St-Blaise	190 R. des Pyrénées	Pte de Bagnolet
20	L25	**Stendhal** Villa	79	34 R. Stendhal	(en impasse)	Gambetta
17	E9	**Stéphane Grapelli** Rue	67	Rue Marguerite Long		Pereire-Levallois - Pte de Clichy
17	F7-G7	**Stéphane Mallarmé** Avenue	66-65	191 R. Courcelles	4 Pl. Stuart Merryll	Pte de Champerret
13	S18	**Stephen Pichon** Avenue	49	15 R. Pinel	2 Pl. des Alpes	Place d'Italie
18	F17-G18	**Stephenson** Rue	71	12 R. de Jessaint	21b R. Ordener	Marx Dormoy
13	T19	**Sthrau** Rue	50	72 R. de Tolbiac	100 R. Nationale	Pte d'Ivry - Tolbiac
12	P23	**Stinville** Passage	46	27 R. Montgallet	(en impasse)	Montgallet
8	I12	**Stockholm** Rue de	32	33 R. de Rome	10 R. de Vienne	Europe - St-Lazare
10	J17-I18	**Strasbourg** Boulevard de	38-39	10 Bd St-Denis	7 R. du 8 Mai 1945	Strasbourg-St-Den...
17	G7	**Stuart Merrill** Place	65	182 Bd Berthier	Av. S. Mallarmé	Pte de Champerret
16	O2-L3	**Suchet** Boulevard	62-61	1 Pl. de Colombie	Pl. de la Pte d'Auteuil	Jasmin - Ranelagh
19	G22	**Sud** Passage du	76	28 R. Petit	(en impasse)	Laumière
20	M24	**Suez** Impasse	79	77 R. de Bagnolet	(en impasse)	Alexandre Dumas
18	F17	**Suez** Rue de	71	1 R. de Panama	24 R. des Poissonniers	Château Rouge
7	M7-P10	**Suffren** Avenue de	27-28	71 Q. Branly	59 Bd Garibaldi	Ch. de Mars-Tr Eiffel (RER C...
15	M7-P10	**Suffren** Avenue de	59	71 Quai Branly	59 Bd Garibaldi	Ch. de Mars-Tr Eiffel (RER C...
7	M7	**Suffren** Port de	28	Pont d'Iéna	Pont de Bir Hakeim	Bir Hakeim
6	N15	**Suger** Rue	21	15 Pl. St-André des Arts	3 R. de l'Éperon	St-Michel
14	T11	**Suisses** Rue des	56	197 R. d'Alésia	48 R. P. Larousse	Plaisance
4	O18	**Sully** Pont de	15-16	Q. Henri IV	Q. d'Anjou	Sully-Morland
5	O18	**Sully** Pont de	17	Q. Henri IV	Q. d'Anjou	Sully-Morland
4	O19	**Sully** Rue de	15	6 R. Mornay	12 Bd Henri IV	Sully-Morland
20	K26	**Sully Lombard** Place	78	1 R. Géo Chavez	1 Bd Mortier	Pte de Bagnolet
7	L10	**Sully Prudhomme** Avenue	28	55 Q. d'Orsay	150 R. de l'Université	La Tour-Maubourg
7	L10	**Surcouf** Rue	28	49 Q. d'Orsay	52 R. St-Dominique	La Tour-Maubourg
8	J12	**Surène** Rue de	31	45 R. Boissy d'Anglas	2 Pl. des Saussaies	Madeleine
20	J25	**Surmelin** Passage du	78	45 R. du Surmelin	12 R. Haxo	St-Fargeau
20	K25-J26	**Surmelin** Rue du	78	90 R. Pelleport	1 Pl. Vincenot	St-Fargeau
18	F14	**Suzanne Buisson** Square	69	R. Girardon	(en impasse)	Lamarck-Caulaincou...
18	G15	**Suzanne Valadon** Place	70-69	R. Foyatier	R. Tardieu	Anvers - Abbesses...
18	O3	**Sycomores** Avenue des	61	93 Bd Montmorency	25 Av. des Tilleuls	Pte d'Auteuil
7	N7	**Sydney** Place de	28	Av. de Suffren	Av. Octave Gréard	Bir Hakeim
15	N7	**Sydney** Place de	28	Av. de Suffren	Av. Octave Gréard	Bir Hakeim

				T		
4	M16	**Tacherie** Rue de la	13	6 Q. de Gesvres	35 R. de Rivoli	Châtelet
20	J24	**Taclet** Rue	78	26 R. de la Duée	121 R. Pelleport	Télégraphe
13	V18	**Tage** Rue du	51	152 Av. d'Italie	65 R. Damesme	Maison Blanche
13	V18	**Tagore** Rue	51	28 R. Gandon	141 Av. d'Italie	Pte d'Italie
20	J23	**Taillade** Avenue	77	28 R. F. Lemaître	(en impasse)	Pl. des Fêtes
11	N20	**Taillandiers** Passage des	43	8 Pas. Thiéré	7 R. des Taillandiers	Bastille
11	N20	**Taillandiers** Rue des	43	29 R. de Charonne	66 R. de la Roquette	Ledru-Rollin
11	O24	**Taillebourg** Avenue de	44	11b Pl. de la Nation	23 Bd de Charonne	Nation
12	R23	**Taine** Rue	46	237 R. de Charenton	44 Bd de Reuilly	Daumesnil
9	I14	**Taitbout** Rue	34-33	22 Bd des Italiens	17 R. d'Aumale	Trinité - Rich. Drou...
12	Q24	**Taïti** Rue de	46	83 R. de Picpus	5 Bd de Picpus	Bel Air
7	M11	**Talleyrand** Rue de	26	25 R. Constantine	144 R. de Grenelle	Varenne
16	M5	**Talma** Rue	62	11 R. Bois le Vent	40 R. Singer	La Muette
18	D14	**Talus** Cité du	69	157 R. Belliard	(en impasse)	Pte de St-Ouen
18	D14	**Talus** Impasse du	69	56 R. Leibniz	(en impasse)	Pte de St-Ouen
19	G21	**Tandou** Rue	73	10 R. E. Dehaynin	135 R. de Crimée	Laumière
19	G19-F20	**Tanger** Rue de	73	222 Bd de la Villette	41 R. Riquet	Stalingrad - Rique...
13	S16	**Tanneries** Rue des	52	117 R. Nordmann	6 R. Champ de l'Alouette	Glacière
17	F10	**Tapisseries** Rue des	67	Bd Péreire	131 R. de Saussure	Pereire
7	N14	**Taras Chevtchenko** Square	24	Bd St-Germain	R. des St-Pères	St-Germain-des-Pr...
17	F11	**Tarbé** Rue	67	74 R. de Saussure	138 R. Cardinet	Villiers
18	G15	**Tardieu** Rue	70	19 Pl. St-Pierre	2 R. Chappe	Anvers - Abbesse...
17	F9	**Tarn** Square du	66	4 R. J. Bourdais	(en impasse)	Pereire
16	L4	**Tattegrain** Place	63	Bd Flandrin	Av. H. Martin	Rue de la Pompe

10	J18	**Taylor** Rue	39	62 R. R. Boulanger	25 R. du Château d'Eau	Jacques Bonsergent
16	P1	**Tchad** Square du	61	8 Av. du Gal Sarrail		Pte d'Auteuil
18	E19	**Tchaïkovski** Rue	78	R. Croix Moreau	R. de l'Evangile	Pte de la Chapelle
8	H11-I11	**Téhéran** Rue de	32	142 Bd Haussmann	58 R. de Monceau	Monceau
20	I24	**Télégraphe** Passage du	78	39 R. Télégraphe	178 R. Pelleport	Télégraphe
20	I24-J24	**Télégraphe** Rue du	78	13 R. St-Fargeau	240 R. de Belleville	Télégraphe
3	K19-L19	**Temple** Boulevard du	10	25 R. Filles du Calvaire	1 Pl. de la République	République
11	K19-L19	**Temple** Boulevard du	41	25 R. Filles du Calvaire	1 Pl. de la République	République
3	M17-K18	**Temple** Rue du	9-10-12	64 R. de Rivoli	13 Pl. de la République	Temple
4	M17-K18	**Temple** Rue du	13	64 R. de Rivoli	13 Pl. de la République	Hôtel de Ville
3	L18	**Temple** Square du	10	R. du Temple	R. de Bretagne	Arts et Métiers
14	S12	**Tenaille** Passage	56	147 Av. du Maine	38 R. Gassendi	Gaîté
18	E13	**Tennis** Rue des	69	13 R. Lagille	183 R. Belliard	Guy Môquet
11	L20	**Ternaux** Rue	42	48 R. de la Folie Méricourt	2b R. N. Popincourt	Parmentier
H6-H8		**Ternes** Avenue des	65	49 Av. de Wagram	59 Bd Gouvion St-Cyr	Ternes
8	H8	**Ternes** Place des	30	272 R. du Fbg St-Honoré	50 Av. de Wagram	Ternes
17	H8	**Ternes** Place des	65	272 R. du Fbg St-Honoré	50 Av. de Wagram	Ternes
17	H6	**Ternes** Porte des	65	Av. de la Porte des Ternes	Av. des Ternes	Pte Maillot
17	H7	**Ternes** Rue des	65	200 Bd Péreire	27 R. Guersant	Pte Maillot
17	H7	**Ternes** Villa des	65	96 Av. des Ternes	Av. de Verzy	Pte Maillot
10	I19	**Terrage** Rue du	40	137 Q. de Valmy	174 R. du Fbg St-Martin	Château Landon
17	G11	**Terrasse** Rue de la	66	96 Bd Malesherbes	33 R. de Lévis	Villiers
17	G11	**Terrasse** Villa de la	66	19 R. de la Terrasse	(en impasse)	Villiers
12	N24	**Terre Neuve** Rue de	44	106 Bd de Charonne	Pl. de la Réunion	Avron
13	U20	**Terres au Curé** Rue des	50	70 R. Regnault	45 R. Albert	Pte d'Ivry
12	S22-S23	**Terroirs de France** Avenue des	47	Q. de Bercy	R. Baron Le Roy	Cour St-Emilion
18	F15	**Tertre** Impasse du	70	3 R. Norvins	(en impasse)	Abbesses
18	G15	**Tertre** Place du	70	3 R. Norvins	R. St-Eleuthère	Abbesses
15	Q10	**Tessier** Rue	57	16 R. Bargue	11b R. de la Procession	Volontaires
10	J20	**Tesson** Rue	40	160 Av. Parmentier	187 R. St-Maur	Goncourt
14	R12	**Texel** Rue du	56	25 R. Vercingétorix	22 R. R. Losserand	Gaîté
17	H10-G10	**Thann** Rue de	66	2 R. de Phalsbourg	3 Pl. Malesherbes	Monceau
15	O6-P8	**Théâtre** Rue du	59	53 Q. de Grenelle	58 R. de la Croix Nivert	Av. Émile Zola
18	O16	**Thénard** Rue	20	61 Bd St-Germain	44 R. des Écoles	Maubert-Mutualité
17	G8	**Théodore De Banville** Rue	66	87 Av. de Wagram	80 R. P. Demours	Ternes - Courcelles
15	R7	**Théodore Deck** Rue	57	18 R. Saint-Lambert	(en impasse)	Convention
15	R7	**Théodore Deck** Villa	57	10 R. T. Deck	(en impasse)	Convention
15	R7	**Théodore Deck Prolongée** Rue	57	18 R. St-Lambert	(en impasse)	Convention
12	S24	**Théodore Hamont** Rue	46	327 R. de Charenton	27 R. des Meuniers	Pte de Charenton
3	K18-L18	**Théodore Herzl** Place	9	29 Rue Réaumur	57 Rue de Turbigo	Arts et Métiers
15	O9	**Théodore Judlin** Square	59	28 R. du Laos		La Motte-P.-Grenelle
16	P4	**Théodore Rivière** Place	61	R. Chardon Lagache	R. du Buis	Église d'Auteuil
16	N4	**Théodore Rousseau** Avenue	61	2 Pl. Rodin	29 R. de l'Assomption	Ranelagh - Jasmin
17	H9	**Théodule Ribot** Rue	66	106 Bd de Courcelles	72 Av. de Wagram	Courcelles
16	O4-O5	**Théophile Gautier** Avenue	61	27 R. Gros	8 R. Corot	Mirabeau
16	P4	**Théophile Gautier** Square	61	57 Av. T. Gautier		Église d'Auteuil
12	O21	**Théophile Roussel** Rue	48	17 R. de Cotte	10 R. de Prague	Ledru-Rollin
15	Q8	**Théophraste Renaudot** Rue	57	101 R. de la Croix Nivert	182 R. Lecourbe	Commerce
1	K14	**Thérèse** Rue	3	39 R. Richelieu	24 Av. de l'Opéra	Pyramides
14	S12	**Thermopyles** Rue des	56	32 R. Didot	87 R. R. Losserand	Pernety
14	T13	**Thibaud** Rue	55	66 Av. du Gal Leclerc	191 Av. du Maine	Mouton-Duvernet
15	R9	**Thiboumery** Rue	57	56 R. d'Alleray	9 R. de Vouillé	Vaugirard
11	N20	**Thiéré** Passage	43	23 R. de Charonne	48 R. de la Roquette	Bastille
16	I6	**Thierry De Martel** Boulevard		Pte Maillot	Bd de l'Amiral Bruix	Pte Maillot
16	K5	**Thiers** Rue	63	168 Av. V. Hugo	57 R. Spontini	Rue de la Pompe
16	K5	**Thiers** Square	63	155 Av. V. Hugo		Rue de la Pompe
17	F8	**Thimerais** Square du	66	11 R. de Senlis	212 R. Courcelles	Pereire
9	H16	**Thimonnier** Rue	36	3 R. Lentonnet	54 R. Rochechouart	Poissonnière
19	F21-F22	**Thionville** Passage de	73	1 R. Léon Giraud	12 R. de Thionville	Ourcq
19	F21-F22	**Thionville** Rue de	73-74	150 R. de Crimée	Q. de la Garonne	Ourcq - Laumière
18	G14	**Tholozé** Rue	69	56 R. des Abbesses	8 R. Lepic	Abbesses
14	U15	**Thomas Francine** Rue	54	21 R. de l'Emp. Valentinien	6 Av. de la Sibelle	Cité Univ. (RER B)
13	T21	**Thomas Mann** Rue	50	Q. Panhard et Levassor	46 R. du Chevaleret	Bibl. F. Mitterrand
13	V16	**Thomire** Rue	51	77 Bd Kellermann	Av. Caffieri	Cité Univ. (RER B)
7	N8	**Thomy Thierry** Allée	28	Av. O. Gréard	Pl. Joffre	École Militaire
2	J16	**Thorel** Rue	8	9 R. Beauregard	31 Bd de Bonne Nouvelle	Bonne Nouvelle
15	R6	**Thoréton** Villa	60	324 R. Lecourbe	(en impasse)	Lourmel
3	M18	**Thorigny** Place de	11	R. Elzévir	16 R. du Parc Royal	St-Sébastien-Froissart
3	M19	**Thorigny** Rue de	11	2 R. de la Perle	3 R. Debelleyme	St-Sébastien-Froissart
12	S22	**Thorins** Rue de	47	R. Baron Le Roy	Pl. des Vins de France	Cour St-Émilion
5	P16	**Thouin** Rue	17-20	68 R. du Card. Lemoine	R. de l'Estrapade	Card. Lemoine
15	P8	**Thuré** Cité	59	130 R. du Théâtre		Émile Zola - Commerce
15	T7	**Thureau Dangin** Rue	57	42 Bd Lefebvre	7 Av. A. Bartholomé	Pte de Versailles
13	V17	**Tibre** Rue du	51	58 R. du Moulin de la Pointe	71 R. Damesme	Maison Blanche
16	O3	**Tilleuls** Avenue des	61	6 Av. du Square	53 Bd Montmorency	Michel Ange-Auteuil

Ar	Plan	Rues / Streets	Quart.	Commençant	Finissant	Métro
1	L15	**Valois** Galerie de	3	Gal. de Beaujolais	Palais Royal	Palais Royal-Louvre
1	L15	**Valois** Place de	3	4 Pl. de Valois	Pas. Vérité	Palais Royal-Louvre
1	L14-L15	**Valois** Rue de	3	202 R. St-Honoré	1 R. de Beaujolais	Palais Royal-Louvre
8	H10	**Van Dyck** Avenue	32	Pl. du Gal Brocard	Parc de Monceau	Courcelles
12	Q20	**Van Gogh** Rue	48	62 Q. Rapée	197 R. de Bercy	Gare de Lyon
16	Q3	**Van Loo** Rue	61	Q. L. Blériot	154 Av. de Versailles	Exelmans-Bd Victor (RER C)
12	S26	**Van Vollenhoven** Square	45	Bd Poniatowski		Pte Dorée
14	T10	**Vandal** Impasse	56	27 Bd Brune	(en impasse)	Pte de Vanves
14	R12	**Vandamme** Rue	53-56	22 R. de la Gaîté	66 Av. du Maine	Gaîté
13	T17-U17	**Vandrezanne** Passage	51	37 R. Vandrezanne	57 R. du Moulin des Prés	Tolbiac
13	T17	**Vandrezanne** Rue	51	42 Av. d'Italie	39 R. du Moulin des Prés	Tolbiac
7	N12	**Vaneau** Cité	26	63 R. Varenne	12 R. Vaneau	Varenne
7	O12	**Vaneau** Rue	25-26-27	61 R. Varenne	44 R. de Sèvres	Vaneau - Varenne
14	U14-U15	**Vanne** Allée de la	56	Al. du Lac	Parc Montsouris	Cité Univ. (RER B)
14	U9	**Vanves** Porte de	56	Bd Périphérique		Pte de Vanves
20	O26	**Var** Square du	80	7 R. Noël Ballay	8 R. Lippmann	Pte de Vincennes
7	N12	**Varenne** Cité de	25	51 R. de Varenne	(en impasse)	Rue du Bac
7	N11-N12	**Varenne** Rue de	25-26	14 R. de la Chaise	17 Bd des Invalides	Varenne
15	Q6	**Varet** Rue	60	197b R. St-Charles	164 R. de Lourmel	Lourmel
2	J15	**Variétés** Galerie des		38 R. Vivienne	28 Gal. St-Marc	Grands Boulevards
16	Q2	**Varize** Rue de	61	104 R. Michel Ange	63 Bd Murat	Pte de St-Cloud
16	M17	**Varsovie** Place de	64	Bd Delessert	Pont d'Iéna	Trocadéro
15	R6	**Vasco De Gama** Rue	60-57	119 Av. Félix Faure	74 R. Desnouettes	Lourmel
12	P26	**Vassou** Impasse	45	37 R. de la Voûte	(en impasse)	Pte de Vincennes
7	N10	**Vauban** Place	27	5 Av. de Tourville	1 Av. de Breteuil	St-Franç.-Xavier
3	K17	**Vaucanson** Rue	9	53 R. de Turbigo	29 R. du Vertbois	Arts et Métiers
17	F9	**Vaucluse** Square de	66	23 Av. Brunetière	(en impasse)	Pereire
11	K21	**Vaucouleurs** Rue de	41	83 R. Timbaud	28 R. de l'Orillon	Couronnes
15	S8	**Vaugelas** Rue	57	58 R. O. de Serres	28 R. Lacretelle	Pte de Versailles
15	Q11-Q12	**Vaugirard** Boulevard de	58	2 Pl. Raoul Dautry	71 Bd Pasteur	Montparnasse-Bienv.
15	Q11	**Vaugirard** Galerie	58	R. Falguière	Bd Vaugirard	Montparnasse-Bienv.
6	O14-S7	**Vaugirard** Rue de	22-23	44 Bd St-Michel	1 Bd Lefebvre	St-Sulpice
15	O14-S7	**Vaugirard** Rue de	57-58	44 Bd St-Michel	1 Bd Lefebvre	Convention
5	Q16	**Vauquelin** Rue	19	48 R. Lhomond	70 R. C. Bernard	Censier-Daubenton
18	D13-E14	**Vauvenargues** Rue	69	65 R. Damrémont	153 Bd Ney	Lamarck-Caulaincourt
18	D13	**Vauvenargues** Villa	69	82 R. Leibniz	(en impasse)	Pte de St-Ouen
1	L15	**Vauvilliers** Rue	2	76 R. St-Honoré	R. Berger	Louvre-Rivoli
6	P13-P14	**Vavin** Avenue	23	84 R. d'Assas	(en impasse)	Vavin
6	P13	**Vavin** Rue	23	76 R. d'Assas	99 Bd du Montparnasse	Vavin
12	R25	**Véga** Rue de la	45	257 Av. Daumesnil	118 Av. du Gal M. Bizot	Pte Dorée - M. Bizot
8	H11	**Velasquez** Avenue	32	Bd Malesherbes	Parc de Monceau	Monceau
13	U21	**Velay** Square du	50	6 Av. Boutroux	23 Bd Masséna	Pte d'Ivry
7	O13	**Velpeau** Rue	25	1 R. Babylone	R. de Sèvres	Sèvres-Babylone
12	S24	**Vendée** Square de la	46	2 R. des Meuniers	37 Bd Poniatowski	Pte de Charenton
1	K13	**Vendôme** Cour	4	364 R. St-Honoré	7 Pl. Vendôme	Tuileries - Opéra
3	K19	**Vendôme** Passage	10	16 R. Béranger	3 Pl. de la République	République
1	K13	**Vendôme** Place	4	237 R. St-Honoré	1 R. des Capucines	Tuileries - Opéra
13	V19	**Vénétie** Place de	50	18 Av. de Choisy		Pte de Choisy
16	J6	**Vénézuela** Place du		R. Leroux		Victor Hugo
4	L17	**Venise** Rue de	13	129 R. St-Martin	54 R. Quincampoix	Rambuteau
1	K14	**Ventadour** Rue de	3	20 R. Thérèse	57 R. Petits Champs	Pyramides
14	T10-R12	**Vercingétorix** Rue	56	82 Av. du Maine	Bd Brune	Gaîté - Pte de Vanves
9	J15	**Verdeau** Passage	35	6 R. Grange Batelière	31b R. du Fbg Montmartre	Grands Boulevards
16	P4	**Verderet** Rue	61	1 R. d'Auteuil	2 R. du Buis	Église d'Auteuil
16	M4	**Verdi** Rue	62	1 R. Oct. Feuillet	2 R. Franqueville	La Muette
10	I18	**Verdun** Avenue de	40	156 R. du Fbg St-Martin	R. du Terrage	Gare de l'Est
19	F21	**Verdun** Passage de	73	4b R. de Thionville	5 R. Léon Giraud	Ourcq
17	H6	**Verdun** Place de	65	82 Av. de la Gde Armée	16 Av. Ch. de Gaulle	Pte Maillot
10	I18	**Verdun** Square de	40	14 Av. Verdun		Gare de l'Est
15	R9	**Vergennes** Square	57	279 R. de Vaugirard		Vaugirard
12	S24	**Vergers** Allée des	46	12 R. des Jardiniers	(en impasse)	Pte de Charenton
13	T16	**Vergniaud** Rue	51	99 Bd A. Blanqui	66 R. Brillat Savarin	Corvisart - Glacière
14	S15	**Verhaeren** Allée	53	23ter R. J. Dolent	(en impasse)	St-Jacques
1	L15	**Vérité** Passage	3	11 R. des Bons Enfants	7 Pl. de Valois	Palais Royal-Louvre
19	H24	**Vermandois** Square du	75	64 Bd Sérurier		Pré St-Gervais
5	Q16	**Vermenouze** Square	19	112 R. Mouffetard	61 R. Lhomond	Censier-Daubenton
8	J8-J9	**Vernet** Rue		21 R. Q. Bauchart	1 R. de Presbourg	George V
7	M13	**Verneuil** Rue de	25	8 R. Sts-Pères	9 R. de Poitiers	Rue du Bac
17	G7	**Vernier** Rue	65	50 R. Bayen	9 Bd Gouvion St-Cyr	Pte de Champerret
17	F9	**Verniquet** Rue	66	86 Bd Péreire	15 Bd Berthier	Pereire
1	L15	**Vero Dodat** Galerie	2	19 R.Rousseau	2 R. du Bouloi	Palais Royal-Louvre

18	G14	**Véron** Cité	69	94 Bd Clichy	(en impasse)	Blanche
18	G14	**Véron** Rue	69	31 R. A. Antoine	26 R. Lepic	Abbesses
13	S17	**Véronèse** Rue	49	12 R. Rubens	69 Av. des Gobelins	Les Gobelins
4	M17	**Verrerie** Rue de la	14-13	13 R. Bourg Tibourg	76 R. St-Martin	Hôtel de Ville
15	R2-O5	**Versailles** Avenue de	61	2 Q. Blériot	4 Pl. de la Pte St-Cloud	Pte de St-Cloud
15	S7	**Versailles** Porte de	57	Bd Victor	Bd Lefebvre	Pte de Versailles
18	E15-E16	**Versigny** Rue	70	103 R. du Mont Cenis	22 R. Letort	Jules Joffrin
1	M15	**Vert Galant** Square du	1	Pl. du Pont Neuf		Pont Neuf
3	K17	**Vertbois** Passage du	9	64 R. Vertois	57 R. N.-D. de Nazareth	Arts et Métiers
3	K17-K18	**Vertbois** Rue du	9	75 R. Turbigo	306 R. St-Martin	Temple
11	M20	**Verte** Allée	42	58 R. St-Sabin	59 Bd R. Lenoir	Richard-Lenoir
3	L18	**Vertus** Rue des	9	14 R. Gravilliers	13 R. Réaumur	Arts et Métiers
17	H7	**Verzy** Avenue de	65	96 Av. des Ternes	39 R. Guersant	Pte Maillot
5	R17	**Vésale** Rue	18	9 R. Scipion	10 R. de la Collégiale	Les Gobelins
8	H11	**Vézelay** Rue de	32	20 R. de Lisbonne	66 R. Monceau	Villiers
15	O7	**Viala** Rue	59	58 Bd Grenelle	31 R. St-Charles	Dupleix
11	N21	**Viallet** Passage	43	44 R. R. Lenoir	144 Bd Voltaire	Voltaire
1	L15	**Viarmes** Rue de	2	18 R. Sauval	R. C. Royer	Louvre-Rivoli
15	S8	**Vichy** Rue de	57	6 R. P. Delmet	5 R. Malassis	Convention
10	I20	**Vicq d'Azir** Rue	40	22 R. Grange aux Belles	65 Bd de la Villette	Colonel Fabien
9	I14-I15	**Victoire** Rue de la	35-34	43 R. La Fayette	20 R. Joubert	Le Peletier - Trinité
2	K15	**Victoires** Place des	2-3	4 R. Catinat	1 R. Vide Gousset	Bourse - Sentier
2	K15	**Victoires** Place des	6-7	4 R. Catinat	1 R. Vide Gousset	Bourse - Sentier
15	R4-S6	**Victor** Boulevard	57-60	Bd Gal Martial Valin	Pl. de la Pte de Versailles	Pte de Versailles
15	R4	**Victor** Square	60	Bd Gal Martial Valin	R. R. Ravaud	Bd Victor (RER C)
12	Q25	**Victor Chevreuil** Rue	45	7 Av. du Dr Netter	12b R. Sibuet	Bel Air
11	R13	**Victor Considérant** Rue	53	4 Pl. Denfert-Rochereau	15 R. V. Schœlcher	Denfert-Rochereau
5	P15	**Victor Cousin** Rue	20	1 R. de la Sorbonne	20 R. Soufflot	Luxembourg (RER B)
20	K26	**Victor Dejeante** Rue	78	40 Bd Mortier	11 R. Le Vau	Pte de Bagnolet
15	R8	**Victor Duruy** Rue	57	329 R. de Vaugirard	221 R. de la Convention	Convention
14	T13	**Victor et Hélène Basch** Place	55	90 Av. du Gal Leclerc	58 R. d'Alésia	Alésia
15	T9	**Victor Galland** Rue	57	22 R. Fizeau	130 R. Castagnary	Pte de Vanves
11	L22	**Victor Gelez** Rue	42	8 Pas. Ménilmontant	9 R. des Nanettes	Ménilmontant
16	L4-J7	**Victor Hugo** Avenue	64-63	Pl. Ch. De Gaulle	127 R. de la Faisanderie	Victor Hugo
16	J6	**Victor Hugo** Place	64-63	72 Av. Victor Hugo	Av. R. Poincaré	Victor Hugo
16	K5	**Victor Hugo** Villa	63	138 Av. Victor Hugo	(en impasse)	Rue de la Pompe
16	K22	**Victor Letalle** Rue	79	20 R. de Ménilmontant	15 R. Panoyaux	Ménilmontant
13	T13	**Victor Marchand** Passage	51	110 R. Glacière	111 R. de la Santé	Glacière
9	H15	**Victor Massé** Rue	33	55 R. des Martyrs	58 R. J.-B. Pigalle	Pigalle
14	R13	**Victor Schœlcher** Rue	53	268 Bd Raspail	12 R. Froidevaux	Denfert-Rochereau
20	M25	**Victor Ségalen** Rue	80	R. Riblette	R. des Balkans	Pte de Bagnolet
1	M16-M17	**Victoria** Avenue		5 Pl. de l'Hôtel de Ville	2 R. Ste-Opportune	Châtelet
1	N16-M17	**Victoria** Avenue	13	5 Pl. de l'Hôtel de Ville	2 R. Ste-Opportune	Hôtel de Ville
16	Q3-Q4	**Victorien Sardou** Rue	61	116 Av. de Versailles	1 Villa V. Sardou	Chardon Lagache
16	G3	**Victorien Sardou** Square	61	93 Bd de Port Royal	134 R. de la Glacière	Chardon Lagache
16	Q3-R4	**Victorien Sardou** Villa	61	14 R. V. Sardou	(en impasse)	Chardon Lagache
20	K26	**Vidal De La Blache** Rue	78	78 Bd Mortier	25 R. Le Vau	Pte de Bagnolet
2	K15	**Vide Gousset** Rue	6-7	12 Pl. Victoires	2 R. du Mail	Sentier
3	M18-L19	**Vieille du Temple** Rue	10-11-14	36 R. de Rivoli	1 R. de Bretagne	Filles du Calvaire
4	M18-L19	**Vieille du Temple** Rue	10-11-14	36 R. de Rivoli	1 R. de Bretagne	St-Paul - Hôtel de Ville
8	I12-H12	**Vienne** Rue de	32	8 Pl. H. Bergson	Pl. de l'Europe	Europe
7	N10	**Vierge** Passage de la	28	54 R. Cler	75 Av. Bosquet	École Militaire
7	G10	**Vigée** Rue	66	66 Av. de Villiers	145 Bd Malesherbes	Wagram
6	O13	**Vieux Colombier** Rue du	22-23	74 R. Bonaparte	1 R. du Cherche Midi	St-Sulpice
15	R10	**Vigée Lebrun** Rue	58	41 R. Dr Roux	106 R. Falguière	Volontaires
16	N5	**Vignes** Rue des	62	72 R. Raynouard	13 Av. Mozart	La Muette
20	N25	**Vignoles** Impasse des	80	78 R. Vignoles	(en impasse)	Buzenval
20	N24-N25	**Vignoles** Rue des	80	84 Bd de Charonne	44 R. des Orteaux	Buzenval - Avron
8	J13	**Vignon** Rue	31	Bd Madeleine	26 R. Tronchet	Madeleine
9	J13	**Vignon** Rue	34	Bd Madeleine	26 R. Tronchet	Madeleine
11	O20	**Vigués** Cour	43	R. du Fbg St-Antoine	(en impasse)	Bastille
20	J22	**Vilin** Rue	77	29 R. des Couronnes	19 R. Piat	Couronnes
16	Q3	**Villa de la Réunion** Gde av. de la	61	122 Av. de Versailles	47 R. Chardon Lagache	Chardon Lagache
15	S9	**Villafranca** Rue de	57	54 R. des Morillons	5 R. Fizeau	Pte de Vanves
8	K12	**Village** Royal	31	Cité Berryer	R. Royale	Madeleine
17	I7	**Villaret de Joyeuse** Rue	65	1 R. des Acacias	5 R. des Acacias	Argentine
17	I7	**Villaret de Joyeuse** Square	65	7 R. Villaret de Joyeuse		Argentine
7	N11	**Villars** Avenue de	27	3 Pl. Vauban	2 R. D'Estrées	St-Franç.-Xavier
8	J12	**Ville l'Evêque** Rue de la	31	9 Bd Malesherbes	Pl. des Saussaies	St-Augustin
2	J16	**Ville Neuve** Rue de la	8	5 R. Beauregard	35 Bd Bonne Nouvelle	Bonne Nouvelle
17	H8	**Villebois Mareuil** Rue	65	40 Av. des Ternes	25 R. Bayen	Ternes
1	K14	**Villedo** Rue	3	41 R. Richelieu	32 R. Ste-Anne	Pyramides

Ar	Plan	Rues / Streets	Quart.	Commençant	Finissant	Métro
3	M19	**Villehardouin** Rue	11	24 R. St-Gilles	56 R. de Turenne	Chemin Vert
14	S11	**Villemain** Avenue	56	115 R. Losserand	148 R. d'Alésia	Plaisance - Pernety
10		**Villemin** Jardin		R. des Récollets	Al. du Canal	Gare de l'Est
7	M12	**Villersexel** Rue de	25	53 R. de l'Université	Bd St-Germain	Solférino
4	O19	**Villes Compagnons de la Libération** Esplanade des	15	12 Quai Henri IV	38 Quai Henri IV	Q. de la Rapée - S. Morland
10	G19-J21	**Villette** Boulevard de la	40	137 Faubourg du Temple	56 R. Château Landon	Belleville - Jaurès
19	G19-I20	**Villette** Boulevard de la	37-40	137 R. du Fbg du Temple	56 R. Château Landon	Belleville - Jaurès
19	D22-E22	**Villette** Galerie de la	74	Av. J. Jaurès	Av. Corentin Cariou	Pte de la Villette
19	D23	**Villette** Parc de la	74	Bd Macdonald	Bd Sérurier	Pte de la Villette
19	D22	**Villette** Porte de la	74	Av. de la Pte de la Villette	Pl. A. Baron	Pte de la Villette
19	I22-H22	**Villette** Rue de la	76-75	115 R. de Belleville	72 R. Botzaris	Jourdain - Botzaris
17	G8-H11	**Villiers** Avenue de	66-65	2 Bd de Courcelles	1 Bd Gouvion St-Cyr	Villiers - Pereire
17	G7	**Villiers** Porte de	65	Av. de la Pte de Villiers	R. Guersant	Pte de Champerret
20	K23-K24	**Villiers de l'Isle Adam** Rue	79	21 R. Sorbier	81 R. Pelleport	Pelleport - Gambetta
12	Q20	**Villiot** Rue	48-47	28 Q. de la Rapée	155 R. de Bercy	Gare de Lyon
13	S20	**Vimoutiers** Rue de	50	14 R. Charcot	R. Duchefdelaville	Chevaleret
10	J18-J19	**Vinaigriers** Rue des	39	89 Q. de Valmy	100 R. du Fbg St-Martin	Jacques Bonsergent
12	P24-P26	**Vincennes** Cours de	80-45	Bd de Picpus	141 Bd Soult	Pte de Vincennes
20	P24-P26	**Vincennes** Cours de	80-45	Bd de Picpus	141 Bd Soult	Pte de Vincennes
20	P26	**Vincennes** Porte de	45-80	Av. de la Pte de Vincennes	Bd Davout	Pte de Vincennes
13	R20-S18	**Vincent Auriol** Boulevard	50-49	153 Q. de la Gare	202 Av. de Choisy	Q. de la Gare - Pl. d'Italie
18	D15	**Vincent Compoint** Rue	69	20 R. du Pôle Nord	77 R. du Poteau	Jules Joffrin
12	Q26	**Vincent D'Indy** Avenue	45	Av. Courteline	6 Av. Courteline	Pte de Vincennes
19	G20	**Vincent Scotto** Rue	73	Q. de la Loire	R. P. Reverdy	Laumière
16	L6-M6	**Vineuse** Rue	62	1 R. Franklin	35 R. Franklin	Passy - Trocadéro
14	U12-U13	**Vingt-Cinq Août 1944** Place du	55	203 Bd Brune	142 Av. du Gal Leclerc	Pte d'Orléans
1	L13	**Vingt-Neuf Juillet** Rue du	4	208 R. de Rivoli	213 R. St-Honoré	Tuileries
12	S22	**Vins de France** Place des	47	Av. des Terroirs de Fr.	R. des Pirogues de Bercy	Cour St-Émilion
9	G13	**Vintimille** Rue de	33	64 R. de Clichy	5 Pl. Adolphe Max	Place de Clichy
15	P7	**Violet** Place	60-59	R. de Violet	R. des Entrepreneurs	Commerce
15	P7-O8	**Violet** Rue	59	92 Bd Grenelle	5 Pl. Violet	Commerce
15	P7	**Violet** Square	60	R. de l'Église	Villa Violet	Commerce
15	P7	**Violet** Villa	60	80 R. des Entrepreneurs	(en impasse)	Commerce
9	H15	**Viollet-le-Duc** Rue	36	1 R. Lallier	63 Bd de Rochechouart	Pigalle
16	N4	**Vion Whitcomb** Avenue	62	86 R. Ranelagh	27 Bd Beauséjour	Ranelagh
14	U13	**Virginie** Villa	55	66 R. P. Corentin	115 Av. du Gal Leclerc	Pte d'Orléans
15	Q8	**Viroflay** Rue de	57	64 R. Aml Roussin	23 R. Péclet	Vaugirard
6	N14	**Visconti** Rue	24	24 R. de Seine	19 R. Bonaparte	Mabillon
7	N12	**Visitation** Passage de la	25	6 R. Saint-Simon	(en impasse)	Rue du Bac
13	U18	**Vistule** Rue de la	51	73 Av. d'Italie	103 Av. d'Italie	Maison Blanche
16	M5	**Vital** Rue	62	51 R. de la Tour	66 R. de Passy	R. de la Pompe - La Muette
20	M25-M26	**Vitruve** Rue	80	68 Pl. de la Réunion	171 Bd Davout	Pte de Bagnolet
20	M26	**Vitruve** Square	80	80 R. Vitruve	147 Bd Davout	Pte de Bagnolet
13	U21	**Vitry** Porte de	50	Bd Masséna	Av. de la Pte de Vitry	Pte d'Ivry
12	Q23	**Vivaldi** Allée	46	104 R. de Reuilly	(en impasse)	Montgallet
17	G7	**Vivarais** Square du	65	24 Bd Gouvion St-Cyr	1 Sq. Graisivaudan	Pte de Champerret
5	O16	**Viviani** Square	.	R. du Fouarre	Q. de Montebello	St-Michel
2	K15	**Vivienne** Galerie	6	4 R. Pts Champs	6 R. Vivienne	Bourse
1	K15-J15	**Vivienne** Rue	3	14 R. Beaujolais	13 Bd Montmartre	Richelieu Drouot
2	K15-J15	**Vivienne** Rue	3-6	14 R. Beaujolais	13 Bd Montmartre	Richelieu Drouot
20	O25-N26	**Volga** Rue du	80	70 R. d'Avron	65 Bd Davout	Pte de Montreuil
2	K13	**Volney** Rue	5	10 R. des Capucines	19 R. Daunou	Opéra
15	Q10	**Volontaires** Rue des	58	59 R. Lecourbe	44 R. Dr Roux	Volontaires
3	L18-K18	**Volta** Rue	9	8 R. au Maire	31 R. N.-D. de Nazareth	Arts et Métiers
11	K19-O23	**Voltaire** Boulevard	41 à 44	4 Pl. de la République	3 Pl. de la Nation	Nation - Voltaire
11	N23	**Voltaire** Cité	44	207 Bd Voltaire	(en impasse)	Rue des Boulets
16	Q2	**Voltaire** Impasse	61	Imp. Racine	(en impasse)	Exelmans
6	M14	**Voltaire** Quai	25	2 R. des Sts-Pères	R. du Bac	Musée d'Orsay (RER C)
7	M14	**Voltaire** Quai	25	2 R. des Sts-Pères	R. du Bac	Musée d'Orsay (RER C)
11	O23	**Voltaire** Rue	44	211 Bd Voltaire	55 Av. Philippe-Auguste	Rue des Boulets
13	U16	**Volubilis** Rue des	51	1 R. des Iris	1 R. des Glycines	Cité Univ. (RER B)
3	N19	**Vosges** Place des	11	11b R. Birague	1 R. de Béarn	Chemin Vert
4	N19	**Vosges** Place des	11	11 Bis R. Birague	1 R. du Béarn	Chemin Vert
15	S10	**Vouillé** Rue de	57	Pl. C. Vallin	R. d'Alésia	Plaisance
12	P26	**Voûte** Passage de la	45	45 R. de la Voûte	100 C. Vincennes	Pte de Vincennes
12	P26	**Voûte** Rue de la	45	54 Av. Dr Netter	139 Bd Soult	Pte de Vincennes
13	S16	**Vulpian** Rue	52	3 R. Champ de l'A.	84 Bd A. Blanqui	Glacière

W

8	I8-G9	**Wagram** Avenue de	30	Pl. Ch. De Gaulle	1 Pl. de Wagram	Wagram
17	I8-G9	**Wagram** Avenue de	65-66	Pl. Ch. De Gaulle	1 Pl. de Wagram	Wagram
17	F9	**Wagram** Place de	66	181 Bd Malesherbes	Bd Péreire	Wagram
8	I8	**Wagram St Honoré** Villa	30	233 R. du Fbg St-Honoré	(en impasse)	Ternes
17	H6	**Waldeck Rousseau** Rue	65	Bd Péreire	91 Av. des Ternes	Pte Maillot
13	R18	**Wallons** Rue des	49	48 Bd de l'Hôpital	R. Jules Breton	St-Marcel
8	J9-I9	**Washington** Rue	30	114 Av. des Chps Élysées	179 Bd Haussmann	George V
15	R10	**Wassily Kandinsky** Place	58	56 R. Bargue	60 R. Bargue	Volontaires
13	T22	**Watt** Rue	50	31 Q. de la Gare	24 R. Chevaleret	Bibl. F. Mitterrand
13	S18	**Watteau** Rue	49	114 Bd de l'Hôpital	R. du Banquier	Campo Formio
19	E20	**Wattieaux** Passage	74	74 R. de l'Ourcq	78 R. Curial	Crimée
12	S24	**Wattignies** Impasse de	46	76 R. Wattignies	(en impasse)	Pte de Charenton
12	R23-R24	**Wattignies** Rue de	46	243 R. de Charenton	19 R. C. Decaen	Pte de Charenton
10	K18	**Wauxhall** Cité du	39	4 Bd de Magenta	27 R. A. Thomas	République
16	I6	**Weber** Rue	63	38 R. Pergolèse	Bd de l'Amiral Bruix	Pte Maillot
14	U10	**Wilfrid Laurier** Rue	56	10 Bd Brune	Av. Marc Sangnier	Pte de Vanves
18	P4	**Wilhem** Rue	61	100 Q. L. Blériot	1 R. Chardon Lagache	Mirabeau
18	G15	**Willette** Square	70	Pl. St-Pierre		Anvers
8	K11	**Winston Churchill** Avenue	29	Crs la Reine	Pl. Clemenceau	Champs-Elysées-Clem.
13	U15	**Wurtz** Rue	51	17 R. Daviel	40 R. Boussingault	Glacière - Corvisart

X

| 13 | T20 | **Xaintrailles** Rue | 50 | 32 R. Domrémy | 16 Pl. Jeanne d'Arc | Bibl. F. Mitterrand |
| 5 | N16 | **Xavier Privas** Rue | 20 | 13 Q. St-Michel | 24 R. St-Séverin | St-Michel |

Y

13	T18	**Yéo Thomas** Rue	50	151 R. Nationale	196 R. Chât. des R.	Nationale
12	R22	**Yitzhak Rabin** Jardin	47	R. Paul Belmondo	Q. de Bercy	Cour St-Émilion
12	S22	**Yonne** Passage de l'	47	R. F. Truffaut	R. des Pirogues de Bercy	Cour St-Émilion
16	L7	**Yorktown** Square	62	Av. P. Doumer	Pl. du Trocadéro	Trocadéro
17	G7	**Yser** Boulevard de l'	65	3 R. C. Debussy	16 Av. de la Pte de Villiers	Pte de Champerret
15	R9	**Yvart** Rue	57	16 R. d'Alleray	34 R. d'Alleray	Vaugirard
17	H7	**Yves Du Manoir** Avenue	65	11b Av. Verzy	19 Av. des Pavillons	Pte Maillot
10	J19-K19	**Yves Toudic** Rue	39	9 R. du Fbg du Temple	40 R. de lancry	République
16	N3	**Yvette** Rue de l'	61	2 R. Jasmin	29 R. Dr Blanche	Jasmin
16	I7	**Yvon et Claire Morandat** Place	65	R. Brunel	9 R. des Acacias	Argentine
16	K7	**Yvon Villarceau** Rue	64	37 R. Copernic	64 R. Boissière	Victor Hugo
18	G15	**Yvonne Le Tac** Rue	70	7 R. des Trois Frères	Pl. des Abbesses	Abbesses

Z

| 13 | U15 | **Zadkine** Rue | 50 | R. Baudoin | R. Duchefdelaville | Chevaleret |
| 19 | E23 | **Zénith** Allée du | 74 | Pl. Fontaine aux Lions | (en impasse) | Pte de Pantin |

173

**COMMISSARIAT
D'ARRONDISSEMENT**
Commissariat Central
45 place du Marché-Saint-Honoré
Tél : 01 47 03 60 00 - Métro : Pyramides
Vigie (A.S.P.) : 40 rue du Louvre
Tél : 01 40 13 88 40
Vigie (S.R.P.T.) : Châtelet-les-Halles
Tél : 01 42 33 20 47

UNITÉS DE POLICE DE QUARTIER

U.P.Q. 1 (Les Halles)
10 rue Pierre Lescot
Tél : 01 44 82 74 00
Métro : Les Halles

U.P.Q. 2 (Palais Royal)
24 rue des Bons Enfants
Tél : 01 44 55 38 00
Métro : Palais Royal

**1ère DIVISION DE POLICE
JUDICIAIRE**
46 bd Bessières - 75017
Tél : 01 53 11 23 00
Métro : Porte de St-Ouen

CIRCONSCRIPTIONS HOSPITALIÈRES	médecine	chirurgie
1er quartier St-Germain-l'Auxerrois	Hôtel-Dieu	Hôtel-Dieu
2e quartier Les Halles	Hôtel-Dieu	Hôtel-Dieu
3e quartier Palais-Royal	Hôtel-Dieu	Hôtel-Dieu
4e quartier Place Vendôme	Hôtel-Dieu	Hôtel-Dieu

Louvre

MAIRIE
4 place du Louvre
Tél: **01 44 50 75 01** - *Métro Louvre-Rivoli, Pont-Neuf*

BUREAUX DE POSTE
52 rue du Louvre (24 h sur 24h)
8 rue Molière
Pyramide du Louvre
Forum des Halles (niveau 4)(R. P. Lescot)
90 rue Saint-Denis
13 rue des Capucines
27 rue des Lavandières-Ste-Opportune

ÉCOLES PRIMAIRES
ET MATERNELLES
15 rue de l'Arbre-Sec
6 rue Saint-Germain-l'Auxerrois
11 rue d'Argenteuil
28 rue Cambon
27 rue de la Sourdière

ENSEIGNEMENT SECONDAIRE
Collège J.-B. Poquelin :
4 rue Molière
Lycée Pierre Lescot :
37 rue des Bourdonnais

TRÉSORERIE PRINCIPALE
ET RECETTE-PERCEPTION
12 avenue de l'Opéra

CENTRE DES IMPÔTS
6 rue Saint-Hyacinthe

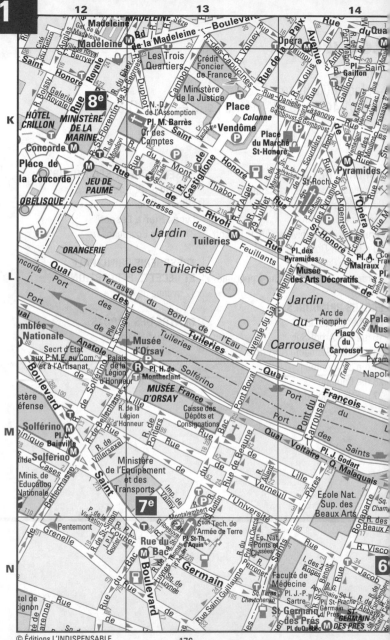

© Éditions L'INDISPENSABLE

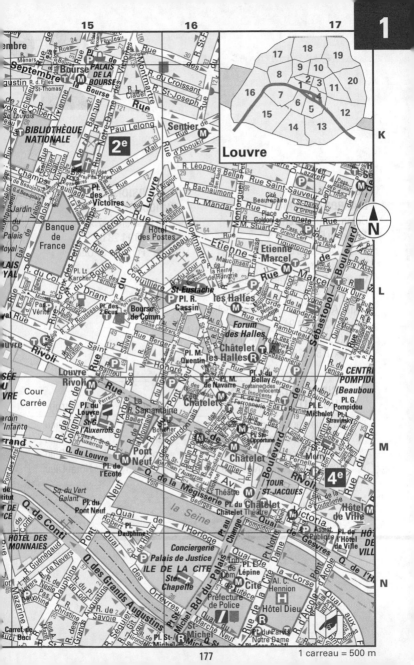

Louvre

1 carreau = 500 m

COMMISSARIAT D'ARRONDISSEMENT

Commissariat Central
18 rue du Croissant
Tél : 01 44 88 18 00
Métro : Bourse
Vigie (A.S.P.) : 24 rue du Sentier
Tél : 01 42 36 47 10 ou 12
Vigie (A.S.P.) : 27 rue Léopold Bellan
Tél : 01 42 21 04 94
Vigie (S.R.P.T.) : Réaumur-Sébastopol
Tél : RATP 57 628

1ère DIVISION DE POLICE JUDICIAIRE

46 bd Bessières - 75017
Tél : 01 53 11 23 00
Métro : Porte de St-Ouen

CIRCONSCRIPTIONS HOSPITALIÈRES	médecine	chirurgie
5e quartier Gaillon	Cochin	Hôtel-Dieu
6e quartier Vivienne	Cochin	Hôtel-Dieu
7e quartier Mail	Cochin	Hôtel-Dieu
8e quartier Bonne Nouvelle	Hôtel-Dieu	Hôtel-Dieu

Bourse

MAIRIE
8 rue de la Banque
Tél: **01 53 29 75 02** - *Métro Bourse*

BUREAUX DE POSTE
54 rue d'Aboukir
8 place de la Bourse

**ÉCOLES PRIMAIRES
ET MATERNELLES**
6 rue de Louvois
11 rue Vivienne
3 rue Jussienne
42 rue Dussoubs
221 rue Saint-Denis
5 rue Beauregard
12 rue Dussoubs
20 rue Etienne Marcel
47 rue Montmartre

ENSEIGNEMENT SECONDAIRE
Collège César Franck :
5 rue de la Jussienne
Lycée Rose Bertin :
44 rue Dussoubs

**TRÉSORERIE PRINCIPALE
ET RECETTE-PERCEPTION**
37bis rue du Sentier

CENTRES DES IMPÔTS
1 rue Lulli
13 rue de la Banque

I

St-Lazare
Pl. G. Berry
Rue Joubert
Av. de Provence
Le Peletier
M
Pl. Jacob Kaplan
Rue de Provence
Galeries Lafayette
Cité d'Antin
intemps
Havre Bd Place Diaghilev
M
R. Caumartin
Chaussée d'Antin
La Fayette
Rue
R. Pillet Will
R.
Peletier
Chauchat
Rossi
Rode
Mathurins
R. Gluck
Place A. Oudin
Pl. J. Rouché
Haussmann
M
Scribe
Meyerbeer
Opéra
Italiens
M
Rich
Drou

J

Caumartin
Boudreau
Imp. Sandrié
Sq. de l'Opéra
Pl. Ch. Garnier
OPÉRA
R. Halévy
R. d'Antin
du Helder
Opéra Comique
Sd Amboise
St-
Place Edouard VII
P
Place de
Pl. Boieldieu
R. Grétry
Sg. Ed. VII
T
Opéra
Place des Capucines
M
Grand
de Michodière
de Hanovre
R. de
du Quatre Septembre
Bd. des
Boulevard des l'Opéra
Rue de la Paix
Port Mahon
Choiseul
Quatre
M
Ménars
Boulevard
Rue
Volney
Rue Danou
Avenue
d'Antin
Septembre
Rue
Bours
T
M
Opéra
Louis
Pl. Saint
Augustin R. d. Filles
des Colonnes
la

K

Crédit Foncier de France
Rue des Capucines
R. Gaillon
Anne
R. de
St-Thomas
ministère la Justice
Rue Danielle Casanova
Marsollier
R. Rameau
R. de Louvois
Colbert
Place Vendôme
Imp. Gomboust
Molière
Sq. Louvois
Chabanais
BIBLIOTHÈQUE NATIONALE
Colonne
Gomboust
Ste-Anne
Cherubini
Petits
Champs
Colbert
Place du Marché St-Honoré
P
Roch
des Moulins
Ste-
Villedo
Pas. Beaujolais
G.d. Beaujolais
Vivienne
Honoré
R. St-Hyacinthe
Rue
Thérèse
Richelieu
Jardin
Montpensier
Valois
Pyramides
M
Rue
du
Banque de France
Stiglione
Thabor
R. de l'Echelle
St-Roch
Molière
Rue
R. de Beaujolais
Honoré
Rue d'Argenteuil
Rue Molière
PALAIS ROYAL
Gal. Royal

L

Rivoli
M
des Pyramides
P
St-Honoré
Pl. des Pyramides
Comédie Française
R. du Col.
Pl. L
Tuileries
Feuillants
Rue
Pl. A. Malraux
Montesquieu
Karch
Jardin
Musée des Arts Décoratifs
Pl. Colette
Conseil d'Etat
Vérite
Tuileries
Jardin
du
de Rohan
Pl. du Palais Royal
Rue
Arc de Triomphe
Palais Royal Musée du Louvre
de l'Eau
uileries
Carrousel
Place du Carrousel
Cour
(Taxis)
Rivoli

I

17 18 19
9 10
8 2 3 11 20
16 1 4
7 6 5 12
15 14 13

Bourse

J

Rue de Trévise · Cité
P · Cité
R. Thomas
Rue · Richer · Rue du Faubourg
R. de la Tour d'Auvergne
R. de Montyon · R. Ste-Cécile · Conservatoire
R. G. Laurent
Musée Grévin
Cité · Rue · Bergère · Cité Rougemont
d'Enghien · Reilh
Passage · P. de l'Industrie
Bd M **Grands Boulevards** · **Bonne Nouvelle** · P
10e
Rue · de · l'Echiquier · Rue de Metz
Poissonnière · Bd · de · Bonne · Nouvelle
R. de Mazagran
R. de la Lune
Strasbourg St-Denis · Pass. du · Pte St-Denis
M **Bd St-Denis** M
R. d'Uzès · R. St-Fiacre · Sentier · Pte St-Denis
N
Rue · Montmartre · R. du Croissant
Jeûneurs · Clery · Mulhouse · Rue · Beauregard · Clery · Rue Ste-Foy · d'Aboukir · Rue Ste-
R. St-Joseph
Apoll
Blonde
Cladel · Rue
Pl. du · Rue Caire · Pas. Ste-Foy · Pte-Foy · St-Denis · R. de Tracy · Rue
P. Lemoine · Rue
Sentier M · Rue · d'Aboukir
d'Alexandrie · du · Caire · Pas.
P. Salomon de Caus
Paul Lelong
Pas. du Ponceau
Réaumur · Allée · Pierre · Lazareff · Caire
Sq. Emile Chautemps
Rue du Mail · R. d'Aboukir
R. Léopold Bellan · Rue Saint-Sauveur · Pte Trinité
Réaumur Sébastopol M
K
R. Bachaumont · Cité Beaurepaire · St-Denis · R. Grenéta
de Rue
R. Mandar · Rue · Place Goldoni · **Greneta** · Rue
Greneta · **Arts et** R.C. Gridaine
Hôtel des Postes · Rue · M. Stuart · Pas. du Grand Cerf · Pas. du Bral'Abbé
Turbigo · Rue
R. J.J. Rousseau · **Etienne** · Française · Tiquetonne
R. du Martin · Rue
Etienne Marcel M · de · **Marcel**
P. de · Peintre
3e
L
Coquillière · R. du Jour · Mauconseil · de la Reine de Hongrie · **Rue** · aux Ours · R. du Grenier
St-Lazare
St-Eustache · Pl. R. Cassin · **les Halles** M · Cygne · R. du Cygne · Quincampoix · St-Martin · R. Beaubourg
Bourse de Comm. · Rue · Grde Truanderie · Sébastopol
Molière · Imp. Beaubourg
Forum des Halles · Rambuteau
Châtelet les Halles R · Pl. M. Quentin · R. des Prêcheurs · R. de la Poissonnerie

181

1 carreau = 500 m

3ᵉ

**COMMISSARIAT
D'ARRONDISSEMENT**
Commissariat Central
4-6 rue aux Ours - Tél : 01 42 76 13 00
Métro : Rambuteau
Vigie (A.S.P.) : 58 rue du Vertbois
Tél : 01 42 77 66 71

**1ère DIVISION DE POLICE
JUDICIAIRE**
46 bd Bessières - 75017
Tél : 01 53 11 23 00
Métro : Porte de St-Ouen

CIRCONSCRIPTIONS HOSPITALIÈRES	médecine	chirurgie
9ᵉ quartier Arts et Métiers	Hôtel-Dieu	Saint-Louis
10ᵉ quartier Enfants-Rouges	Tenon	Saint-Louis
11ᵉ quartier Archives	Pitié	Pitié
12ᵉ quartier Sainte-Avoie	Hôtel-Dieu	Hôtel-Dieu

Marais

MAIRIE
2 rue Eugène-Spuller
Tél : **01 53 01 75 03** - *Métro Temple*

BUREAUX DE POSTE
67 rue des Archives
259 rue Saint-Martin
64 rue de Saintonge
160 rue du Temple
14 rue Perrée

ÉCOLES PRIMAIRES ET MATERNELLES
8 rue des Vertus
6 rue Vaucanson
3 rue Béranger
10 rue des Quatre-Fils
52-54 rue de Turenne
211 rue Saint-Martin
25 rue Chapon
7 rue de la Perle
5 rue Brantôme
6 rue Paul Dubois

ENSEIGNEMENT SECONDAIRE
Collège Pierre-Jean de Béranger :
5 rue Béranger

Collège Turgot : 15 rue Montgolfier
Lycée et Collège Victor Hugo :
27 rue de Sévigné
Lycée Abbé Grégoire :
70 bis rue de Turbigo
Lycée Duperré :
11 rue Dupetit Thouars
Lycée François Truffaut :
28 rue Debelleyme
Lycée Nicolas Flamel :
8 rue de Montmorency
Lycée Simone Weil :
7 rue de Poitou
Lycée Turgot : 69 rue Turbigo

TRÉSORERIE PRINCIPALE ET RECETTE-PERCEPTION
1 rue Eugène Spuller

CENTRES DES IMPÔTS
102 rue Amelot
10 rue Michel Le Comte
1 rue Eugène Spuller

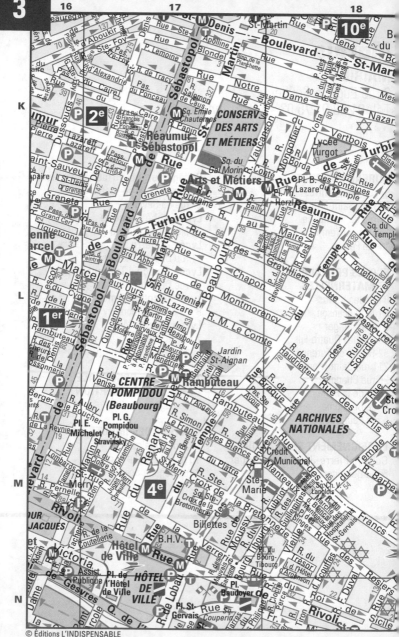

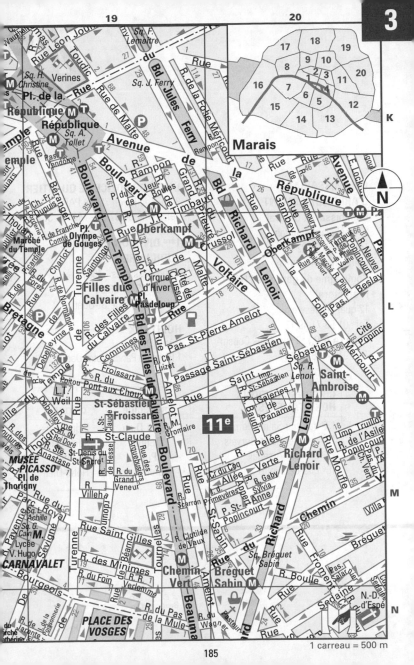

4^e

COMMISSARIAT D'ARRONDISSEMENT
Commissariat Central
27 boulevard Bourdon
Tél : 01 40 29 22 00
Métro : Hôtel de Ville
Compagnie de garde de l'Hôtel Préfectoral
12 quai de Gesvres
Tél : 01 53 71 49 17
Vigie (A.S.P.) : 1 rue Jules Cousin
Tél : 01 44 78 61 45

UNITÉ DE POLICE DE QUARTIER
34 rue de Rivoli 75004 PARIS
Tél: 01 44 54 37 50 - Métro : St-Paul

1ère DIVISION DE POLICE JUDICIAIRE
46 bd Bessières - 75017
Tél : 01 53 11 23 00
Métro : Porte de St-Ouen

HÔPITAUX
Hôtel-Dieu :
1 Place du Parvis Notre-Dame

CIRCONSCRIPTIONS HOSPITALIÈRES	médecine	chirurgie
13e quartier Saint-Merri	Hôtel-Dieu	Saint-Louis
14e quartier Saint-Gervais	Tenon	Saint-Louis
15e quartier Arsenal	Pitié	Pitié
16e quartier Notre-Dame	Hôtel-Dieu	Hôtel-Dieu

Hôtel de Ville

MAIRIE
2 place Baudoyer
Tél: **01 44 54 75 04** - *Métro Hôtel de Ville*

BUREAUX DE POSTE
9 place de l'Hôtel de Ville
12 rue Castex
10 rue de Moussy
1 bd du Palais (Tribunal de Commerce)
27 rue des Francs Bourgeois
16 rue des Deux-Ponts
19 rue Beaubourg

ÉCOLES PRIMAIRES ET MATERNELLES
11 rue Saint-Merri
40 rue des Archives
32 rue François Miron
9 rue de Moussy
18 rue Poulletier
10 rue des Hospitalières-Saint-Gervais
22 rue de l'Ave Maria
4 rue du Fauconnier
12 impasse Guéménée
15 rue Neuve-Saint-Pierre
12 Place des Vosges
11 rue Saint-Merri
21 rue Saint-Louis-en-l'Ile
16 rue du Renard

ENSEIGNEMENT SECONDAIRE
Collège Charlemagne :
13 rue Charlemagne
Collège François Couperin :
2 rue Grenier sur l'Eau
Lycée Charlemagne :
14 rue Charlemagne
Lycée Sophie Germain : 9 rue de Jouy

TRÉSORERIE PRINCIPALE ET RECETTE-PERCEPTION
7 bd Morland

CENTRE DES IMPÔTS
8 rue de Rivoli

COMMISSARIAT D'ARRONDISSEMENT
Commissariat Central
4 rue de la Montagne Ste Geneviève
Tél : 01 44 41 51 00
Métro : Maubert-Mutualité
Vigie (A.S.P.) : 1 rue Soufflot
Tél : 01 43 26 54 01 ou 31
Vigie (S.R.P.T.) : Saint-Michel
Tél : RATP 68 715

3e DIVISION DE POLICE JUDICIAIRE
114-116 av. du Maine 75014
Tél : 01 53 74 12 06 - Métro : Gaîté

HÔPITAUX
Val-de-Grâce : 74 bd Port-Royal
Institut Curie : 26 rue d'Ulm
Institut National des Jeunes Sourds :
254 rue Saint-Jacques
La Collégiale : 33 rue du Fer à Moulin

CIRCONSCRIPTIONS HOSPITALIÈRES	médecine	chirurgie
17e quartier Saint-Victor	Cochin	Cochin
18e quartier Jardin des Plantes	Pitié	Pitié
19e quartier Val-de-Grâce	Cochin	Cochin
20e quartier Sorbonne	Cochin	Cochin

Panthéon

MAIRIE
21 place du Panthéon
Tél: **01 56 81 75 05** - *Luxembourg*

BUREAUX DE POSTE
10 rue de l'Epée de Bois
13 rue Cujas
30bis rue du Cardinal Lemoine
47 rue d'Ulm

**ÉCOLES PRIMAIRES
ET MATERNELLES**
27 rue de Poissy
10 rue Rollin
21 rue de Pontoise
19 rue des Boulangers
15 bis-21 rue Buffon
2 rue Pierre Brosselette
41 rue de l'Arbalète
22 rue des Lyonnais
250bis rue Saint-Jacques
23 rue Cujas
14 rue Victor Cousin
28 rue Saint-Jacques
10 rue du Sommerard
29-97 rue Mouffetard
242 rue Saint-Jacques
24 rue du Cardinal Lemoine

ENSEIGNEMENT SECONDAIRE
Collège Pierre Alviset :
88 rue Monge
Collège Raymond Queneau :
66 bd Saint-Marcel
Collège Rognoni :
24 rue du Cardinal Lemoine
Lycée et Collège Henri-IV :
23 rue Clovis
Lycée et Collège Lavoisier :
19 rue Henri Barbusse
Lycée Louis-Le-Grand :
123 rue Saint-Jacques
Lycée Jacques Monod :
12 rue Victor Cousin
Lycée Lucas de Nehou :
4 rue des Feuillantines

**TRÉSORERIE PRINCIPALE
ET RECETTE-PERCEPTION**
26 rue Vauquelin

CENTRE DES IMPÔTS
18 rue Geoffroy Saint-Hilaire

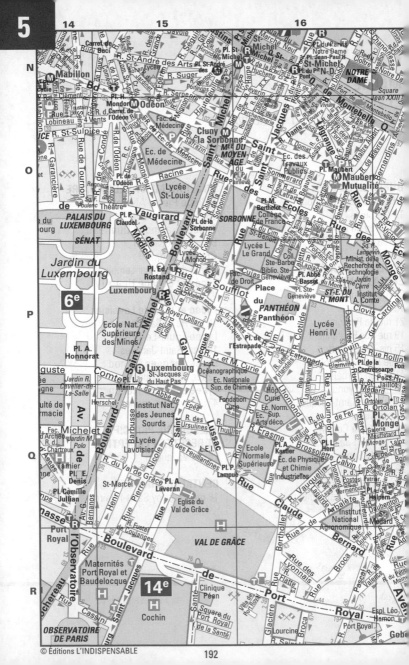

N

17
18
19
9
10
8
2 3
16
1
7
11 20
4
15
6 5
12
14 13

4e

Panthéon

N

O

INSTITUT DU MONDE ARABE

Place Mohammed V

Faculté des Sciences

Jussieu

Place Jussieu

Ménagerie

Fac. des Sciences

Jardin des Plantes

Quai de la Rapée

12e

Place Valhubert

P

MOSQUÉE DE PARIS

MUSÉUM NATIONAL D'HISTOIRE NATURELLE

Gare d'Austerlitz

Gare d'Austerlitz

Q

Square Marie Curie

Caisse des Dépôts et Consignations

Pl. de l'Emir Abdelkader

Poliveau

St-Louis

13e

St-Marcel

St-Marcel

R

H

la Pitié-Salpêtrière

Université de Paris Faculté de Médecine Pitié-Salpêtrière

Pl. Louis

H

1 carreau = 500 m

COMMISSARIAT D'ARRONDISSEMENT
Commissariat Central
78 rue Bonaparte - Tél : 01 40 46 38 30
Métro : Saint-Sulpice
Vigie (A.S.P.) : 6 rue Casimir de la Vigne
Tél : 01 42 34 53 90

UNITÉS DE POLICE DE QUARTIER

U.P.Q. 1 (Odéon - N.-D. des Champs)
12 rue Jean Bart
Tél : 01 44 39 71 70
Métro : Saint-Placide

U.P.Q. 2 (St-Germain des Prés)
14 rue de l'Abbaye
Tél : 01 44 41 47 47

3ᵉ DIVISION DE POLICE JUDICIAIRE
114-116 av. du Maine 75014
Tél : 01 53 74 12 06
Métro : Gaîté

CIRCONSCRIPTIONS HOSPITALIÈRES	médecine	chirurgie
21ᵉ quartier Monnaie	Broussais	Cochin
22ᵉ quartier Odéon	Broussais	Cochin
23ᵉ quartier N.-D. des Champs	Broussais	
24ᵉ quartier St Germain-des-Prés	Broussais	

Luxembourg

MAIRIE
78 rue Bonaparte
Tél: **01 40 46 75 06** - *Métro Saint-Sulpice*

BUREAUX DE POSTE
53 rue de Rennes
118 boulevard Saint-Germain
24 rue de Vaugirard
3 rue Dupin
111-117 rue de Sèvres
22 rue Littré

ÉCOLES PRIMAIRES ET MATERNELLES
7 rue du Jardinet
39 rue Saint-André-des-Arts
9 rue de Vaugirard
6 rue Littré
40-42 rue Madame
12-16 rue Saint-Benoît

ENSEIGNEMENT SECONDAIRE
Collège Jacques Prévert :
18 rue Saint-Benoît
Lycée et Collège Montaigne :
17 rue Auguste Comte
Lycée et Collège Saint-Sulpice :
68 rue d'Assas
Lycée Fénelon : 2 rue de l'Éperon
Lycée Maximilien Vox :
5 rue Madame
Lycée Saint-Louis :
44 boulevard Saint-Michel

TRÉSORERIE PRINCIPALE ET RECETTE-PERCEPTION
129 rue de Sèvres

CENTRE DES IMPÔTS
9 Place Saint-Sulpice

17 18 19
9 10
8
16 2/3 11 20
1 4
7
6 5 12
15
14 13

M

N

Luxembourg

de l'Infante

Pont Neuf

Q. du Louvre

Pl. de l'Institut

INSTITUT DE FRANCE

HÔTEL DES MONNAIES

Q. de Conti

Sq. du Vert Galant

Pl. du Pont Neuf

1er

Quai de l'Horloge

Conciergerie
Palais de Justice
ILE DE LA CITÉ
Ste Chapelle

Préfecture de Police

Hôtel Dieu

4e

ILE

NOTRE DAME

Square Jean XXIII

Sq. de l'Ile de France

Pl. St-André des Arts

Cluny
La Sorbonne
Fac. de Médecine

Ec. de Médecine

Racine

Lycée St-Louis

Boulevard Saint Michel

Ec. des Travaux Publics

Pl. Maubert
Maubert Mutualité

Germain

Vaugirard

PALAIS DU LUXEMBOURG

SÉNAT

Luxembourg

Pl. Ed. Rostand

Rue Soufflot

Place du PANTHÉON
Panthéon

SORBONNE
Collège de France

Lycée L. Le Grand

Fac. de Droit

ST-E. DU MONT

Cardinal Lemoine
Place Jussieu

Ecole Nat. Supérieure des Mines

Pl. de l'Estrapade

Lycée Henri IV

ARÈNES DE LUTÈCE

Sq. d. Arènes de Lutèce

Luxembourg

Inst. Océanographique
Ec. Nationale Sup. de Chimie

Hôp. Curie
Fondation Curie

Ec. Norm. Sup.

Institut Nat. des Jeunes Sourds

Lycée Lavoisier

Ecole Normale Supérieure
Ec. de Physique et Chimie Industrielles

MOS DE PAR

Rue Monge

Censier Daubenton

St-Marcel
Pl. A. Laveran

Eglise du Val de Grâce

H

Institut National Agronomique

VAL DE GRÂCE

COMMISSARIAT D'ARRONDISSEMENT
Commissariat Central
9 rue Fabert - Tél : 01 44 18 69 07
Métro Invalides
Vigie (A.S.P.) : 125 rue de l'Université
Tél : 01 44 18 02 19

UNITÉS DE POLICE DE QUARTIER

U.P.Q. 1 (St-Thomas d'Aquin)
10 rue Perronet
Tél : 01 45 49 67 70
Métro : St-Germain des Prés

U.P.Q. 2 (Ecole Militaire - Invalides)
3 ter rue Duquesne
Tél : 01 40 62 70 10
Métro : Saint-François-Xavier

U.P.Q. 3 (Gros Caillou)
6 rue Amélie
Tél : 01 44 18 66 16
Métro : La Tour Maubourg

3ᵉ DIVISION DE POLICE JUDICIAIRE
114-116 avenue du Maine 75014
Tél: 01 53 74 12 06 - Métro : Gaîté

HÔPITAUX
Les Invalides : 6 bd des Invalides

CIRCONSCRIPTIONS HOSPITALIÈRES	médecine	chirurgie
25ᵉ quartier St-Thomas d'Aquin	G. Pompidou	G. Pompidou
26ᵉ quartier Invalides	G. Pompidou	G. Pompidou
27ᵉ quartier Ecole Militaire	G. Pompidou	G. Pompidou
28ᵉ quartier Gros Caillou	Vaugirard	G. Pompidou

Invalides

MAIRIE
116 rue de Grenelle
Tél: **01 53 58 75 07** - *Métro Solférino, Varenne*

BUREAUX DE POSTE
Tour Eiffel 1er étage
5 avenue de Saxe
103 rue de Grenelle
3 boulevard Raspail
126 rue de l'Université
3 rue de Courty
37 avenue Rapp
22 rue des Saints-Pères
56 rue Cler

ÉCOLES PRIMAIRES ET MATERNELLES
8 rue Chomel
17 rue de Verneuil
27 rue Las-Cases
42 avenue Duquesne
14 rue Éblé
48 rue Vaneau
10 avenue de la Motte-Piquet
1 rue du Général Camou
28 avenue Rapp
117 bis rue Saint-Dominique
3 avenue de Villars

ENSEIGNEMENT SECONDAIRE
Collège Jules Romains :
6 rue Cler
Lycée et Collège Victor Duruy :
33 boulevard des Invalides
Lycée Gustave Eiffel :
1 rue du Général Camou

**TRÉSORERIE PRINCIPALE
ET RECETTE-PERCEPTION**
102 rue Saint-Dominique

CENTRE DES IMPÔTS
115 rue du Bac

8^e

**COMMISSARIAT
D'ARRONDISSEMENT**
Commissariat Central
1 avenue du Général Eisenhower
Tél : 01 53 76 60 00
Métro : Champs-Elysées-Clemenceau
Vigie (A.S.P.) : 16 rue Keppler
Tél : 01 47 20 08 43 ou 45
Vigie (S.R.P.T.) : Gare Saint-Lazare
Tél : RATP 57 628
Vigie (S.R.P.T.) : Motte-Piquet-Grenelle
Tél : RATP 69 128
Vigie (S.R.P.T.) : Ch. de Gaulle-Etoile
Tél : RATP 88 894

UNITÉS DE POLICE DE QUARTIER

U.P.Q. 1 (Champs Élysées)
5 rue Clément Marot - Tél: 01 53 67 78 00
Métro : Alma Marceau

U.P.Q. 2 (Faubourg du Roule)
210 rue du Faubourg Saint-Honoré
Tél: 01 53 77 62 20
Métro : Philippe du Roule

U.P.Q. 3 (Madeleine)
31 rue d'Anjou - Tél: 01 43 12 83 83
Métro : Madeleine

U.P.Q. 4 (Europe)
1 rue de Lisbonne - Tél: 01 44 90 82 90
Métro : Villiers

**1ère DIVISION DE POLICE
JUDICIAIRE**
46 bd Bessières - 75017
Tél : 01 53 11 23 00
Métro : Porte de St-Ouen

CIRCONSCRIPTIONS HOSPITALIÈRES	médecine	chirurgie
29e quartier Champs-Elysées	G. Pompidou	Bichat
30e quartier Fbg du Roule	G. Pompidou	Bichat
31e quartier Madeleine	G. Pompidou	Bichat
32e quartier Europe	G. Pompidou	Bichat

Elysée

MAIRIE
3 rue de Lisbonne
Tél: **01 44 90 75 08** - *Métro Europe*

BUREAUX DE POSTE
15 rue d'Amsterdam
101 boulevard Malesherbes
24 rue de la Trémoille
10 rue de Vienne
14 rue du Colisée
71 avenue des Champs-Elysées
10 rue Balzac
13 rue d'Anjou
49 rue La Boétie

**ÉCOLES PRIMAIRES
ET MATERNELLES**
8 rue Robert Estienne
10 rue Paul Baudry
15 rue de Monceau
18 rue de Surène
12-12bis rue de la Bienfaisance
4 rue de Florence
7 rue de Moscou
16 rue Roquepine

ENSEIGNEMENT SECONDAIRE
Lycée et Collège Chaptal :
45 bd des Batignolles
Collège Condorcet :
61 rue d'Amsterdam
Collège Octave Gréard :
28 rue du Général Foy
Lycée Racine :
20 rue du Rocher

**TRÉSORERIE PRINCIPALE
ET RECETTE-PERCEPTION**
31 rue Cambacérès

CENTRES DES IMPÔTS
9 rue du Docteur Lancereaux
8 bis rue de Berri

9^e

**COMMISSARIAT
D'ARRONDISSEMENT**
Commissariat Central
14bis rue Chauchat - Tél : 01 44 83 80 80
Métro : Richelieu-Drouot
Vigie (A.S.P.) : 6 rue Scribe
Tél : 01 42 66 28 24
Vigie (S.R.P.T.) : Havre-Caumartin
Tél : RATP 57 628

UNITÉS DE POLICE DE QUARTIER

U.P.Q. 1 (St Georges)
5 rue de Parme - Tél : 01 49 70 82 60
Métro : Place de Clichy
U.P.Q. 2 (Faubourg Montmartre)

21 rue du Faubourg Montmartre
Tél : 01 44 83 82 32 -
Métro : Grands Boulevards

U.P.Q. 3 (Rochechouart)
50 rue de la Tour d'Auvergne
Tél : 01 49 70 87 17- Métro : Anvers

**1ère DIVISION DE POLICE
JUDICIAIRE**
46 bd Bessières - 75017
Tél : 01 53 11 23 00
Métro : Porte de St-Ouen

CIRCONSCRIPTIONS HOSPITALIÈRES	médecine	chirurgie
33e quartier Saint-Georges	G. Pompidou	Saint-Louis
34e quartier Chaussée d'Antin	G. Pompidou	Saint-Louis
35e quartier Fbg Montmartre	Lariboisière	Saint-Louis
36e quartier Rochechouart	Lariboisière	Saint-Louis

Opéra

MAIRIE
6 rue Drouot
Tél: **01 42 46 72 09** - *Métro Richelieu-Drouot*

BUREAUX DE POSTE
20 rue Turgot
78 rue Taitbout
61 rue de Douai
47 boulevard de Clichy
14 rue Bleue
38 rue Vignon
7 Boulevard Haussmann
19 rue Chauchat
2 rue du Conservatoire
4 rue Hippolyte Lebas
8 rue Auber

ÉCOLES PRIMAIRES ET MATERNELLES
32- 34 rue de Bruxelles
9-9 bis rue Blanche
12 rue Clauzel
12 rue Chaptal
16 rue de la Victoire
22 rue de Rochechouart
32 rue Buffault
5-21 rue Milton
15 rue Turgot
30 rue Rodier
11 rue de la Grange Batelière

ENSEIGNEMENT SECONDAIRE
Collège Paul Gauguin :
35 rue Milton
Lycée et Collège Jacques Decour :
12 avenue Trudaine
Lycée et Collège Jules Ferry :
77 boulevard de Clichy
Lycée et Collège Lamartine :
121 rue du Faubourg Poissonnière
Lycée Buffault : 34 rue Buffault
Lycée Condorcet : 8 rue du Havre
Lycée Edgar Quinet :
63 rue des Martyrs

TRÉSORERIE PRINCIPALE ET RECETTE-PERCEPTION
82 rue Saint-Lazare
41 rue Chaussée d'Antin

CENTRE DES IMPÔTS
44 rue Saint-Lazare

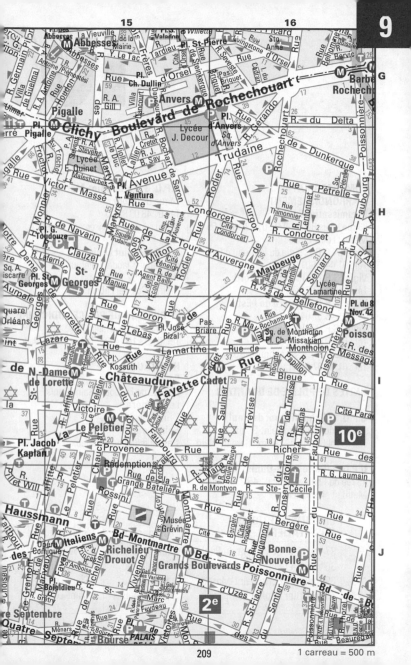

COMMISSARIAT D'ARRONDISSEMENT

Commissariat Central
26 rue Louis Blanc - Tél : 01 53 19 43 55
Métro : Louis Blanc
Vigie (A.S.P.) : 9 rue du Château d'Eau
Tél : 01 44 84 01 92
Vigie (S.R.P.T.) : Gare du Nord
Tél : 01 40 82 74 00
Vigie (S.R.P.T.) : Gare de l'Est
Tél : 01 46 07 04 41
Vigie (S.R.P.T.) : République
Tél : RATP 67 199
Vigie (S.R.P.T.) : Strasbourg-St-Denis
Tél : 01 46 07 04 41

UNITÉS DE POLICE DE QUARTIER

U.P.Q. 1 (Saint Vincent de Paul)
179 rue du Faubourg Saint-Denis
Tél : 01 44 89 64 70 - Métro : Gare du Nord

U.P.Q. 2 (Porte Saint-Denis)
45 rue de Chabrol - Tél : 01 45 23 80 00
Métro : Poissonnière

U.P.Q. 3 (Porte Saint-Martin)
14 rue de Nancy
Tél : 01 48 03 89 00
Métro : Jacques Bonsergent

U.P.Q. 4 (Saint Louis)
40 avenue Claude Vellefaux
Tél : 01 44 52 74 80
Métro : Colonel Fabien

2ᵉ DIVISION DE POLICE JUDICIAIRE
26-28 rue Louis Blanc 75010
Tél : 01 53 19 44 60 - Métro : Louis Blanc

HÔPITAUX
Fernand Widal :
200 rue du Faubourg Saint-Denis
Lariboisière :
2 rue Amboise Paré
Saint-Louis :
1 avenue Claude Vellefaux

CIRCONSCRIPTIONS HOSPITALIÈRES	médecine	chirurgie
37ᵉ quartier St-Vincent de Paul	Widal-Lariboisière	Widal
38ᵉ quartier Porte Saint-Denis	Hôtel-Dieu	Saint-Louis
39ᵉ quartier Porte Saint-Martin	Hôtel-Dieu	Saint-Louis
40ᵉ quartier Hôpital Saint-Louis	Saint-Louis	Saint-Louis

Magenta

MAIRIE
72 rue du Faubourg Saint-Martin
Tél: **01 53 72 10 10** - *Métro Château d'Eau*

BUREAUX DE POSTE
46 rue de Sambre et Meuse
38 boulevard de Strasbourg
56 rue René Boulanger
173 bis rue du Faubourg Saint-Denis
158 rue du Faubourg Saint-Martin
228 rue du Faubourg Saint-Martin
18 Boulevard de Bonne-Nouvelle
2 square Alban Satragne
11 rue Léon Jouhaux

ÉCOLES PRIMAIRES ET MATERNELLES
216 bis rue Lafayette
49-49 bis rue Louis Blanc
39 rue de l'Aqueduc
3 rue de Belzunce
9 rue Martel
41 rue de Chabrol
34 rue du Faubourg Saint-Denis
17 rue de Marseille
33 Avenue Claude Vellefaux
20 rue de Paradis
19 passage des Récollets
4 rue Pierre Bulet
10 rue Eugène Varlin
200 rue Saint-Maur
16-18 rue Vicq-d'Azir
155-159 avenue Parmentier
15 rue de Lancry
5 rue Boy Zelenski
5-9-18 rue de l'Hôpital Saint-Louis
14 rue Bossuet

28 rue des Ecluses Saint-Martin
6 rue Legouve

ENSEIGNEMENT SECONDAIRE
Collège Grange aux Belles :
158 quai Jemmapes
Collège Louise Michel :
11 rue Jean Poulmarch
Collège Valmy : 199 quai de Valmy
Collège Bernard Palissy :
21 rue des Petits Hôtels
Lycée Colbert :
27 rue du Château Landon
Lycée Clément Ader :
21 rue de Sambre et Meuse
Lycée Marie Laurencin :
114 quai Jemmapes
Lycée Gustave Ferrié :
7 rue des Ecluses Saint-Martin
Lycée Siegfried : 12 rue d'Abbeville

TRÉSORERIE PRINCIPALE ET RECETTE-PERCEPTION
42 rue de Paradis
89 rue du Faubourg Saint-Denis

CENTRES DES IMPÔTS
5 Cité Paradis
26 rue du Faubourg Poissonnière

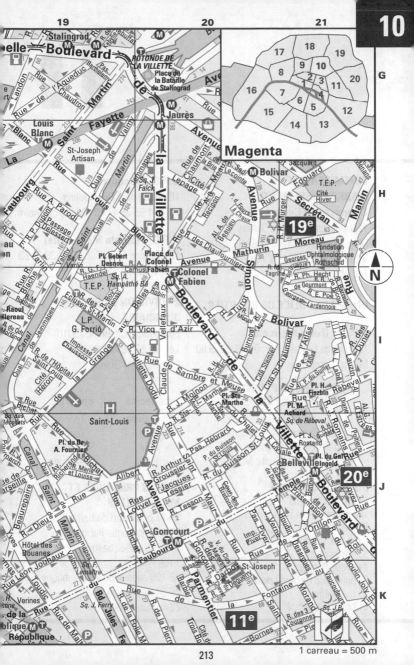

19   20   21

Stalingrad
elle Boulevard

ROTONDE DE
LA VILLETTE
Place de
la Bataille
de Stalingrad

Louis
Blanc

St-Joseph
Artisan

Jaurès

Faubourg

Rue A. Parodi

Passage
Delessert

17   18
8   9   19
10
16   2 3   20
1
7   11
15   6 5
14   13
12

Magenta

Bolivar

19e

Secrétan

Edouard

T.E.P.

Cité
Hiver

Moreau

Fondation
Ophtalmologique
Rothschild

Place du
Colonel
Fabien

Colonel
Fabien

Mathurin Simon

Boulevard

Bolivar

d'Azir

Pl. H.
Fiszbin

Saint-Louis

Pl. M.
Achard

Sq. de Rébeval

Pl. J.
Rostand

Belleville

Pl. du Gal
Ingold

20e

Goncourt

Faubourg

Parmentier

République

11e

N

Saint-Louis

1 carreau = 500 m

COMMISSARIAT D'ARRONDISSEMENT

Commissariat Central
12/14 passage Charles Dallery
Métro : Voltaire - Tél : 01 53 36 25 00
Vigie (A.S.P.) : 104 bd Voltaire
Tél : 01 40 21 48 70

UNITÉS DE POLICE DE QUARTIER

U.P.Q. 1 (Folie-Méricourt)
19 passage Beslay - Tél : 01 49 29 59 60
Métro : Parmentier

U.P.Q. 2 (Roquette)
10 rue Camille Desmoulins
Tél : 01 55 25 47 10 - Métro : Voltaire

U.P.Q. 3 (Sainte Marguerite)
10 rue Léon Frot - Tél: 01 58 39 38 60
Métro : Charonne

2ᵉ DIVISION DE POLICE JUDICIAIRE

26-28 rue Louis Blanc 75010
Tél : 01 53 19 44 60
Métro : Louis Blanc

CIRCONSCRIPTIONS HOSPITALIÈRES	médecine	chirurgie
41ᵉ quartier Folie-Mericourt	St-Antoine	Tenon
42ᵉ quartier Saint-Ambroise	Pitié	Tenon
43ᵉ quartier Roquette	Pitié	St-Antoine
44ᵉ quartier Sainte-Marguerite	Pitié	St-Antoine

BUREAUX DE POSTE
41 rue des Boulets
103 avenue de la République
80 rue Léon Frot
5 rue des Goncourt
33 rue Faidherbe
7 avenue Parmentier
97 boulevard Richard Lenoir
21 rue Bréguet
113 rue Oberkampf

ÉCOLES PRIMAIRES ET MATERNELLES
75-77 boulevard de Belleville
11-11 bis avenue Parmentier
24 rue Saint-Sébastien
1 rue Pihet
98-100 avenue de la République
29-54 rue Servan
22 rue Saint-Maur

République et Voltaire

MAIRIE
Place Léon Blum
Tél: **01 53 27 11 11** - *Métro Voltaire*

13 rue Froment
4 passage Bullourde
13 boulevard Richard Lenoir
109-111 avenue Parmentier
9 rue Popincourt
144 rue de la Roquette
4-10 rue Keller
39 rue Alexandre Dumas
4-6 avenue de Bouvines
31-35 rue Godefroy-Cavaignac
2 passage Beslay
44 rue Emile Lepeu
4-5-12 cité Souzy
14 rue Merlin
10 bis rue Duranti
31-33 rue Saint Bernard
75-77 boulevard de Belleville
24 rue Saint-Sébastien
5 impasse de la Baleine
17-19 rue Alphonse Baudin
39 rue des Trois Bornes
8-6 cité Voltaire
18 rue Faidherbe
4 bis rue de la Présentation
14 rue Titon

ENSEIGNEMENT SECONDAIRE
Collège A. Fournier : 87 rue Léon Frot
Collège Anne Frank : 38 r. Trousseau
Collège Beaumarchais :
124-126 rue Amelot

Collège la Fontaine au Roi :
62 rue de La Fontaine au Roi
Collège Pilâtre de Rozier :
11 rue Bouvier
Lycée et Collège Voltaire :
101 av. de la République
Lycée Dorian :
18 rue Robert et Sonia Delaunay
Lycée Marcel Deprez :
39 rue de la Roquette
Lycée Maroquinerie Fourrure :
18 passage Turquetil
Lycée Métiers du Vêtement :
19 rue des Taillandiers

TRÉSORERIE PRINCIPALE ET RECETTE-PERCEPTION
6 rue de l'Asile Popincourt
128 boulevard Voltaire
49 avenue Philippe-Auguste
5 avenue bouvines

CENTRES DES IMPÔTS
39-41 rue Godefroy-Cavaignac
110 avenue de la République

19   20

Belleville

Rue de Marseille
Beaurepaire
Quai de Jemmapes
Rue Alibert
Avenue R. Arthur Groussier
R. Jacques Tessier
R. du Buisson
R. de la Présentation
Temple
M

Rue Dieu
Saint Martin
Rue Louvel
Avenue
R. Tesson
Maur
R. Cour des Bretons
R.R. Houdin
Pass. Piver
Imp. Piver
J
10e
Rue du Faubourg
Goncourt
T M
V. du Clos
R. de Malte
Rue de Goncourt
Darboy St-Joseph
Orillo

Hôtel des Douanes
Rue Léon Jouhaux
Sq. F. Lemaître
Parmentier
Dequevry
Fontaine
R. des 3 Couronnes
Pierre

Sq. H. Christine
M
Verines
Bd Jules Ferry
Sq. J. Ferry
Rue de la Folie Méricourt
R. de la Pierre Levée
Cité des Trois Bornes
Trois-Bornes
Jean
Maur
K
Pl. de la République
M T
République
Sq. A. Tollet
M
Avenue
de
la
République
M Parmentier

Temple
Boulevard du Temple
Rampon
Grand
Rue
Rampon
Rue
Timbaud
Bd Richard
Garbey
Oberkampf
Aven

Pl. Olympe de Gouges
Marché du Temple
Comte Chariot
Rue Oberkampf
M
Crussol
Voltaire
Lenoir
Oberkampf
Rue Neuve
Beslay
Rue
L
Filles du Calvaire
M Pasdeloup
Cirque d'Hiver
Rue
Pas. St-Pierre Amelot
Folie
Cité Popincourt
R. Pasteur
Avenue

Debelleyme
Pl. des Filles du Calvaire
Bd des Filles du Calvaire
Commines
Froissart
Passage Saint-Sébastien
Saint-
Sq. R. Lenoir
Saint-Ambroise
M

St-Sébastien Froissart
R. du Pont aux Choux
Saint-Sébastien
Galeries de Paname
Ambroise
M

St-Claude
R. M. Gromaire
R. Pelée
Imp. Truillot
R. de l'Asile Popincourt
Boulevard
MUSÉE PICASSO
Pl. de Thorigny
3e
St-Denis du St-Sacret
R. du Grand Veneur
R. du Coq
Allée
R. Gaby
Sylvia
Richard Lenoir
M
Rue Mouffe
P. de l'Asile
Vert

Villeha
Rue Saint Gilles
Sq. St-Anne
Primevères
P. St-Anne
Popincourt
Chemin
Villa Marcès
M
Parc Royal
Lycée V. Hugo
R. des Minimes
St-Sabin
Richard
Bréguet

CARNAVALET
Rue du Foin
Chemin Vert
St. Bréguet Sabin
R. Boulle
Sedaine
N.-D. d'Espérance

PLACE DES VOSGES
Rue du Pas de la Mule
Roquette

© Éditions L'INDISPENSABLE

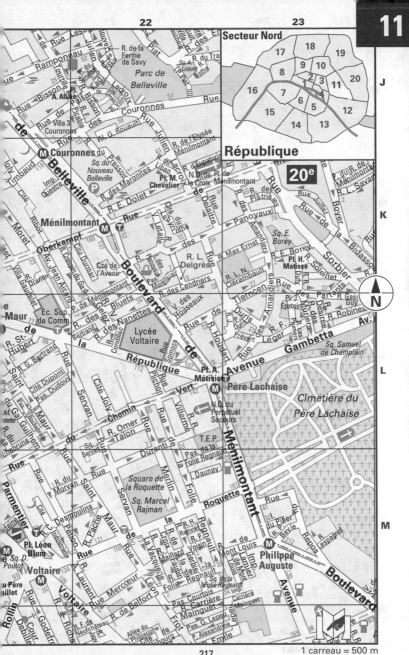

Secteur Nord

République

20e

1 carreau = 500 m

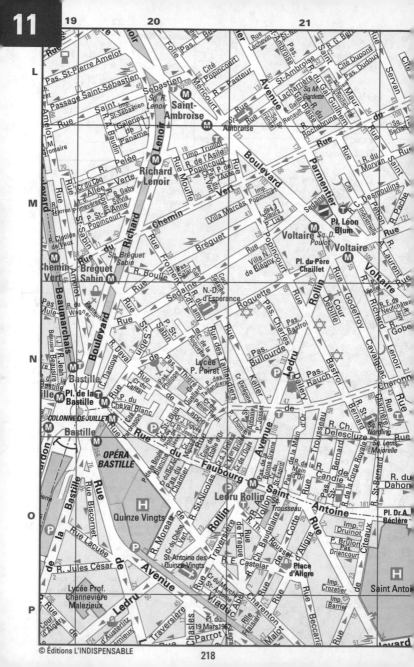

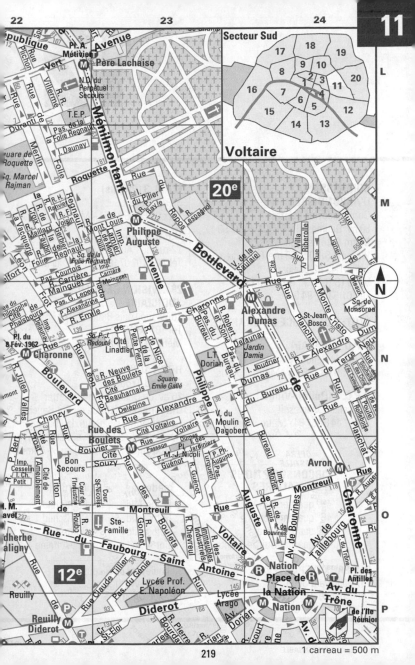

Secteur Sud

17 18 19
9 10
8 2 3 20
1 11
16 7 4
6 5
15 14 13 12

Voltaire

20e

12e

Reuilly

Reuilly Diderot

12^e

12e

COMMISSARIAT D'ARRONDISSEMENT

Commissariat Central
80 av. Daumesnil - Tél: 01 44 87 50 12
Métro Gare de Lyon
Vigie (A.S.P.) : 159 rue Traversière
Tél : 01 43 42 53 95
Vigie (S.R.PT.) : Gare de Lyon
Tél: 01 53 02 94 00

UNITÉS DE POLICE DE QUARTIER

U.P.Q. 1 (Bel Air)
36 rue du Rendez-Vous
Tél: 01 53 33 85 15 - Métro : Picpus

U.P.Q. 2 (Quinze-Vingts)
80 avenue Daumesnil
Tél: 01 44 87 51 94 - Métro : Gare de Lyon

U.P.Q. 3 (Picpus)
30 rue Hénard
Tél : 01 56 95 12 81 - Métro : Montgallet

U.P.Q. 4 (Bercy)
22 rue de l'Aubrac
Tél: 01 53 02 07 10 - Métro : Cour St-Emilion

2e DIVISION DE POLICE JUDICIAIRE

26-28 rue Louis Blanc 75010
Tél : 01 53 19 44 60
Métro : Louis Blanc

HÔPITAUX

Armand Trousseau :
26 av. du Docteur Arnold Netter
Diaconesses: 18 rue du Sgt Bauchat
Quinze-Vingts : 28 rue de Charenton
Rothschild : 33 boulevard de Picpus
St-Antoine :184 rue du Fbg St-Antoine

CIRCONSCRIPTIONS HOSPITALIÈRES	médecine	chirurgie
45e quartier Bel-Air	Rothschild	Rothschild
46e quartier Picpus	Rothschild	Rothschild
47e quartier Bercy	Rothschild	Rothschild
48e quartier Quinze-Vingts	Saint-Antoine	Saint-Antoine

BUREAUX DE POSTE

137 boulevard Soult
15bis rue de Rottembourg
90 boulevard de Picpus
11 rue de Wattignies
1 rue de Dijon

Bercy et Reuilly

MAIRIE
130 avenue Daumesnil
Tél: **01 44 68 12 12** - *Métro Dugommier*

68 boulevard de Reuilly
25 boulevard Diderot
80 avenue Ledru Rollin
168 avenue Daumesnil
31 rue Crozatier
30 rue de Reuilly
193 rue de Bercy
65 rue Rendez-vous

ÉCOLES PRIMAIRES ET MATERNELLES
83 avenue du Général Michel Bizot
70-253 bis-253 ter avenue Daumesnil
16 19 rue Marsoulan
45-56 rue de Picpus
4 rue Bignon
15 rue Elisa-Lemmonier
17-21-27-57-59 rue de Reuilly
18-28 rue de la Brêche-aux-Loups
13 avenue Armand Rousseau
8-10 avenue Lamoricière
52 rue de Wattignies
51-315 rue de Charenton
4-33 rue de Pommard
5-165-167 rue de Bercy
8-16 rue Charles Baudelaire
40 boulevard Diderot
5-7 rue Jean Bouton
16 rue Montempoivre
22 rue Gabriel Lamé
41 rue Traversière
40 rue Jacques Hillairet
12 rue d'Artagnan
40 rue des Meuniers

42 avenue du Docteur Arnold Netter
2 place Lachambeaudie

ENSEIGNEMENT SECONDAIRE
Collège Georges Courteline :
42 avenue du Docteur Arnold Netter
Collège Guy Flavien :
6 rue d'Artagnan
Collège J.-F. Oeben : 23 r. de Reuilly
Collège P. Verlaine : 167 rue de Bercy
Collège Jules Verne :
20 rue de la Brêche aux Loups
Collège Vincent d'Indy : 8 av. V. d'Indy
Lycée et Collège Arago :
4 place de la Nation
Lycée Boulle : 9 rue Pierre Bourdan
Lycée Chennevière Malezieux :
31-35 rue Ledru-Rollin
Lycée Elisa Lemonnier :
20 rue A. Rousseau
Lycée Paul Valéry : 38 bd Soult
Lycée Théophile Gautier :
49 rue de Charenton

TRÉSORERIE PRINCIPALE ET RECETTE-PERCEPTION
224 rue du Faubourg Saint-Antoine
12bis rue Théophile Roussel

CENTRE DES IMPÔTS
27 bis rue des Meuniers

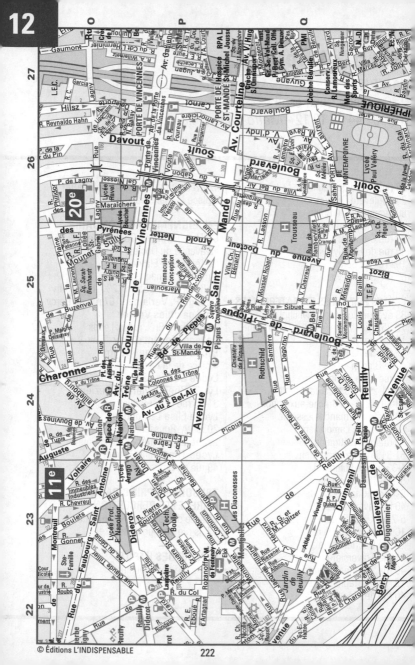

N

S — T — U

27
26
25 CHARENTON-LE-PONT
24 Disneyland Paris
23
22

A 4 - Nancy-Metz -

Secteur Est

17 18 19 20 16 8 9 10 11 12 7 1 2 3 4 5 13 15 6 14

Bercy

ST-MANDÉ

Z.A.C.

Avenue de Ceinture

Lac de Vincennes

Île de Bercy

Île de Reuilly

PALAIS DE LA PORTE DORÉE

PORTE DORÉE

Bois de Vincennes

Pelouse de Reuilly

Route de la Croix Rouge

Avenue de Reuilly

PORTE DE REUILLY

Pl. du Cardinal Lavigerie

PORTE DE CHARENTON

Av. de la Porte de Charenton

Avenue de la Porte de Charenton

Cimetière Valmy

Stade Léo Lagrange

Poniatowski

Boulevard Poniatowski

SNCF Gare de Triage

Rue de Charenton

Avenue de Charenton

PORTE DE BERCY

Boulevard Poniatowski

Bercy Village

Bercy Expo

Cour Saint-Émilion

Cour des Terres de France

Pl. des Vins de France

Pont National

Quai de Bercy

d'Ivry

Musée Toffoli

Pl. des Marseillais

Esp. Art de Liberté

H. des Impôts

Pl. de la Coupole Churchill

Bercy 2

Pl. de l'Europe

les Jardins du Cardinal De Richelieu

Av. du Gal Gaulle

Quai

223

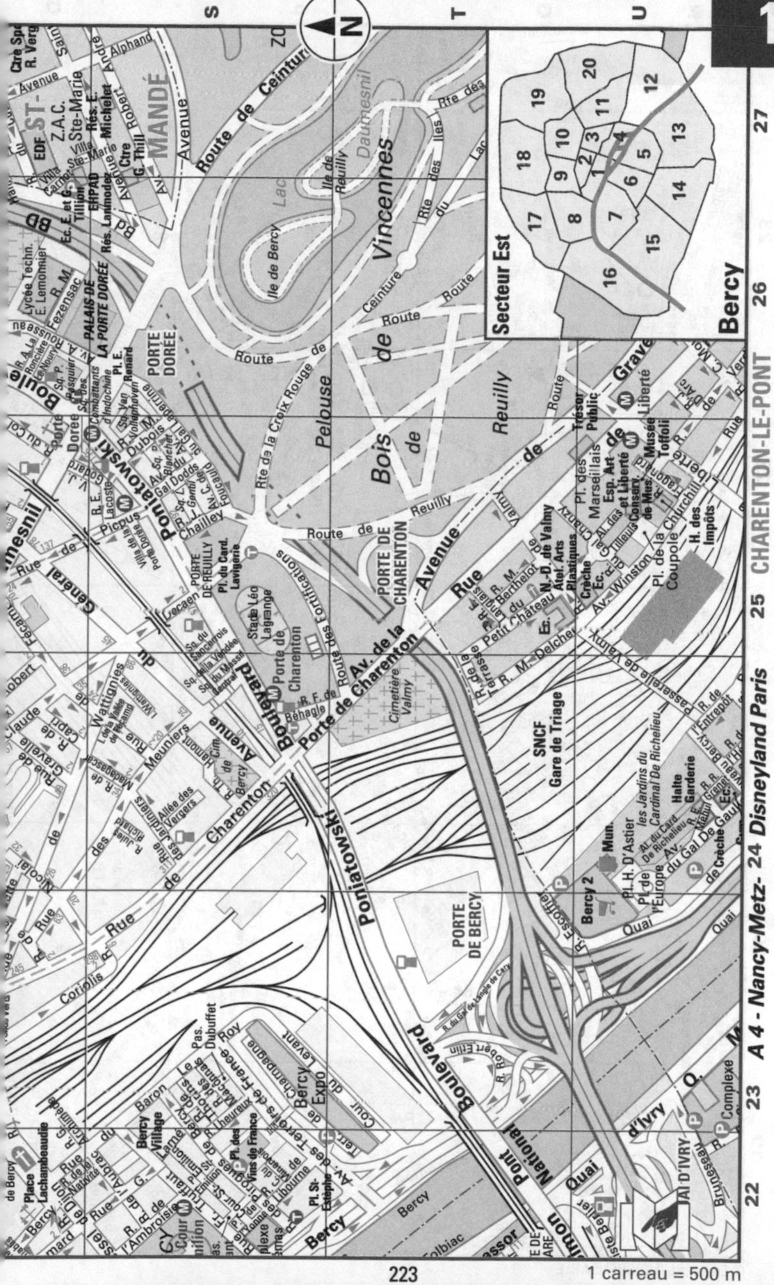

1 carreau = 500 m

© Éditions L'INDISPENSABLE

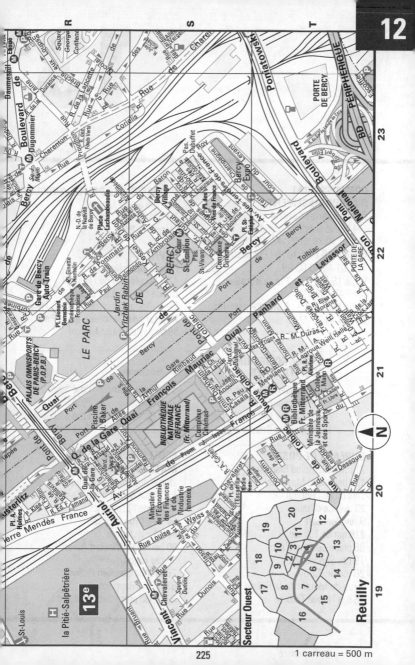

R S T

23

22

21

20

19

Rue de Charenton

PORTE DE BERCY

PÉRIPHÉRIQUE

BD

Boulevard Poniatowski

Cour St-Émilion

PORTE DE LA GARE

Pont National

Boulevard

Charenton

Rue de Bercy

Charenton

Bercy Expo

PORTE DE BERCY

Bercy Village

N.-D. de la Nativité de Bercy

Place Lachambeaudie

Gare de Bercy Auto-Train

Pl. Léonard Bernstein

Cinémathèque Française

Cour St-Émilion

BERCY

Pl. des Vins de France

Pl. St-Emilion

Complexe Cinémas

Port de Bercy

Rue de Tolbiac

Quai de Bercy

Bercy

Port de Bercy

LE PARC DE BERCY

Jardin Yitzhak Rabin

PALAIS OMNISPORTS DE PARIS-BERCY (P.O.P.B.)

Quai de Bercy

Piscine J. Baker

Port de Bercy

Rue Panhard et Levassor

Gare Rimbaud

Quai François Mauriac

BIBLIOTHÈQUE NATIONALE DE FRANCE (Fr. Mitterrand)

Quai François Mauriac

Quai François Mauriac

Bibliothèque Fr. Mitterrand

Rue de Tolbiac

Ministère de la Jeunesse et des Sports

Q. de la Gare

Quai de la Gare

Ministère de l'Économie et de l'Industrie (annexe)

Av. Auriol

Rue Louise Weiss

Pierre Mendès France

Austerlitz

Pont de Bercy

PL. 4 Holmes

R. Ed. Fernand

Square Dunois

Rue Dunois

Av. Vincent

Chevaleret

13e

H la Pitié-Salpêtrière

St-Louis

N

225

Secteur Ouest

Reuilly

18 19 20
9 10 3 11 12
17 8 1 2 4 5 13
7 6 14
16 15

COMMISSARIAT D'ARRONDISSEMENT
Commissariat Central
144 boulevard de l'Hôpital
Tél : 01 40 79 05 05 - Métro : Place d'Italie
Vigie (A.S.P.) : 10 rue Ponscarme
Tél : 01 40 79 03 99
Vigie (S.R.P.T.) : Place d'Italie
Tél: RATP 35 630
Vigie (S.R.P.T.) : Gare d'Austerlitz
Tél : 01 44 23 22 30

3ᵉ DIVISION DE POLICE JUDICIAIRE
114-116 av. du Maine
Tél : 01 53 74 12 06
Métro : Gaîté

HÔPITAUX
Pitié-Salpêtrière :
47-83 boulevard de l'Hôpital
Broca : 54-56 rue Pascal
Croix-Rouge : 8 pl. de l'Abbé G. Henocque
Hôpital des Gardiens de la Paix :
35 boulevard Saint-Marcel

CIRCONSCRIPTIONS HOSPITALIÈRES	médecine	chirurgie
49ᵉ quartier Salpêtrière	Pitié Salpêtrière	Pitié Salpêtrière
50ᵉ quartier Gare	Bicêtre	Pitié Salpêtrière
51ᵉ quartier Maison-Blanche	Bicêtre	Pitié Salpêtrière
52ᵉ quartier Croulebarbe	Cochin	Pitié Salpêtrière

BUREAUX DE POSTE
21 rue de la Reine Blanche
129 boulevard Masséna
7bis bd de l'Hôpital
23 avenue d'Italie
9 rue Corvisart
216 rue de Tolbiac
38 place Jeanne d'Arc
19 rue Simone Weil
26 rue de Patay
2 rue du Moulin de la Pointe
16 rue Neuve Tolbiac

ÉCOLES PRIMAIRES ET MATERNELLES
29 rue des Longues Raies
17-35 rue de la Pointe d'Ivry
12 rue de l'Espérance
64-70-71 rue Dunois
40-46 rue Jenner
90 boulevard Vincent Auriol
13 rue Fagon
28 avenue Stephen Pichon
53-55 rue Baudricourt
30-32-33 place Jeanne d'Arc

Bibliothèque de France et Gobelins

MAIRIE
1 place d'Italie
Tél: **01 44 08 13 13** - *Métro Place d'Italie*

---

3 rue Emile Levassor
51-53 avenue de la Porte d'Ivry
20 rue de Patay
9-11 rue Auguste Perret
31-37-103-173 rue du Château des Rentiers
5 rue Damesme
157 rue de Tolbiac
16 rue Wurtz
5 rue Yéo Thomas
61 rue du Javelot
87 rue Brillat Savarin
13 rue Lahire
11 rue de Croulebarbe
5-7 rue de la Providence
4bis-103 avenue de Choisy
38-40 rue Vandrezanne
8 rue Kuss
15 rue Donrémy
13 rue Vulpian
11-15 rue Pierre Gourdault
5 rue Simone Weil
30 boulevard Arago
140 rue Léon-Maurice Nordmann
9 rue Franc-Nohain
2 rue Paul Gervais
100 rue de la Glacière
8 rue Ricaut
31 rue Bobillot
6 rue Lachelier
47 avenue d'Ivry
2 rue Tagore
8-10 rue George Balanchine

ENSEIGNEMENT SECONDAIRE
Collège Camille Claudel :
4 bis avenue de Choisy
Collège Georges Braque :
91-95 rue Brillat Savarin
Collège George Sand : 159 r. de Tolbiac
Collège Gustave Flaubert : 82 av. d'Ivry
Collège Moulin des Prés :
18 rue du Moulin des Prés
Collège E. Galois : 11 r. du Dr Bourneville
Lycée et Collège Auguste Rodin :
19 rue Corvisart
Lycée et Collège Gabriel Fauré:
81 av. de Choisy
Lycée et Collège Claude Monet :
1 rue du Dr Magnan
Lycée Barrault : 92-96 rue Barrault
Lycée Corvisart : 61 rue Corvisart
Lycée Gaston Bachelard : 2 rue Tagore
Lycée Jean Lurcat : 48 av. des Gobelins
Lycée Patay : 28 rue de Patay
Lycée Tolbiac : 170 rue de Tolbiac
Lycée N.-L. Vauquelin : 13-21 av. Boutroux
Lycée Physique, Chimie, Biologie :
11 rue Pirandello

**TRÉSORERIE PRINCIPALE
ET RECETTE-PERCEPTION**
83 avenue d'Italie
164 avenue de Choisy

CENTRE DES IMPÔTS
101 rue de Tolbiac

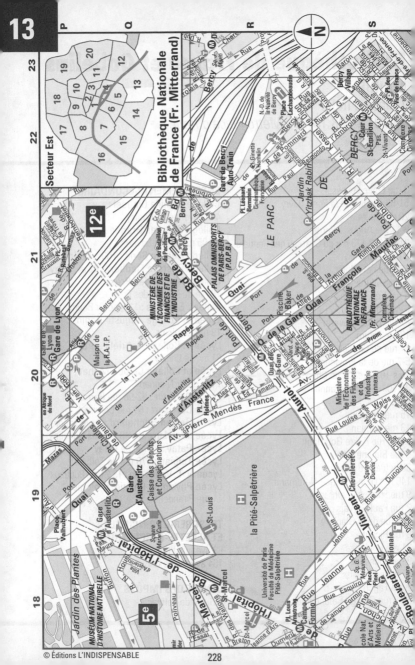

1 carreau = 500 m

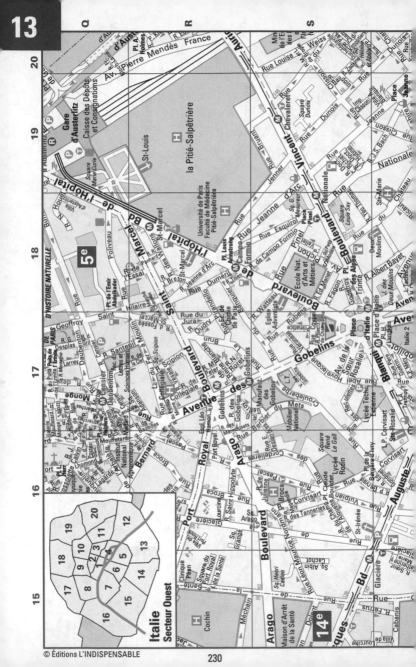

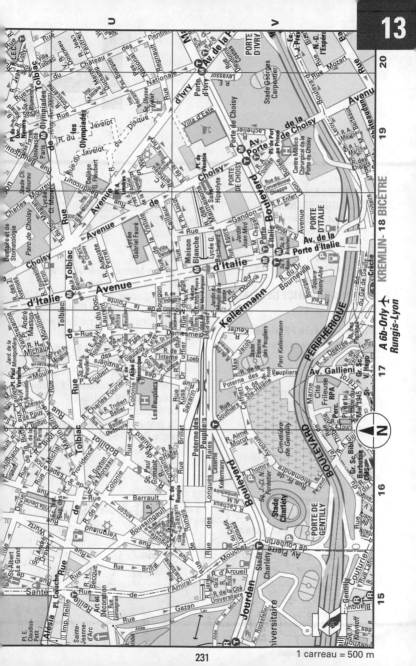

1 carreau = 500 m

KREMLIN- 18 BICETRE

A 6b-Orly ✈
Rungis-Lyon

N

COMMISSARIAT D'ARRONDISSEMENT

Commissariat Central
116 avenue du Maine
Tél : 01 53 74 14 06 - Métro : Gaîté
Vigie (A.S.P.) : 9 rue Fermat
Tél : 01 53 74 14 38 ou 37

UNITÉS DE POLICE DE QUARTIER

U.P.Q. 1
(Montparnasse - Plaisance)
114-116 avenue du Maine
Tél : 01 53 74 14 06
Métro : Gaîté

U.P.Q. 2 (Montsouris)
50 rue Rémy Dumoncel
Tél : 01 40 64 70 60
Métro : Mouton-Duvernet

3e DIVISION DE POLICE JUDICIAIRE
114-116 avenue du Maine 75014
Tél : 01 53 74 12 06
Métro : Gaîté

HÔPITAUX
Institut Mutualiste Montsouris :
42 boulevard Jourdan
Saint-Vincent-de-Paul:
74-82 avenue Denfert-Rochereau
Saint-Joseph : 185 rue Ray Losserand
Sainte-Anne : 1 rue Cabanis
Maternités Baudelocque et Port-Royal: 123 boulevard de Port-Royal
Léopold Bellan : 19 rue Vercingétorix
Cochin : 27 rue du Fbg Saint-Jacques
Broussais : 96 rue Didot
La Rochefoucault :
15 avenue du Général Leclerc
Notre Dame-de-Bon-Secours :
66 rue des Plantes

CIRCONSCRIPTIONS HOSPITALIÈRES	médecine	chirurgie
53e quartier Montparnasse	Cochin	Cochin
54e quartier Santé	Cochin	Cochin
55e quartier Petit-Montrouge	Broussais	Broussais
56e quartier Plaisance	Broussais	Broussais

Observatoire et Montparnasse

MAIRIE
2 place Ferdinand Brunot
Tél: **01 53 90 67 14** - *Métro Mouton Duvernet*

BUREAUX DE POSTE
180 rue Raymond Losserand
Place du 25 Août 1944
50-52 rue Pernety
140 boulevard du Montparnasse
78 rue de l'Amiral Mouchez
19 boulevard Jourdan (Cité Universitaire)
114 bis rue d'Alésia
105 boulevard Brune
15bis avenue du Général Leclerc
66-68 rue Daguerre

ÉCOLES PRIMAIRES ET MATERNELLES
55-61 rue Maurice Ripoche
48 rue Hippolyte Maindron
5-7 avenue Maurice d'Ocagne
87 boulevard Arago
3-3 bis-12-77-188-190 rue d'Alésia
77 rue de la Tombe-Issoire
5 rue Prisse d'Avesnes
23-46 rue Boulard
15-20-22 rue Antoine-Chantin
55 rue Sarette
7 rue Asseline
11-15 rue Jean Dolent
74 avenue Denfert Rochereau
18 rue Jean Zay
23 rue Jacquier
13-69 rue de l'Ouest

10-12 rue Sévero
2-8 rue Maurice Rouvier
28 rue Pierre Larousse
1-9 square Alain Fournier
24 rue Delambre

ENSEIGNEMENT SECONDAIRE
Collège Alphonse Daudet :
93 rue d'Alésia
Collège Alberto Giacometti :
7 rue du Lange
Collège Saint-Exupéry :
89 boulevard Arago
Collège Jean Moulin : 75 rue d'Alésia
Lycée et Collège François Villon :
10-16 rue Marc Sangnier
Lycée et Collège Paul Bert :
7 rue Huyghens
Lycée Raspail : 223 boulevard Raspail
Lycée Emile Dubois :
14 rue Emile Dubois
Lycée Erik Satie : 2-4 rue Duchouroux
Lycée Paul Poiret : 34 rue Sarette

TRÉSORERIE PRINCIPALE ET RECETTE-PERCEPTION
26 rue Bénard

CENTRE DES IMPÔTS
29 rue du Moulin-Vert

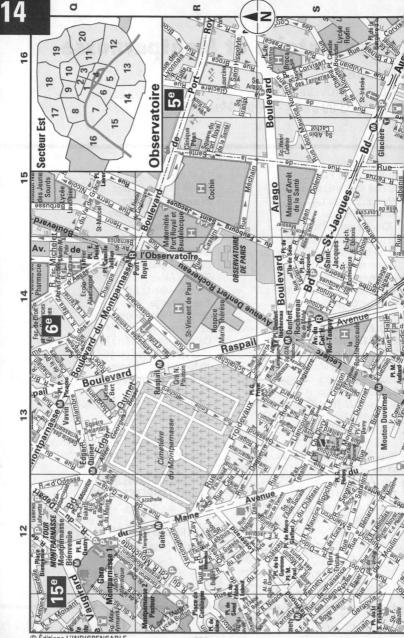

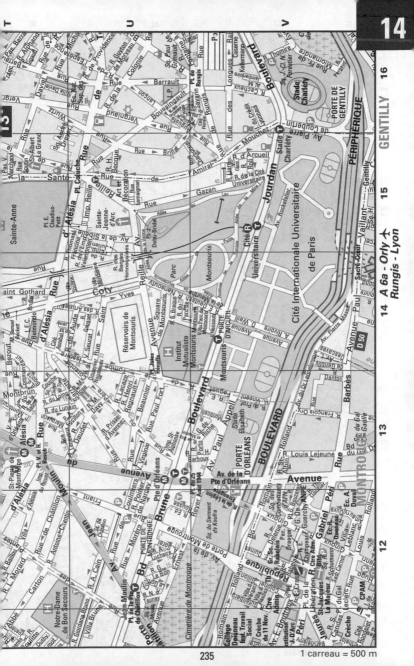

14 *A 6a - Orly* ✈
Rungis - Lyon

MONTROUGE

1 carreau = 500 m

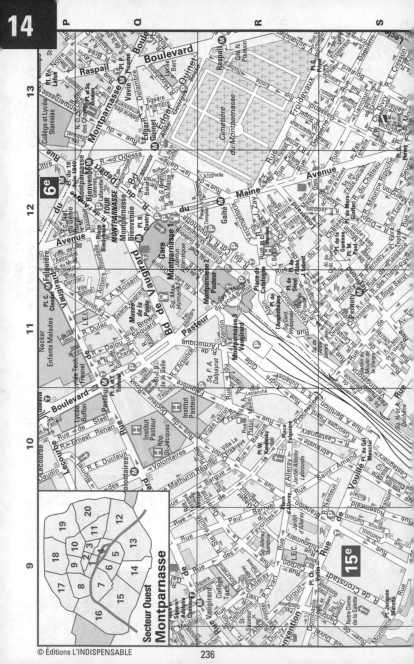

© Éditions L'INDISPENSABLE

Secteur Ouest
Montparnasse

1 carreau = 500 m

11 MONTROUGE

MALAKOFF

COMMISSARIAT D'ARRONDISSEMENT
Commissariat Central
250 rue de Vaugirard - Tél : 01 53 68 81 00
Métro : Vaugirard
Vigie (A.S.P.) : 19 rue du Docteur Roux
Tél : 01 53 68 81 36
Vigie (S.R.P.T.) : Gare Montparnasse
Tél : 01 42 79 40 50
Vigie (S.R.P.T.) : Porte de Versailles
Tél : RATP 66 779

UNITÉS DE POLICE DE QUARTIER

U.P.Q. 1 (Saint-Lambert)
(Commissariat Central)

U.P.Q. 2 (Javel - Grenelle)
38-40 rue Linois - Tél : 01 45 78 37 00
Métro : Charles Michels

U.P.Q. 3 (Necker)
45 boulevard Garibaldi -Tél : 01 53 69 44 00
Métro : Ségur

3e DIVISION DE POLICE JUDICIAIRE
114-116 avenue du Maine 75014
Tél : 01 53 74 12 06 - Métro : Gaîté

HÔPITAUX
G. Pompidou : 20 rue Leblanc
Vaugirard - Gabriel Pallez:
10 rue Vaugelas
Saint-Michel : 33 rue Olivier de Serres
Necker-Enfants Malades :
149 rue de Sèvres
Saint-Jacques : 37 rue des Volontaires
Institut Pasteur : 25-28 rue du Dr Roux

CIRCONSCRIPTIONS HOSPITALIÈRES	médecine	chirurgie
49e quartier Saint-Lambert	Vaugirard	Vaugirard
50e quartier Necker	Broussais	Vaugirard
51e quartier Grenelle	Vaugirard	Vaugirard
52e quartier Javel	G. Pompidou	G. Pompidou

BUREAUX DE POSTE
21 rue de Vouillé
2 rue Joseph Liouville
72 rue Desnouettes
38 rue de Lourmel
113 boulevard Lefebvre
8 rue François Bonvin
102 rue de la Convention
204 rue de Vaugirard
36 rue Linois (Beaugrenelle)
19 rue d'Alleray
27 rue Desaix
5 place des 5 Martryrs du Lycée Buffon
Tour Montparnasse - 33 avenue du Maine
27 rue Balard
40 Bd de Vaugirard
4 rue françois Bonvin
26 Bd Victor

Vaugirard et Grenelle

MAIRIE
31 rue Péclet
Tél: **01 55 76 75 15** - *Métro Vaugirard*

ÉCOLES PRIMAIRES ET MATERNELLES
6 rue Gerbert
18 rue de la Fédération
10-16 rue Emeriau
35 avenue Emile Zola
149 rue de Vaugirard
9 rue Varet
42-102 rue de la d'Alleray
66 rue de la Procession
15 rue Aristide Maillot
13 rue Cépré
20 rue de La Saïda
10-12 rue Saint-Lambert
2 rue Théodore Deck
5 avenue de la Porte de Brancion
27-34-99 rue Olivier de Serres
15 rue de Cherbourg
40 rue des Morillons
3 rue Corbon
33-35 rue de l'Amiral Roussin
19 rue Blomet
56-146 avenue Félix Faure
81-83 rue Mademoiselle
10-14 rue François Coppée
13-17 rue des Volontaires
33-33 bis rue Miollis
20 rue Falguière
78 rue de l'Eglise
3 boulevard des Frères Voisin
50-72 rue Gutenberg
11-17 rue Vigée-Lebrun
25 rue Rouelle
22 rue Sextius-Michel
12 rue Fondary
38 rue Violet
21 rue Dupleix
3-7 place Cardinal Amette
5-7 rue Lacordaire
95 rue Balard
195 rue Saint-Charles
3 rue Jongkind

ENSEIGNEMENT SECONDAIRE
Collège Guillaume Apollinaire :
39-43 avenue Emile Zola
Collège André Citroën : 208 r. St-Charles
Collège Claude Debussy :
4 place du Commerce
Collège Duhamel : 13 rue des Volontaires
Collège Madame de Staël : 14 rue de Staël
Collège Modigliani : 1 rue de Cherbourg
Lycée et Collège Buffon : 16 bd Pasteur
Lycée et Collège Camille Sée :
11 rue Léon Lhermitte
Lycée Beaugrenelle : 62 rue Saint-Charles
Lycée Bourseul : 20 rue Bourseul
Lycée Corbon : 5 rue Corbon
Lycée Ferdinand Holweek :
149 rue de Vaugirard
Lycée Fresnel : 31 boulevard Pasteur
Lycée Louis Armand : 319-321 r. Lecourbe
Lycée Quinault : 8 rue Quinault
Lycée Roger Verlomme : 24 rue Fondary

TRÉSORERIE PRINCIPALE
ET RECETTE-PERCEPTION
38 rue d'Alleray
61 rue Violet
71 boulevard Pasteur
122 rue de la Croix Nivert

CENTRES DES IMPÔTS
13-15 rue du Général Beuret
18 rue Corbon

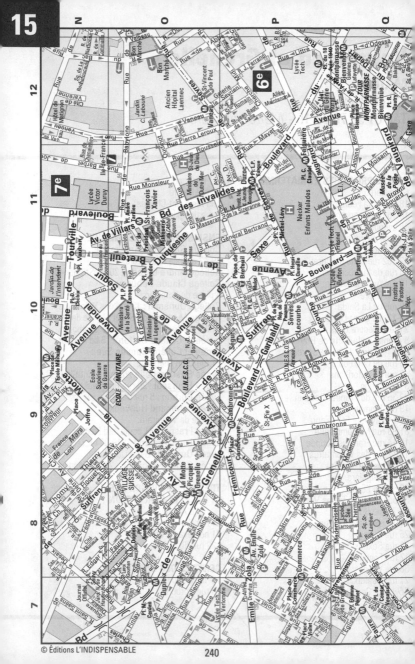

1 carreau = 500 m

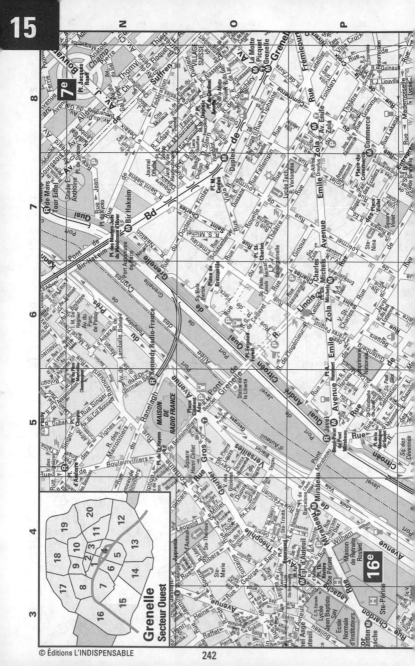

7e

16e

Grenelle
Secteur Ouest

© Éditions L'INDISPENSABLE

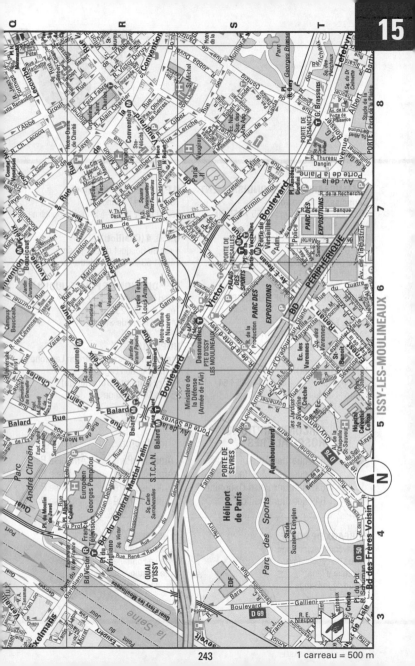

ISSY-LES-MOULINEAUX

1 carreau = 500 m

COMMISSARIAT D'ARRONDISSEMENT
Commissariat Central
58 avenue Mozart - Tél : 01 55 74 50 00
Métro : Ranelagh
Vigie (A.S.P.) : 73 rue de la Pompe
Tél : 01 46 47 66 08
Vigie (A.S.P.) : 9 place du Docteur Hayem
Tél : 01 53 71 49 73

UNITÉS DE POLICE DE QUARTIER

U.P.Q. 1 (Auteuil)
74 r. Chardon Lagache -Tél: 01 53 92 51 00
Métro : Chardon Lagache

U.P.Q. 2 (Muette)
2 rue Bois-Le-Vent - Tél: 01 44 14 64 64
Métro : La Muette

U.P.Q. 3 (Porte Dauphine)
75 rue de la Faisanderie
Tél: 01 40 72 22 50 - Métro : Pte Dauphine

U.P.Q. 4 (Chaillot)
4 rue du Bouquet de Longchamp
Tél: 01 53 70 61 80 - Métro : Boissière

1ère DIVISION DE POLICE JUDICIAIRE
46 bd Bessières - 75017
Tél : 01 53 11 23 00
Métro : Porte de St-Ouen

HÔPITAUX
Ste-Périne-Rossini-Chardon Lagache:
11 rue Chardon Lagache
Henry Dunant (Croix Rouge) :
95 rue Michel Ange

CIRCONSCRIPTIONS HOSPITALIÈRES	médecine	chirurgie
61e quartier Auteuil	Amboise Paré	Amboise Paré
62e quartier Muette	Amboise Paré	Amboise Paré
63e quartier Porte Dauphine	Amboise Paré	Amboise Paré
64e quartier Chaillot	Amboise Paré	Amboise Paré

BUREAUX DE POSTE
123 avenue Victor Hugo
51 rue de Longchamp
1 avenue d'Iéna
39 rue de la Pompe
19 rue de Montevidéo
35 boulevard Murat
3 rue La Fontaine
2 rue Beethoven
Avenue de Pologne

Passy et Auteuil

MAIRIE
71 avenue Henri Martin
Tél : **01 40 72 16 16** - *Métro Rue de La Pompe*

1 bis rue de Chaillot
46 rue Poussin
40 rue Singer
155 avenue de Versailles
73 rue Lauriston
109 boulevard Murat
28 avenue Mozart

ÉCOLES PRIMAIRES ET MATERNELLES
64 rue Chardon-Lagache
51 rue Michel-Ange
185-141 avenue de Versailles
162 boulevard Murat
23-27 avenue du Parc des Princes
17-23 rue Boileau
41 bis rue La Fontaine
8 rue Chernoviz
38 rue des Perchamps
25 rue de Passy
10-15 rue des Bauches
5 rue Gustave Zédé
15 bis rue Saint-Didier
18-20 rue Paul Valéry
3 impasse des Belles-Feuilles
130 rue de Longchamp
54-56 rue Boissière
58 rue Erlanger
9 rue de Boulainvilliers
18 rue Gros
18 rue Serge Prokofiev
4 rue Decamps
20 rue de Musset
1 route du Champ d'Entrainement

ENSEIGNEMENT SECONDAIRE
Collège Eugène Delacroix :
13-15 rue Eugène Delacroix
Lycée et Collège Claude Bernard :
1 av. du Parc des Princes
Lycée et Collège Janson de Sailly :
106 rue de la Pompe
Lycée et Collège J.-B. Say :
11bis rue d'Auteuil
Lycée et Collège Molière :
71 rue du Ranelagh
Lycée Jean de La Fontaine :
1 place de la Porte Molitor
Lycée Jean Monnet :
3 impasse des Belles Feuilles
Lycée Octave Feuillet : 9 r. O. Feuillet
Lycée de Versailles : 185 av. de Versailles

TRÉSORERIE PRINCIPALE ET RECETTE-PERCEPTION
37 rue Molitor
13 rue Paul-Valéry
64 rue du Ranelagh
43-47 avenue de la Grande Armée

CENTRES DES IMPÔTS
146 avenue de Malakoff
12 rue George Sand

N
O
P
Q
R
S

15e

Secteur Sud

17	18	19
8	9	10		11	20
16	7	2 3	11
		1 4	
15	6	5	12
14	13

Auteuil

1 carreau = 500 m

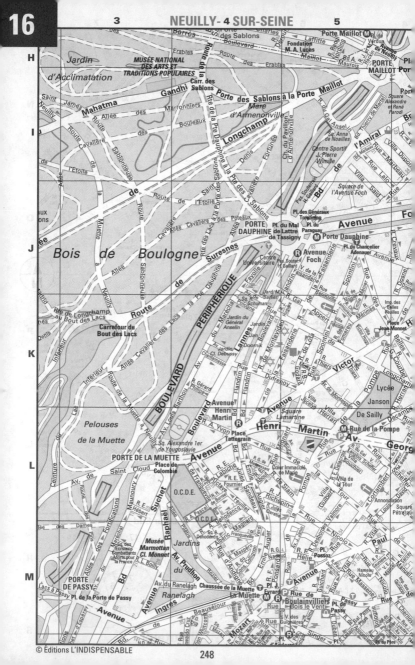

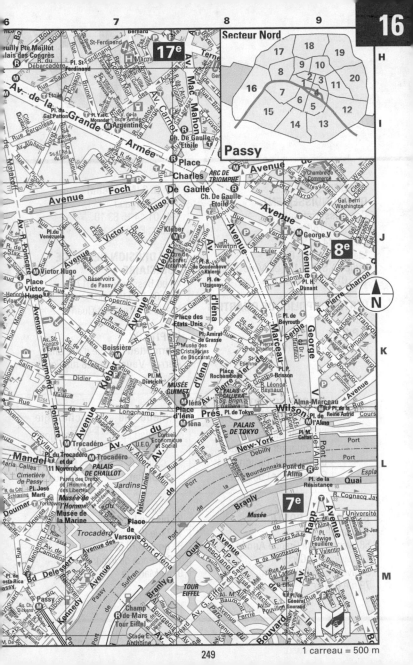

COMMISSARIAT D'ARRONDISSEMENT
Commissariat Central
19-21 rue Truffaut
Tél : 01 44 90 37 17
Métro : Place de Clichy
Vigie (A.S.P.) : 132 bd Malesherbes
Tél : 01 47 66 11 38 ou 52

UNITÉS DE POLICE DE QUARTIER

U.P.Q. 1
(Commissariat Central)

U.P.Q. 2 (Monceau)
3 av. Gourgaud
Tél : 01 44 15 83 10
Métro : Péreire

1ère DIVISION DE POLICE JUDICIAIRE
46 bd Bessières - 75017
Tél : 01 53 11 23 00
Métro : Porte de St-Ouen

HÔPITAUX
Marmottan : 19 rue d'Armaillé
Perray-Vaucluse : 28 rue Pouchet

CIRCONSCRIPTIONS HOSPITALIÈRES	médecine	chirurgie
65ᵉ quartier Ternes	Amboise Paré	Beaujon
66ᵉ quartier Monceau	Bichat	Beaujon
67ᵉ quartier Batignolles	Bichat	Beaujon
68ᵉ quartier Epinettes	Bichat	Beaujon

BUREAUX DE POSTE
13 avenue Niel
58 avenue de la Grande Armée
141 avenue de Clichy
57 avenue de Saint-Ouen
79 rue Bayen
23 bis rue Legendre
132 rue de Saussure
81 boulevard Bessières
110 avenue de Wagram
9 rue Mariotte

Batignolles et Ternes

MAIRIE
16 rue des Batignolles
Tél: **01 44 69 17 17** - *Métro Rome*

ÉCOLES PRIMAIRES ET MATERNELLES
16 rue Laugier
12bis rue Fourcroy
31 rue des Renaudes
221 boulevard Pereire
18 rue Ampère
76-112 boulevard Berthier
20 rue Jouffroy d'Abbans
15 rue Truffault
105 rue Lemercier
49 rue Legendre
48-101 rue de Saussure
5 rue Jacques Kellner
10 rue Boursault
16 rue du Colonel Moll
42 rue Pouchet
61 cité des Fleurs
42-44 rue des Épinettes
24 rue Christine de Pisan
3 rue Gustave Doré
8 rue des Tapisseries
7 avenue de la Porte de Champerret
90-92 boulevard Bessières
23 avenue de Saint-Ouen
16 rue Dautancourt
6 rue Louis Vierne
14 passage Saint-Ange
19-21 rue du Capitaine Lagache
28 rue Brochant
21 rue André Bréchet
6 rue Lecomte
38-40 boulevard de Reims
56 rue Bayen
22 avenue de la Porte de Villiers

ENSEIGNEMENT SECONDAIRE
Collège Pierre de Ronsard :
140 avenue de Wagram
Collège A. Malraux : 5 bis r. St-Ferdinand
Collège Boris Vian : 76 bd Berthier
Lycée et Collège Carnot :
141-145 bd Malesherbes
Lycée et Collège Honoré de Balzac :
118 boulevard Bessières
Lycée et Collège Stéphane Mallarmé :
29 rue de la Joncquière
Lycée Drouant : 20 rue Médéric
Lycée Haute Couture-Esthétique :
9 rue Fortuny
Ecole Nationale de Commerce :
70 boulevard Bessières
Lycée Maria Deraismes :
19 rue M. Deraismes

TRÉSORERIE PRINCIPALE ET RECETTE-PERCEPTION
28 rue de Chazelles
20 rue Lantiez
38 rue Brunel
71 rue de Saussure

CENTRE DES IMPÔTS
6 boulevard de Reims

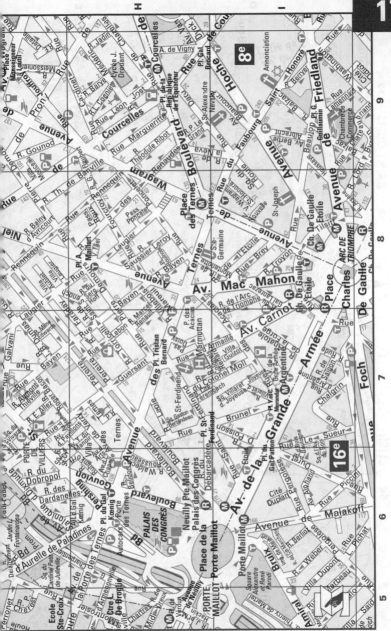

1 carreau = 500 m

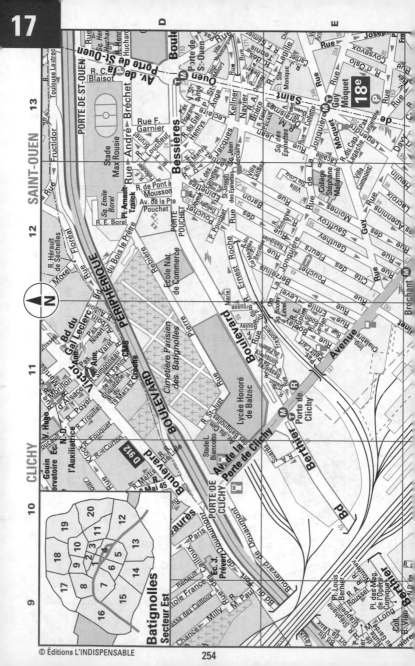

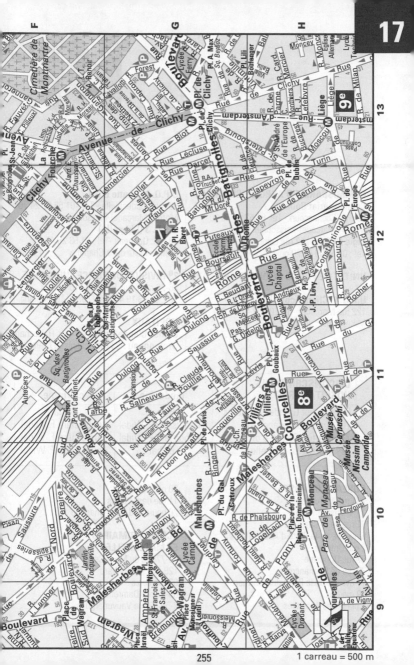

1 carreau = 500 m

COMMISSARIAT D'ARRONDISSEMENT
Commissariat Central
79 r. de Clignancourt - Tél: 01 53 41 50 00
Métro : Marcadet-Poissonniers
Vigie (A.S.P.) : 12 rue Lambert
Tél : 01 53 09 93 70 ou 71

UNITÉS DE POLICE DE QUARTIER

U.P.Q. 1 (Clignancourt)
122 rue Marcadet - Tél: 01 53 41 85 00
Métro : Jules Joffrin

U.P.Q. 2 (Goutte d'Or)
50 rue Doudeauville - Tél : 01 53 09 24 70
Métro : Marcadet-Poissonniers
U.P.Q. 3 (Chapelle)
18 r. R. Queneau -Tél : 01 53 26 47 50
Métro : Porte de la Chapelle

2e DIVISION DE POLICE JUDICIAIRE
26-28 rue Louis Blanc 75010
Tél : 01 53 19 44 60 - Métro : Louis Blanc

HÔPITAUX
Bichat-Claude Bernard : 46 r. H. Huchard
Bretonneau : 23 rue Joseph de Maistre

CIRCONSCRIPTIONS HOSPITALIÈRES	médecine	chirurgie
69e quartier Grandes-Carrières	Bichat	Bichat
70e quartier Clignancourt	Lariboisière-F. Widal	Lariboisière-F. Widal
71e quartier Goutte-d'or	Lariboisière-F. Widal	Lariboisière-F. Widal
72e quartier La Chapelle	Bichat	Lariboisière-F. Widal

BUREAUX DE POSTE
204 rue Marcadet
7 rue Tristan Tzara
91 rue de la Chapelle
5 avenue de la Porte d'Aubervilliers
2 rue Ordener
97 rue Duhesme
70 rue de Clignancourt
11 avenue de la Porte deMontmartre
19 rue Duc
8 place des Abbesses

30 rue Boinod
11 rue des Islettes
20 boulevard de la Chapelle

**ÉCOLES PRIMAIRES
ET MATERNELLES**
26-77 rue du Mont Cenis
129-131 rue Belliard
62 rue Lepic
65-67 rue Damrémont
2-50-52 rue Vauvenargues

Montmartre et La Chapelle

MAIRIE

1 place Jules Joffrin
Tél: **01 53 41 18 18** - *Métro Jules Joffrin*

1-7 rue Gustave Rouanet
7-69-72 rue Championnet
3 rue Fernand Labori
1 place Constantin Pecqueur
29-94 rue Joseph de Maistre
18 rue Sainte-Isaure
19 rue des Amiraux
3-5 rue Ferdinand Flocon
60 rue René Binet
20 rue Hermel
61 rue de Clignancourt
1 rue Foyatier
56 rue d'Orsel
11 rue André del Sarte
5-15 rue Pierre Budin
7 rue Doudeauville
6 rue Jean-François Lépine
11 rue Cavé
29 rue Marcadet
3 rue Saint-Luc
5-7-10-12 rue de Torcy
2 rue de la Guadeloupe
58 rue Philippe de Girard
51 rue du Département
2-4 rue Charles Hermite
53 bis rue Marx Dormoy
9-18 rue Richomme
33-41 rue des Cloÿs
33-35 rue de l'Évangile
49 bis-57 rue de la Goutte d'or
6 rue du Ruisseau
5-7 rue Carpeaux
3 rue Maurice Genevoix
15 rue Houdon
142 rue des Poissonniers
7 rue Jean Cottin

4 square Lamarck
4 place Jean-Baptiste Clément
7 rue Tchaïkovski
18 rue d'Oran

ENSEIGNEMENT SECONDAIRE

Collège A. Coysevox : 16 rue Coysevox
Collège Gérard Philipe : 8 rue des Amiraux
Collège G. Clemenceau : 43 r. des Poissonniers
Collège Guadeloupe : 2 r. de la Guadeloupe
Collège Hector Berlioz : 17 rue G. Agutte
Collège Marie Curie : 21 rue Boinod
Collège Marx Dormoy : 55 r. M. Dormoy
Collège Maurice Utrillo : 100 bd Ney
Collège Pierre Villey : 9 r. G. Rouanet
Collège R. Dorgelès : 63 r. de Clignancourt
Collège Yvonne Le Tac : 7 rue Y. Le Tac
Lycée Auguste Renoir : 24 rue Ganneron
Lycée Belliard : 135 rue Belliard
Lycée Charles Hermite : 6 r. Ch. Hermite
Lycée Edmond Rostand : 15 r. de l'Evangile
Lycée Ferdinand Flocon : 7 r. F. Flocon
Lycée J.-E. Championnet : 113 r. championnet
Lycée Rabelais : 9 rue F. de Croisset

TRÉSORERIE PRINCIPALE
ET RECETTE-PERCEPTION

96 boulevard Barbes
6 rue Boucry
19 rue Vauvenargues
46 rue Custine
69 rue Riquet

CENTRES DES IMPÔTS

61 rue Eugène Carrière
92 boulevard Ney et 4 rue Boucry

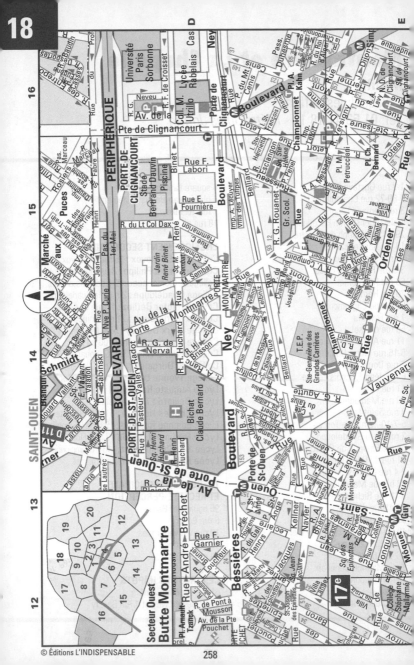

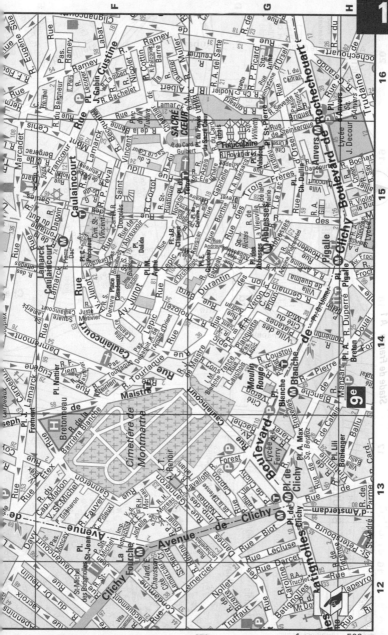

1 carreau = 500 m

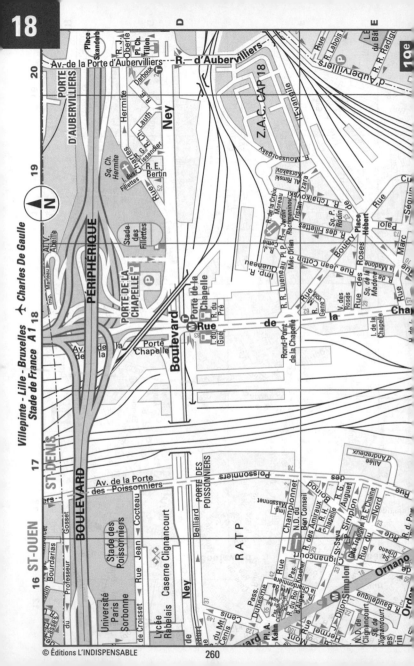

Le 104

N.-D. des Foyers

Quai de Soissons

R. de Soissons

AV. de

Pt. du Maroc

I. du Maroc

Maroc

Maroc

Stalingrad

Rue du Dépôt

Rue Riquet

Tanger

Rue Riquet

Rue Paul Laurent

R. Paul Laurent

R. Bellot

R. Riquet

R. d'Aubervilliers

Rue Curial

Rue Molin

Imp. Molin

R. du Canada

Imp. de la Guadeloupe

Rue Riquet

Rue Pajol

R.J. du Kablé

Rue

Rue du Département

Passage du Département

Rue de la Caille

Boulevard

de

la

Chapelle

Stalingrad

Rue G. Rambuat

Rue Philippe de Girard

Philippe

Rue

R. de St. L. de la Chapelle Marillac

Pl. de la Chapelle

Rue Louis

Louis

B. Perdonnet

Rue Perdonnet

Lycée Colbert

Rue de Tanger

Rue de Londres

Blanc

Blanc

Lou

de l'Aqueduc

de Girard

Château

Saint

Denis

N.-D. des Malades

Fernand Widal

H

R. Demarquay

R. Demarquay

Mark Dormoy

Pl. Paul Eluard

Rue Philippe de Girard

Marx

Rue

Dormoy

Rue Ordener

R. Jean Robert

Cité de la Pass.

Cité Chapelle

Rue Doudeauville

R. Carco

R. Emile Duployé

Rue de Laghouat

Rue d'Oran

Rue Ernestine

Marcadet

R.P. Budin

Rue d'Oran

Rue Léon

R. Stephenson

Rue Cavé

R. St-Mathieu

St-Bruno

R.J.F. Lépine

Myrha

R. de Jessaint

Jessaint

Pt. St. L.

St. Jérôme

St. Luc

St. Léon

Rue de Suez

Rue de Panama

Rue de Chartres

Rue de la Goutte d'Or

Rue Polonceau

Rue des Gardes

R.E. Chatrian

R. de Chartres

Rue de la Charbonnière

R.R. de Fleury

R. P. l'Ermite

Affre

R. P.

Maubeuge

de

Denis

10e

Gare du Nord

Lariboisière

H

i

Boulevard

R. Ambroise Paré

R. de Maubeuge

P

P

P

P

Place

(taxis)

Pl. de Roubaix

Rue de Paul

Rue La Fayette

de

Barbès

Simart

Rue Ramey

Rue Custine

Rue Marcadet

Rue Clignancourt

Pas. Ramey

Labat

Rue Doudeauville

Poissonniers

R.P. Budin

Rue du Chevalier de la Barre

Rue Christiani

Château Rouge

Pt. du Château Rouge

Rue Custine

Rue de Clignancourt

Rue de Sofia

R. de la Nation

Boulevard

Barbès

Barbès Rochechouart

Rochechouart

Boulevard

Poissonnière

R. G. Patin

Rue de

Rocroy

R. du Delta

Dunkerque

Rue de Dunkerque

Rue de Maubeuge

Pétrelle

Nicolet

R. Cotin

R. Feutrier

R. A. del Sarte

Rue Muller

Ramey

Rue des Poissonniers

Rue de Sofia

R. de l'Assommoir

Belhomme

R. Seveste

R. Picard

R. Ste Anne

Rue d'Orsel

R. Picard

I. du Cadran

Rochechouart

261

1 carreau = 500 m

COMMISSARIAT D'ARRONDISSEMENT
Commissariat Central
3-9 rue Erik Satie
Tél : 01 55 56 58 00
Métro : Ourcq
Vigie (A.S.P.) : 31 avenue Jean Jaurès
Tél : 01 42 38 03 75
Vigie (S.R.P.T.) : Stalingrad
Tél : RATP 43 138
Vigie (S.R.P.T.) : Porte de Pantin
Tél : RATP 43 147

UNITÉS DE POLICE DE QUARTIER

U.P.Q. 1 (Villette Pont de Flandres)
37 rue de Nantes - Tél: 01 53 26 81 50
Métro : Crimée

U.P.Q. 2 (Amérique)
4 rue Augustin Thierry
Tél: 01 56 41 30 00 - Métro : Pl. des Fêtes

U.P.Q. 3 (Combat)
10 rue Pradier Tél: 01 44 52 79 30
Métro : Pyrénées

2ᵉ DIVISION DE POLICE JUDICIAIRE
26-28 rue Louis Blanc 75010
Tél: 01 53 19 44 60 - Métro : Louis Blanc

HÔPITAUX
Robert Debré : 48 boulevard Sérurier

CIRCONSCRIPTION HOSPITALIÈRES	médecine	chirurgie
73ᵉ quartier La Villette	Bichat	Lariboisière-F.-Widal
74ᵉ quartier Pont de Flandre	Bichat	Saint-Louis
75ᵉ quartier Amérique	Tenon	Saint-Louis
76ᵉ quartier Combat	Saint-Louis	Saint-Louis

BUREAUX DE POSTE
8 rue Clavel
48 rue Compans
3-5 avenue du Nouveau Conservatoire
67 avenue de Flandre
339 bis rue de Belleville
33 avenue Jean Jaurès
62 rue de l'Ourcq
218 rue de Crimée
2 rue Goubet
8 avenue de Laumière
30 avenue Corentin Cariou

ÉCOLES PRIMAIRES ET MATERNELLES
9 rue Jomard
15-17-41 rue de Tanger

Buttes-Chaumont et La Villette

MAIRIE
5 place Armand Carrel
Tél: **01 44 52 29 19** - *Métro Laumière*

105 bis rue de l'Ourcq
9-11-16-24-28 rue Tandou
7-8 rue Barbanègre
2-36 rue Fessart
1 rue de Palestine
16 rue des Cheminets
5 rue du Noyer Durand
106 rue Compans
7-9 rue du Général Brunet
30-40-40 ter rue Manin
34 rue du Maroc
5-23 rue des Lilas
2 rue Jean Menans
24 avenue René Fonck
57-59-59 bis rue de Romainville
65-67-119 avenue Simon Bolivar
8 rue Sadi Lecointe
1-5 rue du Général Lasalle
43-47 rue Armand Carrel
5 rue des Alouettes
4 rue Goubet
132 rue d'Aubervilliers
84-90 rue Curial
26-58-63 rue Archereau
5-7-11-13 rue Rampal
2-6 rue des Bois
53 allée Darius Milhaud
4 rue David d'Angers
5 allée des Eiders
8 rue Emélie
11 cité Lepage
29 rue de la Prévoyance
6 passage de Thionville
61-65 rue de la Villette
160 avenue Jean Jaurès
30-40 rue Manin
14 rue Mathis
13 rue Georges Brassens

186 boulevard Macdonald
9 rue Pierre Girard

ENSEIGNEMENT SECONDAIRE
Collège Guillaume Bude :
7-15 rue Jean Quarré
Collège Claude Chappe :
9 rue des Alouettes
Collège Charles Péguy : 69 av. S. Bolivar
Collège Edmond Michelet :
70 rue de l'Ourcq
Collège Edouard Pailleron : 33 r. E. Pailleron
Collège G. Mélies : 43-47 rue de Tanger
Collège Georges Rouault :
3 rue du Noyer Durand
Collège Mozart : 7 rue Jomard
Collège Sonia Delaunay :
14 rue Euryale Dehaynin
Lycée et Collège Georges Brassens :
4 rue Erik Satie
Lycée et Collège Henri Bergson :
27 rue Edouard Pailleron
Lycée Armand Carrel : 45 rue A. Carrel
Lycée du Bâtiment : 19 rue Curial
Lycée Diderot : 61 rue David d'Angers
Lycée de l'Hôtellerie : 12 r. Jean Quarré
Lycée d'Alembert : 22 sente des Dorées
Lycée Jacquard : 2-2 bis-2 ter rue Bouret

TRÉSORERIE PRINCIPALE ET RECETTE-PERCEPTION
18 allée Darius Milhaud
44 rue Fessart

CENTRES DES IMPÔTS
17 place de l'Argonne
35 rue du Plateau

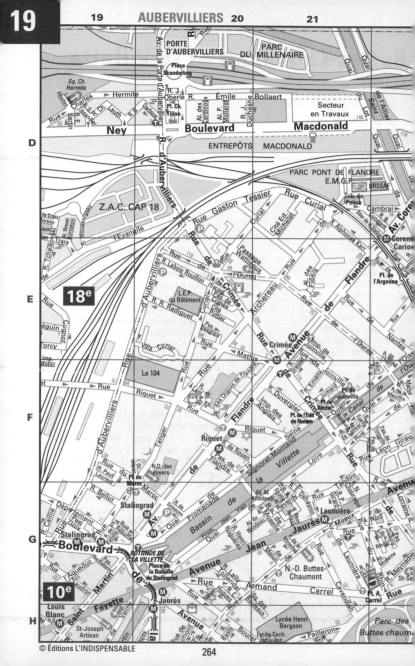

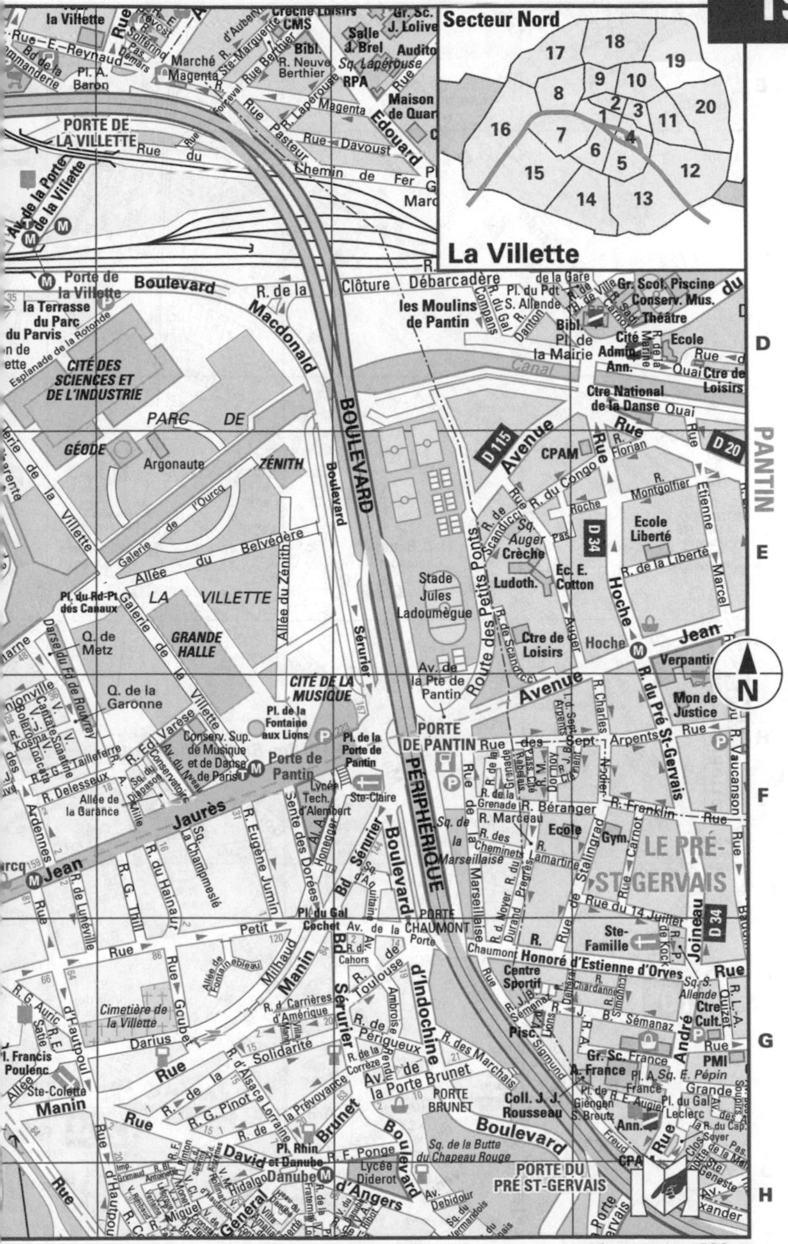

Secteur Nord

17 18 19
8 9 10
16 1 2 3 20
7 11
6 4
15 5 12
14 13

La Villette

PANTIN

PORTE DE LA VILLETTE

CITÉ DES SCIENCES ET DE L'INDUSTRIE

GÉODE

Argonaute

ZÉNITH

PARC DE LA VILLETTE

BOULEVARD MACDONALD

les Moulins de Pantin

Gr. Scol. Piscine Conserv. Mus. Théâtre

Pl. de la Mairie

Ctre National de la Danse

CPAM

Ecole Liberté

LA VILLETTE

GRANDE HALLE

CITÉ DE LA MUSIQUE

Conserv. Sup. de Musique et de Danse de Paris

Pl. de la Fontaine aux Lions

Stade Jules Ladoumègue

Ludoth.

Ec. E. Cotton

Ctre de Loisirs

Jean Verpantin

Jaurès

PORTE DE PANTIN

PÉRIPHÉRIQUE

LE PRÉ-ST-GERVAIS

PORTE CHAUMONT

Av. de la Chaumont

Centre Sportif

Ste-Famille

Honoré d'Estienne d'Orves

Cimetière de la Villette

Manin

PORTE BRUNET

Coll. J. J. Rousseau

Gr. Sc. France A. France

PMI

I. Francis Poulenc

PORTE DU PRÉ ST-GERVAIS

Lycée Diderot

Sq. de la Butte du Chapeau Rouge

D

E

F

G

H

1 carreau = 500 m

COMMISSARIAT D'ARRONDISSEMENT
Commissariat Central
48 av. Gambetta - Tél: 01 40 33 34 00
Métro : Gambetta
Vigie (A.S.P.) : 12 rue Monte Cristo
Tél : 01 40 33 34 59

UNITÉS DE POLICE DE QUARTIER

U.P.Q. 1 (Belleville)
46 rue Ramponeau - Tél: 01 44 62 83 50
Métro : Couronnes

U.P.Q. 2 (Père Lachaise)
46 avenue Gambetta - Tél: 01 40 33 34 60
Métro : Gambetta

U.P.Q. 3 (Charonne)
48 rue Saint-Blaise - Tél: 01 53 27 38 40
Métro : Porte de Montreuil

2ᵉ DIVISION DE POLICE JUDICIAIRE
26-28 rue Louis Blanc 75010
Tél : 01 53 19 44 60

HÔPITAUX
Tenon : 4 rue de la Chine
Croix Saint-Simon : 125 rue d'Avron

CIRCONSCRIPTION HOSPITALIÈRES	médecine	chirurgie
77ᵉ quartier Belleville	Saint-Louis	Tenon
78ᵉ quartier Saint-Fargeau	Tenon	Tenon
79ᵉ quartier Père-Lachaise	Saint-Antoine	Tenon
80ᵉ quartier Charonne	Pitié-Salpêtrière	Pitié-Salpêtrière

BUREAUX DE POSTE
28 rue du Télégraphe
73 boulevard Mortier
37 rue Mouraud
21 rue Belgrand
56 bis rue de Buzenval
132 rue des Pyrénées
250 rue des Pyrénées
30 rue Ramponeau
9-11 rue Etienne Dolet
7 place Gambetta

ÉCOLES PRIMAIRES ET MATERNELLES
1 rue Levert
51 rue Ramponeau
104-236 rue de Belleville
16 rue Julien Lacroix
22-24-29-31-33 rue Olivier Métra
31 rue Etienne Dolet
42 rue des Maronites
38-39 rue de Tourtille
42 rue de la Mare
94 rue des Couronnes

Menilmontant et Père-Lachaise

MAIRIE
6 place Gambetta
Tél: **01 43 15 20 20** - *Métro Gambetta*

4 rue du Jourdain
99-101-166-172 rue Pelleport
29 rue du Télégraphe
9-12 rue Bretonneau
2-4-8 rue Pierre Foncin
8-20-10 rue Le Vau
15 rue d'Eupatoria
20 rue des Cendriers
40-97-99-291-293 rue des Pyrénées
24 rue du Retrait
15 rue Sorbier
21 rue de la Bidassoa
10 rue de Menilmontant
29-103 avenue Gambetta
26 rue de la Cour des Noues
18 rue du Clos
181 boulevard Davoult
9-11 rue de la Plaine
12 rue des Grands Champs
91 rue de la Réunion
31 rue des Maraîchers
2-4 rue Eugène Reisz
18-20 rue Maryse Hilsz
5 rue des Tourelles
14-16 rue Riblette
90-111-103 rue des Amandiers
5-9 rue Mouraud
61-68 rue Vitruve
9-11 rue Lesseps
12 rue de Fontarabie
32 rue de Pali Kao
52-54 rue Planchat
18 rue du Surmelin
36-38 rue Piat
9 rue Tlemcen
3-7 passage Josseaume
6 rue Henri Tomasi
ENSEIGNEMENT SECONDAIRE

Collège Françoise Dolto :
354 rue des Pyrénées
Collège Henri Matisse : 3 rue Vitruve
Collège Jean Perrin : 6 rue E. Reisz
Collège Jean-Baptiste Clément :
26 rue H. Chevreau
Collège Lucie Faure :
40 rue des Pyrénées
Collège Léon Gambetta :
149-151 avenue Gambetta
Collège Pierre Mendès-France :
24-34 rue le Vau
Collège Robert Doisneau :
51 rue des Panoyaux
Collège St-Blaise : 4 rue Galleron
Lycée et Collège M. Ravel : 89 cours de Vincennes
Lycée et Collège Hélène Boucher :
75 cours de Vincennes
Lycée Ampère : 9 rue des Panoyaux
Lycée Charles de Gaulle : 17 rue Ligner
Lycée Etienne Dolet : 7-9 r. d'Eupatoria
Lycée Martin Nadaud : 23 r de la Bidassoa

**TRÉSORERIE PRINCIPALE
ET RECETTE-PERCEPTION**
64 bd de Belleville
6 rue Paganini
3-5 rue Lespagnol

CENTRE DES IMPÔTS
6 rue Paganini

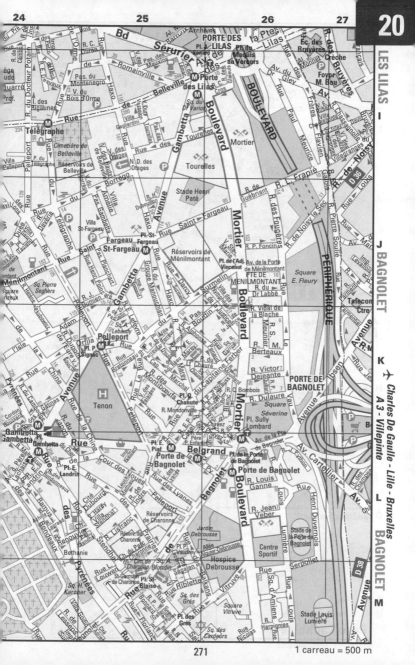

1 carreau = 500 m

Charles De Gaulle - Lille - Bruxelles
A 3 - Villepinte

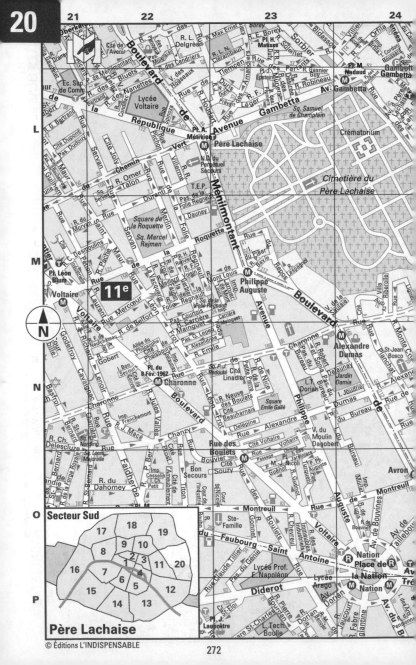

© Éditions L'INDISPENSABLE

Secteur Sud

Père Lachaise

Tenon
H

R. G. Bombois
R. Duloure
Square
Pl. Séverine
Pl. Sully Lombard
PORTE DE BAGNOLET
Bel-Est
Gallieni

Rue de la Chine
R. Mondonville
Chanute
Pl. O
Pl. E. Piaf
Belgrand
Porte de Bagnolet
Av. de la Pte de Bagnolet
Pl. de la Porte de Bagnolet
Porte de Bagnolet
Av. Ch. De Gaulle

Cité Dubourg
Porte de Bagnolet
Rue des Lyanes
Boulevard
R. Louis Ganne
Rue Louis
R. du Château
R. Sesto Fiorentino
Ec. P. Langevin

Réservoirs de Charonne
R. Jean Veber
Rue Henri Duvernois
Rés. de la Bu aux Pins
D 37

Rue Pyrénées
Jardin Debrousse
Stade de la Porte de Bagnolet
Gym.

Hospice Debrousse
Centre Sportif
Serpollet
Salle G. Politzer
Coll. G. Politzer

St-Germain de Charonne
Pl. St. Blaise
Rue Riblette
Rue Vitruve
Sq. d'Amiens
PÉRIPHÉRIQUE
Avenue
Gallieni
J. Ferry
D 38

Sq. des Grés
Square Vitruve
Stade Louis Lumière
Ec.Paul J. Ferry
Bibl.

Sq. de la Salamandre
Davout
R. Harpignies
R. Nicolaï
R. Félix Terrier
R. du Clos
R.L. Lambeau

Pl. de la Réunion
Orteaux
Pl. Marie de Miribel
Ctre Sportif des Docteurs Déjérine

Pl. M. Bloch
Rue Pyrénées
de la Croix St-
Rasselins
Marché aux Puces
la Grande Porte
Rue

Croix St-Simon
Cité G.A. Boisselots et Blanche
Place de la Pte de Montreuil
Av. Benoît Frachon

Maraîchers
Rue d'Avron
Pte de Montreuil
Volga
Boulevard
Rue
PORTE DE MONTREUIL
Ec. Fr. Dolto
D 38

Buzenval
Rue d'Avron
R. M. Marzin
J. de la Gare de Charonne
Pl. H. Arendt

Pl. du Gal Tessier de Marguerittes
Champs
Centre Sportif M. Hilsz
R.E. Triolet

Plaine
Al. M. Laurent
R. Philidor
Cour du Pin
L.E.C.

Sq. Sarah Bernhardt
Loliée
St-Gabriel
Lagny
Rue
de Lagny

Lycée Ravel
Lycée Boucher
Vincennes
Rue Davout
PORTE DE VINCENNES
Crèche et Mat. de la Tourelle
Ctre J. R. Bertaud

12e
Immaculée Conception
Porte de Vincennes
Av. de la Porte de Vincennes
Av. Gallieni
Leclerc
Pl. du Ga

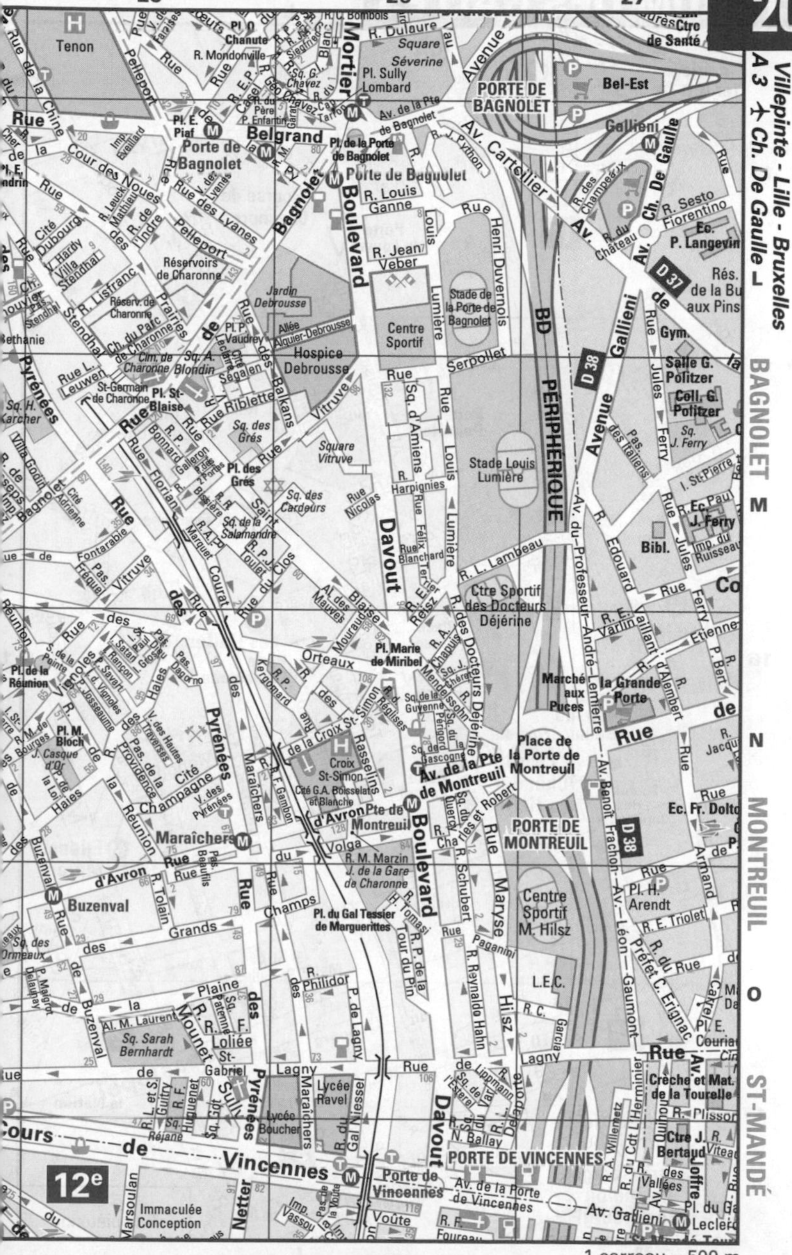

1 carreau = 500 m

L

N

Mairie 1er Arrt

R. Perrault

R. Tisonu

R. Bailleul

Rue du Louvre

Pl. des 2 Ecus

R. de l'Arbre Sec

Rue de Rivoli

Rue Honore

R. Sauval

R. A. Julien

V. Viarmes

R.C. Royer

Coquillière

R. J. J. Rousseau

1er

15

1

Rue Saint

Rue du Roule

R. Vauvilliers

R. des Prouvaires

Rue Berger

Bourse de Commerce

R. de Viarmes

Aragon

Porte du Louvre

Al. Cendrars

P

R. du Pont Neuf

Rue des Bourdonnais

Imp. des Bourdonnais

P

Porte Pont-Neuf

Pl. M. Quentin

Baltard

Berger

Al. Jules Supervielle

Al. André Perse

Pl. René Cassin

St-John

Porte du Jour

Eglise St-Eustache

Imp. St-Eustache

R. du Jour

R. Montmartre

Pl. M. de Navarre

P

Rue des Halles

Rue Berger

P.A.

Al. des Lingères

Al. St-John

Breton

Porte St-Eustache

Rue Montmartre

R. de Hongre

P.d.la Reine

M Châtelet

R. de la Lingere

Grand

Balcon

Al. F.C. Lorca

Al. Baltard

M

Rue Montorgueil

R. apportune

Porte Berger

Grand

Place Basse

Balcon

Baltard

Rambuteau

Les Halles Porte Rambuteau

R. Française

R. Mauconseil

16

1

R. des Innocents

Pl. J. du Bellay

R. de la Ferronnerie

Grand

Pl. Pierre Emmanuel

R

Rue Pierre

Terrasse Lautréamont

Rambuteau

Pta Ñaandeñu

P

R. R. Mondétour

Rue de la Reyne

Fontaine des Innocents

Police Châtelet-les-Halles

Berger

Porte Lescot

Lescot

R. des Prêcheurs

Rue

R.P.

R. Mondétour

Lescot

M Etienne Marcel

R. Boucher

Bd de

Rue Saint

R. de la Cossonnerie

P

Denis

St-Leu St-Gilles

Etienne

Turbigo

Pl. E. le Michelet

4e

Rue

R. de Venise

Rambuteau

Quincampoix

de

2e

Sébastopol

R. aux Ours

1

17

Pl. Georges Pompidou

Rue Aubry

Centre Georges Pompidou (Beaubourg)

Saint

P. de l'Horloge a Automates

Moliere

3e

P

Martin

| Rue piétonne |

M

274

L

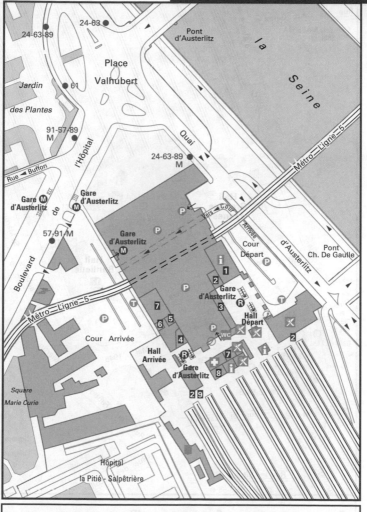

1 Billets - Réservations	**4** Service Clientèle	**7** Consignes
2 Accueil Groupe	**5** Office de Tourisme	**8** Salle d'attente
3 Billets	**6** Location Voitures	**9** Point de Rencontre

Voies réservées aux Bus et aux Taxis

SNCF renseignements Tel: 36 35
(0,34 euro/min.)

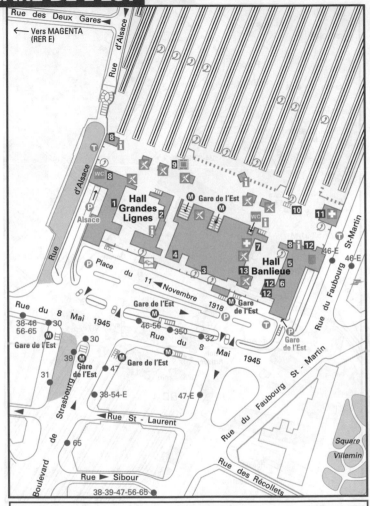

1	Billets Grandes Lignes	**6**	Billets Groupes	**11** Service Clientèle - Urgences
2	Réservations	**7**	Point Rencontre	**12** Office du Tourisme - Location Voitures
3	Consignes	**8**	Salle d'Attente	**13** Change
4	Objets trouvés	**9**	Accès Parking	Zones Réservées au Trafic Banlieue
5	Billets Banlieue	**10**	Accès Parking	Voies réservées aux Bus et aux Taxis

SNCF renseignements Tel: 36 35
(0,34 euro/min.)

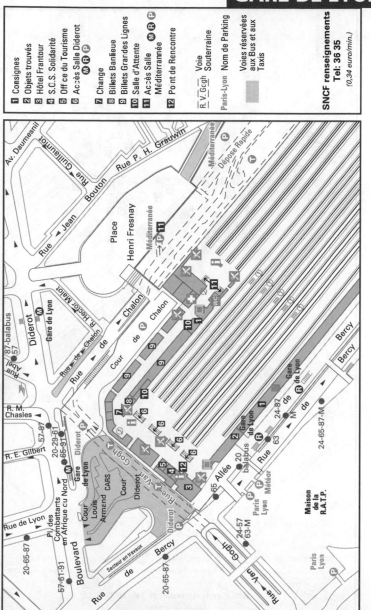

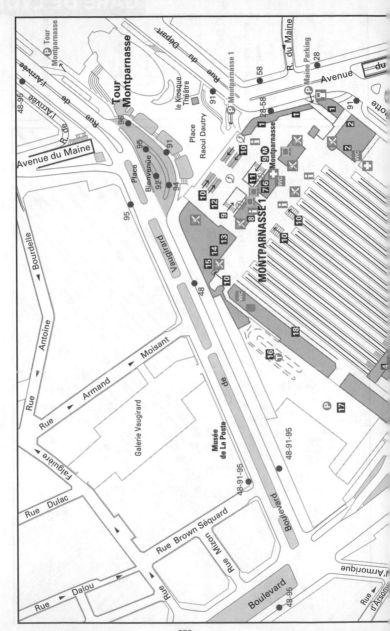

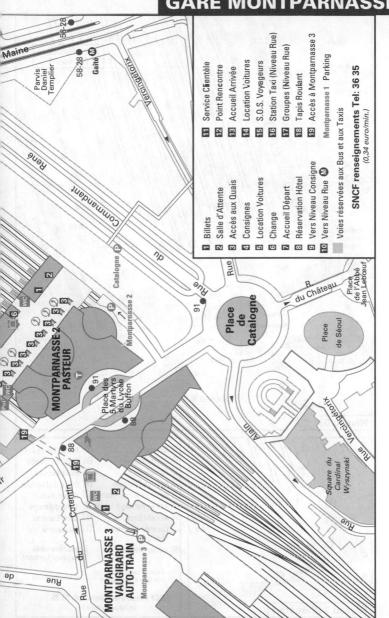

1 Billets
2 Salle d'Attente
3 Accès aux Quais
4 Consignes
5 Location Voitures
6 Change
7 Accueil Départ
8 Réservation Hôtel
9 Vers Niveau Consigne
10 Ⓜ Vers Niveau Rue

11 Service Clientèle
12 Point Rencontre
13 Accueil Arrivée
14 Location Voitures
15 S.O.S. Voyageurs
16 Station Taxi (Niveau Rue)
17 Groupes (Niveau Rue)
18 Tapis Roulant
19 Accès à Montparnasse 3

Montparnasse 1 Parking

Voies réservées aux Bus et aux Taxis

SNCF renseignements Tel: 36 35
(0,34 euro/min.)

MONTPARNASSE 2 PASTEUR

MONTPARNASSE 3 VAUGIRARD AUTO-TRAIN

Place de Catalogue

Place de Séoul

Parvis Daniel Templier

Place des 5 Martyrs du Lycée Buffon

Square du Cardinal Wyszynski

Place de l'Abbé Jean Lebœuf

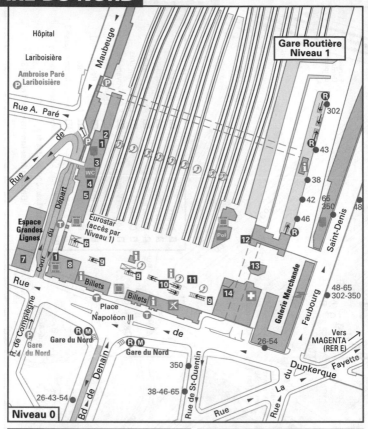

GARE DU NORD

Niveau 0

Hôpital

Lariboisière

Ambroise Paré
Lariboisière

Rue A. Paré

Maubeuge

**Gare Routière
Niveau 1**

302

43

38

42   65
350

46   48

Saint-Denis

Espace
Grandes
Lignes

Eurostar
(accès par
Niveau 1)

Pol

Galerie Marchande

Rue

Place
Napoléon III

de

Vers
MAGENTA
(RER E)

Gare du Nord

Gare du Nord

Faubourg

48-65
302-350

26-54

350

38-46-65

Dunkerque

Fayette

26-43-54

Rue de St-Quentin

Bd de Denain

R. de Compiègne

Cour du Départ

La

Rue

Rue

du

Niveau 1 (Eurostar)

1 Douane	10 Accès Niveau -1
2 Objets Trouvés	11 Point Rencontre
3 Consignes	12 Point Accueil
4 Service Clientèle	13 Office de Tourisme
5 Familles Nombreuses	14 Orientation
6 Accès Parking (-1 à -6)	15 Salle d'Attente
7 Accueil Groupes	16 Salle Londres
8 Location Véhicules Change	17 Passerelle
9 Accès Niveau 1	

Zones réservées
Voyageurs Eurostar

Voies Réservées
aux Bus et aux Taxis

Gare Routière

SNCF renseignements Tel: 36 35
(0,34 euro/min.)

280

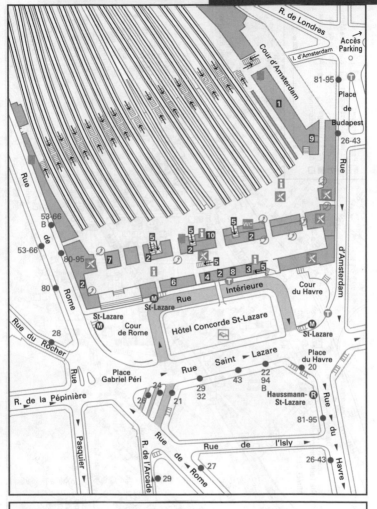

1 Objets trouvés	**4** Service Clientèle	**7** Accueil Groupes
2 Billets	**5** Galerie Marchande Ⓜ	**8** Service International
3 Change	**6** Agence de Voyage	**9** Accès Parking
Voies Réservées aux Bus et aux Taxis		**10** Accueil

SNCF renseignements Tel: 36 35
(0,34 euro/min.)

PARC DES EXPOSITIONS DE PARIS

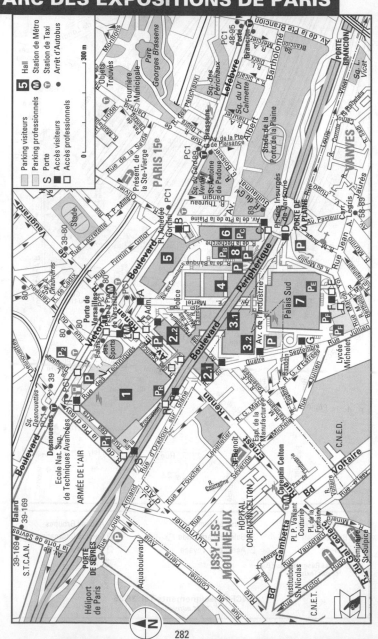

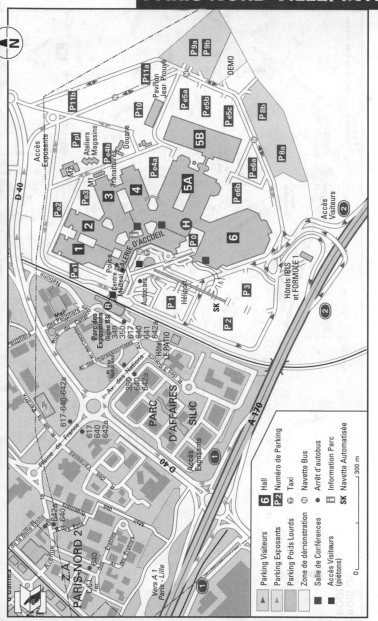

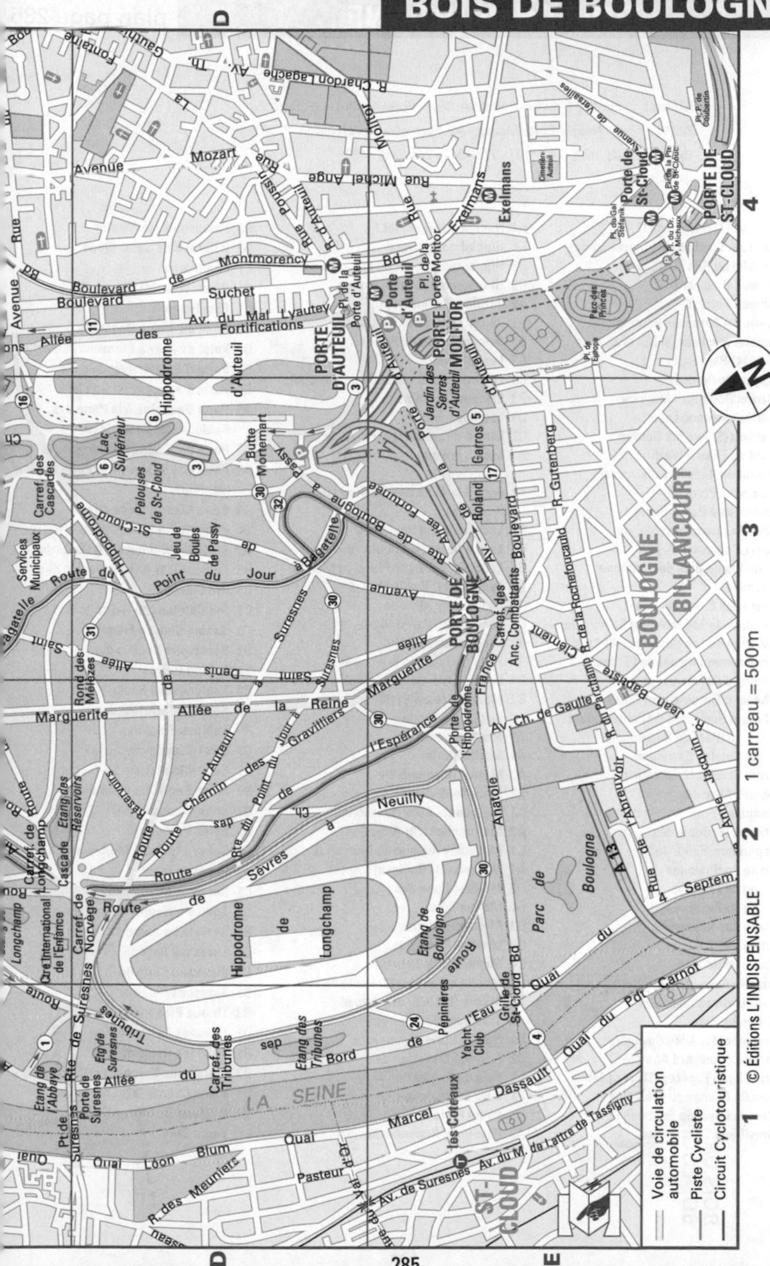

BOIS DE BOULOGNE

Avenue
Mozart
Rue Michel Ange
Rue d'Auteuil
Montmorency
Boulevard de Suchet
Av. du Mal Lyautey
Fortifications
Allée des

Rue Chardon Lagache
Molitor
Exelmans
Exelmans
Pl. de la Porte d'Auteuil
Porte d'Auteuil

PORTE DE ST-CLOUD
Porte de St-Cloud
Pl. de la Ptè de St-Cloud
Parc des Princes

PORTE D'AUTEUIL
PORTE MOLITOR
Porte Molitor
Jardin des Serres d'Auteuil

Hippodrome
d'Auteuil
Lac Supérieur
Butte Mortemart
Pelouses de St-Cloud
Jeu de Boules de Passy
Point du Jour
Route du Tir
Carref. des Cascades
Services Municipaux

Rue d'Auteuil
Rte Fortunée
Allée Fortunée
Carros
Rue de Roland
Av. de la Porte de Boulogne
R. Gutenberg
R. de la Rochefoucauld

BOULOGNE
BILLANCOURT

PORTE DE BOULOGNE
Av. des Anc. Combattants
Boulevard
Allée de Boulogne
à Belgarde
Av. Suresnes
Denis
Route de Suresnes
Allée de la Reine Marguerite

Marguerite
Allée de la Reine
Gravilliers
l'Espérance
Porte de l'Hippodrome
France
Av. Ch. de Gaulle
Clément
Rond des Mézices
Rte du Point du Jour
Chemin des Sap.
Neuilly
Anatole
Parc de Boulogne

R. du Chemin Vert
R. de l'Abreuvoir
Rue Jacques
Anne
A 13
Rue Septem.

Bagatelle
Carref. de Longchamp
Carref. de Route
Etangs des Réservoirs
Cascade
Route de Sèvres
Route
Hippodrome de Longchamp
Etang de Boulogne
Bd du Parc
Quai du Pdt Carnot

Longchamp
Cre International de l'Enfance
Porte de Suresnes
Pl. de Suresnes
Etang de Norvège
Route de Suresnes
Allée du
Carref. des Tribunes
Etang des Tribunes
Pépinières
Yacht Club
Grille de St-Cloud
Quai du Pt de St-Cloud
Bd Dassault

ST-CLOUD
Etang de l'Abbaye
Efgie
Suresnes
Bord
LA SEINE
Iles Cateaux
Marcel
Quai Léon Blum
Quai
Pasteur
R. des Meuniers
Av. de Suresnes
Av. du M. de Lattre de Tassigny

N

1 carreau = 500m

© Éditions L'INDISPENSABLE

	Voie de circulation automobile
	Piste Cycliste
	Circuit Cyclotouristique

285

Métro : Pont de Neuilly - Porte d'Auteuil - Porte Maillot - Les Sablons
RER : C - Neuilly-Porte Maillot - Av. Foch - Av. Henri Martin
Bus : 43 - 123 - 144 - 157 - 176 - 241 - 244 - 344 - 460

Métro : Château de Vincennes - Saint-Mandé-Tourelle - Charenton Écoles - Joinville le Pont

RER : A - Vincennes - Fontenay s/s Bois - Nogent sur Marne - Joinville le Pont

Bus : 46 - 48 - 56 - 86 - 103 - 106AB - 108AB - 108 - N111 - 112 - 115 - 118 - 124 - 180 - 281 - 313AB - 318 - 325

C7	**Aimable** Route	B6	**Ecole de Chiens Guide d'Aveugles**	C8	**Mortemart** Rond-Point
D8	**Arboretum**	D8	**Ecole de Joinville** Avenue de l'	C8	**Mortemart** Route
C6	**Asile National** Route de l'	C8	**Ecole d'Horticulture du Breuil**	D7	**Moulin Rouge (18)** Route du
C6	**Bac** Route du	B6	**Epine (10)** Route de l'	B8	**Nogent** Avenue de
D8	**Barrières** Route des	B7	**Esplanade (11)** Route de l'	D7	**Nouvelle (19)** Route
D8	**Batteries** Route des	B6	**Etang** Chaussée de l'	B9	**Odette (20)** Route
C9	**Beauté** Carrefour de	B7	**Faluère** Plaine de la	C6	**Parc** Route du
B6	**Bel-Air (1)** Avenue de	C7	**Faluère** Route de la	C6	**Parc Zoologique**
C7	**Belle Etoile** Plaine de la	D8	**Ferme** Route de la	D7	**Patte d'Oie** Carrefour de la
C7	**Belle Etoile** Rond-Point de la	C8	**Ferme de la Faisanderie**	C5	**Pelouse de Reuilly**
C7	**Belle Etoile** Route de la		Carrefour de la	B9	**Pelouses (21)** Route des
B9	**Belle Gabrielle** Avenue de la	D7	**Ferme de Paris**	A7	**Pelouses Marigny (22)** Route des
C9	**Bosquet Mortemart (2)** Route du	B7	**Floral** Parc	B8	**Pépinière (23)** Avenue de la
B8	**Bosquets (3)** Route des	A8	**Foch** Avenue	C8	**Pesage** Route du
C7	**Bourbon** Route de	B9	**Fontenay** Avenue de	C6	**Plaine** Route de la
C6	**Brasseries (4)** Route de la	D8	**Fort de Gravelle (12)** Route du	D8	**Point de Vue (24)** Route de
B6	**Brulée** Route	B7	**Fort Neuf**	B7	**Polygone** Avenue du
C7	**Buttes** Allée des	D8	**Gerbe (13)** Route de la	C7	**Pompadour** Route de la
B8	**Camp de Saint-Maur (5)** Route du	B8	**Grand Maréchal** Route du	B8	**Porte Jaune** Route de la
D8	**Canadiens** Avenue des	B8	**Grand Prieur (14)** Route du	B8	**Porte Noire (25)** Route de la
D8	**Canadiens** Carrefour des	B6	**Grand Rocher (dit Rocher aux**	B8	**Pyramide** Rond-Point de la
B7	**Carnot** Square		**singes)**	C8	**Pyramide** Route de la
C9	**Cascade** Route de la	C5	**Gravelle** Avenue de	C7	**Quatre Carrefours** Allées des
B7	**Caserne** Carnot	D8	**Gravelle** Avenue de	C5	**Reuilly** Porte de
B7	**Cavalerie** Route de la	D8	**Gravelle** Redoute de	C5	**Reuilly (26)** Route de
B6	**Cavalière** Allée	C8	**Hippodrome de Vincennes**	B7	**Royale** Allée
C6	**Ceinture du Lac Daumesnil** Rte de	A7	**Idalie (15)** Rue d'	B7	**Royale de Beauté (27)** Route
B8	**Centre Culturel de la Cartoucherie**	C5	**Ile de Bercy**	D7	**Ruisseau (28)** Route du
B8	**Champ de Manœuvres (6)** Route du	B8	**Ile de la Porte Jaune**	B8	**Sabotiers** Carrefour des
C5	**Charenton** Porte de	C6	**Ile de Reuilly**	B8	**Sabotiers (29)** Route des
B7	**Château de Vincennes**	C6	**Îles (16)** Route des	C8	**Saint-Hubert** Plaine
B9	**Chênes (7)** Route des	C6	**Institut Boudhique**	C8	**Saint-Hubert** Route
C6	**Cimetière** Chemin du	B9	**Centre de coopération**	B7	**Saint-Louis** Esplanade
C6	**Cimetière de Charenton**		**Internationale en Recherche**	C6	**Saint-Louis** Route
B8	**Circulaire** Route		**Agronomique pour le**	C6	**Saint-Maurice** Avenue de
B7	**Club Hippique** U.C.P.A.		**Développement (CIRAD)**	C6	**Services Municipaux**
C6	**Conservation** Carrefour de la	C8	**Institut National des Sports (INSEP)**	D8	**Stade J.-P. Garchery**
C5	**Croix Rouge (8)** Route de la	B8	**Jaune** Porte	B7	**Stade Municipal de Vincennes**
D8	**Dame Blanche** Avenue de la	C5	**Lac Daumesnil**	C8	**Stade Pershing**
A7	**Dame Blanche (9)** Route de la	B6	**Lac de Saint-Mandé**	D7	**Terrasse (30)** Route de la
B8	**Dames** Route des	B6	**Lac de Saint-Mandé** Route du	B7	**Tilleuls (31)** Avenue des
B7	**Daumesnil** Avenue	B8	**Lac des Minimes**	B7	**Tourelle** Route de la
B7	**Dauphine** Rond-Point	C6	**Lapins** Allée des	D8	**Tourelle** Route de la
C7	**Dauphine** Route	B6	**Lemoine** Route	B7	**Tremblay** Avenue du
C6	**Demi Lune** Carrefour de la	B7	**Maréchaux** Cours des	C6	**Tribunes** Avenue des
C7	**Demi Lune** Route de la	B9	**Ménagerie** Route de la	C5	**Vélodrome Jacques Anquetil**
C5	**Dom Pérignon** Route	C8	**Merisiers (17)** Route des	C6	**Zoologique** Parc
A8	**Donjon** Route du	D8	**Minimes** Avenue des		
B5	**Dorée** Porte	C8	**Mortemart** Plaine des jeux de		

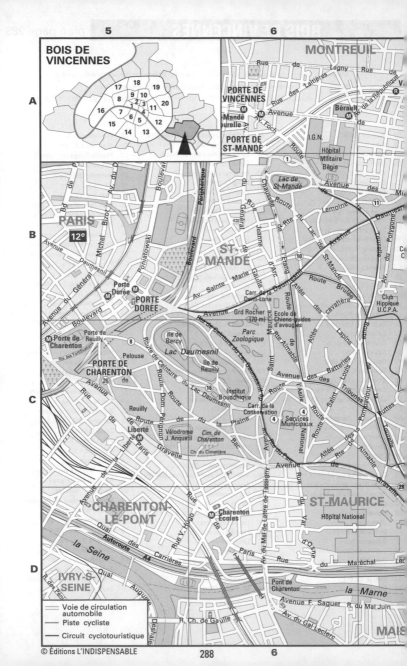

BOIS DE VINCENNES

5 | **6**

BOIS DE VINCENNES

	17	18	19	
	8	9 10		20
16	7	2 3	11	
		6 4 5		12
15		14	13	

A

B

C

D

MONTREUIL

PORTE DE VINCENNES

PORTE DE ST-MANDÉ

Rue de Lagny

Rue des Laitières

Avenue

Bérault

Av. Foch

I.G.N.

Hôpital Militaire Bégin

Lac de St-Mandé

Avenue des

PARIS 12e

Michel Bizot

Av. du Gal Bizot

Bd. Poniatowski

Périphérique

Boulevard

ST-MANDÉ

Rue Général

Route du Lac de St-Mandé

Avenue de St-Mandé

Route de St-Mandé

Brulée

Club Hippique U.C.P.A.

Avenue Daumesnil

Porte Dorée

PORTE DORÉE

Av. Sainte Marie

Carr. de la Daumesnil Demi-Lune

Grd Rocher (70 m)

Ecole de Chiens-guides d'aveugles

Route Maurice

Allée des cavalière

Parc Zoologique

Allée des Lapins

Porte de Reuilly

Porte de Charenton

Rte des Fortifications

Ile de Bercy

Lac Daumesnil

Route de Ceinture du Lac Daumesnil

Ile de Reuilly

Institut Bouddhique

Carr. de la Conservation

Services Municipaux

Avenue des Batteries

Allée Saint Louis

Tribunes

Buttes

Allée Rte des Almable

PORTE DE CHARENTON

Pelouse de Reuilly

Reuilly Route de Liberté

Vélodrome J. Anquetil

Cim. de Charenton

Ch. du Cimetière

Route de la Plaine

Avenue du Parc

Avenue de

Gravelle

CHARENTON-LE-PONT

Quai des Carrières

Autoroute A4

la Seine

Rue Victor Hugo

Charenton Ecoles

Avenue du Mal de Lattre de Tassigny

Rue de Paris

ST-MAURICE

Hôpital National

d'Osne

Rue du Maréchal

IVRY-S-SEINE

Quai Auguste Deshaies

R. Ch. de Gaulle

Pont de Charenton

Avenue F. Saguet

la Marne

R. du Mal Juin

Av. du Gal Leclerc

MAIS

	Voie de circulation automobile
	Piste cycliste
	Circuit cyclotouristique

© Éditions L'INDISPENSABLE

288

6

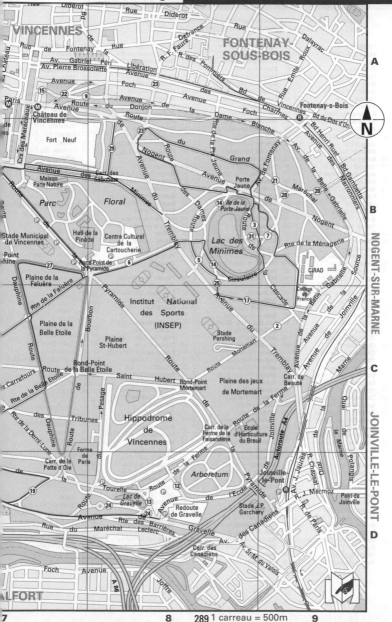

Métro : Ligne 7 - Aubervilliers-Pantin-Quatre Chemins - Fort d'Aubervilliers
Bus : NE-NF-65-139-150-152-170-173-249-250-302

BAGNOLET 93170 plan page 317

Métro : Ligne 3 - Gallieni
Bus : NG-76-102-115-122-221-318-351

BOULOGNE-BILLANCOURT 92100 plan page 319

Métro : Ligne 9 - Marcel Sembat - Billancourt - Pont de Sèvres
Ligne 10 - Boulogne J. Jaurès - Boulogne Pont de St-Cloud
Bus : NK-52-72-123-126-160-169-171-175-179-241-289-389-420-460-467-571

DI 77	**Dassault** Rue Marcel
DG 75	**Delafosse** Rue Maurice
DG 76	**Denfert-Rochereau** Place
DG 76	**Denfert-Rochereau** Rue
DK 76	**Deschandelliers** Passage
DJ 76	**Deschandelliers** Sente
DI 76	**Desfeux** Avenue
DH 77	**Detaille** Rue Edouard
DI 75	**Diaz** Rue
DI 77	**Dôme** Rue du
DJ 76	**Dominicaines** Allée des
DI 75	**Ducellier** Rue Paul
DJ 77	**Duclaux** Rue Emile
DG 74	**Dumas** Allée J.-Baptiste
DG 74	**Dunois** Rue Emile
DF 75	**Durvie** Impasse
DG 75	**Ecoles** Place des
DI 76	**Ecoles** Villa des
DF 75	**Eglise** Rue de l'
DI 78	**Enfants du Paradis** P. des
DI 78	**Enfts du Paradis** Rue des
DG 75	**Escudier** Rue
DJ 74	**Esnault Pelterie** Rue
DH 76	**Est** Rue de l'
DG 77	**Europe** Place de l'
DG 77	**Europe** Square de l'
DI 78	**Fanfan La Tulipe** Rue
DH 74	**Farman** Square des Frères
DI 76	**Fayères** Villa des
DJ 75	**Ferme** Rue de la
DK 76	**Ferry** Rue Jules
DG 75	**Fessart** Rond-Point
DG 75	**Fessart** Rue
DI 77	**Fief** Passage du
DJ 78	**Fief** Rue du
DJ 76	**Fleurs** Villa des
DJ 75	**Forum** Allée du
DF 74	**Fossés St-Denis** Rue des
DI 74	**Fougères** Avenue des
DJ 77	**Fourquemain** Impasse
DF 75	**France** Boulevard Anatole
DF 75	**France Mutualiste** R. de la
DI 74	**Gallieni** Rue
DF 76	**Gambetta** Rue
DI 78	**Gance** Place Abel
DH 75	**Garnier** Rue Tony
DF 76	**Garros** Rue Roland
DF 75	**Gaulle** Avenue Charles De
DI 78	**Grande Illusion** Rue de la
DH 75	**Grand'Place**
DI 77	**Grenier** Avenue Pierre
DJ 76	**Griffuelhes** Rue Victor
DK 76	**Guesde** Place Jules
DH 77	**Guilbaud** Rue du Cdt
DG 77	**Gutenberg** Rue
DG 77	**Gutenberg** Square
DJ 75	**Hameau Fleuri** R. du
DJ 75	**Haute** Place
DK 76	**Heinrich** Rue
DJ 75	**Hemmen** Rue Jean
DI 75	**Henripré** Rue Jules
DI 78	**Herelle** Avenue Félix d'
DJ 75	**Heyrault** Rue
DH 76	**Hoche** Rue Lazare
DH 76	**Hugo** Avenue Victor
DI 76	**Hugo** Passage Victor
DJ 75	**Ile-de-France** P. de l'
DJ 78	**Issy** Pont d'
DJ 76	**Issy** Rue d'
DG 76	**Jacqueline** Rue
DF 74	**Jacquin** Jardin Anna
DG 74	**Jacquin** Rue Anna
DH 75	**Jaurès** Boulevard Jean
DI 76	**Jeanne** Villa
DG 75	**Johannot** Passage
DG 77	**Joséphine** Avenue
DI 78	**Jour se Lève** Avenue le
DI 75	**Juin** Avenue du Maréchal
DK 76	**Kermen** Rue Yves
DH 74	**Koufra** Rue de
DF 76	**La Rochefoucauld** Rue De
DH 75	**Landowski** Espace
DI 76	**Landrin** Rue Emile
DH 73	**Lattre De Tassigny** Avenue du Maréchal De
DG 75	**Laurant** Rue Alfred
DI 76	**Laurenson** Rue Albert
DH 76	**Lauriers** Allée des
DG 74	**Lavandières** Allée des
DH 75	**Le Corbusier** Rue
DI 74	**Le Gallo** Quai Alphonse
DI 76	**Leclerc** Av. du Général
DI 76	**Legrand** Passage
DG 75	**Lemoine** Rue
DJ 76	**Liot** Rue
DI 76	**Longchamp** Allée de
DF 75	**Longs-Prés** Cours des
DJ 76	**Longs-Prés** Rue des
DJ 76	**Longs-Prés** Square des
DG 77	**Loyau** Rue Marcel
DI 76	**Lumière** Avenue Louis
DF 75	**Mahias** Rue
DI 76	**Maillasson** Rue
DH 74	**Mairie** Villa de la
DH 76	**Maître Jacques** Rue
DH 76	**Maître Jacques** Sente
DH 77	**Malraux** Rd-Point André
DJ 76	**Marché** Place du
DJ 76	**Marché** Rue du
DG 76	**Marguerite** Avenue
DH 76	**Marie-Justine** Villa
DH 77	**Martin** Rue Henri
DH 77	**Martinique** Villa de la
DF 75	**Menus** Rue des
DJ 76	**Meudon** Rue de
DI 74	**Michelet** Rue
DJ 74	**Mimosas** Rue des
DJ 76	**Molière** Rue de
DJ 75	**Mollien** Rue
DK 77	**Monet** Rue Claude
DF 74	**Montmorency** Rue de
DG 77	**Moreau** Impasse
DG 76	**Moreau Vauthier** Rue
DJ 76	**Morizet** Avenue André
DJ 77	**Moulineaux** Square des
DJ 76	**Nationale** Rue
DJ 74	**Normandie** Passage de
DG 77	**Nungesser et Coli** Rue
DH 76	**Ouest** Rue de l'
DI 78	**Pagnol** Place Marcel
DG 74	**Palissy** Place Bernard
DH 77	**Parc** Rue du
DF 75	**Parchamp** Place du
DF 75	**Parchamp** Rue du
DF 75	**Parchamp** Square du
DG 74	**Paris** Rue de
DG 76	**Pasteur** Rue Louis
DH 77	**Pauline** Villa
DJ 77	**Pavillon** Rue du
DI 75	**Pelloutier** Rue Fernand
DJ 76	**Peltier** Rue
DH 75	**Perret** Rue Auguste
DF 76	**Persane** Villa
DG 74	**Petibon** Rue
DJ 78	**Peupliers** Rue des
DJ 77	**Peupliers** Villa des
DF 76	**Pins** Allée des
DF 76	**Pins** Rue des
DJ 74	**Platanes** Villa des
DI 76	**Point du Jour** Impasse du
DI 76	**Point du Jour** Quai du
DJ 76	**Point du Jour** Rue du
DG 77	**Pont de Billancourt** Pl. du
DJ 74	**Pont de Sèvres** Rd-Pt du
DJ 74	**Pont de Sèvres** Square du
DG 74	**Port** Rue du
DG 77	**Porte d'Auteuil** Av. de la
DJ 76	**Pouget** Allée Emile
DH 77	**Princes** Rue des
DI 75	**Princes** Villa des
DJ 74	**Provinces** Passage des
DF 75	**Puits** Cour du
DI 75	**Pyramide** Rue de la
DI 75	**Pyramide** Sente de la
DH 76	**Quatre Cheminées** R. des
DF 74	**Quatre Septembre** Q. du
DJ 77	**Racine** Place
DG 76	**Reinach** Rue Salomon
DH 77	**Reine** Route de la
DI 75	**Reinhardt** Rue
DJ 78	**République** Bd de la
DH 74	**Rhin et Danube** Rd-Point
DJ 76	**Rhin et Danube** Square
DI 76	**Rieux** Rue
DJ 76	**Ronsard** Villa
DG 76	**Rosendaël** Villa
DI 76	**Rouget De Lisle** Rue
DI 75	**Royale** Rue
DG 73	**Saint-Cloud** Pont de
DG 74	**Saint-Denis** Passage
DG 74	**Saint-Denis** Rue
DJ 76	**Saint-Germain** Rue Neuve
DJ 76	**St-Germain des Lgs-Prés** Pl.
DH 77	**Samarcq** Rue
DI 76	**Saussière** Rue de la
DG 77	**Schuman** Avenue Robert
DK 77	**Seine** Rue de
DJ 76	**Sembat** Place Marcel
DJ 74	**Sèvres** Pont de
DH 74	**Sèvres** Rue de
DJ 74	**Silly** Rue de
DG 76	**Simon** Rue Jules
DH 75	**Six Juin 1944** Rue du
DJ 76	**Solférino** Place de
DJ 76	**Solférino** Rue de
DJ 76	**Solférino** Square de
DI 75	**Sorel** Rue Georges
DI 78	**Stade de Coubertin** Av. du
DK 75	**Stalingrad** Quai de
DF 74	**Sycomores** Allée des
DH 77	**Thiers** Rue
DG 76	**Tilleuls** Rue des
DI 75	**Tilleuls** Villa des
DF 75	**Tisserant** Rue
DG 77	**Tourelle** Rue de la
DI 78	**Trancard** Impasse
DF 75	**Transvaal** Rue du
DK 76	**Traversière** Rue
DI 77	**Vaillant** Avenue Edouard
DI 77	**Vanves** Rue de
DG 76	**Vauthier** Rue
DG 75	**Verdun** Rue de
DJ 75	**Verlaine** Place Paul
DF 74	**Victoires** Rue des
DJ 74	**Vieux Pt de Sèvres** Al. du
DJ 74	**Vieux Pt de Sèvres** P. du
DJ 74	**Vieux Pt de Sèvres** R. du
DI 74	**Vingt-Cinq Août 1944** R. du
DI 78	**Voie Lactée** Avenue de la
DI 77	**Voisin** Rue Gabriel et Ch.
DH 75	**Wallace** Place
DJ 75	**Zola** Avenue Emile

Principaux Bâtiments

DJ 76	Bibliothèque
DI 78	Bibliothèque
DF 75	Bibliothèque
DI 76	Bibliothèque
DK 76	CCAS
DH 75	CCI
DH 76	Centre Culturel
DJ 75	CIO
DH 77	DDE
DJ 75	Espace Forum
DH 75	Espace Landowski
DJ 74	Gendarmerie
DF 75	Hôpital Ambroise Paré
DH 76	Hôtel des Impôts
DI 77	Hôtel des Impôts
DI 76	Lycée Jacques Prévert
DF 75	Lycée Notre-Dame
DI 74	Lycée Professionnel Etienne-Jules Marey
DJ 75	Mairie
DG 73	Musée Albert Kahn
DG 76	Musée P. Landowski
DJ 76	Patinoire
DG 75	Perception
DJ 75	Piscine
DI 76	Police
DJ 74	Police Annexe
DH 76	Pompiers
DG 75	Poste
DH 75	Poste
DI 75	Poste
DJ 75	Poste
DJ 74	Poste
DF 74	Prud'homme
DJ 74	Sous-Préfecture
DH 73	Stade Alphonse Le Gallo
DH 77	Cimetière de Billancourt
DH 76	Cimetière de Boulogne

CHARENTON-LE-PONT 94220 plan page 321

plan page 321

Métro : Ligne 8 Liberté - Charenton-Écoles - **Bus** : 24 -111-180 - 325

DM 101	**Abreuvoir** Rue de l'	
DM 101	**Alforville** Passerelle d'	
DK 99	**Arcade** Rue de l'	
DL 100	**Archevêché** Rue de l'	
DL 98	**Astier** Place Henri D'	
DK 101	**Bac** Rue du	
DL 101	**Basch** Rue Victor	
DL 100	**Bercy** Quai de	
DL 100	**Bergerac** Villa	
DJ 99	**Berthelot** Rue Marcellin	
DK 99	**Bobillot** Place	
DL 100	**Bordeaux** Rue des	
DL 101	**Briand** Place Aristide	
DL 100	**Cadran** Rue du	
DL 100	**Carrières** Quai des	
DL 100	**Cerisaie** Rue de la	
DL 100	**Cerisaie** Square de la	
DK 99	**Chanzy** Rue du Général	
DM 102	**Charenton** Pont de	
DL 100	**Charenton** Quai de	
DK 99	**Churchill** Av. Winston	
DL 100	**Conflans** Parc de	
DL 100	**Conflans** Rue de	
DK 99	**Coupole** Place de la	
DL 101	**Croquette** Rue Arthur	
DK 99	**Delcher** Rue Marius	
DL 100	**Delmas** Rue du Cdt	
DL 101	**Dussault** Place Arthur	
DL 101	**Eglise** Place de l'	
DL 100	**Eluard** Rue Paul	
DL 100	**Eluard** Square Paul	
DM 101	**Embarcadère** Rue de l'	
DJ 99	**Entrepôt** Rue de l'	
DK 98	**Escoffier** Rue	
DK 101	**Estienne D'Orves** Rue D'	
DK 98	**Europe** Place de l'	

DL 101	**Fleurs** Villa des	
DL 101	**Fragonard** Rue de	
DK 101	**France** Avenue Anatole	
DL 100	**France** libre Allée de la	
DL 101	**Gabrielle** Rue	
DK 98	**Gaulle** Av. du Général De	
DK 100	**Gravelle** Avenue de	
DK 98	**Grenet** Rue Robert	
DL 101	**Guérin** Rue	
DL 101	**Henri IV** Place	
DK 98	**Hérault** Rue de l'	
DL 101	**Hugo** Rue Victor	
DM 100	**Huit Mai 1945** Square du	
DL 101	**Jaurès** Avenue Jean	
DK 100	**Jeanne D'Arc** Rue	
DL 101	**Juin** Rue du Maréchal	
DL 101	**Kennedy** R. du Président	
DL 101	**Labouret** Rue	
DJ 99	**Langlais** Rue Félix	
DL 102	**Lattre De Tassigny** Avenue du Maréchal De	
DK 98	**Le Marin** Villa	
DL 101	**Leclerc** Rue du Général	
DL 102	**Lepic** Square	
DK 100	**Liberté** Avenue de la	
DL 101	**Lully** Villa Jean	
DM 101	**Mairie** Rue de la	
DL 99	**Mandela** Pont Nelson	
DK 100	**Marseillais** Place des	
DM 100	**Martinet** Rue	
DL 101	**Marty** Rue Jean-Baptiste	
DK 98	**Méhul** Rue Etienne	
DL 100	**Mermoz** Square Jean	
DL 100	**Moulin** Rue Jean	
DK 100	**Mouquet** Rue Camille	
DK 99	**Necker** Rue	
DK 100	**Nocard** Rue R.	

DL 101	**Noël** Square Jules	
DK 98	**Nouveau Bercy** Rue du	
DL 99	**Onze Novembre 1918** Square du	
DK 101	**Ormes** Rue des	
DL 102	**Parc** Rue du	
DK 100	**Paris** Rue de	
DL 100	**Pasteur** Rue	
DL 101	**Péri** Rue Gabriel	
DJ 99	**Petit Château** Rue du	
DL 101	**Pigeon** Rue Jean	
DM 102	**Pont** Rue du	
DL 99	**Port aux Lions** Rue du	
DL 102	**Quatre Vents** I. des	
DL 101	**Ramon** Place	
DL 101	**République** Allée de la	
DK 98	**Richelieu** Allée du Cardinal De	
DK 98	**Richelieu** Les Jardins du Cardinal De	
DL 100	**Ronsard** Allée	
DL 100	**Saint-Pierre** Rue	
DL 100	**Saint-Pierre** Villa	
DL 101	**Savouré** Rue Alfred	
DL 100	**Schumann** Rue Robert	
DL 101	**Séjour** Rue du	
DL 99	**Sellier** Square Henri	
DL 99	**Séminaire de Conflans** Rue du	
DK 101	**Stinville** Avenue de	
DL 101	**Sully** Rue de	
DL 101	**Sully** Square	
DJ 99	**Terrasse** Rue de la	
DL 102	**Thiébault** Rue	
DK 99	**Tilleuls** Allée des	
DL 99	**Valmy** Passerelle de	

DJ 99	**Valmy** Rue de	
DL 101	**Valois** Place de	
DK 100	**Verdun** Rue de	

Principaux Bâtiments

DK 99	Ateliers Arts Plastiques
DK 98	Bibliothèque
DL 100	Bibliothèque Espinassous
DL 100	CCAS
DL 101	Centre Administratif
DL 100	Centre Culturel Alexandre Portier
DL 98	Clinique
DK 101	Complexe Sportif
DK 99	Conservatoire de Musique
DK 100	CPAM
DK 100	Espace Art et Liberté
DL 101	Espace Médicis
DK 99	Hôtel des Impôts
DK 101	L.P. Jean Jaurès
DL 99	Lycée N.-D. des Missions
DL 101	Mairie
DL 101	Mairie Annexe
DK 100	Musée Toffoli
DL 100	Police
DK 98	Police Municipale
DL 100	Poste
DL 101	Poste Annexe
DM 100	Stade Henri Guérin
DL 100	Théâtre des 2 Rives
DK 100	Trésor Public
DL 101	Tribunal

CLICHY 92110 plan page 323

plan page 323

Métro : Ligne 13 - Mairie de Clichy - **Bus** : NC-TUC E/O-54-66-74-135-138 A-165-173-174-340

CT 84	**Abreuvoir** Rue de l'	
CT 87	**Adam** Rue Achille	
CT 86	**Alsace** Rue d'	
CT 85	**Ancienne Mairie** Rue de l'	
CS 85	**Antonini** Rue Alexandre	
CT 83	**Asnières** Pont d'	
CT 84	**Asnières** Route d'	
CT 84	**Asnières** Rue Jeanne D'	
CU 87	**Auboin** Rue	
CT 85	**Auffray** R. Charles et René	
CT 84	**Avenir** Rue de l'	
CT 83	**Bac d'Asnières** Rue du	
CT 86	**Barbier** Impasse	
CR 86	**Bardin** Rue	
CS 85	**Bateliers** Rue des	
CT 87	**Belfort** Rue de	
CT 84	**Bérégovoy** Rue Pierre	
CT 85	**Berthelot** Rue Marcelin	
CT 83	**Berthier** Passage	
CS 87	**Bigot** Villa Simone	
CR 86	**Bloch** Rue Marc	
CS 85	**Blum** Rue Léon	
CT 87	**Boisseau** Rue Georges	
CR 85	**Bonamy** Pl. des Docteurs	
CU 86	**Bonnet** Rue	
CS 86	**Brandt** Rue Willy	
CT 87	**Bréchet** Allée Marie	
CU 84	**Briqueterie** Impasse de la	
CT 84	**Buisson** Rue Ferdinand	
CU 85	**Cailloux** Impasse des	
CU 85	**Cailloux** Rue des	
CT 85	**Calmette** R. du Dr Albert	
CT 84	**Casanova** Place Danièle	

CT 85	**Castères** Rue	
CU 85	**Chance-Milly** Rue	
CS 84	**Chasses** Passage des	
CS 84	**Chemin Vert** Rue du	
CS 87	**Citroën** Rue André	
CR 84	**Clichy** Pont de	
CS 87	**Clichy** Quai de	
CS 85	**Clichy** Rue de	
CS 85	**Couillard** Rue Alfred	
CS 86	**Courteline** Rue Georges	
CU 86	**Curie** Rue Pierre	
CR 85	**Curton** Rue	
CT 85	**Dac** Rue Pierre	
CR 86	**Dagobert** Rue	
CT 87	**Debussy** Avenue Claude	
CT 86	**Dhalenne** Allée Albert	
CS 85	**Dix-Huit Juin 1940** R. du	
CU 86	**Dix-Neuf Mars 1962** R. du	
CS 87	**Dreyfus** Rue Pierre	
CS 84	**Droits de l'Homme** R. des	
CT 85	**Dumur** Impasse	
CS 84	**Eiffel** Rue Gustave	
CT 84	**Emile** Villa	
CS 85	**Estienne D'Orves** Rue D'	
CR 86	**Europe** Allées de l'	
CU 84	**Fanny** Rue	
CU 85	**Fort de Douaumont** Boulevard du	
CT 86	**Foucault** Rue	
CT 86	**Fouquet** Rue	
CS 84	**Fournier** Rue	
CU 85	**France** Avenue Anatole	
CT 86	**Gambetta** Allée Léon	
CR 86	**Gennevilliers** Pont de	

CT 84	**Gesnouin** Rue	
CT 84	**Geulin** Rue	
CS 85	**Guichet** Rue du	
CT 87	**Hugo** Boulevard Victor	
CU 86	**Huit Mai 1945** Rue du	
CT 85	**Huntziger** Rue	
CU 85	**Jaurès** Boulevard Jean	
CS 84	**Jaurès** Villa Jean	
CU 85	**Jouffroy-Renault** Cité	
CT 86	**Klock** Rue	
CS 85	**Landy** Rue du	
CR 85	**Lattre De Tassigny** Rue du Maréchal Jean De	
CT 87	**Leclerc** Bd du Général	
CS 85	**Leriche** Rue du Pr René	
CS 84	**Leroy** Rue	
CS 85	**Levillain** Square Georges	
CR 85	**Lumière** Rue des Frères	
CS 85	**Maes** Place Louis-Joseph	
CT 85	**Mairie** Place de la	
CT 85	**Marché** Place du	
CT 85	**Martissot** Rue	
CT 85	**Martre** Rue	
CT 85	**Martyrs de l'Occupation Allemande** Place des	
CS 84	**Médéric** Rue	
CT 86	**Méric** Rue Victor	
CT 87	**Morel** Rue	
CT 86	**Morice** Rue	
CT 86	**Morillon** Rue	
CS 87	**Mozart** Rue	
CT 84	**Neuilly** Rue de	
CT 87	**Nivert** Passage	
CU 85	**Nouvelle** Cité	

CS 85	**Onze Novembre 1918** R. du	
CT 86	**Paille** Passage	
CT 86	**Palloy** Rue	
CT 86	**Palme** Rue Olof	
CS 85	**Paradinas** Rue Charles	
CT 84	**Paris** Rue de	
CT 84	**Passoir** Impasse	
CT 84	**Pasteur** Rue	
CU 85	**Paul** Rue Marcel	
CT 86	**Paymal** Rue Gaston	
CR 86	**Pierre** Rue	
CT 84	**Pelloutier** Rue Fernand	
CS 85	**Péri** Rue Gabriel	
CT 84	**Petit** Rue	
CS 86	**Petits Marais** Allée des	
CT 86	**Poillot** Rue Lucien	
CS 84	**Poincaré** Rue Henri	
CS 84	**Port** Rue du	
CR 86	**Port de Gennevilliers** Route du	
CT 86	**Poyer** Rue	
CS 87	**Prouvé** Allée Jean	
CT 83	**Puits Bertin** Passage du	
CS 84	**Quiclet** Rue Georges	
CS 87	**Rabin** Rue Yitzhak	
CS 85	**Reflut** Passage	
CT 86	**République François Mitterrand** Place de la	
CR 86	**Roguet** Rue du Général	
CU 86	**Rouget De Lisle** Rue	
CU 86	**Roux** R. du Docteur Emile	
CS 85	**Sangnier** Rue Marc	
CT 87	**Sanzillon** Rue Madame De	
CR 86	**Seurat** Rue Georges	

CR 86	**Signac** Allée Paul	CT 84	**Valiton** Rue	CT 86	Conservatoire	CT 85	Police Municipale
CT 86	**Simonneau** Rue	CS 87	**Van Gogh** Allée	CR 85	E.N.R.E.A. Lycée Newton	CS 84	Pompiers
CU 85	**Sincholle** Rue Bertrand	CU 87	**Varet** Passage Abel	CU 85	Espace Henry Miller	CT 85	Poste
CT 86	**Soret** Rue Georges	CT 86	**Verne** Place Jules	CS 86	Hôpital Beaujon	CS 85	Poste Annexe
CT 86	**Souchal** Rue	CS 85	**Véziel** Rue René	CT 86	Hôpital Gouin	CT 87	Poste Annexe
CT 86	**Staël** Rue Madame De	CS 86	**Villeneuve** Rue	CT 84	Lycée Professionnel René	CS 86	Stade Georges Racine
CR 85	**Stepney** Rue de	CR 86	**Walter** Rue Jean		Auffray	CT 85	Syndicat d'Initiative
CR 86	**Tabarly** Quai Eric			CT 85	Mairie	CT 86	Théâtre Rutebeuf
CT 86	**Talvas** Rue du Père		**Principaux Bâtiments**	CT 86	Mairie Annexe	CR 85	Université Paris III
CS 84	**Teinturiers** Rue des	CT 84	ANPE	CR 85	Mairie Annexe Berges de Seine	CS 86	Nouveau Cimetière
CT 87	**Touzet** Rue	CS 85	CCAS	CT 84	Office de Tourisme	CU 84	Cimetière Sud
CR 86	**Trois Pavillons** Rue des	CT 85	Centre Administratif	CT 84	Piscine		
CT 86	**Trouillet** Rue	CS 86	Centre Culturel	CT 85	Police		

FONTENAY-SOUS-BOIS 94120 plan page 325

RER : Lignes A4 et E Val de Fontenay - Ligne A2 Fontenay-sous-Bois
Bus : NG-116-118-122-124-127-301

DF 109	**Albert Ier** Rue	DF 109	**Carrières** Voie des	DG 110	**Fraternité** Rue de la	DG 108	**Mallier** Rue
DE 109	**Albrecht** Rue Berthie	DE 110	**Casanova** Rue Danielle	DE 108	**Frênes** Villa des	DE 106	**Malot** Rue Hector
DG 110	**Alger** Impasse d'	DE 110	**Castel** Rue	DF 110	**Gallieni** Boulevard	DF 109	**Mandel** Rue Georges
DG 110	**Alger** Rue d'	DG 109	**Charles** Rue Gaston	DE 108	**Gambetta** Rue	DD 111	**Mandela** Place Nelson
DD 113	**Alouettes** Rue des	DF 107	**Charmes** Avenue des	DE 111	**Garcia** Avenue Charles	DD 113	**Marais** Chemin des
DE 111	**Amitié entre les Peuples**	DE 110	**Châtelet** Villa du	DF 108	**Gaucher** R. Marcel et Jacques	DD 112	**Marais** Rue des
	Place de l'	DD 109	**Chaussade** Impasse de la	DE 111	**Gaulle** Pl. du Général De	DF 112	**Marceau** Rue
DF 110	**Ampère** Rue	DF 109	**Cheval-Rû** Rue du	DF 109	**Gay-Lussac** Rue	DE 111	**Mare à Guillaume** R. de la
DF 109	**Ancienne Mairie** Rue de l'	DG 109	**Chevrette** Rue	DG 107	**Gorki** Allée Maxime	DG 111	**Margerie** Rue Gaston
DF 110	**Angles** Rue des	DG 109	**Clos d'Orléans** Rue du	DF 107	**Gounod** Rue	DF 109	**Marguerite** Rue
DF 110	**Aubry** R. du Rvd Père L.	DE 106	**Coli** Rue	DE 108	**Grandjean** Villa	DH 109	**Marronniers** Avenue des
DG 109	**Audience** Rue de l'	DE 110	**Comte** Rue Auguste	DF 113	**Grange** Rue Pierre	DE 108	**Martin** Rue Eugène
DD 113	**Auroux** Rue Louis	DG 110	**Corneille** Rue de la	DF 109	**Grognard** Rue	DD 111	**Martinie** Rue Jean-Pierre
DE 106	**Avenir** Impasse de l'	DE 110	**Coteau** Villa du	DD 110	**Guizot** Rue	DF 110	**Martyrs de la Résistance**
DF 109	**Avenir** Rue de l'	DE 111	**Cotton** R. Aimé et Eugénie	DF 112	**Guynemer** Rue		Place des
DD 109	**Balzac** Rue	DF 109	**Couderchet** Rue Maurice	DD 108	**Haze** Villa	DF 107	**Massenet** Rue Jules
DH 109	**Bapaume** Rue de	DF 110	**Croix Heurtebise** Rue de la	DE 108	**Heitz** Villa	DE 108	**Matène** Chemin de la
DE 110	**Barbusse** Allée Henri	DE 111	**Croix Pommier** I. de la	DG 108	**Hélène** Villa	DG 110	**Matène** Rue de la
DG 110	**Barthélemy** Rue Maurice	DC 109	**Curie** Rue Pierre	DE 108	**Héricourt** Rue Eugène	DE 108	**Mauconseil** Rue
DF 108	**Bassé** Rue Charles	DF 110	**Cuvier** Rue	DF 112	**Hoche** Rue	DE 108	**Maury** Rue Edouard
DE 109	**Bassé** Boulevard André	DF 107	**Dalayrac** Rue	DC 109	**Honoré** Rue Camille	DE 106	**Médéric** Rue
DE 109	**Beaudouin** Square Roger	DE 110	**Dame Blanche** Av. de la	DF 110	**Hôtel de Ville** Allée de l'	DG 109	**Mémoris** Villa
DD 109	**Beaumarchais** Rue	DE 110	**Dame Blanche** Villa de la	DD 109	**Hugo** Avenue Victor	DE 110	**Mendès France** Rue
DE 107	**Beaumonts** Rue des	DE 108	**Danton** Avenue	DE 109	**Huit Mai 1945** Place du	MC 104	**Michel** Rue Louise
DE 107	**Beaumonts** Villa des	DE 106	**Daumain** Square	DE 111	**Jaurès** Rue Jean	DE 109	**Michelet** Place
DE 107	**Beauséjour** Avenue	DE 106	**Demont** Rue Pierre	DE 110	**Joffre** Av. du Maréchal	DE 110	**Michelet** Rue
DE 107	**Beauséjour** Villa	DF 110	**Descartes** Rue	DG 109	**Joinville** Rue de	DC 108	**Mirabeau** Rue
DD 107	**Bel-Air** Villa du	DE 106	**Désiré** Rue	DD 110	**King** Av. du Pasteur M.-L.	DF 108	**Mocards** Rue des
DH 109	**Belle Gabrielle** Av. de la	DF 110	**Desmarets** Impasse	DE 109	**Kosmos** Square du	DE 110	**Molière** Rue
DE 110	**Belles Vues** Rue des	DH 110	**Deux Communes** Bd des	DG 110	**La Fontaine** Rue	DE 111	**Montesquieu** Rue
DE 108	**Bellevues** Villa	DE 111	**Dix-Neuf Mars 1962** Pl. du	DF 111	**Lacassagne** Rue Gabriel	DG 108	**Moreau-David** Place
DE 109	**Bellevues** Villa des	DC 109	**Doré** Rue Gustave	DE 111	**Lamartine** Rue	DE 110	**Mot** Rue
DE 109	**Béranger** Rue	DF 109	**Douat** Rue Jean	DE 111	**Langevin** Rue Paul	DD 111	**Moulin** Rue Jean
DE 109	**Béranger** Voie	DF 109	**Duhail** Rue du Cdt Jean	DG 109	**Lapie** Villa	DE 108	**Moulin** Villa du
DE 109	**Berceau** Rue du	DF 108	**Dulac** Rue Pierre	DE 112	**Larousse** Rue Pierre	DE 108	**Moulin des Rosettes**
DE 110	**Bert** Rue Paul	DF 109	**Église** Impasse de l'	DD 110	**Larris** Place des		Impasse du
DE 109	**Berthelot** Rue Marcellin	DD 111	**Eluard** Rue Paul	DD 112	**Lattre De Tassigny**	DE 108	**Moulins** Rue des
DD 111	**Bicentenaire** Place du	DF 110	**Emeris** Rue des		Avenue du Maréchal De	DG 110	**Mussault** Rue Victor
DG 111	**Bir Hakeim** Rue de	DG 111	**Épivans** Allée des	DE 107	**Laurent** Rue André	DE 110	**Musset** Rue Alfred De
DE 112	**Bobet** Avenue Louison	DG 110	**Epoigny** Rue d'	DD 109	**Lavoisier** Rue	DF 109	**Naclières** Rue des
DE 111	**Bois d'Aulnay** Sentier du	DG 109	**Espérance** Villa de l'	DE 106	**Le Brix** Rue	DF 112	**Neuilly** Avenue de
DE 113	**Bois des Joncs Marins**	DF 107	**Estienne D'Orves** Rue D'	DE 106	**Le Tiec** Rue Georges	DF 110	**Neuilly** Rue de
	Rue du	DD 111	**Etterbeeck** Place d'	DF 109	**Leclerc** Place du Général	DF 110	**Nord** Rue du
DC 112	**Bois Galand** Sentier du	DF 108	**Eugène** Villa	DF 112	**Léger** Rue Fernand	DE 106	**Notre-Dame** Rue
DC 113	**Bois Galon** Rue du	DE 108	**Eugénie** Villa	DG 110	**Legrand** Rue	DE 106	**Nungesser** Rue
DF 108	**Boschot** Rue	DD 109	**Fabre D'Eglantine** Rue	DE 107	**Legry** Impasse	DH 109	**Odette** Avenue
DE 107	**Boutrais** Passage Emile	DF 112	**Faidherbe** Avenue Louis	DF 108	**Lepetit** Rue Jules	DD 112	**Olympiades** Avenue des
DE 107	**Boutrais** Rue Emile	DE 108	**Ferry** Rue Jules	DE 108	**Leroux** Rue Guérin	DD 111	**Olympiades** Square des
DF 109	**Bouvard** Rue	DG 109	**Fidélité** Rue de la	DE 110	**Lesage** Rue	DG 109	**Orléans** Villa d'
DF 109	**Bovary** Allée	DD 113	**Florian** Rue	DE 108	**Lespagne** Rue Victor	DF 110	**Ormes** Rue des
DG 110	**Brossolette** Rue Pierre	DG 106	**Fock** Rue Ferdi	DF 107	**Letourneur** Villa	DE 108	**Ormes** Villa des
DE 110	**Buisson** Rue Suzanne	DG 110	**Fond des Angles** Rue du	DG 109	**Libération** Place de la	DE 108	**Ouest** Villa de l'
DD 111	**Buisson de la Bergère** R. du	DD 112	**Fontaine du Vaisseau**	DC 109	**Lilas** Villa des	DE 108	**Paix** Villa de la
DE 110	**Camus** Allée Albert		Rue de la	DE 106	**Luat** Rue du	DC 110	**Palissy** Rue Bernard
DE 112	**Carnot** Rue	DF 113	**Fontenay** Boulevard de	DD 111	**Macé** Rue Jean	DE 109	**Papin** Rue Denis
DE 107	**Carreaux** Villa des	DG 110	**Fort de Nogent** Rd-Pt du	DE 108	**Madeleine** Villa	DE 106	**Parapluies** Carrefour des
DF 109	**Carrières** Rue des	DE 109	**France** Rue Anatole	DF 108	**Maison Rouge** Rue de la	DE 106	**Parapluies** Square des

GENTILLY 94250 plan page 333

RER : Ligne B Gentilly
Bus : 57-125-184-186

ISSY-LES-MOULINEAUX 92130

plan page 327

Métro : Ligne 12 - Corentin-Celton - Mairie d'Issy
Bus : 123-126-169-189-190-289-290-323-389-589
RER : C - Issy-Val-de-Seine - Issy
Tramway T2 : Issy-Val de Seine - Jacques-Henri Lartigue - Les Moulineaux

Réf.	Voie	Réf.	Voie
DK 79	**Acacias** Rue des	DM 78	**Etroites** Sentier des
DL 78	**Accès à la Gare** Chemin d'	DI 80	**Farman** Rue Henry
DL 81	**Alembert** Place D'	DK 79	**Ferber** Rue du Capitaine
DK 79	**Alembert** Rue D'	DM 77	**Ferme** Allée de la
DJ 79	**Amiot** Mail Félix	DL 79	**Ferme** Parc de la
DI 81	**Armand** Rue Louis	DM 78	**Ferrer** Villa Francisco
DK 78	**Asile** Sentier de l'	DK 79	**Ferry** Rue Jules
DK 78	**Atget** Rue Eugène	DL 77	**Fleury** Allée de
DL 79	**Avia** Rue du Colonel Pierre	DL 77	**Flore** Allée de
DI 79	**Bachaga Boualam** Place	DK 78	**Follereau** Esplanade Raoul
DI 79	**Bara** Rue	DJ 82	**Foncet** Esplanade de
DM 80	**Barbès** Rue des	DK 79	**Fontaine** Allée de la
DL 76	**Bas Meudon** Avenue du	DK 81	**Fontaine** Place de la
DL 79	**Bateau Lavoir** Rue du	DL 80	**Fort** Rue du
DM 81	**Baudin** Impasse	DK 77	**Foucher-Lepelletier** Rue
DL 81	**Baudin** Rue	DJ 82	**Fournier** Square Marcel
DK 82	**Baudouin** Rue Eugène	DM 78	**Fragonard** Rue Honoré
DM 80	**Bernard** Rue Claude	DK 80	**France** Rue Anatole
DL 78	**Bert** Rue Paul	DJ 79	**Frantz** Rue Joseph
DL 79	**Berteaux** Rue Maurice	DL 81	**Fraternité** Rue de la
DL 80	**Berthelot** Rue Marcellin	DL 76	**Fréret** Impasse
DK 82	**Berthelotte** Chemin de la	DL 80	**Galerie** Rue de la
DM 77	**Besnard** Rue Paul	DL 77	**Gallieni** Boulevard
DL 79	**Billancourt** Allée de	DK 81	**Gambetta** Boulevard
DK 80	**Biscuiterie** Rue de la	DL 78	**Gare** Rue de la
DJ 79	**Blandan** Rue du Sergent	DL 81	**Garibaldi** Boulevard
DL 78	**Blériot** Square Louis	DL 81	**Gaulle** Av. du Général De
DL 78	**Blum** Place Léon	DJ 82	**Georges-Marie** Rue
DK 81	**Bois Vert** Chemin du	DN 79	**Georget** Passage Jean
DL 80	**Bonnier** Allée Louis	DL 80	**Gervais** Rue Auguste
DL 76	**Boucher** Mail Alfred	DL 77	**Gévelot** Place Jules
DL 79	**Bouin** Avenue Jean	DM 80	**Glacière** Rue de la
DL 80	**Bourgain** Avenue	DJ 79	**Godet** Rue Jacques
DL 80	**Branly** Rue Edouard	DL 81	**Grégoire** Rue de l'Abbé
DL 77	**Brasserie** Allée de la	DJ 79	**Grenelle** Allée de
DL 78	**Breton** Rue Marius	DL 81	**Guesde** Rue Jules
DL 80	**Briand** Rue Aristide	DM 78	**Guimard** Rond-Point Henri
DL 81	**Brossolette** Rue Pierre	DJ 81	**Guynemer** Rue du
DM 79	**Buisson** Rue Ferdinand	DL 76	**Hameau Normand** Allée du
DL 81	**Burgun** R. Georges-Marcel	DK 82	**Hartmann** Rue Maurice
DL 78	**Buvier** Sentier du	DL 79	**Haussmann** Villa
DM 80	**Calmette** Av. du Professeur	DK 81	**Haydanilles** Cité des
DL 81	**Carnot** Rue Lazare	DK 78	**Hirondelles** Mail des
DL 78	**Carrières** Allée des	DK 80	**Hoche** Allée
DJ 79	**Caudron** Rue Gaston et René	DL 80	**Hoche** Rue
DK 81	**Celton** Parvis Corentin	DJ 80	**Hugo** Rond-point Victor
DL 80	**Cerisiers** Villa des	DK 81	**Hugo** Rue Victor
DL 76	**Chabanne** Place	DL 81	**Huit Mai 1945** Place du
DJ 81	**Champeau** Rue Maurice	DL 81	**Iles** Boulevard des
DJ 81	**Chapelle Saint-Sauveur** Allée de la	DL 81	**Industrie** Passage de l'
DK 80	**Charlot** Rue	DL 77	**Issy** Allée d'
DN 79	**Chemin de Fer** Sentier du	DJ 78	**Issy** Pont d'
DM 80	**Chemin Vert** Rue du	DM 77	**Jacques** Rue René
DK 80	**Chénier** Rue André	DL 76	**Jard. de l'Ile** Prom. des
DK 80	**Chérioux** Rue Adolphe	DL 81	**Jarland** Allée du Père
DL 81	**Chevalier De La Barre** R. du	DK 81	**Jassède** Rue Prudent
DL 81	**Chevreuse** Villa	DK 80	**Jaurès** Avenue Jean
DL 79	**Citeaux** Allée des	DL 77	**Jazy** Rue Michel
DL 81	**Cloquet** Impasse	DJ 81	**Jeanne D'Arc** Rue
DL 77	**Clos** Allée de la	DL 79	**Jeannin-Garreau** R. Eliane
DL 81	**Clotilde** Rue	DI 79	**Juin** Place du Maréchal
DM 78	**Courbarien** Rue Antoine	DL 79	**Kennedy** Pl. du Pdt J.-F.
DJ 81	**Courteline** Rue	DK 80	**Kléber** Rue
DK 79	**Coutures** Allée des	DL 79	**Kléber** Villa
DL 80	**Cresson** Avenue Victor	DL 78	**Lafayette** Place
DL 80	**Curie** Rue Pierre	DK 80	**Lamartine** Rue
DK 80	**Danton** Rue	DK 78	**Lartigue** R. Jacques-Henri
DL 79	**Défense** Rue de la	DL 77	**Lassere** Rue
DJ 79	**Delagrange** Rue Léon	DK 79	**Latéral** Chemin
DK 80	**Delahaye** Rue	DL 77	**Lattre de Tassigny** Place du Maréchal De
DL 81	**Derry** Rue de l'Abbé	DL 80	**Leca** Place Bonaventure
DJ 79	**Desmoulins** Rue Camille	DL 80	**Lecache** Allée Henri
DK 80	**Diderot** Rue	DL 80	**Leclerc** Rue du Général
DM 77	**Dix-Neuf Mars 1962** Pl. du	DL 80	**Liberté** Rue de la
DL 81	**Dolet** Rue Etienne	DL 77	**Loges** Sentier des
DM 79	**Duployé** Rue Emile	DL 81	**Lombard** Rue du Docteur
DK 80	**Eboué** R. du Gouv. Général	DJ 81	**Luce** Allée Maximilien
DL 81	**Ecoles** Allée des	DL 79	**Lumières** Parvis des
DL 79	**Egalité** Rue de l'	DK 81	**Lycée** Villa du
DK 78	**Eglise** Place de l'	DL 81	**Madame** Rue
DJ 79	**Eiffel** Allée Gustave	DK 78	**Madaule** Place Jacques
DL 79	**Epinettes** Sentier des	DM 78	**Mademoiselle** Rue
DL 79	**Erevan** Rue d'	DJ 79	**Mallet** Rue Maurice
DK 79	**Estienne D'Orves** Rue D'	DM 80	**Malon** Rue Benoît
		DJ 82	**Manufacture** Espl. de la

Réf.	Voie	Réf.	Voie
DK 79	**Maraîchers** Allée des	DK 79	**Timbaud** Rue Jean-Pierre
DK 80	**Marceau** Rue	DM 78	**Tir** Villa du
DJ 80	**Marcettes** Sentier des	DM 79	**Tolstoï** Rue
DK 79	**Marguerite** Villa	DL 79	**Travailleurs** Rue des
DL 79	**Martelle** Rue de la	DM 81	**Tricots** Impasse des
DM 78	**Matisse** Allée Henri	DL 81	**Tricots** Sentier des
DJ 82	**Matrat** Rue Claude	DL 81	**Trois Beaux-Frères** I. des
DJ 81	**Mayer** Rue Henri	DM 78	**Union** Allée de l'
DK 80	**Menand** Mail Raymond	DK 82	**Université** Allée de l'
DJ 82	**Meudon** Rue d'	DL 81	**Vaillant-Couturier** Pl. Paul
DL 81	**Michelet** Rue	DK 81	**Vanves** Rue de
DK 81	**Minard** Rue	DJ 82	**Varennes** Square des
DL 77	**Miquel** Rue Marcel	DM 80	**Vauban** Rue
DK 77	**Monnet** Avenue Jean	DK 81	**Vaudtard** Rue
DL 80	**Montézy** Sentier de la	DL 76	**Vaugirard** Rue de
DM 77	**Montquartiers** Chemin des	DM 79	**Verdi** Rue
DL 81	**Moreau** Rue Madeleine	DM 77	**Verdun** Avenue de
DL 77	**Moulin** Chemin du	DK 80	**Vernet** Rue Horace
DL 77	**Moulin** Pont Jean	DL 77	**Viaduc** Rue du
DL 77	**Moulin de Pierre** Rue du	DM 78	**Vignes** Chemin des
DL 76	**Moulineaux** Allée des	DJ 82	**Voisembert** R. J.-Edouard
DM 77	**Nahariya** Square	DL 80	**Voisin** Bd des Frères
DL 77	**Natter** Rue du Père	DK 81	**Voltaire** Boulevard
DK 80	**Naud** Rue Edouard	DL 81	**Voltaire** Rue
DK 81	**Nicot** Allée Jean	DL 76	**Vuillième** Rue du Docteur
DJ 79	**Nieuport** Rue Edouard	DL 80	**Wagner** Impasse
DK 80	**Nouvelle** Impasse	DL 79	**Weiden** Carrefour de
DK 80	**Nouvelle** Voie	DL 79	**Zacq** Place Léon
DL 77	**Onze Novembre 1918** Pl. du	DK 79	**Zacq** Square Léon
DJ 79	**Oradour-sur-Glane** Rue d'	DM 79	**Zamenhoff** R. du Docteur
DL 80	**Paix** Avenue de la	DL 80	**Zola** Rue Emile
DL 81	**Paix** Villa de la		
DM 78	**Panorama** Allée du		**Principaux Bâtiments**
DL 76	**Pape** Promenade Constant	DK 80	Auditorium
DL 80	**Parc** Villa du	DL 79	Caserne Gardes Mobiles
DL 80	**Parc de l'Europe** Passerelle du	DL 80	Caserne Gardes Mobiles
DL 81	**Parmentier** Rue	DK 81	Centre Administratif
DK 78	**Passeur de Boulogne** R. du	DK 80	Centre d'Affaires
DL 79	**Pasteur** Avenue	DK 80	Clinique
DM 78	**Pastorale d'Issy** Rue de la	DL 81	Clinique
DM 81	**Pensards** Sentier des	DK 80	Conservatoire
DL 77	**Péri** Rue Gabriel	DL 80	CPAM
DK 80	**Petit Buvier** Sentier du	DM 79	Fort d'Issy- les-Moulineaux
DK 79	**Peupliers** Rue des	DK 80	Gendarmerie
DL 76	**Poli** Rue Pierre	DM 79	Halle
DL 76	**Ponceau** Rue du	DJ 81	Hôpital Corentin Celton
DL 81	**Ponts** Allée des	DM 77	Hôpital de Jour
DL 76	**Popielusko** Allée du Père	DK 81	Hôpital Suisse de Paris
DL 82	**Potin** Rue Jean-Baptiste	DL 81	Hôtel des Impôts
DK 76	**Promenade Robinson** Rue	DL 78	Lycée Eugène Ionesco
DL 77	**Pucelles** Sentier des	DL 79	Lycée Eugène Ionesco Annexe
DJ 82	**Quatre Septembre** Rue du	DK 80	Mairie
DM 78	**Quatre Vents** Impasse des	DM 78	Mairie Annexe
DL 79	**Rabelais** Rue	DL 78	Maison de la Nature
DK 80	**Renan** Rue Ernest	DL 80	Médiathèque
DJ 82	**République** Avenue de la	DL 80	Musée
DL 78	**Résistance** Place de la	DK 80	Office de Tourisme
DL 81	**Robespierre** R. Maximilien	DL 80	Palais des Arts et des Congrès
DM 78	**Rodin** Boulevard	DK 82	Parc des Expositions
DI 79	**Roosevelt** Q. du Président	DK 79	Parc Municipal des Sports
DL 80	**Rouget De Lisle** Rue	DK 79	Piscine
DL 78	**Rousseau** Rue J.-Jacques	DK 80	Police
DL 78	**Rousseau** Villa J.-Jacques	DJ 81	Police
DK 79	**Sablons** Allée des	DM 78	Police Municipale
DM 77	**Saint-Cloud** Chemin de	DK 80	Pompiers
DL 77	**Sainte-Eudoxie** Rue	DL 77	Poste
DL 77	**Sainte-Lucie** Rue	DM 77	Poste
DL 75	**Saint-Germain** Place	DK 80	Poste
DL 77	**Saint-Jean** Passage	DL 81	Poste
DL 77	**Saint-Vincent** Cours	DJ 82	Poste
DJ 79	**Salengro** Rue Roger	DM 80	Stade Alain Mimoun
DL 80	**Schuman** Pl. du Pdt Robert	DL 76	Stade de l'Ile de Billancourt
DM 79	**Sembat** Rue Marcel	DK 80	Stade G. Voisin
DL 79	**Sergent** Rue	DK 79	Stade J. Bouin
DL 79	**Sergent** Villa	DL 79	Stade
DJ 81	**Séverine** Rue	DL 78	Technopolis
DL 77	**Souvenir Français** Pl. du	DK 80	Trésorerie
DL 79	**Spectacle** Place du	DK 78	Tri Postal
DL 79	**Stalingrad** Quai de	DM 78	Cim. d'Issy-les-Moulineaux
DK 81	**Sténon** Passage Nicolas		
DL 80	**Tariel** Rue Henri		
DL 80	**Telles de la Poterie** Rue		
DL 80	**Telles de la Poterie** Villa		
DL 80	**Tilleuls** Place des		
DL 80	**Tilleuls** Villa des		

Métro : Ligne 7 - Pierre-Curie - Mairie d'Ivry
RER : Ligne C - Ivry-sur-Seine
Bus : NI-125-132-180-182-183-323-325

JOINVILLE-LE-PONT   94340   plan page 331

RER : A2 - Joinville-le-Pont
Bus : 106 A-106 B-108 A-108 B-108 N-111-112-281

DM 110	**Alfred** Avenue	
DJ 109	**Alger** Avenue d'	
DL 110	**Allaire** Avenue Pierre	
DJ 110	**Alliés** Boulevard des	
DK 109	**Anjou** Quai d'	
DK 110	**Arago** Avenue	
DN 108	**Bagaudes** Boulevard des	
DN 109	**Barbusse** Rue Henri	
DM 109	**Barrage** Quai du	
DM 109	**Beaubourg** Rue	
DL 109	**Berguisch Gladbach** Place	
DM 109	**Bernier** Rue	
DK 109	**Béthune** Quai de	
DJ 110	**Bizet** Avenue	
DJ 111	**Blois** Rue de	
DM 111	**Brétigny** Impasse	
DL 108	**Briand** Rue Aristide	
DM 109	**Brossolette** Quai Pierre	
DK 109	**Calais** Avenue de	
DM 108	**Canadiens** Avenue des	
DM 108	**Canadiens** Place des	
DJ 110	**Canrobert** Rue	
DL 110	**Carné** Rue Marcel	
DL 110	**Casque d'Or** Place	
DN 109	**Chalet** Impasse du	
DL 108	**Chapsal** Rue	
DN 108	**Chemin Creux** Rue du	
DK 109	**Colbert** Avenue	
DM 110	**Commune** Place de la	
DM 110	**Coursault** Avenue	
DL 109	**Courtin** Avenue	
DM 110	**Dagoty** Avenue	
DJ 109	**Diane** Avenue de	
DL 111	**Egalité** Rue de l'	
DL 110	**Eglise** Rue de l'	
DJ 110	**Elysée** Rue de l'	
DK 109	**Estienne D'Orves** Avenue Jean D'	
DJ 109	**Etoile** Rue de l'	
DJ 109	**Etoile** Villa de l'	
DN 108	**Europe** Boulevard de l'	
DL 111	**Familles** Avenue des	
DM 111	**Floquet** Avenue Charles	

DM 111	**Floquet** Impasse Charles	
DK 110	**Foch** Avenue	
DL 110	**Fraternité** Rue de la	
DK 110	**Gabrielle** Rue	
DL 111	**Galliéni** Av. du Général	
DL 111	**Gaulle** Square Charles De	
DM 110	**Gilles** Avenue	
DL 110	**Gisèle** Villa	
DK 109	**Gounod** Avenue	
DM 109	**Grotte** Villa de la	
DJ 110	**Guinguettes** Allée des	
DM 108	**Halifax** Rue	
DJ 110	**Hameau** Rue du	
DL 110	**Henri** Avenue	
DL 110	**Hugède** Rue	
DL 110	**Huit Mai 1945** Place du	
DL 109	**Ile de Fanac** Chemin de l'	
DL 110	**Jamin** Rue	
DL 110	**Jaurès** Avenue Jean	
DL 109	**Jeanne D'Arc** Avenue	
DN 109	**Joinville** Avenue de	
DL 110	**Joinville** Pont de	
DL 110	**Jougla** Avenue Joseph	
DL 110	**Jouvet** Allée Louis	
DL 110	**Joyeuse** Avenue	
DK 109	**Kennedy** Avenue du Président John-Fitzgerald	
DM 111	**Lagrange** Square Léo	
DK 108	**Lapointe** Villa	
DK 109	**Leclerc** Boulevard du Maréchal	
DM 110	**Lefèvre** Avenue	
DM 108	**Lheureux** Allée Edmé	
DM 109	**Liberté** Rue de la	
DL 110	**Lumière** Rue des Frères	
DK 110	**Mabilleau** Rue	
DK 109	**Madrid** Avenue de	
DK 110	**Marceau** Avenue	
DK 110	**Marie-Rose** Rue	
DM 110	**Marne** Avenue de la	
DK 108	**Marne** Passage de la	
DJ 110	**Marne** Quai de la	
DN 108	**Mendès France** Av. Pierre	
DL 108	**Mermoz** Rue Jean	

DJ 109	**Mésange** Avenue de la	
DL 111	**Michel** Rue Louise	
DM 109	**Molette** Avenue	
DK 110	**Môquet** Avenue Guy	
DK 110	**Moret** Rue	
DM 111	**Moulin** Allée Jean	
DM 108	**Moutier** Rue Emile	
DK 110	**Mozart** Place	
DM 110	**Naast** Avenue	
DK 109	**Nantes** Avenue de	
DL 110	**Nègre** Allée Raymond	
DK 108	**Nouvelle** Rue	
DL 110	**Onze Novembre** Avenue du	
DL 109	**Oudinot** Avenue	
DL 108	**Paix** Rue de la	
DL 110	**Palissy** Avenue de	
DL 110	**Palissy** Square	
DN 109	**Paragon** Parc du	
DJ 110	**Parc** Avenue du	
DN 109	**Paris** Rue de	
DN 109	**Pasteur** Rue	
DL 109	**Pathé** Rue Charles	
DL 110	**Pauline** Avenue	
DL 109	**Pégon** Rue Etienne	
DL 109	**Péri** Quai Gabriel	
DM 111	**Peupliers** Avenue des	
DL 111	**Philipe** Square Gérard	
DM 108	**Pinson** Rue Hippolyte	
DM 110	**Plage** Avenue de la	
DL 110	**Platanes** Avenue des	
DL 111	**Polangis** Boulevard de	
DK 110	**Polangis** Quai de	
DL 109	**Pont Olin** Allée du	
DL 110	**Port** Rue du	
DN 108	**Pourtour des Ecoles** R. du	
DM 108	**Presles** Square de	
DM 111	**Quarante-Deuxième de Ligne** Rue du	
DK 110	**Québec** Square du	
DK 110	**Racine** Avenue	
DL 111	**Raspail** Avenue	
DK 110	**Ratel** Avenue	
DN 109	**République** Avenue de la	
DM 108	**Réservoirs** Rue des	

DM 109	**Robard** Rue	
DN 109	**Robard** Square	
DN 109	**Roseraie** Square de la	
DN 109	**Rousseau** Impasse Jules	
DM 108	**Rousseau** Villa	
DL 109	**Runnymede** Square	
DM 111	**Petit Parc** Pont du	
DL 111	**Sartre** Allée Jean-Paul	
DN 109	**Sévigné** Avenue De	
DM 108	**Tati** Allée Jacques	
DM 110	**Théodore** Avenue	
DL 110	**Tilleuls** Avenue des	
DL 109	**Tilleuls** Villa des	
DM 109	**Transversale** Rue	
DM 108	**Uranie** Place	
DK 110	**Vauban** Rue	
DM 109	**Vautier** Rue	
DM 108	**Vel Durand** Rue Henri	
DL 110	**Verdun** Place de	
DM 109	**Vergnon** Avenue	
DM 108	**Viaduc** Rue du	
DM 109	**Voisin** Rue Eugène	
DM 111	**Wilson** Av. du Président	
DL 111	**Zola** Allée Emile	

Principaux Bâtiments

DM 108	ANPE
DL 108	Bibliothèque
DJ 110	Camping-Caravaning
DM 108	CPAM
DM 108	Gymnase
DM 110	Gymnase
DL 108	Lycée ITG Val-de-Beauté
DL 110	Mairie
DM 110	Mairie Annexe
DL 110	Office de Tourisme
DL 110	Police Municipale
DL 108	Pompiers
DM 109	Port de Plaisance
DM 108	Poste
DL 110	Poste
DM 110	Cimetière

LE KREMLIN-BICÊTRE   94270   plan page 333

Métro : Ligne 7 - Kremlin-Bicêtre
Bus : NR-47-125-131-185-186-323

DO 91	**Avenir** Rue de l'	
DO 94	**Babeuf** Rue	
DO 91	**Bellevue** Passage	
DP 92	**Bergonié** R. du Professeur	
DO 93	**Berthelot** Rue Marcelin	
DO 92	**Blum** Rue Léon	
DM 94	**Bouloudrome** Avenue du	
DM 93	**Brossolette** Rue Pierre	
DP 91	**Candiotti** Passage	
DP 91	**Candiotti** Villa	
DO 94	**Carnot** Passage	
DO 94	**Carnot** Rue	
DO 94	**Cassin** Rue René	
DM 94	**Chalets** Rue des	
DO 93	**Chastenet De Géry** Bd	
DN 93	**Cimetière Communal** Av. du	
DN 93	**Clément** R. Jean-Baptiste	
DN 93	**Combattant** Rue du	
DO 92	**Convention** Rue de la	
DN 92	**Courteix** Impasse	
DN 93	**Curie** Rue Pierre	
DN 93	**Danton** Rue	

DN 93	**Delescluze** Rue	
DO 91	**Deparis** Square du Professeur Maurice	
DO 92	**Disney** Square Walt	
DO 93	**Dix-Neuf Mars 1962** R. du	
DN 93	**Dolet** Impasse Etienne	
DN 93	**Dolet** Rue Etienne	
DP 91	**Égalité** Rue de l'	
DO 91	**Einstein** R. du Professeur	
DP 91	**Fontainebleau** Avenue de	
DO 92	**Fort** Rue du	
DO 93	**France** Rue Anatole	
DP 91	**Fraternité** Rue de la	
DP 91	**Fualdès** Impasse	
DO 94	**Fusillés** Rue des	
DN 92	**Gambetta** Passage	
DN 93	**Gambetta** Rue	
DM 93	**Gaulle** Bd du Général De	
DO 92	**Gide** Avenue Charles	
DN 93	**Guesde** Square Jules	
DP 93	**Herriot** Place Edouard	
DP 91	**Horizon** Rue de l'	

DO 93	**Hugo** Place Victor	
DN 93	**Huit Mai** Rue du	
DN 93	**Jaurès** Place Jean	
DO 92	**Kennedy** R. John-Fitzgerald	
DM 93	**Lacroix** Avenue du Docteur Antoine	
DO 93	**Lafargue** Rue Paul	
DN 93	**Lafargue** Square Paul	
DP 91	**Lagrange** Square Léo	
DP 91	**Laurenson** Rue Albert	
DN 93	**Leclerc** Rue du Général	
DP 91	**Liberté** Rue de la	
DN 93	**Malassis** Square Roger	
DO 92	**Malon** Rue Benoît	
DO 92	**Martinets** Impasse des	
DO 92	**Martinets** Rue des	
DP 92	**Mermoz** Rue Jean	
DN 94	**Michelet** Rue Edmond	
DO 93	**Mitterrand** Sq. François	
DO 93	**Monnet** Rue Jean	
DP 93	**Morinet** Rue du Capitaine	
DO 92	**Moulin** Square Jean	

DP 91	**Pascal** Rue Blaise	
DM 93	**Pasteur** Rue	
DN 93	**Péri** Rue Gabriel	
DO 91	**Piaf** Square Edith	
DN 93	**Pinel** Rue Philippe	
DM 93	**Plantes** Passage des	
DO 91	**Plateau** Impasse du	
DN 93	**Poisat** Square André	
DO 94	**Pompidou** Rue Georges	
DN 93	**Quatorze Juillet** Rue du	
DM 93	**Rabin** Rue Yitzhak	
DM 93	**Reclus** Rue Élisée	
DN 92	**Repos** Avenue du	
DN 93	**République** Place de la	
DO 91	**Réunion** Rue de la	
DO 91	**Richet** Rue Charles	
DN 93	**Rossel** Rue	
DP 92	**Saint-Exupéry** Rue Antoine De	
DM 93	**Salengro** Rue Roger	
DP 92	**Sangnier** Rue Marc	
DO 91	**Schuman** Rue Robert	

298

LE KREMLIN-BICÊTRE suite (plan page 333)

DP 91 **Sémard** Rue Pierre
DO 92 **Sembat** Rue Marcel
DO 92 **Séverine** Rue
DO 92 **Stratégique** Route
DN 93 **Thomas** Avenue Eugène
DN 93 **Vaillant** Rue Edouard
DO 93 **Verdun** Rue de
DM 93 **Voltaire** Rue

DO 94 **Walesa** Rue Lech
DO 94 **Walesa** Square Lech
DM 94 **Zola** Impasse Emile
DM 94 **Zola** Rue Emile

Principaux Bâtiments

DN 93 **Bibliothèque**
DN 92 **C. H. U. Bicêtre**

DO 92 **COSEC**
DO 92 **CPAM**
DN 93 **Centre Admininistratif**
DO 93 **Esp. Culturel André Malraux**
DO 92 **Fort de Bicêtre**
DP 92 **Halle de Sport**
DM 93 **LP Pierre Brossolette**
DP 91 **Lycée Darius Milhaud**

DN 93 **Mairie**
DO 92 **Mairie Annexe**
DP 92 **Piscine**
DN 91 **Police**
DN 93 **Poste**
DP 92 **Stade des Esselières**
DN 94 **Cimetière**

LES LILAS — 93260 — plan page 351

Métro : Ligne 11 - Mairie des Lilas
Bus : NF-105-115-129-170-249-318-Tillbus

CX 103 **Aigle** Sentier de l'
CX 101 **Anglemont** Rue d'
CX 102 **Barbusse** Rue Henri
CX 101 **Bellevue** Passage
CX 101 **Bellevue** Rue de
CX 102 **Bernard** Rue
CX 101 **Bois** Impasse du
CX 101 **Bois** Rue du
CY 101 **Bruyères** Rue des
CZ 101 **Bruyères** Villa des
CY 102 **Calmette** Allée du Docteur
CX 101 **Capus** Allée Alfred
CX 102 **Catric** Rue Jacques
CY 102 **Centre** Rue du
CZ 101 **Chassagnolle** Rue
CZ 101 **Chassagnolle** Villa
CX 102 **Château** Villa du
CX 101 **Clemenceau** Av. Georges
CY 102 **Combattants en Afrique du Nord** Avenue des
CX 101 **Convention** Rue de la
CX 101 **Coq Français** Rue du
CY 102 **Courcoux** Sq. du Docteur
CY 102 **Croix de l'Epinette** R. de la
CY 101 **Cuvier** Rue Esther
CZ 101 **David** Rue Jules
CX 101 **Decros** Boulevard Eugène
CX 102 **Dépinay** Allée Joseph
CW 102 **Déportation** Voie de la
CX 103 **Doumer** Avenue Paul
CX 103 **Duda** Allée Jean
CX 103 **Dumont** Avenue Louis
CX 103 **Dunant** Square Henri
CY 101 **Egalité** Rue de l'
CY 102 **Est** Rue de l'
CY 101 **Fabien** Place du Colonel
CY 101 **Faidherbe** Avenue

CY 101 **Faidherbe** Rue de la
CY 102 **Floréal** Passage
CY 103 **Floréal** Rue
CX 100 **Fontaine St-Pierre** P. de la
CX 103 **Fraternité** Rue de la
CY 101 **Fromond** Rue Francine
CY 102 **Garde-Chasse** Rue du
CX 102 **Gaulle** Place Charles De
CX 103 **Gaulle** R. G. Anthonioz De
CX 103 **Giraud** Sente
CX 103 **Guynemer** Rue
CY 102 **Hortensia** Passage de l'
CX 102 **Hortensias** Allée des
CZ 101 **Houdart** Passage Félix
CY 101 **Hubert** Villa Eve
CX 101 **Huit Mai 1945** Rue du
CY 102 **Indy** Allée Vincent D'
CY 102 **Jaurès** Boulevard Jean
CY 102 **Juin** Rue du Maréchal
CX 101 **Kistemaekers** Allée
CX 102 **Kock** Rue André Paul
CX 103 **Kœnig** Rue du Maréchal
CY 101 **La Rochefoucauld** Rue de
CY 102 **Langevin** Rue Paul
CY 103 **Lattre De Tassigny** Avenue du Maréchal De
CY 103 **Leclerc** Bd du Général
CZ 101 **Lecocq** Allée Charles
CZ 101 **Lecomte** Impasse
CY 102 **Lecouteux** Rue
CY 102 **Liberté** Boulevard de la
CX 103 **Liberté** Rue de la
CY 101 **Lilas** Passage des
CY 101 **Mairie** Passage de la
CY 101 **Marcelle** Rue
CZ 101 **Marius** Impasse
CX 101 **Meissonnier** Rue

CY 101 **Monnet** Allée Jean
CY 101 **Moulin** Rue Jean
CX 102 **Myosotis** Place des
CY 101 **Noël** Rue Lucien
CZ 101 **Noisy-le-Sec** Rue de
CX 103 **Normandie-Niemen** Rue
CX 102 **Œillets** Sente des
CX 102 **Oies** Sentier des
CX 102 **Onze Novembre 1918** R. du
CX 101 **Paix** Rue de la
CX 102 **Panoramas** Passage des
CZ 101 **Paris** Rue de
CY 101 **Pasteur** Avenue
CY 103 **Patigny** Sente
CY 101 **Péguy** Rue Charles
CY 102 **Pelletier** Impasse
CY 101 **Piquet** Allée du Chanoine
CY 101 **Pompidou** Rue Georges
CZ 101 **Ponsard** Passage
CX 100 **Porte des Lilas** Av. de la
CY 101 **Poulmarch** Rue Jean
CX 101 **Pré Saint-Gervais** Rue du
CY 101 **Prévoyance** Rue de la
CY 101 **Progrès** Rue du
CY 101 **Quatorze Juillet** R. du
CX 101 **Regard** Rue du
CY 102 **Renault** Rue Léon
CX 101 **République** Rue de la
CX 102 **Résistance** Rue de la
CY 101 **Rivoire** Allée André
CY 101 **Rolland** Rue Romain
CY 101 **Romainville** Rue de
CY 101 **Rouget De Lisle** Rue
CX 102 **Sablons** Passage des
CX 102 **Sablons** Rue des
CX 101 **Saint-Germain** Cité
CY 103 **Saint-Germain** Rue

CY 101 **Saint-Paul** Cour
CY 101 **Salez** Rue Raymond
CX 103 **Sangnier** Place Marc
CW 102 **Schuman** R. du Pdt Robert
CY 101 **Sources du Nord** Pl. des
CX 101 **Tapis Vert** Rue du
CY 101 **Vel'd'Hiv** Place du
CZ 101 **Villegranges** Impasse des
CZ 101 **Villegranges** Rue des
CX 102 **Völklingen** Place de
CX 102 **Waldeck-Rousseau** Rue
CY 101 **Weymiller** Impasse

Principaux Bâtiments

CY 103 **CAF**
CY 102 **CCAS**
CX 101 **Centre Culturel**
CY 103 **Centre Culturel H. Dunant**
CY 103 **Centre Sportif Floréal**
CY 102 **Clinique**
CY 103 **Clinique Floréal**
CY 102 **CPAM**
CX 102 **Fort de Romainville**
CX 102 **Lycée Paul Robert**
CY 101 **Mairie**
CY 101 **Maternité**
CW 102 **Parc Municipal des Sports**
CY 102 **Perception**
CY 103 **Piscine**
CX 101 **Police**
CY 101 **Poste**
CY 102 **Théâtre**
CX 101 **Cimetière des Lilas**

LEVALLOIS-PERRET — 92300 — plan page 335

Métro : Ligne 3 - Louise Michel - Anatole France - Pont de Levallois-Bécon
Bus : NB-53-93-94-135-163-164-165-167-174-275-TucoC

CV 84 **Alsace** Rue d'
CU 80 **Asnières** Boulevard d'
CV 82 **Aufan** Rue Marius
CV 82 **Bara** Rue
CW 82 **Barbès** Rue
CW 83 **Barbusse** Place Henri
CW 83 **Barbusse** Rue Henri
CU 82 **Bassot** Pl. Marie-Jeanne
CU 82 **Baudin** Rue
CU 81 **Baudin** Square
CU 82 **Bayard** Rue Clément
CU 83 **Belgrand** Rue
CU 83 **Bellanger** Rue
CW 82 **Bineau** Boulevard
CW 82 **Bineau** Carrefour
CV 83 **Blanc** Rue Louis
CV 84 **Bobet** Allée Louison
CU 84 **Bretagne** Rue de

CU 83 **Briand** Rue Aristide
CU 83 **Brossolette** Rue Pierre
CU 83 **Brossolette** Square
CV 82 **Carnot** Rue
CU 80 **Cassin** Square René
CU 81 **Cerdan** Allée Marcel
CU 81 **Cerdan** Rue Marcel
CV 81 **Chaptal** Rue
CW 82 **Chaptal** Square
CV 81 **Chaptal** Villa
CU 82 **Citroën** Rue André
CV 81 **Cognacq** Rue Ernest
CU 81 **Collange** Rue
CV 83 **Danton** Rue
CV 83 **Danton** Square
CW 81 **Dargent** Rue de l'Aspirant
CW 84 **Deguingand** Rue
CW 82 **Desmoulins** Rue Camille

CT 82 **Deutschmann** Rue Charles
CU 81 **Dix-Neuf Mars 1962** R. du
CU 81 **Dumont** Rue du Docteur
CV 83 **Eiffel** Rue Gustave
CV 83 **Estienne D'Orves** Place D'
CU 82 **Europe** Avenue de l'
CU 83 **Ferry** Rue Jules
CU 81 **Gabin** Rue Jean
CV 84 **Gagarine** Allée Youri
CV 84 **Gagarine** Parc Youri
CV 84 **Gare** Rue de la
CU 83 **Gare** Square de la
CV 83 **Gaulle** Av. du Général De
CV 83 **Genouville** Impasse
CV 82 **Gey** Allée Daniel
CU 81 **Girault** Rés. Mathilde
CU 81 **Girault** Rue Mathilde

CU 81 **Girault** Square Mathilde
CV 81 **Gratzer** Sq. Jean-Pierre
CU 84 **Gravel** Impasse
CU 81 **Greffulhe** Rue
CU 83 **Grissac** Square Jean De
CU 83 **Guesde** Rue Jules
CV 82 **Hilsz** Rue Maryse
CV 82 **Hoche** Rue
CV 82 **Hôtel de Ville** Parc de l'
CV 84 **Hugo** Rue Victor
CV 84 **Hugo** Square Victor
CU 84 **Huit Mai 1945** Place du
CU 81 **Ibert** Rue Jacques
CT 82 **Ile de la Jatte** Pass. de l'
CU 81 **Jamin** Rue Léon
CT 82 **Jamin** Square Léon
CV 83 **Jaurès** Rue Jean
CU 81 **Juin** Place du Maréchal

MALAKOFF   92240   plan page 371

Métro : Ligne 13 - Malakoff-Plateau de Vanves - Malakoff-Rue E. Dolet
Bus : NL-NS-126-189-191-194-323   **SNCF :** Vanves-Malakoff

DN 84	**Vaillant-Couturier** R. Paul	DL 86 **Voltaire** Rue	DL 84 Complexe Sportif Lénine	DL 84 Perception
DN 82	**Valéry** Rue Paul	DL 84 **Wilson** Av. du Président	DL 84 Conservatoire de Musique	DL 84 Police
DM 85	**Valette** Rue Pierre	DM 82 **Yvonne** Villa	DM 84 CPAM	DN 84 Polyclinique
DL 85	**Vallée** Rue de la	DK 85 **Zola** Rue Emile.	DN 82 EHPAD	DL 84 Poste
DL 84	**Varlin** Rue Eugène		DK 85 ENSEA	DM 82 Poste
DM 84	**Vauban** Impasse	**Principaux Bâtiments**	DN 83 Fort de Vanves	DM 83 Stade Marcel Cerdan
DN 83	**Védrines** Rue Jules	DL 84 Bibliothèque	DK 85 INSEE	DL 84 Théâtre 71
DN 82	**Verlaine** Rue Paul	DM 84 Centre des Sports	DN 82 Lycée Prof. Louis Girard	DK 84 Université René Descartes
DN 81	**Vigouroux** Bd des Frères	DN 82 Centre Henri Barbusse	DL 84 Mairie	DM 82 Cimetière

MONTREUIL 93100 plan page 337

Métro : Ligne 9 - Robespierre - Croix de Chavaux - Mairie de Montreuil
Bus : NG-102-115-118-121-122-124-127-129-229-301-318-322-461

DA 109 **Acacia** Rue de l'	DC 103 **Buttes** Sentier des	CZ 108 **Demi-Lune** Sentier de la	DD 103 **Garibaldi** Rue
DB 103 **Albrecht** Place Berthie	DE 105 **Caillots** Rue des	DB 111 **Dereure** Rue Simon	DC 109 **Gascogne** Rue de
DD 101 **Alembert** Rue D'	DB 105 **Calmette** Rue du Docteur	DE 105 **Desgranges** Rue	DA 104 **Gaulle** Pl. du Général De
DA 107 **Alice** Rue	DB 110 **Camélinat** Rue	DF 103 **Deux Communes** Rue des	CZ 108 **Gaulle Anthonioz** Rue
DA 107 **Alice** Square	DC 104 **Capsulerie** Rue de la	DE 105 **Dewerpe** Allée Fanny	Geneviève De
CZ 108 **Allende** Av. du Pdt Salvador	DD 105 **Carnot** Place	CZ 106 **Dhuys** Rue de la	DE 101 **Gaumont** Avenue Léon
DA 107 **Antoinette** Rue	DE 105 **Carnot** Rue	DE 103 **Diderot** Rue	DD 104 **Gazomètre** Passage du
DE 103 **Arago** Rue François	DD 102 **Carrel** Impasse	DC 105 **Dix-Huit Août** Rue du	DD 104 **Girard** Rue
DE 103 **Arago** Villa François	DE 101 **Carrel** Rue Armand	DC 105 **Dix-Neuf Mars 1962** Pl. du	DC 105 **Girardot** Rue
DE 111 **Arendt** Place Hannah	CZ 107 **Casanova** Rue Danielle	DC 110 **Dodu** Rue Juliette	DC 106 **Glaisière** Passage de la
DD 108 **Avenir** Villa de l'	DD 103 **Centenaire** Rue du	CZ 109 **Dolet** Rue Etienne	DA 108 **Glycines** Villa des
DB 109 **Babeuf** Rue	DA 105 **Chantereines** Impasse des	DB 106 **Dombasle** Rue	DC 107 **Gobétue** Impasse de
CZ 107 **Balzac** Rue Honoré De	DA 106 **Chantereines** Rue des	DD 107 **Doumer** Rue Paul	DC 110 **Godeau** Allée Anne
DD 102 **Bara** Rue	DD 104 **Chanzy** Boulevard	DD 107 **Douy-Delcupe** Rue	DC 106 **Godefroy** Rue du Sergent
DE 102 **Barbès** Impasse	DE 106 **Chapons** Rue des	DD 104 **Duclos** Place Jacques	DE 106 **Gradins** Rue des
DD 102 **Barbès** Rue	DD 106 **Charcot** Rue du Docteur	DD 103 **Dufriche** Rue Marcel	DA 107 **Grand-Air** Impasse du
DB 105 **Barbusse** Boulevard Henri	DB 106 **Charmes** Rue des	DC 109 **Dunant** Rue Henri	DA 107 **Grandes Cultures** Rue des
CZ 109 **Bastié** Villa Maryse	CZ 107 **Charton** Rue Désiré	DB 109 **Dupont** Rue Pierre	DD 108 **Grands Pêchers** Rue des
DE 106 **Bataille** Rue Emile	DA 105 **Chemin Vert** Rue du	CZ 107 **Ecoles** Passage des	DC 103 **Graviers** Rue des
DC 110 **Batteries** Rue des	DB 105 **Chemin Vert** Sentier du	DB 105 **Eglise** Place de l'	DA 104 **Groseilliers** Rue des
DB 106 **Baudin** Rue	DD 106 **Chênes** Rue des	DB 105 **Eglise** Rue de l'	DC 105 **Guernica** Esplanade
CZ 107 **Beaufils** Rue Emile	DD 107 **Chéreau** Rue Arsène	DE 102 **Eluard** Rue Paul	DC 111 **Guesde** Rue Jules
DD 103 **Beaumarchais** Rue	DB 104 **Chevalier** Allée Maurice	DA 105 **Epernons** Rue des	DC 103 **Guilands** Parc des
DD 106 **Beaumonts** Parc des	DD 106 **Chevalier** Rue Désiré	DC 103 **Epine Prolongée** Rue de l'	DC 103 **Guilands** Passage des
DC 104 **Beaune** Rue de la	DC 102 **Chevreau** Cité Eugène	DF 101 **Erignac** R. du Préfet C.	DC 103 **Guilands** Rue des
DB 105 **Beausse** Rue Victor	DB 111 **Claire Maison** Rue	DA 106 **Ermitage** Impasse de l'	DE 108 **Gutenberg** Rue
DF 103 **Beauver** Rue Simone De	DB 111 **Clarke** Rue Kenny	DA 106 **Ermitage** Rue de l'	DC 109 **Guyenne** Rue de
DC 107 **Beethoven** Square	CZ 108 **Claudel** Rue Camille	DB 111 **Esclangon** R. du Pr.	DA 106 **Guynemer** R. du Capitaine
DC 107 **Bel-Air** Rue du	DB 109 **Clément** R. Jean-Baptiste	DA 104 **Estienne D'Orves** Rue D'	DE 105 **Haies Fleuries** Rue des
DC 109 **Belle Étoile** Impasse de la	DB 109 **Clos des Arrachis** Rue du	CZ 107 **Fabien** Avenue du Colonel	DA 104 **Hanots** Rue des
DB 109 **Béranger** R. Pierre-Jean De	DB 104 **Clos Français** Rue des	DE 105 **Faidherbe** Avenue	DC 103 **Hayeps** Rue des
DE 105 **Berger** Rue du	DC 104 **Colbert** Rue	DE 105 **Faltot** Rue Nicolas	DC 104 **Hémard** Rue Ariste
DA 105 **Berlioz** Avenue	DB 109 **Coli** Rue	DC 104 **Farge** Rue Yves	DB 104 **Hoche** Rue
DC 110 **Bernard** Allée Jean-Pierre	DE 106 **Colmet** Impasse	DE 104 **Fédération** Rue de la	DC 111 **Hugo** Avenue Victor
DA 106 **Bernard** Rue Claude	DE 105 **Colmet-Lépinay** Rue	DE 104 **Fédérés** Rue des	DC 111 **Hugo** Avenue Victor
DD 101 **Bert** Rue Paul	DA 104 **Combette** Rue Fernand	DA 107 **Ferme** Rue de la	DC 105 **Hugo** Rue Victor
DD 104 **Berthelot** Rue Marcellin	DD 105 **Condorcet** Rue	DB 106 **Ferme** Sentier de la	DA 106 **Huit Mai 1945** Carr. du
DC 102 **Blanche** Rue	DC 105 **Convention** Rue de la	DE 106 **Ferrer** Rue Francisco	DF 103 **Ibarruri** Rue Dolorès
DB 110 **Blancs Vilains** Rue des	DB 111 **Coquelin** Rue Jean	DC 104 **Ferry** Rue Jules	DD 106 **Infroit** Rue Charles
DF 102 **Blanqui** Rue Auguste	DC 110 **Côte du Nord** Rue de la	DB 111 **Féry** Allée Daniel	DE 101 **Jacquart** Rue
CZ 109 **Blériot** Allée	DB 103 **Cotton** Allée Eugénie	DD 105 **Fleurs** Allée des	DC 107 **Jardin Ecole** Rue du
DB 103 **Blois** Rue Moïse	DC 111 **Courbet** Allée Gustave	DC 104 **Fonderie** Rue de la	DC 108 **Jardins Dufour** Rue des
DD 104 **Bobillot** Rue du Sergent	DF 101 **Couriau** Place Emma	CZ 107 **Fontaine** Chemin de la	DA 105 **Jardins St-Georges** R. des
CZ 108 **Boissière** Boulevard de la	DA 105 **Couté** Rue Gaston	DA 105 **Fontaine des Hanots** R. de la	DB 107 **Jasmins** Sentier des
DA 108 **Bol d'Air** Impasse du	DC 104 **Couturier** Rue Denis	DC 104 **Fosse Pinson** Rue de la	DC 105 **Jaurès** Place Jean
DE 103 **Bonouvrier** Rue	DC 109 **Curie** Rue Pierre	DC 105 **Frachon** Esplanade Benoît	DC 105 **Jeanne D'Arc** Boulevard
DC 103 **Bons Pïants** Rue des	DE 102 **Cuvier** Rue	DC 104 **France** Rue Anatole	DB 103 **Joliot-Curie** R. Irène et F.
DB 108 **Bouchor** Rue Maurice	DB 106 **Danton** Rue	DC 104 **Frank** Rue Anne	CY 108 **Joyeuse** Allée
DA 104 **Bourguignons** Rue des	DA 107 **Daurat** Rue Didier	DC 105 **Franklin** Rue	DD 104 **Kléber** Rue
DA 106 **Brandon** R. du Dr Roger	DF 102 **David-Neel** Mail Alexandra	DD 102 **Fraternité** Place de la	DC 110 **Lafargue** Rue Paul
DE 104 **Branly** Rue Edouard	DD 104 **Debergue** Rue François	DD 102 **Fraternité** Rue de la	DA 107 **Laffitte** Rue Madeleine
DC 110 **Braves** Rue des	DC 110 **Défense** Rue de la	DF 103 **Fredericks** Rue Carole	DF 103 **Lagny** Rue de
CZ 107 **Briand** Boulevard Aristide	CZ 108 **Degeyter** Impasse Pierre	DA 104 **Fusée** Impasse	CZ 107 **Lagrange** Avenue Léo
CZ 109 **Briand** Villa Aristide	DB 110 **Delavacquerie** R. Charles	DA 104 **Fusée** Rue	DA 106 **Lamarck** R. Jean-Baptiste
DC 111 **Brossolette** Avenue Pierre	CY 107 **Delescluze** Rue Charles	CZ 107 **Gabriel** Rue	CZ 106 **Lamaze** Av. du Dr Fernand
DA 108 **Brûlefer** Rue	DC 103 **Delorme** Rue du Colonel	DC 105 **Gaillard** Rue Clotilde	DC 109 **Lancelot** Allée
DB 105 **Buffon** Rue	DB 103 **Delpêche** Rue	DE 103 **Gaillard** Rue Joseph	DD 104 **Langevin** Avenue Paul
DA 104 **Buisson** Avenue Ferdinand	DD 105 **Demi-Cercle** Rue du	DC 106 **Galilée** Rue	DC 108 **Largillière** Rue Marcel
DD 103 **Buisson** Rue Denise	DC 107 **Demi-Lune** Rue de la	DC 105 **Gallieni** Rue du Général	DD 106 **Lauriau** Rue Gaston
		DE 103 **Gambetta** Rue	DE 102 **Lavoisier** Rue

MONTROUGE 92120 plan page 341

Métro : Ligne 13 - Châtillon-Montrouge
Bus : NJ-NL-68-125-126-128-187-188-194-195-197-295-297-323-526

DN 88	Arcueil Rue d'	DM 88	Duval Rue Amaury	DM 87	Libération Place de la	DM 87	Schumann Square Robert
DL 86	Arnoux Rue Maurice	DM 87	Église Impasse de l'	DN 87	Logeais Villa Agenor	DM 85	Sembat Rue Marcel
DN 85	Arnoux Square Maurice	DM 88	Estienne D'Orves Sq. D'	DM 86	Manège Passage du	DN 86	Sévigné Rue de
DN 86	Auber Rue	DM 86	États-Unis Place des	DM 87	Marne Avenue de la	DM 87	Solidarité Rue de la
DM 85	Auger Rue Arthur	DN 86	Fénelon Rue	DN 85	Marne Square de la	DN 88	Thalheimer Rue
DM 89	Barbès Rue	DN 88	Ferry Place Jules	DM 86	Messier Rue Georges	DM 87	Vallet Rue Jean
DM 86	Barbusse Rue Henri	DM 86	Ferry Square Jules	DM 86	Messier Square Georges	DM 86	Vallière Allée de la
DM 87	Barthélemy Rue René	DN 86	Fleurs Villa des	DM 86	Molière Rue	DM 88	Vanne Rue de la
DM 87	Basch Rue Victor	DM 87	Floquet Rue Charles	DM 86	Monplaisir Villa	DM 87	Verdier Avenue
DM 87	Beer Rue Myrtille	DN 88	Fort Avenue du	DM 87	Morel Rue	DN 86	Verdun Avenue de
DM 87	Bert Rue Paul	DN 88	Gambetta Avenue Léon	DN 88	Moulin Square Jean	DL 87	Vergers Villa des
DM 87	Berthelot Rue Marcellin	DM 88	Gaulle Bd du Général De	DN 86	Mulin Rue Hippolyte		
DN 87	Blanche Rue	DM 88	Gaulle Sq. du Général De	DL 87	Onze Novembre Rue du	**Principaux Bâtiments**	
DM 87	Boileau Rue	DM 88	Gautier Rue Théophile	DM 88	Ory Rue François		
DN 87	Boillaud Rue Pierre	DM 89	Gentilly Rue de	DM 86	Paix Avenue de la	DM 88	ANPE
DN 86	Bossuet Villa	DL 87	Gillon Rue du Colonel	DN 87	Parmentier Villa	DM 87	Bibliothèque
DL 87	Boutroux Avenue Emile	DM 87	Ginoux Rue Henri	DN 86	Pascal Rue	DM 87	Centre Administratif
DL 88	Bouzerait Rue Georges	DM 88	Guerchy Place Gabriel De	DL 86	Pasteur Rue	DL 87	Centre Administratif
DN 88	Briand Avenue Aristide	DN 85	Guesde Rue Jules	DM 87	Pelletan Rue Camille	DM 87	CPAM
DL 86	Brossolette Avenue Pierre	DL 86	Gueudin Rue	DM 88	Péri Rue Gabriel	DM 86	Déchetterie
DM 87	Candas Rue Sylvine	DL 87	Guillot Rue	DM 86	Perier Rue	DL 86	E.N.S.
DM 87	Carnot Rue Sadi	DL 87	Gutenberg Rue	DM 85	Poitou Rue du	DN 86	Espace Colucci
DN 88	Carvès Rue	DN 86	Henriette Villa	DN 86	Prévost Villa	DL 86	Fac. de Chirurgie Dentaire
DN 87	Chaintron Rue	DM 87	Henry Rue des Frères	DN 86	Pugno Rue Raoul	DN 85	LP Jean Monnet
DM 87	Champeaud Rue Edmond	DM 86	Huit Mai 1945 Place du	DM 87	Quinet Rue Edgar	DM 88	Lycée Maurice Genevoix
DN 85	Chateaubriand Rue	DN 86	Isabelle Villa	DN 87	Rabelais Rue	DL 87	Mairie
DN 85	Chéret Rue Jules	DM 87	Jardins Impasse des	DN 87	Racine Rue	DM 87	Piscine
DN 85	Chopin Rue	DL 88	Jaurès Avenue Jean	DL 86	Radiguey Rue	DM 87	Police
DL 88	Combattants d'AFN Sq. des	DM 87	Jaurès Place Jean	DN 87	Raymond Passage	DM 87	Police Municipale
DN 86	Corneille Rue	DM 86	Joséphine Villa	DN 85	Renaudel Square Pierre	DN 88	Pompiers
DM 86	Couprie Rue	DM 86	Juif Rue Constant	DM 87	République Avenue de la	DM 85	Poste
DL 86	Curie Rue Pierre	DN 86	La Bruyère Rue	DN 86	République Square de la	DM 85	Poste
DM 89	Danton Rue	DN 87	La Fontaine Rue	DM 86	République Villa de la	DM 87	Poste Principale
DN 85	Dardan Rue Germain	DN 87	La Fontaine Square	DM 88	Rolland Rue Louis	DN 86	Stade Jean Lezer
DL 86	Debos Rue Marie	DM 89	Lannelongue Av. du Dr	DM 87	Rolland Bd Romain	DM 86	Stade Marc Dormoy
DL 07	Delerue Rue	UM 87	Leblanc Villa	DM 87	Rondelet Cité	DM 86	Stade Maurice Arnoux
DN 84	Dormoy Avenue Marx	DN 87	Léger Villa	DN 87	Ruelles Villa des	DL 87	Théâtre de Montrouge
DL 87	Draeger Passage	DM 88	Lejeune Rue Louis	DL 88	Saint-Albin Rue	DM 87	Trésorerie
				DM 86	Saisset Rue		
				DN 85	Salengro Rue Roger		

NEUILLY-SUR-SEINE 92200 plan page 343

Métro : Ligne 1 - Les Sablons - Pont de Neuilly
Bus : NA-NT-43-73-82-93-157-158-163-164-174-176-557(43N)-576

CX 80	Acacia Villa de l'	CX 78	Boutard Rue	CY 80	Déroulède Rue Paul	CV 79	Leclerc Bd du Général
CY 80	Ancelle Rue	CZ 77	Bretteville Avenue de	CX 80	Devès Rue	CW 81	Lesseps Rue de
CX 80	Apollinaire Sq. Guillaume	CW 79	Céline Avenue	CY 80	Dulud Rue Jacques	CV 81	Libération Place de la
CW 79	Argenson Boulevard d'	CY 78	Centre Rue du	CW 78	Eau Albienne Square de l'	CV 80	Lille Rue de
CW 79	Argenson Square d'	CY 79	Chalons Allée Pierre	CX 81	Ecole de Mars Rue de l'	CX 81	Longchamp Rue de
CY 81	Armenonville Rue d'	CY 79	Chanton Square	CX 79	Église Rue de l'	CX 77	Longpont Rue de
CZ 77	Bagatelle Place de la	CX 78	Charcot Bd du Comandant	CY 78	Fénelon Rue Salignac	CX 80	Louis Philippe Rue
CZ 77	Bagatelle Rue de	CX 78	Charcot Rue	CZ 78	Ferme Rue de la	CX 78	Madrid Avenue de
CW 78	Bailly Rue	CW 79	Chartran Rue	CX 80	Ferrand Allée	CX 78	Madrid Villa de
CY 80	Barrès Boulevard Maurice	CY 81	Chartres Rue de	CV 79	Fournier Rue de l'Amiral	CY 81	Maillot Boulevard
CY 79	Barrès Square du	CW 79	Château Avenue du	CX 80	Gally Rue	CY 79	Maillot Villa
	Capitaine Claude	CV 80	Château Boulevard du	CW 78	Garnier Rue	CY 81	Marché Place du
CW 78	Beffroy Place	CW 79	Château Rue du	CY 80	Gaulle Avenue Charles De	CU 80	Marine Rue de la
CW 78	Beffroy Rue	CW 78	Chatrousse Rue Paul	CY 78	Gautier Rue Théophile	CY 81	Massiani Square M.
CY 80	Bellanger Rue	CW 80	Chauveau Rue de	CW 79	Gouraud Place du Général	CX 81	Méquillet Villa
CW 80	Beloeuil Square	CX 81	Cherest Rue Pierre	CX 79	Graviers Rue des	CX 81	Metman R. Charles-Bernard
CY 80	Bergerat Villa Emile	CW 80	Chézy Rue de	CX 79	Hôtel de Ville Rue de l'	CX 81	Michelis Rue Madeleine
CX 81	Berteaux Dumas Rue	CW 80	Chézy Square de	CX 78	Houssay Villa	CX 78	Midi Rue du
CY 78	Bertereau Rue Alexandre	CX 80	Churchill Place Winston	CV 81	Hugo Boulevard Victor	CX 80	Montrosier Rue du
CX 78	Bertier R. du Gal Henrion	CY 79	Constant Rue Benjamin	CX 79	Huissiers Rue des	CX 77	Neufchâteau Villa
CV 80	Bineau Boulevard	CX 80	Cordonnier R. du Général	CW 79	Inkermann Boulevard d'	CW 78	Neuilly Pont de
CW 82	Bineau Carrefour	CU 79	Courbevoie Pont de	CV 79	Joinville R. de l'Amiral De	CY 79	Neuilly-Château Square
CX 81	Blanche Villa	CX 77	Daix Rue Victor	CV 77	Juin Pont du Maréchal	CY 79	Noir Rue Victor
CX 80	Bloud Rue Edmond	CX 81	Dames Augustines R. des	CX 80	Kœnig Bd du Général	CX 79	Nordling Rue Raoul
CY 78	Bois de Boulogne Rue du	CY 78	Delabordère Rue	CY 80	Laffitte Rue Charles	CW 80	Nortier Rue Edouard
CV 79	Boncour R. du Lieutenant	CX 82	Delaizement Rue	CX 78	Lanrezac Rue du Général	CX 80	Orléans Allée d'
CW 80	Borghèse Allée	CX 78	Delanne Rue du Général	CZ 77	Lattre De Tassigny Rue du	CX 81	Orléans Place du Duc D'
CX 80	Borghèse Rue	CY 79	Deleau Rue		Maréchal De	CW 80	Orléans Rue d'
CU 80	Bourdon Boulevard	CZ 77	Deloison Rue Ernest	CX 81	Le Boucher Av. Philippe	CX 80	Orléans Rue d'

NOGENT-SUR-MARNE   94130   plan page 345

RER :   Ligne A2 - Nogent-sur-Marne - Ligne E Nogent-le-Perreux
Bus :   113-114-116-120-317

NOGENT-SUR-MARNE suite (plan page 345)

DG 111 **Thiers** Rue	DJ 110 **Yverdon** Square d'	DF 112 **Lycée Tech.** Louis Armand	DI 111 **Police**
DJ 110 **Tilleuls** Avenue des	DI 111 **Yvon** Rue	DH 109 **Lycée Albert De Mun**	DH 111 **Pompiers**
DH 112 **Vaillant** Rue du Maréchal	DH 111 **Zola** Rue Emile	DI 111 **Lycée Edouard Branly**	DH 112 **Poste**
DI 111 **Val de Beauté** Avenue du		DI 111 **Lycée Professionnel**	
DI 113 **Viaduc** Rue du	**Principaux Bâtiments**	DJ 108 **Lycée Professionnel**	DI 112 **Poste**
DI 110 **Vieux Paris** Square du	DH 111 **Bibliothèque**	DH 112 **Mairie**	
DG 110 **Viselets** Rue des	DI 109 **Clinique**	DH 112 **Mairie Annexe**	DH 112 **Scène Watteau**
DI 112 **Vitry** Rue Edmond	DH 112 **CPAM**	DH 111 **Musée**	DI 111 **Sous-Prefecture**
DG 110 **Vivier** R. Guillaume-Achille	DH 111 **Centre Juridique**	DI 110 **Pavillon Baltard**	
DI 109 **Watteau** Avenue	DH 110 **Hôtel des Finances**	DI 112 **Piscine**	DI 111 **Stade Sous-la-Lune**

PANTIN   93500   plan page 347

Métro : Ligne 5 - Hoche - Église de Pantin - Bobigny-Pantin-Raymond Queneau
Ligne 7 - Aubervilliers-Pantin-Quatre Chemins - Fort d'Aubervilliers
RER : Ligne E - Pantin
Bus : NE-NV-134-145-147-150-151-152-170-173-234-247-249-318-330-684

CV 100 **Aisne** Quai de l'	CT 99 **Diderot** Rue	CV 99 **Liberté** Rue de la	CV 100 **Stalingrad** Parc
CU 99 **Allende** Pl. du Pdt Salvador	CV 100 **Distillerie** Rue de la	CV 100 **Lolive** Avenue Jean	CR 100 **Stendhal** Rue
CV 102 **Arago** Rue François	CQ 100 **Division Leclerc** Av. de la	CT 98 **Magenta** Rue	CX 101 **Terrasse** Allée Claude
CT 98 **Aubervilliers** Impasse d'	CU 100 **Dix-Neuf Mars 1962**	CU 99 **Mairie** Place de la	CX 101 **Thalie** Avenue
CW 100 **Auffret** Rue Jules	Square du	CV 99 **Marcel** Rue Etienne	CU 100 **Timisoara** Rue de
CV 99 **Auger** Rue	CX 101 **Donnay** Allée Maurice	CX 101 **Marcelle** Rue	CT 99 **Toffier-Decaux** Rue
CV 99 **Auger** Square	CW 102 **Doré** Rue Alix	CQ 101 **Marché** Place du	CU 99 **Vaillant** Avenue Edouard
CX 101 **Auray** Rue Charles	CV 101 **Ducas** Allée Paul	CT 102 **Marie-Louise** Rue	CW 100 **Vaucanson** Rue
CX 101 **Auteurs** Cité des	CV 101 **Eglise** Place de l'	CT 102 **Marie-Thérèse** Rue	CT 103 **Vignes** Chemin des
CV 102 **Balzac** Rue de	CX 101 **Eglise** Square de l'	CU 99 **Marine** Rue de la	CR 101 **Vigny** Rue Alfred De
CW 102 **Barbusse** Parc Henri	CW 100 **Estienne D'Orves** Rue	CW 101 **Méhul** Square	CT 98 **Weber** Avenue
CW 100 **Beaurepaire** Rue	Honoré D'	CW 100 **Méhul** Rue	CV 102 **Westermann** Rue
CX 101 **Bel-Air** Rue du	CQ 101 **F** Voie	CX 101 **Meissonnier** Rue	
CW 102 **Béranger** Rue	CV 102 **Fabien** Avenue du Colonel	CX 101 **Messager** Allée André	**Principaux Bâtiments**
CV 101 **Berges** Rue des	CV 102 **Faguet** Rue Cécile	CW 100 **Michelet** Rue	CV 101 **ANPE**
CX 101 **Bernard** Allée Tristan	CV 101 **Faidherbe** Avenue	CV 101 **Mirbeau** Allée Octave	CV 100 **ASSEDIC**
CW 101 **Bert** Rue Paul	CX 101 **Fauré** Allée Gabriel	CV 99 **Montgolfier** Rue	CT 98 **Auditorium**
CT 98 **Berthier** Rue	CW 100 **Ferry** Rue Jules	CW 100 **Montigny** Rue	CV 100 **Bibliothèque**
CT 98 **Berthier** Rue Neuve	CX 101 **Flers et Callavet** Allée de	CV 100 **Moscou** Rue de	CT 98 **Bibliothèque**
CV 102 **Boïeldieu** Rue	CV 99 **Florian** Rue	CR 100 **Musset** Rue Alfred De	CU 99 **Bibliothèque**
CQ 100 **Boileau** Rue	CV 102 **Formagne** Rue	CU 99 **Nadot** Rue Louis	CR 100 **Bibliothèque**
CX 102 **Bois** Rue du	CV 102 **Formagne** Square	CT 99 **Neuve** Rue	CQ 100 **Bibliothèque**
CV 101 **Borreau** Rue Maurice	CS 98 **Foyers** Cité des	CW 99 **Newton** Allée	CU 100 **Caserne**
CV 103 **Bretagnes** Avenue des	CV 102 **France** Avenue Anatole	CV 101 **Nicot** Rue Jean	CR 99 **Caserne**
CV 102 **Brieux** Allée Eugène	CW 99 **Franklin** Rue	CW 99 **Nodier** Rue Charles	CW 100 **Centre International de**
CV 102 **Brossolette** Rue Pierre	CW 100 **Gambetta** Rue	CV 103 **Noisy** Route de	**l'Automobile**
CV 102 **Buttes** Rue des	CX 101 **Ganne** Allée Louis	CT 101 **Noue** Chemin de la	CU 99 **Centre National de la**
CW 101 **Candale** Rue	CX 101 **Capus** Allée Alfred	CV 100 **Nouvelle** Rue	**Danse**
CX 101 **Candale Prolongée** R. de	CU 98 **Gare** Avenue de la	CV 100 **Onze Novembre 1918** R. du	CU 99 **Cité Administrative**
CX 101 **Capus** Allée Alfred	CU 98 **Gare de Marchandises**	CV 100 **Ourcq** Quai de l'	CV 100 **Clinique**
CU 99 **Carnot** Rue Sadi	Place de la	CV 100 **Paix** Rue de la	CU 99 **Conservatoire de Musique**
CV 103 **Carrière** Chemin de la	CV 101 **Gaulle** Mail Charles De	CV 102 **Palestre** Rue de la	CV 99 **CPAM**
CT 99 **Cartier-Bresson** Rue	CX 101 **Giraudoux** Allée Jean	CT 99 **Papin** Rue Denis	CQ 101 **CPAM**
CU 101 **Chemin de Fer** Ch. Latéral au	CV 102 **Gobaut** Rue Roger	CV 102 **Parmentier** Rue	CV 100 **LP Félix Faure**
CU 98 **Chemin de Fer** Rue du	CW 100 **Grilles** Impasse des	CT 98 **Pasteur** Rue	CV 100 **LP Simone Weil**
CU 101 **Cheval Blanc** Rue du	CW 100 **Grilles** Rue des	CV 101 **Pellat** Rue du Docteur	CS 98 **Lycée Marcelin Berthelot**
CV 103 **Cheval Noir** Square du du	CW 102 **Guillaume Tell** Rue	CV 102 **Petit Pantin** Impasse du	CU 99 **Mairie**
CX 100 **Chevreul** Rue	CW 100 **Gutenberg** Rue	CX 101 **Pommiers** Rue des	CV 99 **Mairie Annexe**
CR 99 **Cimetière** Parisien du N.	CX 101 **Hahn** Allée Reynaldo	CQ 100 **Pont de Pierre** Rue du	CW 99 **Maison de Justice**
CU 99 **Compans** Rue du Général	CT 99 **Hoche** Rue	CW 99 **Pré Saint-Gervais** Rue du	CV 101 **Office de Tourisme**
CS 98 **Condorcet** Rue	CU 99 **Honoré** Rue	CR 101 **Racine** Rue	CV 100 **Piscine**
CV 99 **Congo** Rue du	CV 99 **Hôtel de Ville** Rue de l'	CV 101 **Ravel** Allée Maurice	CU 99 **Piscine**
CX 101 **Convention** Rue de la	CV 100 **Hugo** Rue Victor	CW 101 **Regnault** Rue	CV 100 **Police**
CQ 100 **Copernic** Allée	CV 100 **Huit Mai 1945** Avenue du	CV 102 **Renan** Rue Ernest	CU 100 **Pompiers**
CV 100 **Cornet** R. Eugène et M.-L.	CV 102 **Jacquart** Rue	CQ 101 **Renard** Rue Edouard	CT 98 **Poste**
CT 99 **Cottin** Rue Jacques	CS 98 **Jardins** Villa des	CW 102 **République** Parc de la	CV 100 **Poste**
CX 101 **Courteline** Allée Georges	CS 98 **Jaslin** Rue Jules	CX 101 **Résistance** Voie de la	CV 100 **Poste**
CR 101 **Courtillières** Parc des	CS 98 **Jaurès** Avenue Jean	CV 99 **Roche** Passage	CV 102 **Poste**
CQ 100 **Courtillières** Avenue des	CW 102 **Josserand** Rue Gabrielle	CW 101 **Romainville** Impasse de	
CV 101 **Courtois** Rue	CV 101 **Kléber** Rue	CX 101 **Rostand** Allée Edmond	CQ 100 **Stade ASPTT**
CU 99 **Danton** Rue	CQ 100 **La Fontaine** Rue	CW 100 **Rouget De Lisle** Rue	CV 99 **Stade Charles Auray**
CS 98 **David** Impasse	CV 100 **Lakanal** Rue	CT 98 **Sainte-Marguerite** Rue	CR 99 **Stade Marcel Cerdan**
CT 98 **Davout** Rue	CR 100 **Lamartine** Rue	CV 101 **Saint-Louis** Rue	CV 100 **Stade Méhul**
CU 98 **Débarcadère** Rue du	CT 98 **Lapérouse** Rue	CR 101 **Sand** Rue George	CU 99 **Stade Sadi Carnot**
CX 101 **Debussy** Allée Claude	CT 98 **Lapérouse** Square	CX 101 **Sardou** Allée Victorien	CU 99 **Théâtre**
CW 102 **Delessert** Rue Benjamin	CQ 100 **Laplace** Square	CV 99 **Scandicci** Rue	CU 99 **Tribunal**
CV 101 **Delizy** Pont	CW 101 **Lavoisier** Rue	CV 100 **Seita** Parc	CX 101 **Cimetière de Pantin**
CU 100 **Delizy** Rue	CT 101 **Leclerc** Av. du Général	CW 99 **Sept Arpents** Impasse des	CS 100 **Cimetière Parisien de**
CW 101 **Déportation** Voie de la	CV 101 **Leducq** Rue Théophile	CW 99 **Sept Arpents** Rue des	**Pantin Bobigny**
CT 100 **Diderot** Impasse	CV 102 **Lépine** Rue	CX 101 **Société des Auteurs**	
CS 98 **Diderot** Parc	CS 98 **Lesieur** Avenue Alfred	CX 101 **Société des Auteurs** Place de la	

LE PRÉ-SAINT-GERVAIS   93310   plan page 351

Bus :   61-170-249

CX 100	**Acacias** Avenue des
CX 100	**Aigle** Avenue de l'
CW 99	**Allende** Square Salvador
CX 100	**Audry** Rue Colette
CX 99	**Augier** Rue Emile
CX 100	**Avenir** Villa de l'
CW 100	**Babeuf** Allée Gracchus
CW 100	**Baudin** Rue
CX 100	**Beau Soleil** Avenue
CX 100	**Bellevue** Avenue de
CX 100	**Belvédère** Avenue du
CW 99	**Béranger** Rue
CX 100	**Blanc** Rue Louis
CW 100	**Blanqui** Rue Auguste
CY 100	**Blum** Place Léon
CX 100	**Brossolette** Rue Pierre
CW 100	**Cabet** Allée Etienne
CW 99	**Carnot** Rue
CW 99	**Chardanne** Rue
CW 100	**Chevreul** Rue
CW 99	**Cité Rabelais** la
CW 99	**Clément** R. Jean-Baptiste
CY 99	**Clos Lamotte** Sente du
CY 100	**Cornettes** Sentier des
CX 100	**Danton** Rue
CW 99	**Deltéral** Rue
CW 99	**Dormoy** Rue Marx
CW 99	**Estienne D'Orves** Rue Honoré D'
CY 100	**Faidherbe** Avenue
CX 100	**Faidherbe** Square
CW 100	**Ferrer** Square Francisco
CW 100	**Fourier** Allée Charles
CX 99	**France** Place Anatole
CW 99	**France** Rue Anatole
CW 99	**Franklin** Rue
CX 100	**Garcia** Carrefour Cristino
CW 100	**Garibaldi** Rue
CX 99	**Geneste** Sente
CX 99	**Giengen-sur-Breutz** Pl. de
CW 100	**Grande** Avenue
CW 100	**Gutenberg** Rue
CW 99	**Jacquart** Rue
CW 100	**Jacquemin** Rue Jules
CX 100	**Jaurès** Avenue Jean
CX 99	**Jaurès** Place Jean
CX 99	**Joineau** Rue André
CX 99	**Kock** Rue Paul De
CX 99	**Lamartine** Rue
CW 99	**Leclerc** Place du Général
CY 100	**Lilas** Villa des
CX 99	**Lions** Villa des
CX 100	**Mairie** Passage de la
CX 100	**Marceau** Rue
CY 100	**Marchais** Sentier des
CW 100	**Marronniers** Avenue des
CW 100	**Martin** Rue Henri
CW 100	**Moore** Allée Thomas
CW 99	**Nodier** Rue Charles
CY 100	**Paris** Rue de
CX 100	**Pavillons** Sentier des
CX 99	**Pépin** Square Edmond
CY 100	**Péri** Rue Gabriel
CW 99	**Progrès** Rue du
CW 100	**Proudhon** R. Pierre-Joseph
CW 99	**Quatorze Juillet** Rue du
CW 99	**Quizet** Rue Léon-Alphonse
CW 100	**Salengro** Rue Roger
CX 100	**Sellier** Place Henri
CW 99	**Sémanaz** R. Jean-Baptiste
CW 99	**Sept Arpents** Rue des
CX 100	**Séverine** Place
CX 99	**Simonnot** Rue
CW 100	**Sismondi** Allée
CX 100	**Soupirs** Avenue des
CX 99	**Soyer** Rue du Capitaine
CW 99	**Stalingrad** Rue de
CX 100	**Sycomores** Avenue des
CX 100	**Thomas** Rue Albert
CY 100	**Trou-Marin** Sentier du
CX 100	**Vaillant** Avenue Edouard
CX 100	**Zola** Rue Emile

Principaux Bâtiments

CX 100	Bibliothèque François Mitterrand
CX 99	Centre Sportif
CX 99	CPAM
CX 99	Centre Culturel
CX 99	Mairie
CX 99	Piscine
CX 99	Police
CX 100	Poste
CY 100	Stade Léo Lagrange
CW 100	Cimetière du Pré St Gervais

PUTEAUX   92800   plan page 353

* voir plan de La Défense

Métro :	Ligne 1 - Esplanade de la Défense - Grande Arche de la Défense
RER :	A - Grande Arche de la Défense
Bus :	NA-Balabus-73-141-144-157-158-159-161-174-175-176-178-258-262-272-275-278-360-378-Buséolien
Tramway T2 :	La Défense - Puteaux

CY 75	**Agathe** Rue
CX 75	**Ampère** Rue
CZ 74	**Ancien Château** Rés. de l'
CX 76	**Appel du Dix-Huit Juin 1940** Rue de l'
CX 76*	**Arago** Rue
CX 74	**Arcades** Résidence des
CV 75*	**Arche** Allée de l'
CZ 75	**Arsenal** Rue de l'
CX 73	**Bas Roger** Rue des
CW 77	**Bellini** Résidence
CW 77	**Bellini** Rue
CW 77*	**Bellini** Terrasse
CX 73	**Bergères** Résidence des
CX 73	**Bergères** Rd-Point des
CY 75	**Bert** Rue Paul
CW 74	**Bicentenaire** Rue du
CX 75	**Blanche** Rue Auguste
CY 75	**Blanchisseurs** Rue des
CX 76	**Blum** Rue Léon
CX 76	**Blum** Square Léon
CW 75*	**Boieldieu** Jardins
CW 75*	**Boieldieu** Terrasse
CY 76	**Bourgeoise** Rue
CW 74*	**Bouvets** Boulevard des
CV 75	**Brazza** Rue de
CV 75	**Caen** Rue de
CX 75	**Carnot** Rue Sadi
CV 75*	**Carpeaux** Place
CV 75*	**Carpeaux** Rue
CX 74	**Carré Vert (1)** Rés. du
CX 74	**Cartault** Rue
CW 74	**Champs Moisiaux** Sq. des
CX 74	**Chantecoq** Rue
CX 73	**Charcot** Rue
CW 75	**Chemin Vert** Square du
CX 75	**Chenu** Rue Charles
CY 74	**Chigneux** Passage des
CW 75*	**Circulaire** Boulevard
CY 75	**Collin** Rue
CX 73	**Compagnie des Eaux** Chemin de la
CY 74	**Courtault (2)** Résidence
CX 73	**Curie** Rue Pierre
CW 75	**Dame Blanche (3)** Sq. de la
CY 75	**Défense** Place de la
CW 76*	**Défense** Rond-Point de la
CV 75*	**Degrés** Rue des
CW 76*	**Delarivière-Lefoullon** Rue
CV 75*	**Demi-Lune** Route de la
CX 74	**Deux Horloges (4)** Rés. des
CX 74	**Deux Horloges (4)** Sq. des
CZ 75*	**Dion-Bouton** Quai de
CV 75*	**Division Leclerc** Av. de la
CV 75*	**Dôme** Place du
CZ 74	**Ecluse** Allée de l'
CY 76	**Eglise** Rue de l'
CY 75	**Eichenberger** Rue Eugène
CV 74*	**Faure** Avenue Félix
CV 74*	**Ferry** Rue Jules
CW 74	**Fontaines** Rue des
CW 74	**Fontaines (5)** Rés. des
CX 76	**Four** Rue du
CX 75	**France** Rue Anatole
CX 73	**France (6)** Rés. Anatole
CX 73	**Fusillés de la Résistance 1940-1944** Rue des
CW 76	**Gallieni** Rue
CW 76*	**Gallieni** Square
CX 75	**Gambetta** Rue
CW 77*	**Gaudin** Square Pierre
CW 76*	**Gaulle** Av. du Général De
CW 76*	**Gaulle** Espl. du Gal De
CY 75	**Gerhard** Rue
CY 75	**Gerhard prolongée** Rue
CY 76	**Godefroy** Rue
CY 76	**Godefroy** Square
CY 76	**Guesde** Rue Jules
CX 74	**Guibert** R. de l'Abbé Maurice
CX 74	**Gutenberg** Avenue
CX 77	**Hanet** Passage
CW 74*	**Hassoux** Voie Georges
CX 74	**Hoche** Rue
CW 75*	**Horlogerie** Voie de l'
CX 75	**Hôtel de Ville** Espl. de l'
CX 75	**Hugo** Rue Victor
CY 75	**Hugo (7)** Résidence Victor
CX 76	**Huit Mai 1945** Place du
CX 76	**Huit Mai 1945** Rue du
CX 76	**Huit Mai 1945 (8)** Sq. du
CX 76	**Imprimeurs** Allée des
CX 76	**Jacotot** Rue Marius
CY 75	**Jaurès** Rue Jean
CW 75	**Joumel** Square Marcel
CZ 75	**Keighley** Rue
CV 74*	**Kupka** Boulevard Franck
CW 74	**Kupka** Square Franck
CX 75	**Lafargue** Rue Paul
CX 75	**Larrys** Square des
CX 75	**Lavoisier** Rue
CX 77	**Lebaudy** Parc
CY 76	**Lechevallier** Square
CX 75	**Leclerc** Quai du Maréchal
CY 75	**Leclerc** Rue André
CW 76	**Leclerc** Rue du Général
CZ 75	**Legagneux** Rue Georges
CW 76	**Liberté** Rond-point de la
CY 75	**Loges** Sentier des
CX 74	**Lorilleux** Rés. Charles
CX 74	**Lorilleux** Rue Charles
CX 74	**Lorilleux A (9)** Square
CX 74	**Lorilleux B (10)** Square
CX 74	**Lorilleux C (11)** Square
CX 74	**Malon** Rue Benoît
CY 76	**Manissier** Rue
CX 75	**Marché** Allée du
CX 75	**Marché** Passage du
CX 75	**Marées (12)** Square des
CY 75	**Mars et Roty** Rue
CX 74	**Martin** Rue Henri
CX 74	**Martyrs de la Résistance** Square des
CW 77*	**Michelet** Cours
CW 76*	**Michelet** Rue
CW 75*	**Michets-Petray** R. des
CW 74	**Moissan (13)** Résidence
CX 75	**Monge** Rue
CX 75	**Montaigne** Rue
CX 75	**Moulin** Avenue Jean
CX 75	**Moulin** Rue du
CX 73	**Moulin** Résidence du
CX 74	**Moulin** Rue du
CY 75	**Nélaton** Rue
CX 74	**Nenning** Rue Jean
CW 78*	**Neuilly** Pont de
CY 76	**Oasis** Rue de l'
CX 74	**Offenbach** Parc
CX 74	**Palissy** Rue Bernard
CX 74	**Palissy (14)** Rés. Bernard
CW 75	**Paradis** Rue du
CY 75	**Parmentier** Rue
CV 75*	**Parvis** Le
CX 73	**Pasteur** Rue
CX 76	**Pavillons** Rue des
CW 74	**Pelloutier** Rue Fernand
CV 75*	**Pergola** Square de la
CV 75*	**Perronet** Avenue
CX 76	**Pitois** Rue
CW 76	**Platanes** Résidence les
CZ 75	**Pompidou** Av. Georges
CV 75*	**Pouey** Résidence Louis
CW 75*	**Pouey** Rue Louis
CZ 75	**Pressensé** Rue Francis De
CW 75	**Prony** Rue de
CX 74	**Prony (15)** Square
CX 74	**Puits** Rue du
CZ 76	**Puteaux** Pont de
CW 74*	**Pyat** Rue Félix
CV 74*	**Pyramide** Place de la
CW 74	**Quinet** Rue Edgar
CY 75	**Rabelais** Rue
CX 74	**République** Rue de la
CZ 75	**Rives de Seine** Résidence
CW 74*	**Ronde** Place
CX 76	**Roque De Fillol** Rue
CX 77	**Roseraie** Jardin La
CW 74	**Rosiers** Résidence des
CX 74	**Rosiers** Rue des
CW 74*	**Rosiers (16)** Square des
CX 76	**Rouget De Lisle** Rue
CX 76	**Rousselle** Rue
CY 74	**Saulnier** Rue
CW 76*	**Sculpteurs** Voie des
CX 74	**Sellier** Allée Henri
CX 77	**Soljenitsyne** Bd Alexandre
CX 74	**Souvenir Français** Pl. du
CW 74	**Sports** Allée des
CX 74	**Stalingrad** Rue de
CX 75	**Station** Chemin de la
CW 76*	**Sud** Place du
CY 75	**Théâtre** Square du
CX 73	**Tilleuls** Avenue des
CY 74	**Trois Places** Passage. des
CW 75*	**Turpin** Square André
CW 76	**Vaillant** Rue Edouard

SAINT-CLOUD 92210 plan page 355

Bus : 52-72-126-144-160-175-241-244-360-420-460-467
Tramway T2 : Parc de St-Cloud - Les Milons - Les Coteaux
SNCF : Val d'Or - St-Cloud - Garches-Marne la Coquette

Principaux Bâtiments

DC 71	Caserne
DG 71	Centre des Impôts
DG 72	Clinique du Val-d'Or
DG 72	Conservatoire de Musique
DG 72	CPAM
DH 72	DGA Centre Sully
DD 70	Hippodrome de St-Cloud
DG 72	Hopital de Saint-Cloud
DG 72	IUT
DF 72	Lycée Florent Schmitt
DH 69	Lycée Professionnel Santos-Dumont
DG 72	Mairie
DH 72	Médiathèque
DH 72	Musée du Parc de St Cloud
DJ 73	Musée National de Céramique
DJ 72	Pavillon de Breteuil
DE 72	Piscine
DF 72	Police
DF 72	Pompiers
DD 72	Poste
DG 72	Poste
DG 71	Poste
DD 73	Stade des Côteaux
DI 69	Stade Français la Faisanderie
DH 70	Stade Intercommunal du Pré Saint-Jean
DF 73	Stade Martine Tacconi
DF 70	Cimetière

Métro : Ligne 13 - Carrefour Pleyel - St-Denis Porte de Paris - Basilique de St-Denis - St-Denis Université
Bus : NC-ND-139-153-154-156-168-170-173-174-177-178-253-254-255-256-261-268-302-356-361
Tramway T1 : St-Denis - Th. G. Philipe - Marché de St-Denis - Basilique de St-Denis - Cimetière de St-Denis- Hôpital Delafontaine - Cosmonautes
RER : D- Stade de France-St-Denis - Saint-Denis - B - La Plaine-Stade de France

SAINT-DENIS suite (plan page 359)

CO 95	**Languedoc** Rue du
CM 93	**Lanne** Place
CM 92	**Lanne** Rue
CK 94	**Larivière** Rue Louis
CJ 94	**Las Casas** Allée
CL 93	**Lautréamont** Place
CM 92	**Leblanc** Rue Nicolas
CK 92	**Leclerc** Place du Général
CM 93	**Légion d'Honneur** R. de la
CM 93	**Légion d'Honneur (11)** Place de la
CM 92	**Lelay** Rue Désiré
CL 94	**Lénine** Avenue de
CL 94	**Lénine** Square
CM 96	**Léonov** Rue Alexis
CN 94	**Leroy Des Barres** Avenue
CN 94	**Lesne** Rue
CM 90	**Libération** Boulevard de la
CK 94	**Liberté** Rue de la
CK 95	**Livry** Rue de
CN 92	**Lorget** Rue
CK 95	**Lormier** Rue
CO 95	**Lorraine** Rue de
CJ 93	**Loubet** Rue
CQ 90	**Louis** Impasse
CK 91	**Lurçat** Rue Jean
CN 95	**Lyautey** Rue du Maréchal
CN 93	**Macé** Rue Jean
CT 94	**Magasins Généraux** Av. des
CL 92	**Mallarmé** Allée Stéphane
CL 93	**Mallarmé** Place Stéphane
CQ 94	**Maraîchers** Rue des
CL 92	**Marcenac** Rue Jean
CP 90	**Marchand** Rue Louis
CQ 93	**Marché** Place du
CQ 92	**Margaritis** Rue Gilles
CK 97	**Marialles** Square des
CK 96	**Marnaudes** Rue des
CL 94	**Marronniers** Rue des
CT 93	**Marteau** Square
CJ 94	**Marti** Allée José
CJ 91	**Martyrs de Châteaubriant** Rue des
CK 97	**Marville** Chemin de
CL 96	**Massenet** Rue
CK 92	**Mauriac** Rue François
CO 91	**Mazé** Rue Edouard
CO 94	**Médici** Rue Angéla
CN 90	**Meissonnier** Cité
CL 94	**Menand** Rue
CK 94	**Mériel** Rue de
CK 92	**Mermoz** Rue Jean
CK 92	**Messidor** Place
CK 94	**Métairie** Chemin de la
CK 94	**Métairie** Cité la
CK 94	**Métairie** Rue de la
CR 93	**Métallurgie** Avenue de la
CL 96	**Metz** Impasse de
CN 92	**Meunier** Passage
CM 94	**Michard** Rue Etienne
CP 94	**Michel** Impasse
CN 90	**Michels** Rue Charles
CM 90	**Michels** Square Charles
CO 94	**Milliat** Rue Alice
CP 92	**Mitterrand** Avenue François
CO 93	**Mondial 1998** Rue du
CK 96	**Monet** Rue
CM 95	**Monjardin** Villa
CI 92	**Monmousseau** R. Gaston
CK 95	**Montjoie** Domaine
CR 93	**Montjoie** Rue de la
CK 95	**Montmagny** Rue de
CK 94	**Montmorency** Rue de
CK 93	**Môquet** Rue Guy
CM 92	**Moreau** Rue
CK 94	**Moulin** Avenue Jean
CM 96	**Moulin Basset** Chemin du
CM 93	**Moulin de Choisel** Pas. du
CK 93	**Moulin de la Trinité** Al. du
CK 91	**Moulins Gémeaux** Rés.
CL 91	**Moulins Gémeaux** Rue des
CK 97	**Muande** Square de la
CN 94	**Muguets** Rue des
CP 95	**Murger** Rue Henri
CP 94	**Murger Prolongée** R. Henri
CK 91	**Myosotis** Allée des
CL 91	**Nay** Rue
CK 94	**Neruda** Cité Pablo
CK 96	**Nerval** Rue Gérard De
CK 94	**Neuilly** Rue de
CK 95	**Noailles** Allée de
CK 95	**Nord** Rue du
CN 94	**Nouveau** Rue Germain
CN 94	**Œillets** Rue des
CO 93	**Olympisme** Rue de l'
CQ 91	**Ornano** Boulevard
CO 94	**Ostermeyer** Rue Micheline
CO 94	**Owens** Rue Jesse
CK 95	**Palmiers** Villa des
CQ 90	**Parc** Rue du
CP 93	**Parc à Charbon** Rue du
CM 92	**Parmentier** Place
CK 96	**Pasteur** Rue
CN 92	**Paul** Esplanade Marcel
CK 93	**Péri** Cité Gabriel
CL 92	**Péri** Rue Gabriel
CK 93	**Péri** Square Gabriel
CN 94	**Périgord** Rue du
CR 92	**Petits Cailloux** Ch. des
CL 92	**Philipe** Rue Gaston
CP 90	**Pianos** Place des
CK 92	**Picasso** Cité
CK 92	**Picasso** Square
CK 92	**Picot** Passage Georges
CN 93	**Picou** Impasse
CQ 94	**Pilier** Impasse du
CN 93	**Pinel** Rue
CL 94	**Platanes** Allée des
CP 91	**Pleyel** Place
CQ 91	**Pleyel** Rue
CK 96	**Plouich** Rue du
CP 91	**Poiré** Rue du Docteur
CT 92	**Poissonniers** Rue des
CL 94	**Politzer** Résidence
CL 94	**Politzer** Rue Georges
CL 93	**Pont Godet** Rue du
CK 91	**Pont Saint-Lazare** Rue du
CM 91	**Port** Quai du
CL 91	**Port** Rue Basse du
CM 91	**Port** Rue du
CN 93	**Porte de Paris** Place de la
CL 96	**Postillons** Chemin des
CL 96	**Postillons** Rue des
CK 91	**Poterie** Rue de la
CI 92	**Pottier** Cité Eugène
CI 92	**Pottier** Rue Eugène
CP 91	**Poulbot** Rue Francisque
CL 93	**Poulies** Chemin des
CL 93	**Poulies** Place des
CK 92	**Poullain** Rue Auguste
CK 92	**Poullain** Square Auguste
CM 90	**Poulmarch** Place Jean
CK 92	**Prairial** Rue
CL 95	**Prairie** Rue de la
CO 91	**Pralet-Lefèvre** Rue
CK 92	**Prés de la Conge** Al. des
CN 95	**Presov** Avenue de
CP 93	**Pressensé** Rue Francis De
CL 96	**Prévert** Rue Jacques
CQ 93	**Procession** Rue de la
CN 94	**Progrès** Rue du
CS 93	**Proudhon** Rue
CP 93	**Puits** Impasse des
CN 92	**Quatre Septembre** Rue du
CP 92	**Queune** Impasse
CL 91	**Quinsonnas** Rue de
CN 92	**Raspail** Rue
CL 92	**Renan** Rue Ernest
CQ 90	**Renouillères** Rue des
CJ 91	**République** Avenue de la
CL 92	**République** Rue de la
CM 92	**Résistance** Place de la
CO 91	**Révolte** Pont de la
CO 91	**Révolte** Route de la
CM 92	**Riant** Rue
CJ 92	**Riboulet** Impasse
CK 93	**Rimbaud** Rue Arthur
CO 93	**Rimet** Rue Jules
CL 92	**Robespierre** Square
CM 92	**Rochereau** Rue
CL 96	**Rolland** Avenue Romain
CL 95	**Rolland** Cité Romain
CQ 93	**Rol-Tanguy** Rue
CL 92	**Rosalie** Galerie
CK 95	**Rouillon** Rue du
CL 96	**Rousseau** R. Jean-Jacques
CL 92	**Roussel** Rue
CK 95	**Rousval** Rue Yves
CN 94	**Rû de Montfort** Cours du
CN 94	**Rû de Montfort** Résidence
CQ 94	**Rubiano** Rue Léonor
CI 92	**Sacco et Vanzetti** Rue
CL 93	**Saint-Barthélemy (12)** Passage
CL 91	**Saint-Clément** Impasse
CL 93	**Saint-Eloi (13)** Place
CN 94	**Saint-Exupéry** Allée Antoine De
CM 93	**Saint-Jean** Impasse
CS 93	**Saint-Just** Place
CS 93	**Saint-Just** Rue
CJ 95	**Saint-Léger** Chemin de
CK 94	**Saint-Léger** Résidence
CM 93	**Saint-Michel du Degré** Passage
CO 90	**Saint-Ouen** Quai de
CM 94	**Saint-Rémy** Avenue de
CL 95	**Saint-Rémy Nord** Cité
CM 94	**Saint-Rémy Sud** Cité
CK 92	**Sampaix** Place Lucien
CN 92	**Samson** Rue
CR 94	**Sand** Avenue George
CN 92	**Sands** Rue Bobby
CN 94	**Sarcey** Rue Francisque
CK 96	**Saules** Allée des
CL 93	**Saulger** Passage du
CO 92	**Saulnier** Rue Jules
CK 96	**Saussaie** Cité la
CK 95	**Saussaie** Rue de la
CP 90	**Seine** Allée de
CL 90	**Seine** Quai de
CK 93	**Sellerie** Allée de la
CJ 92	**Sémard** Cité Pierre
CJ 92	**Sémard** Place Pierre
CJ 93	**Sémat** Avenue Roger
CN 92	**Sembat** Boulevard Marcel
CK 96	**Sevran** Rue de
CK 96	**Sevran** Square
CM 96	**Sheppard** Rue Alan
CK 92	**Siegfried** Passage
CN 93	**Simon** Rue
CL 96	**Simonet** Rue Camille
CJ 94	**Siquéiros** Rue David
CK 97	**Sisley** Rue
CL 93	**Six Chapelles (14)** Al. des
CQ 93	**Soissons** Pont de
CL 93	**Soleil Levant (15)** Pl. du
CQ 91	**Sorin** Rue
CN 95	**Sports** Place des
CN 92	**Square** Quai du
CN 92	**Square Pierre De Geyter** Place du
CK 92	**Stade** Résidence du
CP 93	**Stade de France** Av. du
CO 93	**Stades** Passage des
CK 93	**Stalingrad** Cité
CJ 94	**Stalingrad** Avenue de
CL 94	**Strasbourg** Rue de
CN 94	**Suger** Résidence
CL 91	**Suger** Rue
CK 94	**Suresnes** Rue de
CN 93	**Taittinger** Rue
CK 94	**Tartres** Rue des
CL 93	**Temps des Cerises (16)** Pl. du
CM 96	**Terechkova** Rue Valentina
CN 94	**Thierry** Villa
CM 92	**Thiers** Impasse
CN 92	**Thiers** Passerelle
CK 92	**Thorez** Avenue Maurice
CL 95	**Tilleuls** Villa des
CJ 92	**Timbaud** Rue Jean-Pierre
CM 96	**Titov** Rue Guerman
CQ 90	**Torpédo** Rue de la
CM 93	**Toul** Rue de
CM 94	**Tournelle Saint-Louis** Résidence la
CO 93	**Tournoi des Cinq Nations** Rue du
CJ 94	**Toussaint-Louverture** Rue
CL 93	**Tramway (17)** Passage du
CM 93	**Traverse** Rue
CP 93	**Trémies** Rue des
CS 92	**Trézel** Impasse
CL 91	**Triolet** Rue Elsa
CQ 91	**Tunis** Rue de
CM 92	**Ursulines** Rue des
CL 96	**Vaché** Rue Jacques
CM 94	**Vachette** Rue Rolland
CL 93	**Vaillant** Rue Edouard
CM 94	**Vaillant-Couturier** Av. Paul
CL 93	**Vallès** Passage Jules
CJ 92	**Vanhollebeke** Al. Fernand
CK 96	**Vanniers** Place des
CL 93	**Varlin** Passage Eugène
CJ 93	**Védrines** Rue Jules
CK 92	**Vendémiaire** Rue
CK 94	**Verdun** Avenue de
CL 93	**Verlaine** Rue Paul
CL 92	**Verte** Allée
CM 94	**Victimes du Franquisme** Rue des
CK 96	**Vieille Mer** Prom. de la
CL 95	**Vieille Mer** Rue de la
CK 95	**Villiers** Rue de
CM 94	**Vinci** Allée Léonard De
CL 91	**Viollet-Le-Duc** Rue
CN 93	**Voisine** Rue
CO 90	**Volta** Rue
CM 95	**Voltaire** Rue
CL 93	**Walter** Rue Albert
CP 90	**Watt** Rue James
CM 96	**White** Rue Edouard
CQ 93	**Wilson** Av. du Président
CL 93	**Woog** Rue Jacques
CK 94	**Yacine** Rue Kateb
CJ 90	**Yser** Rue de l'
CL 94	**Zola** Rue Emile

Principaux Bâtiments

CM 93	ANPE
CK 92	ASSEDIC
CM 93	Basilique
CN 92	Bourse du Travail
CN 95	Caserne Gardes Mobiles
CJ 90	Caserne Pompiers
CK 93	Centre Nautique
CN 92	Clinique
CK 91	Clinique
CN 95	Complexe Sportif Franc Moisin
CP 93	Complexe sportif N. Mandela
CM 92	CPAM
CK 94	CPAM
CK 92	Centre des Impôts
CP 93	DDE
CM 94	DDE
CL 91	Gare Routière
CJ 94	Gare Routière
CL 93	Gendarmerie
CN 93	Hôpital Danielle Casanova
CM 95	Hôpital Intercommunal Delafontaine
CR 93	I.U.T.
CM 92	Impôts
CL 92	Inspection Education Nationale
CL 92	IUFM
CL 92	IUT Paris XIII
CO 93	le Petit Stade
CK 94	LP Bartholdi
CM 92	LP Dionysien
CL 92	LPA ENNA
CK 93	Lycée Paul Eluard
CN 94	Lycée Suger
CL 93	Mairie
CM 92	Musée
CN 91	Musée Bouilhet-Christofle
CL 92	Office de Tourisme
CJ 92	Palais des Sports Auguste Delaune
CL 96	Piscine de Marville
CQ 92	Police
CK 92	Police
CR 93	Poste
CR 93	Poste
CO 94	Poste
CK 92	Poste
CL 92	Poste
CL 95	Poste
CK 96	Poste
CL 93	Sous-Prefecture
CJ 92	Stade Auguste Delaune
CO 93	Stade de France
CQ 90	Stade du Landy
CO 92	Tour Akzo
CP 91	Tour Pleyel
CM 93	Trésorerie Principale
CL 93	Tribunal d'Instance
CK 93	Université Paris VIII
CJ 93	Université Paris VIII
CJ 94	Vélodrome
CL 94	Cimetière Communal
CT 93	Cim. Paris. de la Chapelle

SAINT-MANDÉ 94160

plan page 362

Métro : Ligne 1 -Saint Mandé-Tourelle
Bus : NH-46-56-86-325

DG 102	**Acacias** Allée des	DG 102	**Foch** Avenue	DG 101	**Onze Novembre** Square du
DH 101	**Allard** Rue	DF 101	**Gallieni** Avenue	DG 102	**Ormes** Square des
DH 101	**Alouette** Rue de l'	DG 102	**Gambetta** Avenue	DG 102	**Parc** Rue du
DH 101	**Alphand** Avenue	DH 101	**Gaulle** Av. du Général De	DG 103	**Paris** Avenue de
DH 101	**Baudin** Rue	DH 102	**Grandville** Rue	DG 102	**Pasteur** Avenue
DH 101	**Bert** Rue Paul	DG 101	**Guyane** Boulevard de la	DI 102	**Pelouse** Avenue de la
DG 101	**Bérulle** Rue de	DH 101	**Guynemer** Rue	DG 102	**Platanes** Allée des
DG 101	**Bir Hakeim** Passage	DI 101	**Hamelin** Rue	DF 101	**Plisson** Rue
DH 101	**Brière de Boismont** Rue	DH 101	**Herbillon** Avenue	DG 102	**Poirier** Rue
DG 101	**Cailletet** Rue	DH 101	**Hugo** Avenue Victor	DH 101	**Pouchard** Rue de l'Abbé
DI 101	**Carnot** Villa	DI 102	**Jeanne D'Arc** Rue	DG 101	**Première Division**
DG 102	**Cart** Rue	DF 101	**Joffre** Avenue		**Française Libre** Rue de la
DG 102	**Catalpas** Square des	DH 101	**Jolly** Rue	DH 101	**Quihou** Rue
DG 101	**Courbet** Rue de l'Amiral	DG 102	**Lac** Rue du	DH 101	**Renault** Rue
DI 101	**Daumesnil** Avenue	DF 102	**Lagny** Avenue de	DH 101	**Ringuet** Rue Eugène
DH 101	**Delahaye** Place Lucien	DF 102	**Leclerc** Place du Général	DH 101	**Sacrot** Rue
DI 101	**Demi-Lune** Carrefour de la	DH 102	**Lévy** Rue Benoît	DI 101	**Sainte-Marie** Avenue
DG 101	**Digeon** Place Charles	DH 101	**Libération** Place de la	DI 101	**Sainte-Marie** Villa
DH 101	**Durget** Rue	DG 102	**Liège** Square de	DG 102	**Sorbiers** Square des
DH 101	**Epinette** Rue de l'	DH 101	**Marcès** Villa	DG 101	**Suzanne** Villa
DI 101	**Etang** Chaussée de l'	DH 101	**Mermoz** Rue Jean	DF 101	**Talus du Cours** Rue du
DG 102	**Etang** Villa de l'	DH 103	**Minimes** Avenue des	DG 102	**Tourelle** Route de la
DH 102	**Faidherbe** Passage	DG 101	**Mongenot** Rue	DG 102	**Tourelle** Villa de la
DH 102	**Faidherbe** Rue	DH 101	**Mouchotte** R. du Cdt René	DF 101	**Vallées** Rue des
DF 102	**Faÿs** Rue	DH 101	**Nungesser** Square	DH 101	**Verdun** Rue de

DF 101	**Viteau** Rue		
DI 101	**Vivien** Av. Robert-André		

Principaux Bâtiments

DG 102	Bibliothèque
DH 102	Clinique Jeanne D'Arc
DH 101	Conservatoire Robert Lamoureux
DG 102	CPAM
DG 102	Centre Culturel
DI 101	Centre Georges Thill
DF 101	Centre Jean Bertaud
DG 102	Centre Pierre Cochereau
DG 101	Centre Pierre Grach
DI 101	Centre Sportif R. Vergne
DG 103	Hopital Bégin (Militaire)
DG 102	IGN
DG 101	Institut Le Val-Mandé
DG 102	Mairie
DH 101	Piscine
DH 101	Police
DH 101	Poste
DG 103	Stade des Minimes
DF 102	Cimetière Nord

SAINT-MAURICE 94410

plan page 365

Bus : 24-111-281-325

DM 108	**Acacias** Allée des	DM 102	**Ecluse** Square de l'	DM 104	**Moulin Rouge** Square du
DL 102	**Amandiers** Rue des	DM 103	**Eglise** Square de l'	DL 102	**Nocard** Rue Edmond
DN 107	**Bateaux Lavoirs** Allée des	DL 102	**Epinettes** Rue des	DN 107	**Petit Bras** Allée du
DM 107	**Béclard** Rue Jules	DL 102	**Epinettes** Villa des	DN 108	**Pirelli** R. Giovanni-Battista
DM 107	**Belbeoch** Av. Joseph-François	DM 102	**Erables** Allée des	DL 102	**Platanes** Allée des
DM 107	**Biguet** Allée Jean	DM 107	**Fragonard** Rue	DL 102	**Pompe** Rue de la
DM 107	**Biguet** Square Jean	DM 107	**Gabin** Rue Jean	DM 102	**Pont** Rue du
DN 108	**Bir Hakeim** Quai	DN 107	**Gabin (1)** Villa Jean	DM 107	**Renoir** Rue Jean
DM 104	**Bois** Ruelle du	DL 103	**Gaulle** Place Charles De	DM 102	**République** Quai de la
DM 108	**Briand** Rue Aristide	DL 104	**Gravelle** Avenue de	DM 108	**Réservoirs** Rue des
DM 108	**Canadiens** Avenue des	DM 107	**Gredat** Rue Maurice	DN 107	**Saint-Louis** Rue
DM 107	**Canadiens** Carrefour des	DM 107	**Guinguettes** Allée des	DM 104	**Saint-Maurice** Rue
DN 107	**Canal** Promenade du	DM 105	**Halage** Chemin de	DM 104	**Saint-Maurice** Passerelle de
DM 107	**Canotiers** Allée des	DM 107	**Ile des Corbeaux** Al. de l'	DM 108	**Saint-Maurice du Valais** Av.
DM 107	**Charenton** Pont de	DM 102	**Jaurès** Place Jean	DL 102	**Saules** Rue des
DM 105	**Charentonneau** Pass. de	DM 103	**Junot** Impasse	DL 102	**Sureaux** Rue des
DM 108	**Charentonneau** Pass. des	DM 108	**Kennedy** Avenue du	DL 104	**Terrasse** Rue de la
DM 108	**Chemin de Presles** Av. du		Président John-Fitzgerald	DK 103	**Tilleuls** Square des
DL 102	**Chenal** Rue Marthe	DL 102	**Lattre De Tassigny**	DM 108	**Turenne** Place de
DL 102	**Cuif** Rue		Avenue du Maréchal De	DL 103	**Vacassy** Allée
DL 102	**Cuif** Square	DM 103	**Leclerc** Rue du Maréchal	DL 103	**Vacassy** Villa
DM 107	**Curtarolo** Place	DM 108	**Lumière** Allée des Frères	DL 102	**Val d'Osne** Impasse du
DL 102	**Damalix** Rue Adrien	DM 107	**Martinets** Belvédère des	DK 102	**Val d'Osne** Rue du
DL 103	**Decorse** Rue du Docteur	DM 103	**Montgolfier** Place	DK 102	**Val d'Osne** Square du
DL 102	**Delacroix** Rue Eugène	DM 107	**Montgolfier** (2) Villa	DL 102	**Verdun** Avenue de
DN 108	**Dufy** Square Raoul	DM 108	**Moulin des Corbeaux** Allée du	DM 108	**Verlaine** Rue Paul
DM 107	**Ecluse** Place de l'			DM 107	**Viacroze** Passage Jean

DM 108	**Viacroze** Rue Jean
DM 107	**Vignes** Villa des
DM 107	**Villa Antony** Allée de la
DM 107	**Villa Antony** Av. de la

Principaux Bâtiments

DM 102	Bibliothèque
DN 107	Centre Omnisport
DL 103	Ecole Nationale de Kinésithérapie et de Rééducation
DM 102	Espace Delacroix
DL 103	Hopital Esquirol
DL 103	Hopital Saint-Maurice
DL 103	Institut National de Réadaptation
DM 103	Mairie
DM 103	Maternité
DM 102	Poste
DM 102	Poste
DM 104	Stade
DM 108	Stade
DM 102	Théâtre
DL 104	Cimetière

SAINT-OUEN 93400

plan page 367

Métro : Ligne 13 - Garilbadi - Mairie de Saint-Ouen
RER : Saint-Ouen
Bus : 85-137-137 N-139-166-173-174-255-334-337-340-537-540

CS 90	**Achille** Rue	CT 89	**Angélique** Impasse	CR 90	**Auguste** Impasse Jacques	CT 91	**Baudin** Rue
CR 89	**Alembert** Rue D'	CR 89	**Anselme** Rue	CT 89	**Babinsky** Rue du Docteur	CS 90	**Bauer** Rue du Docteur
CQ 90	**Allende** Rue Salvador	CS 88	**Arago** Rue	CS 89	**Bachelet** Rue Alexandre	CS 90	**Beer** Rue Myrtille
CR 89	**Alliance** Rue de l'	CR 88	**Ardoin** Rue	CS 89	**Barbusse** Rue Henri	CT 90	**Bert** Rue Paul
CQ 91	**Amélie** Passage	CQ 89	**Armes** Place d'	CQ 89	**Basset** Rue du Dr Léonce	CS 90	**Berthe** Rue
CR 89	**Ampère** Rue	CR 90	**Aubert** Impasse	CR 88	**Bateliers** Rue des	CS 91	**Berthoud** Rue Eugène

CS 90 **Biron** Boulevard
CT 90 **Biron** Rue
CT 91 **Biron** Villa
CS 89 **Blanc** Rue Louis
CS 90 **Blanqui** Rue
CR 90 **Bonnafous** Passage
CT 89 **Bons Enfants** Rue des
CT 91 **Bourdarias** Rue Marcel
CT 90 **Boute-en-Train** P. des
CT 90 **Boute-en-Train** Rue des
CT 89 **Buttes Montmartre** R. des
CQ 90 **Cachin** Rue Marcel
CQ 89 **Cagé** Rue
CT 90 **Carnot** Rue
CT 91 **Casses** Rue
CR 89 **Cendrier** Villa
CP 90 **Cent-Deux Rue St-Denis**
       Passage du
CS 89 **Centre** Villa du
CT 88 **Cerisiers** Villa des
CT 89 **Chantiers** Rue des
CS 90 **Charletty** Passage
CP 89 **Châteaux** Rue des
CT 88 **Chéradame** Impasse
CQ 91 **Chevalier** Impasse
CS 91 **Cimetière** Avenue du
CQ 89 **Cipriani** Rue Amilcar
CT 87 **Claudel** Rue Camille
CS 89 **Clément** R. Jean-Baptiste
CS 88 **Clichy** Rue de
CN 90 **Clotilde** Villa
CS 89 **Compoint** Impasse
CT 91 **Condorcet** Rue
CR 90 **Cordon** Rue Emile
CR 90 **Croizat** Rue Ambroise
CR 90 **Curie** Rue Marie
CS 90 **Curie** Rue Neuve Pierre
CT 90 **Curie** Rue Pierre
CT 90 **Dain** Rue Louis
CT 90 **Dauphine** Impasse
CT 92 **Debain** Rue
CT 89 **Descoins** Impasse
CT 91 **Desportes** Rue
CQ 89 **Dhalenne** Rue Albert
CR 89 **Diderot** Rue
CR 90 **Dieumegard** Rue Louis
CR 90 **Dix-Neuf Mars 1962** Pl. du
CR 88 **Docks** Rue des
CS 90 **Dolet** Rue Etienne
CR 87 **Dreyfus** Rue Pierre
CS 88 **Dumas** Rue Alexandre
CT 90 **Ecoles** Rue des
CP 89 **Egalité** Rue de l'
CT 88 **Elisabeth** Passage
CT 91 **Entrepôts** Rue des
CS 90 **Entrepreneurs** Rue des
CS 89 **Ernestine** Villa
CS 89 **Estienne D'Orves** Rue D'
CS 91 **Eugène** Rue
CT 90 **Fabre** Rue Jean-Henri

CS 89 **Farcot** Rue
CS 90 **Ferry** Rue Jules
CS 90 **Frayce** Avenue
CT 88 **Fructidor** Rue
CT 90 **Gaîté** Rue de la
CS 87 **Galien** Rue des
CS 89 **Gambetta** Rue
CS 89 **Garibaldi** Rue
CS 90 **Garnier** Rue Charles
CQ 89 **Gendarmerie** Impasse de la
CS 91 **Germaine** Impasse
CT 89 **Glarner** Av. du Capitaine
CS 88 **Glarner** Place du Capitaine
CT 90 **Goddefroy** Rue
CT 90 **Godillot** Rue
CT 92 **Gosset** Rue du Professeur
CP 89 **Graviers** Rue des
CP 87 **Grégoire** Place de l'Abbé
CS 87 **Guendouz** Rue Nadia
CR 89 **Guesde** Rue Jules
CS 91 **Guinot** Impasse Claude
CS 91 **Guinot** Rue Claude
CP 89 **Hainaut** Rue Fernand
CR 90 **Helbronner** Rue Alphonse
CR 90 **Helbronner** Sq. Alphonse
CS 89 **Hermet** Rue de l'
CR 89 **Hugo** Boulevard Victor
CR 89 **Huit Mai 1945** Place du
CR 89 **Industrie** Villa de l'
CT 90 **Jardy** Passage
CQ 90 **Jaurès** Boulevard Jean
CR 89 **Jaurès** Place Jean
CR 89 **Jean** Rue
CT 91 **Jeanne D'Arc** Passage
CT 88 **Juif** Impasse
CT 89 **Juliette** Villa
CT 88 **Kléber** Rue
CT 88 **La Fontaine** Rue
CT 88 **Lacour** Passage
CT 90 **Lafargue** Rue Paul
CR 89 **Lamonta** Impasse Henri De
CP 89 **Landy** Rue du
CP 89 **Landy Prolongée** Rue du
CQ 89 **Langevin** Rue Paul
CT 89 **Leclerc** Rue du Maréchal
CT 89 **Lécuyer** Rue
CS 92 **Lesesne** Rue Adrien
CT 88 **Levasseur** Rue Martin
CR 90 **Louisa** Villa
CS 89 **Lumeau** Rue Eugène
CS 87 **Maar** Rue Dora
CS 90 **Madeleine** Rue
CT 90 **Malassis** Passage
CT 90 **Marceau** Passage
CT 90 **Marceau** Rue
CS 90 **Marcelle** Villa
CS 90 **Marguerite** Villa
CS 89 **Marie** Passage
CS 89 **Mariton** Rue
CS 89 **Marmottan** Square

CR 90 **Marronniers** Avenue des
CR 89 **Martin** Rue Jean
CR 89 **Martyrs de la Déportation**
       Rue des
CS 89 **Mathieu** Rue
CR 89 **Meslier** Rue Adrien
CQ 88 **Mézières** Parc Abel
CR 90 **Michelet** Avenue
CR 90 **Miston** Rue René
CT 90 **Molière** Passage
CR 90 **Monet** Rue Claude
CT 91 **Morand** Rue
CT 87 **Morel** Rue
CT 89 **Mousseau** Impasse
CP 89 **Moutier** Rue du
CT 90 **Nicolau** Rue Pierre
CS 89 **Nicolet** Rue
CT 88 **Noether** Rue Emmy
CT 90 **Ottino** Rue Alfred
CS 91 **Palaric** Rue Vincent
CS 88 **Palouzié** Rue
CQ 89 **Parc** Rue du
CR 89 **Parmentier** Rue
CT 88 **Pasteur** Rue
CT 88 **Payret** Place
CS 89 **Péri** Avenue Gabriel
CR 89 **Pernin** Rue Jean
CT 88 **Pierre** Passage
CT 89 **Plaisir** Rue du
CT 89 **Planty** Rue
CT 92 **Poissonniers** Rue des
CT 90 **Premier Mai** Passage du
CP 89 **Pressensé** Rue Francis De
CS 89 **Prévoyance** Villa de la
CR 90 **Progrès** Rue du
CS 89 **Quinet** Rue Edgar
CS 89 **Quinet** Villa Edgar
CS 89 **Rabelais** Rue
CT 90 **Raspail** Rue
CT 90 **Réant** Villa
CR 89 **Renan** Rue Ernest
CR 89 **République** Place de la
CR 89 **Rioux** Allée René
CT 88 **Robespierre** Passage
CR 90 **Rodin** Rue Auguste
CT 89 **Roger** Villa
CR 91 **Rolland** Rue
CT 89 **Rosiers** Rue des
CS 89 **Rosiers** Villa des
CP 89 **Rousseau** R. Jean Jacques
CR 90 **Saint-Denis** Rue
CT 90 **Sainte-Sophie** Passage
CP 88 **Saint-Ouen** Pont de
CT 89 **Schmidt** Rue Charles
CQ 87 **Seine** Quai de
CR 90 **Sembat** Rue Marcel
CR 91 **Séverine** Rue
CT 90 **Simon** Impasse
CQ 89 **Soubise** Rue
CR 90 **Taupin** Allée Paul

CP 89 **Ternaux** Rue
CT 88 **Toulouse-Lautrec** Rue
CT 87 **Touzet-Gaillard** Passage
CS 90 **Trois Bornes** Impasse des
CR 90 **Trois Entrepreneurs** R. des
CS 91 **Trubert** Impasse
CR 90 **Union** Rue de l'
CT 89 **Vaillant** Rue Edouard
CT 89 **Vaillant** Square Edouard
CT 89 **Valadon** Rue Suzanne
CR 90 **Valentine** Villa
CT 90 **Vallès** Rue Jules
CS 90 **Verne** Rue Jules
CT 90 **Voltaire** Rue
CS 90 **Zola** Rue Emile

Principaux Bâtiments
CR 91 ANPE
CT 89 ASSEDIC
CR 89 Bibliothèque
CR 90 Bibliothèque
CS 91 Bibliothèque L. Aubrac
CR 89 CCAS
CR 90 Centre Administratif
     Claude Monet
CR 89 Centre des Impôts
CQ 90 Centre Sportif Pablo
     Neruda
CQ 88 Château Musée
CR 89 Conservatoire
CT 89 CPAM
CQ 88 CPAM
CT 89 Espace 1789
CS 91 Gendarmerie
CT 89 Lycée Auguste Blanqui
CR 89 Lycée Jean Jaurès
CP 90 Lycée Professionnel M.
     Cachin
CR 89 Mairie
CR 89 Office de Tourisme
CR 89 Patinoire
CR 89 Perception
CS 89 Piscine
CS 90 Police
CS 88 Pompiers
CS 89 Poste
CR 89 Poste
CS 91 Poste
CS 90 Stade Bauer Red Star 93
CR 90 Stade Biron
CS 91 Stade Joliot-Curie
CS 91 Stade Michelet
CR 89 Tribunal
CS 91 Cimetière Parisien de
     Saint-Ouen
CR 90 Cimetière

SURESNES   92150   plan page 369

Bus : 93-141-144-157-160-241-244-360-541
Tramway T2 : Suresnes-Longchamp - Belvédère
SNCF : Suresnes-Mont Valérien

DA 73 **Abbaye (1)** Promenade de l'
DB 71 **Acquevilles** Rue des
DB 73 **Ancien Pont (2)** Allée de l'
DC 73 **Appay** Rue Georges
DA 74 **Bac** Rue du
CZ 74 **Bartoux** Rue des
CY 73 **Bas Rogers** Rue des
DA 73 **Baudin** Rue
DC 72 **Beau Site** Allée du
DA 72 **Beauséjour** Rue
CZ 73 **Bel-Air** Passage du
CZ 72 **Bel-Air** Rue du
DA 74 **Belle Gabrielle** Av. de la
CZ 72 **Bellevue** Avenue de
CZ 72 **Bellevue** Rue de
CY 73 **Bels Ebats** Square des

DA 72 **Bernard** Avenue du
     Professeur Léon
CY 73 **Bert** Rue Paul
DA 73 **Berthelot** Rue
DC 71 **Bizet** Allée Georges
DC 73 **Blériot** Rue Louis
DB 74 **Blum** Quai Léon
CY 73 **Bochoux** Allée des
CY 73 **Bochoux** Rue des
DB 71 **Bombiger** R. du Dr Marc
DB 71 **Bons Raisins** Rue des
CZ 73 **Bourets** Rue des
DA 74 **Bourets (3)** Impasse des
DB 70 **Bourgeois** Avenue Léon
DC 70 **Bourgeois** Square Léon
CR 70 **Briand** Boulevard Aristide

CY 73 **Burgod** Rue Claude
DA 72 **Calvaire** Impasse du
DA 72 **Calvaire** Rue du
DA 73 **Carnot** Rue
DB 71 **Caron** Rue Albert
DB 72 **Carrières** Rue des
DA 73 **Ceriseraie** Rue de la
CY 73 **Charpentier** Rue Hubert
DB 73 **Château** Parc du
CY 74 **Chavois** Jardin Dominique
DB 73 **Chemin Vert** Rue du
CY 73 **Chênes** Rue des
CY 73 **Cherchevets** Impasse des
CY 73 **Cherchevets** Rue des
CY 73 **Chevalier De La Barre** R. du
CY 73 **Chèvremonts** Rue des

DB 73 **Chevreul** Rue de
CZ 74 **Chevrolet** Allée Louis
CY 73 **Citronniers** Allée des
DC 73 **Clavel** Rue Frédéric
DA 73 **Clos des Ermites** Rue des
DA 73 **Clos des Seigneurs** I. du
DB 72 **Closeaux** Passage des
DA 72 **Cluseret** Rue
CY 73 **Colin** Rue Emilien
DC 70 **Concorde** Square de la
DA 74 **Conférences de Suresnes**
     Avenue des
DC 72 **Cosson** Rue Raymond
CY 72 **Cottages** Rue des
DA 73 **Courtieux** Esplanade des
DC 72 **Couvaloux** Rue des

311

DB 72 **Criolia** Avenue de la
DC 71 **Croix du Roy** Carrefour de la
CY 75 **Curie** Rue Pierre
DA 73 **Cygne (4)** Impasse du
DC 71 **Cytises** Allée des
DA 73 **Dames (5)** Cour des
DB 71 **Dancourt** Rue Florent
CY 73 **Danton** Rue
DA 73 **Darracq** Rue Alexandre
DC 73 **Dassault** Quai Marcel
CZ 73 **Decour** Rue Jacques
CZ 72 **Delestrée** Avenue du Colonel Herbert
DA 73 **Desbassayns De Richemont** Rue
DA 74 **Diderot** Rue
DC 72 **Diederich** Rue Victor
DA 73 **Dolet** Rue Etienne
CY 75 **Duclaux** Rue Emile
DB 73 **Dupont** Rue Pierre
DB 74 **Ecluse** Allée de l'
CZ 73 **Estienne D'Orves** Rue Honoré D'
DC 70 **Estournelles De Constant** Avenue D'
CZ 72 **Faussart** Rue Guillemette
CZ 72 **Fécheray** Rue du
CZ 72 **Fécheray** Terrasse du
CY 73 **Ferber** Rue du Capitaine
CZ 72 **Ferrié** Square du Général
DA 73 **Ferry** Allée Jules
DA 73 **Ferry** Rue Jules
DA 73 **Fizeau** Rue
DB 71 **Fleurs** Rue des
DA 74 **Flourens** Rue Gustave
DA 73 **Fontaine du Tertre** Av. de la
DC 72 **Forest** Rue Fernand
DC 71 **Fouilleuse** Avenue de la
DA 74 **Four** Impasse du
DA 73 **Fournier (6)** Allée et Place Edgar
CZ 72 **Fusillés de la Résistance 1940-1944** Route des
DA 74 **Gallieni** Quai
CZ 73 **Gambetta** Rue
CZ 73 **Gardenat Lapostol** Rue
DA 73 **Gare de Suresne-Longchamp (7)** Rue et Passage de la
DA 73 **Gare de Suresnes-Longchamp** Place de la
DC 72 **Garibaldi** Rue
DA 73 **Gauchère** Rue de la
DA 73 **Gaulle** Avenue du Général Charles De
DC 72 **Genteur** Avenue Arthème
DC 72 **Gounod** Allée Charles
DC 71 **Gros Buissons** Allée des
DC 70 **Grotius** Rue
DA 74 **Henri IV** Place
DC 72 **Hippodrome** Rue de l'
DB 72 **Hocquettes** Chemin des
CZ 73 **Huché** Rue

DA 73 **Huchette (8)** Place de la
CZ 73 **Hugo** Rue Victor
DA 73 **Huit Mai 1945** Allée du
DA 73 **Huit Mai 1945 (9)** Place du
DC 71 **Jaurès** Avenue Jean
DC 71 **Jaurès** Place Jean
DA 73 **Jonquilles** Allée des
DB 71 **Joyeux** Rue Robert
DA 73 **Juin** Rue du Maréchal
DC 70 **Kant** Rue Emmanuel
CZ 75 **Keighley** Rue de
DC 70 **Kellogg** Rue
DB 71 **Lakanal** Rue
DA 72 **Landes** Avenue des
DA 72 **Landes** Parc des
DA 72 **Landes** Rue des
DB 72 **Lattre De Tassigny** Bd du Maréchal De
DA 74 **Leclerc (10)** Pl. du Général
CZ 73 **Ledru-Rollin** Rue
CZ 73 **Legras** Square de la
DA 73 **Lenoir** Rue Guillaume
DA 73 **Leroy** Rue
CY 72 **Liberté** Passage de la
CZ 73 **Liberté** Rue de la
DB 72 **Lilas** Allée des
DC 70 **Locarno** Rue de
DB 73 **Longchamp** Allée de
DC 72 **Loti** Passage Pierre
DC 72 **Loucheur** Boulevard Louis
DC 72 **Lully** Allée Jean-Baptiste
CZ 74 **Macé** Rue Jean
DA 73 **Madeleine** Cour
DC 73 **Magnan** Rue du Docteur
DB 70 **Maistrasse** Av. Alexandre
DC 71 **Malon** Rue Benoît
DA 72 **Maraîchers (11)** Allée des
DA 73 **Marronniers** Allée des
DA 73 **Mazarky** Place Jean
DA 73 **Melin** Allée
DA 73 **Merlin De Thionville** Rue
DB 73 **Meuniers** Rue des
CZ 74 **Michelet** Rue
DC 73 **Mimosas** Allée des
DA 73 **Monge** Rue Marcel
DA 71 **Mont Valérien** Espl. du
DA 71 **Mont Valérien** Rue du Départemental du
DC 71 **Mont Valérien** Rue du
DC 71 **Montretout** Rue de
DA 72 **Motte** Chemin de la
CY 73 **Mouettes** Allée des
DB 73 **Moulineaux** Rue des
DA 73 **Moutier (12)** Place du
DA 73 **Myosotis** Allée des
DA 71 **Nassau (13)** Pl. Marguerite
DB 72 **Nouvelles** Rue des
DC 72 **Offenbach** Allée Jacques
DB 71 **Oliviers** Allée des
DB 71 **Orangers** Allée des
DA 72 **Pagès** Rue

DB 70 **Paix** Place de la
DC 72 **Panorama** Passage du
CY 73 **Paréchaux** Rue des
CZ 72 **Parigots** Rue des
DB 72 **Pas Saint-Maurice** I. du
DB 71 **Pas Saint-Maurice** Rue du
CZ 73 **Passerelle** Rue de la
DC 73 **Pasteur** Rue
CZ 72 **Patriotes Fusillés** Carrefour des
CY 73 **Pavillons** Rue des
CZ 73 **Payret Dortail** R. Maurice
DB 73 **Péguy** Rue Charles
DC 70 **Penn** Allée William
DB 72 **Pépinière** Allée de la
DA 73 **Péri** Avenue Gabriel
DA 73 **Perronet** Allée des
DC 71 **Petits Clos** Impasse des
DC 72 **Petits Clos** Passage des
DC 72 **Philippe** Rue Gabriel
CY 73 **Pinsons** Allée des
DC 71 **Platanes** Allée des
DB 71 **Point Haut** Rue du
CZ 75 **Pompidou** Av. Georges
DA 74 **Port aux Vins** Rue du
DC 71 **Poterie** Rue de la
CY 73 **Primevères** Allée des
DA 71 **Procession** Rue de la
CZ 73 **Puits** Rue des
DA 73 **Puits d'Amour (14)** Pl. du
DC 72 **Raguidelles** Rue des
DB 72 **Ratrait** Allée du
CY 74 **Ratrait** Place du
CZ 74 **Ratrait** Rue du
DB 73 **Ravel** Allée Maurice
DC 72 **Regnault** Rue Henri
DB 72 **République** Place de la
DB 73 **République** Rue de la
CZ 73 **Rives de Bagatelle** Al. des
DA 73 **Rivière** R. du Commandant
CZ 74 **Roosevelt** Avenue Franklin
DA 73 **Roses** Allée des
DB 72 **Roses** Chemin des
DB 71 **Rothschild** R. Salomon De
CY 74 **Rouget De Lisle** Rue
DB 73 **Rousseau** R. Jean-Jacques
DB 73 **Roux** R. du Docteur Emile
DB 73 **Saint-Cloud** Rue de
DB 73 **Saint-Loufroy (15)** Prom.
DB 70 **Saint-Pierre** Av. de l'Abbé
DC 71 **Saint-Saëns** Allée Camille
CY 73 **Salengro** Rue Roger
DB 72 **Santos-Dumont** Allée
DC 73 **Scheurer-Kestner (16)** Al.
DB 73 **Seaux d'Eau (17)** Allée des
DC 73 **Sellier** Boulevard Henri
CZ 73 **Sentou** Impasse
DB 73 **Sèvres** Rue de
DB 72 **Sommeliers de la Groue** Impasse de la
DC 71 **Sorbiers** Sente des
DB 74 **Sources** Allée des
DC 70 **Stalingrad** Place de
DA 72 **Station** Villa de la

DA 71 **Stock** Espl. de l'Abbé Franz
DC 70 **Stresemann** Av. Gustave
DB 70 **Sully** Avenue de
DB 73 **Sue** Place Eugène
DB 74 **Suresnes** Pont de
DB 71 **Syndicat des Cultivateurs** Rue du
CZ 72 **Terrasse** Rue de la
DA 72 **Terres Blanches** P. des
DA 72 **Terres Blanches** Rue des
DA 72 **Tertre** Rue du
DC 71 **Tilleuls** Allée des
DC 72 **Tourneroches** Rue des
CY 73 **Tourterelles** Square des
DC 71 **Troènes** Allée des
DC 72 **Vaillant** Avenue Edouard
DC 72 **Val d'Or** Passage du
DC 72 **Val d'Or** Rue du
CZ 73 **Velettes** Rue des
DB 73 **Venelle** Allée de la
CZ 74 **Verdun** Rue de
DB 72 **Vignerons** Impasse des
DB 71 **Vignes** Rue des
DA 74 **Village Anglais** Allées Haute du
DA 74 **Village Anglais (18)** Allées Basse du
CY 73 **Violettes** Allée des
CY 73 **Voltaire** Rue
CZ 72 **Washington** Boulevard
DB 73 **Villaumez** Rue de l'Amiral
DC 70 **Wilson** Av. du Président
DA 73 **Worth** Rue
DA 73 **Zola** Rue Emile

Principaux Bâtiments

CZ 73 **Bibliothèque**
CZ 71 **Caserne**
DA 74 **CPAM**
DC 71 **CPAM**
CZ 71 **Fort du Mont Valérien**
DA 73 **Hôpital Foch**
DA 73 **Hôtel des Impôts**
CZ 73 **Lycée Paul Langevin**
CZ 74 **Lycée Professionnel Louis Blériot**
DA 73 **Mairie**
CY 73 **Mairie Annexe**
CZ 74 **Mairie Annexe**
DB 73 **Mairie Annexe**
DC 71 **Mairie Annexe**
DA 73 **Musée**
DB 73 **Office de Tourisme**
DB 72 **Piscine**
DA 73 **Police**
CY 73 **Poste**
CZ 73 **Poste**
DB 70 **Poste**
DA 74 **Trésorerie**
DA 72 **Cimetière Militaire Américain**
CY 72 **Nouveau Cimetière**

VANVES — 92170 — plan page 370

Métro :	Ligne 13 Malakoff-Plateau de Vanves
Bus :	NL-58-89-126-189-323
SNCF :	Vanves-Malakoff

DK 83 **Alexandre** Impasse
DM 83 **Arcueil** Villa d'
DM 81 **Arnaud** Av. du Dr François
DM 81 **Avenir** Rue de l'
DM 82 **Bagneux** Impasse de
DL 83 **Barbès** Rue
DL 83 **Basch** Avenue Victor
DM 82 **Baudelaire** Allée
DK 82 **Baudouin** Rue Eugène
DK 82 **Berthelot** Rue Marcellin
DL 83 **Besseyre** Rue Mary
DL 82 **Blanc** Rue Louis

DK 84 **Bleuzen** Rue Jean
DM 82 **Briand** Rue Aristide
DL 82 **Cabourg** Rue Jacques
DL 82 **Carnot** Impasse Sadi
DK 84 **Carnot** Rue Sadi
DM 82 **Chapelle** Rue des Frères
DM 82 **Châtillon** Rue de
DL 81 **Chevalier De La Barre** R. du
DM 82 **Clemenceau** Rue Georges
DM 81 **Clos Montholon** Impasse du
DM 80 **Clos Montholon** Rue du

DM 83 **Coche** Rue René
DL 83 **Colsenet** Villa
DL 83 **Combattants d'Afrique du Nord et des Territoires d'Outre-Mer** Square des
DK 83 **Comte** Rue Auguste
DM 83 **Culot** Place Albert
DK 84 **Danton** Rue
DM 82 **Dardenne** Rue Louis
DM 82 **Diderot** Rue
DK 84 **Dix-Neuf Mars 1962** Carrefour du

DM 82 **Drouet** Villa Eugène
DL 83 **Dupont** Villa
DL 82 **Eglise** Rue de l'
DK 82 **Estrées** Rue Gabrielle D'
DM 82 **Eugénie** Villa
DL 82 **Fairet** Rue
DL 83 **Ferme** Allée de la
DL 83 **François Ier** Rue
DM 82 **Franco-Russe** Villa
DK 82 **Fratacci** Rue Antoine
DK 84 **Gambetta** Rue
DL 83 **Gare** Villa de la

DL 82	**Gaudray** Rue	
DL 81	**Gaulle** Av. du Général De	
DL 82	**Gaulle** Square Charles De	
DM 81	**Gresset** Rue	
DM 81	**Hoche** Rue	
DK 84	**Hugo** Avenue Victor	
DK 84	**Huit Mai 1945** Carr. du	
DL 83	**Insurrection** Square de l'	
DL 83	**Insurrection** Carrefour de l'	
DK 81	**Issy** Rue d'	
DL 82	**Jacquet** Rue Valentine	
DK 83	**Jarrousse** Square Étienne	
DK 83	**Jaurès** Rue Jean	
DM 81	**Jeanne** Villa	
DL 83	**Jézéqual** Avenue Jacques	
DK 82	**Jullien** Rue	
DL 82	**Kennedy** Pl. du Président	
DL 82	**Kléber** Rue	
DM 82	**Lafosse** Rue du Dr Georges	
DL 83	**Lamartine** Rue	
DL 82	**Larmeroux** Impasse	
DM 82	**Larmeroux** Rue	
DL 82	**Lattre De Tassigny** Place du Marechal De	
DL 83	**Laval** Rue Ernest	
DK 82	**Leclerc** Place du Général	

DK 83	**Lefèvre** Rue Paul	
DK 83	**Léger** Villa	
DK 82	**Legris** Carrefour Albert	
DL 82	**Léopoldine** Allée	
DL 83	**Lucien** Villa	
DK 82	**Lycée** Boulevard du	
DK 81	**Lycée** Villa du	
DK 83	**Malfaire** Rue du Docteur	
DM 81	**Mansart** Rue	
DK 83	**Marceau** Rue	
DL 83	**Marcheron** Rue Raymond	
DK 83	**Martin** Rue Henri	
DK 83	**Martinie** Avenue Marcel	
DM 82	**Matrais** Sentier des	
DM 82	**Matrais** Villa des	
DK 83	**Michel-Ange** Allée	
DK 83	**Michelet** Rue Jules	
DM 82	**Minard** Impasse	
DL 83	**Mitterran** Square François	
DK 82	**Monge** Rue	
DL 82	**Monnet** Square Jean	
DL 83	**Môquet** Avenue Guy	
DK 83	**Moulin** Rue du	
DK 83	**Murillo** Rue	
DM 82	**Nouzeaux** Villa des	

DK 84	**Onze Novembre 1918** Square du	
DM 81	**Paix** Avenue de la	
DL 82	**Parc** Avenue du	
DK 83	**Pasteur** Avenue	
DL 82	**Platane** Allée du	
DL 82	**Potin** Rue Jean-Baptiste	
DM 83	**Progrès** Villa du	
DK 83	**Provinces** Place des	
DL 82	**Pruvot** Rue	
DK 82	**Quatre Septembre** Rue du	
DL 82	**Quincy** Villa	
DL 84	**Rabelais** Rue	
DK 84	**Rabelais** Villa	
DK 83	**Raphaël** Rue	
DL 82	**République** Place de la	
DL 82	**République** Rue de la	
DL 83	**Sahors** Rue René	
DL 82	**Sangnier** Rue Marc	
DL 83	**Solférino** Rue	
DK 83	**Verdun** Avenue de	
DM 81	**Verne** Allée	
DK 84	**Vicat** Rue Louis	
DK 84	**Vicat** Square Louis	
DL 82	**Vieille Forge** Rue de la	
DL 83	**Wills** Villa Juliette De	
DK 83	**Yol** Rue Marcel	

Principaux Bâtiments

DL 82	Bibliothèque
DL 83	Centre Administratif
DM 83	CPAM
DM 83	DDE
DK 84	Espace Albert Gazier
DL 83	Impôts
DL 82	Lycée Michelet
DL 82	Lycée Professionnel Louis Dardenne
DL 83	Mairie
DK 82	Parc des Expositions
DM 81	Parc Municipal des Sports André Roche
DM 81	Piscine Municipale
DL 83	Police
DK 83	Police Muinicipale
DJ 82	Poste
DL 83	Poste
DL 82	Théâtre
DL 83	Trésorerie
DL 82	Tribunal d'Instance
DL 83	Cimetière de Vanves

VINCENNES 94300 plan page 363

Métro :	Ligne 1 - Saint-Mandé-Tourelle - Bérault - Château de Vincennes
RER :	A - Vincennes
Bus :	NH-46-56-112-114-115-118-124-210-318-325

DF 107	**Alphand** R. J.-C.-Adolphe	
DF 103	**Aubert** Allée	
DF 103	**Aubert** Avenue	
DF 107	**Bainville** Allée Jacques	
DF 107	**Barillon** Allée Paul	
DK 82	**Basch** Rue Victor	
DF 102	**Bastide** Passage Jean	
DF 103	**Beauséjour** Villa	
DE 105	**Belfort** Rue de	
DF 103	**Bérault** Place	
DG 104	**Besquel** Rue Louis	
DF 106	**Bienfaisance** Rue de la	
DG 104	**Blanche** Av. de la Dame	
DF 102	**Blot** Rue Eugène	
DF 105	**Boutrais** Rue Emile	
DF 105	**Brossolette** Avenue Pierre	
DG 104	**Carnot** Avenue	
DG 104	**Carnot** Place	
DG 104	**Charles V** Allée	
DG 106	**Charmes** Avenue des	
DE 104	**Château** Avenue du	
DF 104	**Château** Avenue du	
DE 103	**Clemenceau** Av. Georges	
DE 103	**Clerfayt** Rue Gilbert	
DG 103	**Colmar** Rue de	
DF 106	**Combattants d'Afrique du Nord** Square des	
DF 105	**Condé-sur-Noireau** Rue de	
DF 107	**Cotte** Square Robert de	
DE 105	**Crébillon** Rue	
DG 104	**Daguerre** Allée Jacques	
DG 104	**Daumesnil** Rue	
DF 104	**Daumesnil** Square	
DE 105	**David** Villa	
DF 107	**Defrance** Rue	
DF 107	**Deloncle** Allée Charles	
DF 104	**Déroulède** Avenue Paul	
DF 103	**Deux Communes** Rue des	
DF 103	**Diderot** Place	
DE 105	**Diderot** Rue	
DF 102	**Dohis** Rue	
DG 104	**Donjon** Rue du	
DF 104	**Du Temple** Rue Raymond	
DF 107	**Dunant** Allée Henri	
DF 104	**Égalité** Rue de l'	
DF 104	**Église** Rue de l'	
DF 107	**Estienne D'Orves** Rue D'	
DE 105	**Faie Felix** Villa	
DE 105	**Faie Félix** Rue	
DF 107	**Faluère** R. Alexandre De La	

DF 107	**Faure** Rue Félix	
DF 106	**Fayolle** Allée	
DF 102	**Fays** Rue	
DF 105	**Foch** Avenue	
DF 104	**Fontenay** Rue de	
DG 103	**France** Avenue Anatole	
DF 105	**Fraternité** Rue de la	
DF 105	**Gaillard** Rue Joseph	
DG 104	**Gaulle** Av. du Général De	
DF 104	**Gérard** Rue Eugène	
DF 103	**Giraudineau** Rue Robert	
DF 107	**Gounod** Rue	
DF 104	**Guynemer** Rue	
DF 104	**Hautières** Sq. des Frères	
DG 104	**Heitz** Rue du Lieutenant	
DF 102	**Huchon** Rue Georges	
DF 105	**Huit Mai 1945** Mail du	
DF 105	**Idalie** Rue d'	
UG 105	**Idalie** Villa d'	
DF 106	**Industrie** Rue de l'	
DF 104	**Jarry** Rue de la	
DF 104	**Jaurès** Square Jean	
DF 102	**Lagny** Rue de	
DE 104	**Laitières** Rue des	
DF 103	**Lamarre** Villa	
DF 104	**Lamartine** Avenue	
DF 104	**Lamouret** Rue Georges	
DG 103	**Landucci** Square	
DF 105	**Lattre De Tassigny** Square du Maréchal De	
DF 103	**Lebel** Rue du Docteur	
DF 104	**Leclerc** Place du Général	
DF 104	**Lejemptel** Rue	
DF 106	**Lemaître** Place Jean-Spire	
DF 107	**Lemayre** Al. Léonard-Marie	
DF 104	**Lenain** Impasse	
DF 107	**Leroyer** Rue	
DF 106	**Libération** Boulevard de la	
DE 104	**Liberté** Rue de la	
DF 104	**Lœuil** Rue Eugène	
DG 103	**Lumière** Cours Louis	
DG 104	**Luzy** Allée Augustin de	
DF 106	**Lyautey** Place du Maréchal	
DH 104	**Mabille** Allée Nicolas	
DF 106	**Maladrerie** Sentier de la	
DH 105	**Malraux** Square André	
DF 105	**Marigny** Cours	
DF 102	**Marinier** Rue Charles	
DF 107	**Marseillaise** Rue de la	
DF 107	**Massenet** Rue Jules	
DF 103	**Massue** Rue	

DG 103	**Maunoury** R. du Maréchal	
DG 105	**Méliès** Allée Georges	
DE 104	**Meuniers** Rue des	
DF 104	**Midi** Avenue du	
DF 104	**Minimes** Avenue des	
DF 103	**Mirabeau** Rue	
DF 103	**Monmory** Rue de	
DF 104	**Montreuil** Rue de	
DF 104	**Moulin** Rue Jean	
DE 106	**Mowat** R. du Commandant	
DF 107	**Murs du Parc** Avenue des	
DF 107	**Nadar** Allée Félix	
DG 103	**Nadar** Square Félix	
DG 103	**Niepce** Allée Nicéphore	
DF 104	**Nogent** Avenue de	
DF 105	**Onze Novembre** Square du	
DG 104	**Paix** Rue de la	
DG 104	**Paris** Avenue de	
DF 107	**Pasteur** Rue	
DF 106	**Pathé** Rue Charles	
DG 106	**Péri** Avenue Gabriel	
DF 104	**Petit Parc** Avenue du	
DF 102	**Piscine** Passage de la	
DE 104	**Pommiers** Rue des	
DG 105	**Pompidou** Allée Georges	
DF 102	**Prévoyance** Place de la	
DF 102	**Prévoyance** Rue de la	
DG 103	**Quennehen** Rue du Lt	
DF 103	**Quinson** Avenue Antoine	
DF 106	**Quinson** Rés. Antoine	
DF 106	**Renardière** Rue de la	
DF 104	**Renaud** Rue Eugène	
DF 102	**Renon** Place	
DF 102	**Renon** Rue	
DE 104	**République** Avenue de la	
DF 104	**Rigollots** Carrefour des	
DF 104	**Robert** Rue Céline	
DG 104	**Roosevelt** Avenue Franklin	
DE 104	**Sabotiers** Rue des	
DF 106	**Sabotiers** Square des	
DF 103	**Saint-Joseph** Villa	
DF 102	**Saint-Louis** Square	
DF 103	**Saint-Méry** Passage	
DF 103	**Saint-Méry** Passerelle	
DF 104	**Saulpic** Rue	
DF 107	**Schweitzer** Al. du Docteur	
DG 103	**Segond** Rue	
DF 106	**Sémard** Place Pierre	
DF 106	**Serre** Villa du Docteur Louis-Georges	
DE 105	**Silvestri** Rue Charles	

DE 105	**Solidarité** Rue de la
DE 104	**Strasbourg** Rue de
DE 105	**Trois Territoires** Rue des
DE 104	**Union** Rue de l'
DE 103	**Varennes** Passage des
DF 105	**Verdun** Rue de
DF 105	**Viénot** Rue Clément
DG 103	**Vignerons** Impasse des
DG 103	**Vignerons** Passage des
DF 105	**Vignerons** Rue des
DF 106	**Villebois-Mareuil** Rue
DF 105	**Vorges** Avenue de

Principaux Bâtiments

DF 103	ANPE
DF 106	Bibliothèque
DG 103	Bibliothèque
DF 102	Bibliothèque de l'Ouest
DG 104	Château de Vincennes
DF 104	CPAM
DF 104	Centre Georges Pompidou
DF 104	Centre Pierre Souweine
DG 104	Donjon
DG 104	Gendarmerie
DF 106	Hôtel des Impôts
DF 103	LP Jean Moulin
DF 103	Lycée Hector Berlioz
DF 104	Mairie
DF 104	Médiathèque
DG 104	Office de Tourisme
DG 104	Pavillon du Roi
DF 104	Piscine
DF 104	Police
DF 104	Police Municipale
DF 106	Pompiers
DF 106	Pompiers
DF 102	Poste
DF 106	Poste
DF 104	Poste
DF 106	Stade
DF 103	Trésor Public
DF 104	Tribunal d'Instance
DF 105	Anc. Cimetière

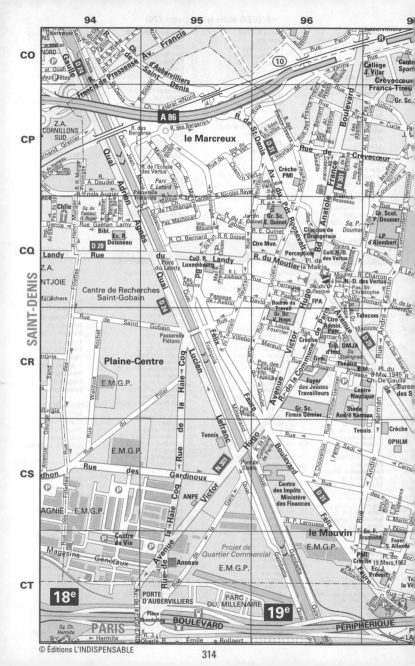

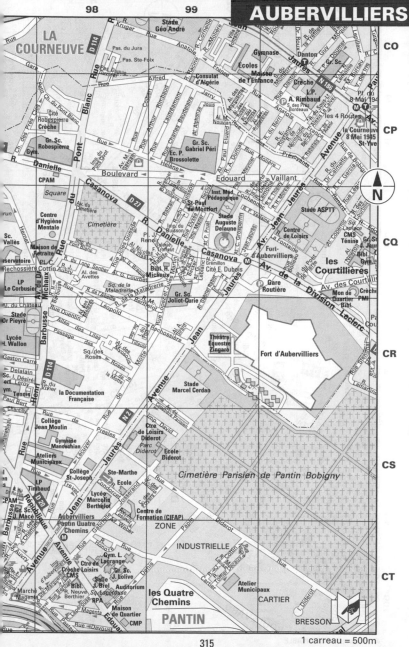

LA COURNEUVE

Stade Géo André

Pas. du Jura
Pas. Ste-Foix

Consulat d'Algérie

Gymnase
Danton
Gr. Sc.

Ecoles
Maison de l'Enfance
Crèche

Cité Robespierre
Crèche

A. Rimbaud
S. des Prés Bordeaux
les 4 Routes

Gr. Sc. Robespierre
Gym.

Gr. Sc. Gabriel Péri
Ec. P. Brossolette

la Courneuve
8 Mai 1945
St-Yves

R. Danielle
Boulevard   Edouard   Vaillant

CPAM

Square

Inst. Méd. Pédagogique
St-Paul de Montfort

Stade ASPTT

Centre d'Hygiène Mentale

Cimetière

Stade Auguste Delaune

Centre de Loisirs
Fort-d'Aubervilliers

CMS Ténine
Bibl.
Gym.

Sc. Vallès

Maison de Retraite
PLC

les Courtillières

Conservatoire
Rechossière

Bibl. H. Michaux
Cité E. Dubois

Av. des Courtill.

LP Le Corbusier

Sq. de la Maladrerie

Gare Routière

Mon de Quartier
Bibl.
PMI
Crèche

Gr. Sc. Joliot-Curie

Stade Dr Pieyre

Lycée H. Wallon

Théâtre Equestre Zingaro

Fort d'Aubervilliers

Gaston Carré

la Documentation Française

Stade Marcel Cerdan

Collège Jean Moulin

Gymnase Manouchian

Ateliers Municipaux

Ctre de Loisirs Diderot
Parc Diderot
Ecole Diderot

Collège St-Joseph

LP Timbaud

Ste-Marthe Ecole

Lycée Marcelin Berthelot

Cimetière Parisien de Pantin Bobigny

Gr. Sc. J. Macé

Aubervilliers Pantin Quatre Chemins

Centre de Formation (CIFAP)

ZONE

Gym. L. Lagrange

Crèche CMS
Ctre de Loisirs

Salle J. Brel
Auditorium

Gr. Sc. J. Jolive

INDUSTRIELLE

Atelier Municipaux

CARTIER

les Quatre Chemins

Maison de Quartier

CMP

PANTIN

BRESSON

1 carreau = 500m

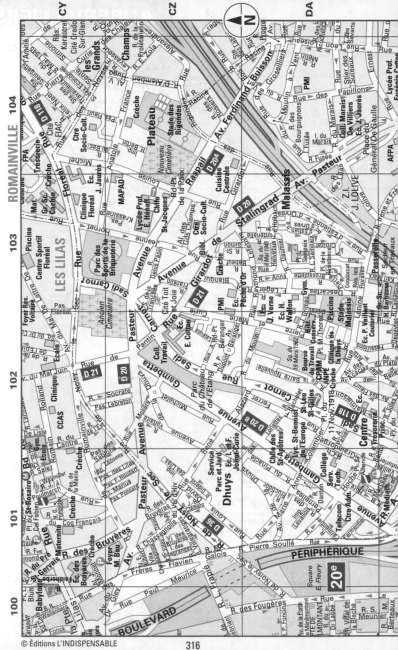

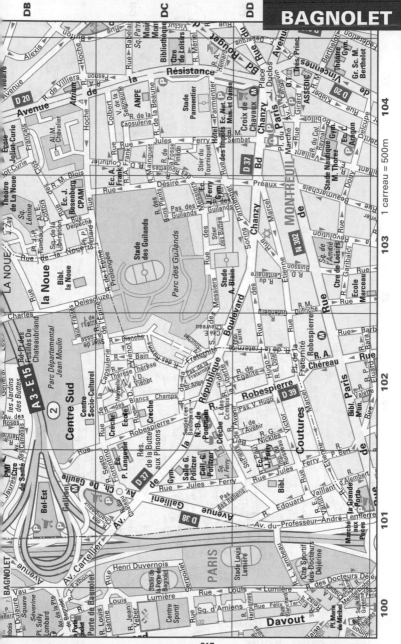

1 carreau = 500m

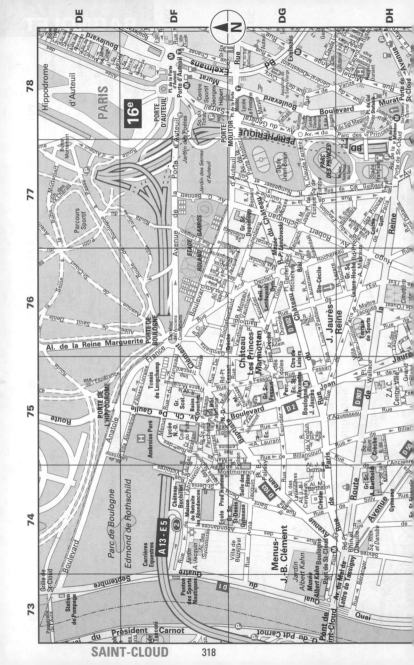

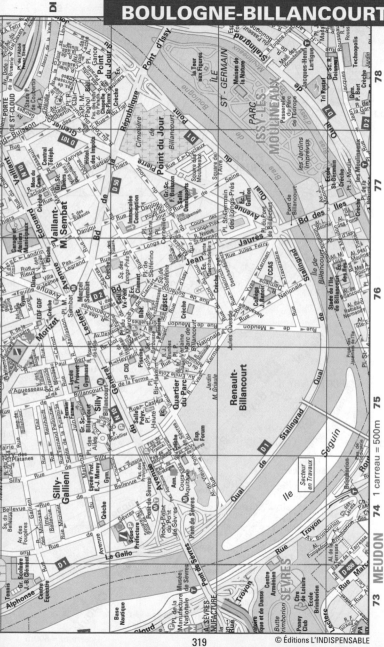

© Éditions L'INDISPENSABLE

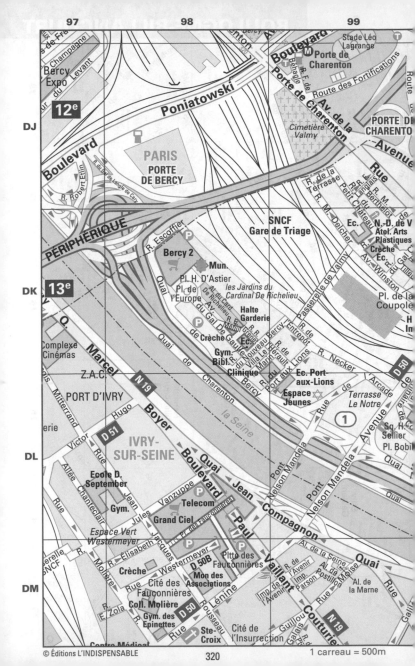

Stade Léo Lagrange
Porte de Charenton
Route des Fortifications

de France
Bercy Expo
du Levant
R. du Bd de Langle de Cary

12e

DJ

Boulevard Poniatowski

Boulevard Porte de Charenton
R. E. de Béhagle
Route des Fortifications
Av. de la Porte de Charenton

PORTE DE CHARENTO

Cimetière Valmy

R. Robert Etlin
R. de la Terrasse
R. M. Berthelot
R. Langlais
R. J. Bernheim
Rue
Petit Château
R. M. Dalcher

PÉRIPHÉRIQUE

Boulevard

R. Escoffier
P
Bercy 2
Mun.
Pl. H. D'Astier

SNCF Gare de Triage

Ec.
N.-D. de V Atel. Arts Plastiques
Crèche
Ec.
Av. Winston

13e

DK

Quai
Pl. de l'Europe
Al. du Parc
Av. du Gal De Richelieu
R. E. Renard
R. Maurice Grand
les Jardins du Cardinal De Richelieu
Passerelle de Valmy
Pl. de la Coupole
H In

Halte Garderie
P
Crèche
Ec.
Gym.
Bibl. R.
Clinique

R. de l'Entrepôt
R. du Nouveau Bercy
Villa Le Bon Maprrault
R. de Port aux Lions
R. aux Lions
R. Necker

Complexe Cinémas
Q.
Z.A.C.
Marcel

PORT D'IVRY
N 19
Boyer

Quai
de
Charenton

Ec. Port-aux-Lions
Espace Jeunes
Terrasse Le Notre
D 50
Arcade

Mitterrand
erie
Victor
D 51
Hugo
IVRY-SUR-SEINE
Rue

Quai
Boulevard
la Seine

(1)
Rue
Avenue
Sq. H. Sellier
Pl. Bobi
Quai

DL

Ecole D. September
Gym.
Allée Chanteclair
Rue
Jules
Jean

Vanzuppe
P
Telecom
Grand Ciel

Quai
Boulevard
Jean
Compagnon

Pont Nelson Mandela
Pont Nelson Mandela
Quai

Espace Vert Westermeyer
R. Elisabeth
Rue Jacques
Pl. des Fauconnières
P

Paul
Vaillant

Al. de la Seine
Quai

erelle SNCF
R.
Molière
Crèche
Westermeyer
D 50B
Mon des Associations
P

Pltte des Fauconnières
Imp. de l'Avenir
R. de l'Avenir
Imp. Parson
Al. du Postillon
Al. de la Marne
Rue
Guillou
Galli

DM

Cité des Fauconnières
Coll. Molière
Gym. des Epinettes
R. E. Zola
Rue
Lénine
Rousseau
Ste-Croix

Cité de l'Insurrection
Moïse
N 19
Couturi

Centre Médical

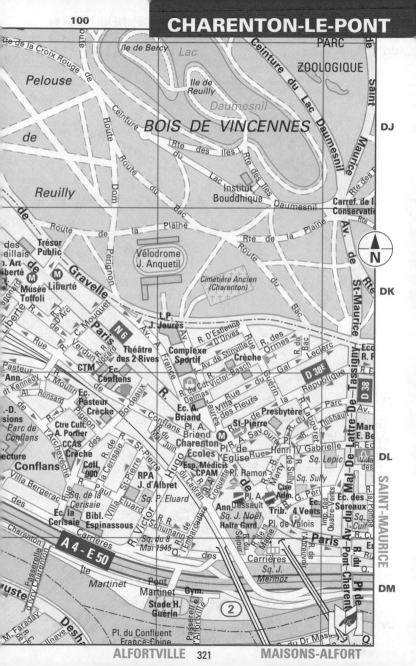

Rte de la Croix Rouge

Ile de Bercy

Lac

PARC

ZOOLOGIQUE

Pelouse

Ile de
Reuilly

Ceinture du Lac Daumesnil

de

Daumesnil

BOIS DE VINCENNES

DJ

Ceinture

Reuilly

Route

Rte des Iles
du

Lac

Rte des Iles

Institut
Bouddhique

Daumesnil

Carref. de l
Conservatio

de

Route

Dom

Bac

de

la

Plaine

Rte

de

la

Plaine

Route

du

N

des
eillais
. Art
iberté
V.

Trésor
Public

Gravelle

Pérignon

Vélodrome
J. Anquetil

Cimetière Ancien
(Charenton)

St-Maurice

Av. de

DK

M   M

Musée
Toffoli

Liberté

Liberté

C. Mouquet

Ec.
J. Jaurès

Av. A. France

R. D'Estienne
D'Orves

R. des
Ormes

Rue

R.

de

Paris

N6

I.P.

Av.

R. du Cdt Victor-Basch

Leclerc

Ecc
R. P

R. E

Verdun

Théâtre
des 2 Rives

Complexe
Sportif

Crèche

République

D 38E

Pasteur

R.

Al. Ronsard

CTM

Ec.
Conflans

R. de Sturville

Villa

Rue

du Guérin

la

D 38

Ann.
dt Kennedy

Moulin

R.

Pasteur
Crèche

de

Bordeaux

R. du Cdt
Delmas

Ec. A.
Briand

des Fleurs

Presbytère

Parc

De-Lattre-De-Tassig

.-D.
sions
Parc de
Conflans

Pigeon

Crèche

Ctre Cult.
A. Portier

Conflans

Pl. A.
Briand

M
Charenton

St-Pierre

R. A. Savours

Henri IV

de Sully

Gabrielle

Av.

Marc
E. Be
R. Ed

ecture

CCAS
Crèche

Conflans

Coll.
900

Ecoles
Esp. Médicis
CPAM

Pl. de
l'Église

Rue

P.

Sq. Lepic

Villa
des

DL

Villa Bergerac

RPA
J. d'Albret

Sq. P. Eluard

Pl. Ramon

Sq. Sully

SAINT-MAURICE

des

Sq. de la
Cerisaie

Ann.

Ctre
Adm.

Pl. A.

R. G. Péri

Ec. des
Sureaux

Ec. la
Cerisaie

Bibl.
Espinassous

Villa Eluard

R. Victor

Dussault
Sq. J. Noël
Halte Gard.

Trib.
4 Vents

Ec.

Pl. de Valois

Imp. des
Quatre-Vents

Sq.
Cuir
R. Cu

Charenton

A 4 - E 50

Carrières

Sq. du 8
Mai 1945

Schumann

R. de l'Embarcadère

des

Séjour

Paris

R. du
l'Abreuvoir

Pl. de

DM

uste

Ile

Martinet

Pont
Martinet

Gym.

2

Carrières
Sq. J.
Mermoz

Passerelle
d'Alfortville

Stade H.
Guérin

M. Faraday

Desh

Pl. du Confluent
France-Chine

du Dr Mas

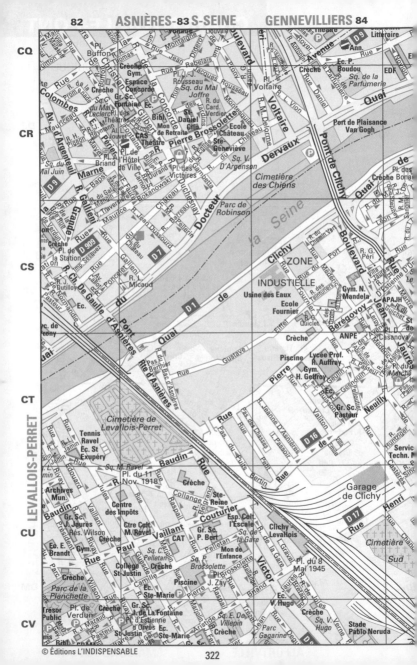

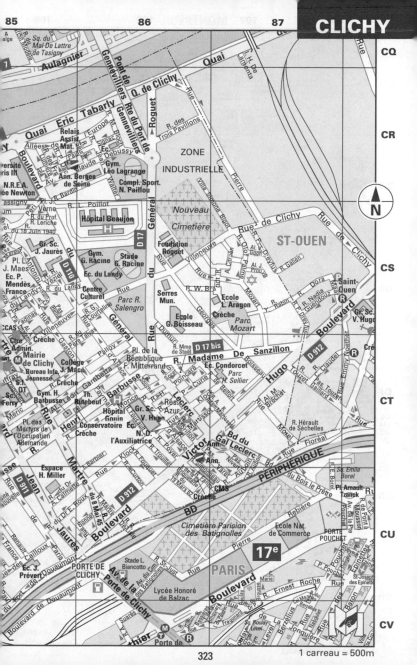

CQ

CR

CS

CT

CU

CV

N

ST-OUEN

ZONE INDUSTRIELLE

Nouveau Cimetière

PARIS

17e

Cimetière Parisien des Batignolles

Ecole Nat. de Commerce

PORTE POUCHET

PORTE DE CLICHY

Lycée Honoré de Balzac

Stade L. Biancotto

1 carreau = 500m

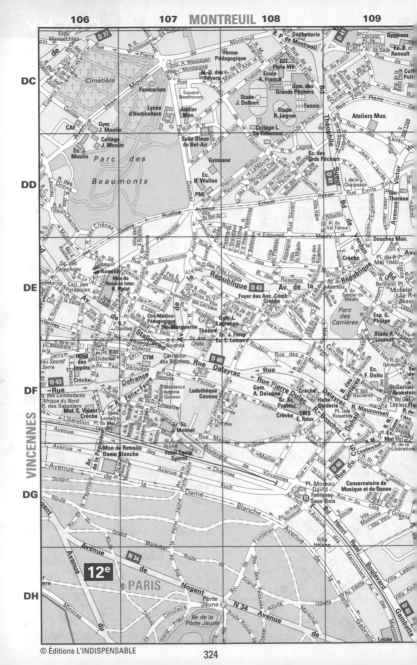

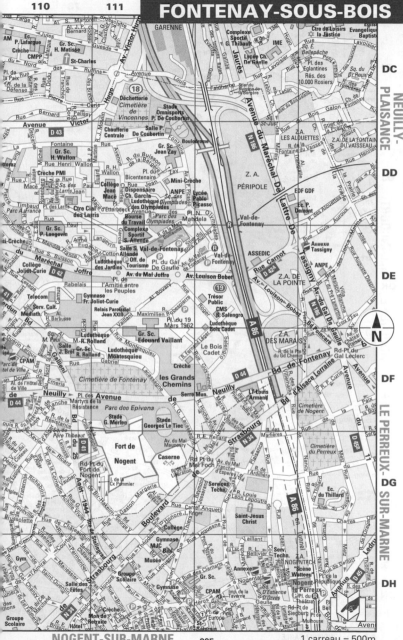

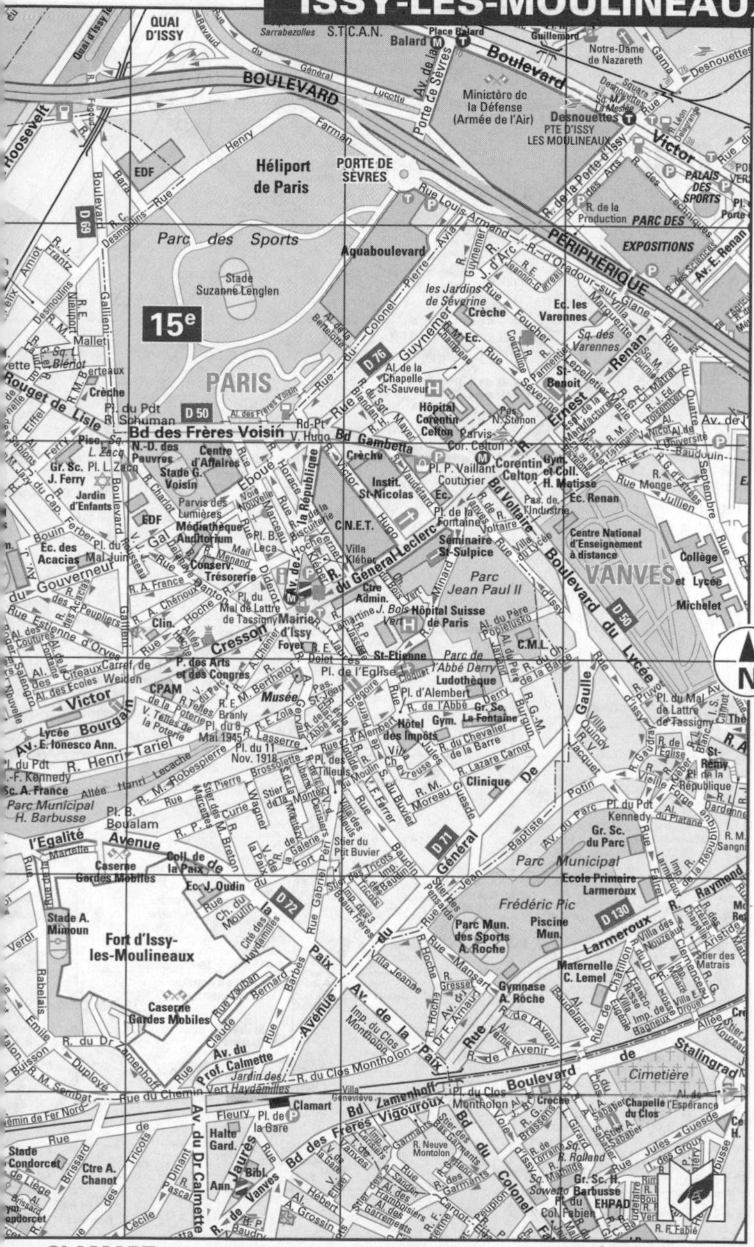

79 80

QUAI D'ISSY

15e

PARIS

VANVES

MALAKOFF

CLAMART

1 carreau = 500m

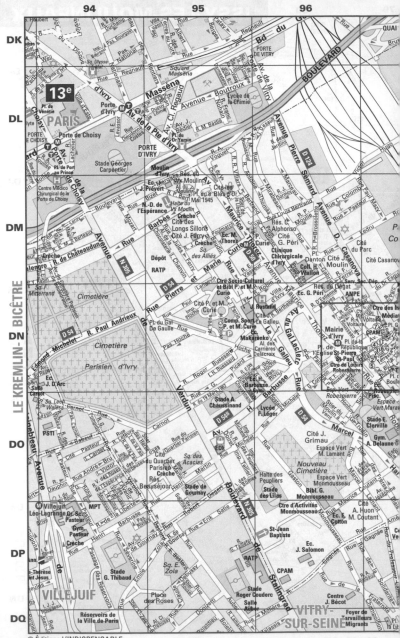

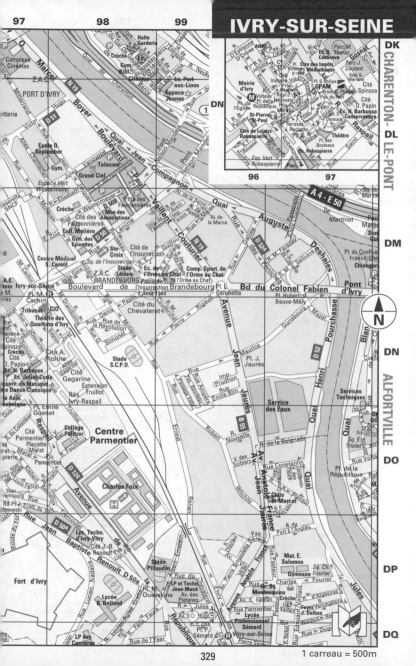

IVRY-SUR-SEINE

1 carreau = 500m

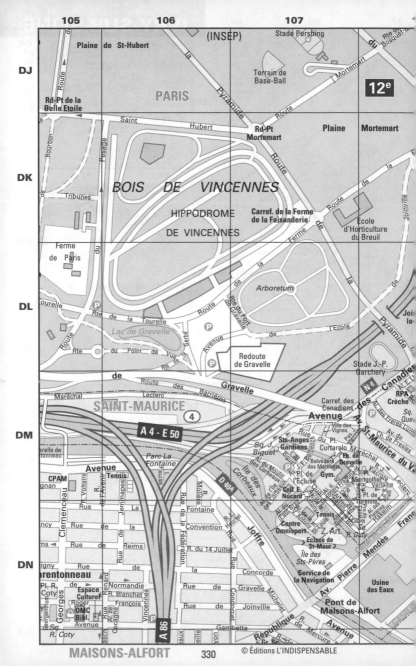

Plaine de St-Hubert

(INSEP)　　**Stade Pershing**

DJ

Terrain de Base-Ball

12ᵉ

PARIS

Rd-Pt de la Belle Etoile

Saint Hubert

Rd-Pt Mortemart

Plaine　　**Mortemart**

DK

BOIS　DE　VINCENNES

Tribunes

HIPPODROME

Carref. de la Ferme de la Faisanderie

Ecole d'Horticulture du Breuil

DE VINCENNES

Ferme de Paris

Joinville

DL

Arboretum

Lac de Gravelle

Redoute de Gravelle

l'Ecole

Stade J.-P. Garchery

Joi le

Rte de la Tourelle

Rte du Point de Vue

Avenue

SAINT-MAURICE

de　Route　des　Barrières　Gravelle

Maréchal Leclerc

(4)

Carref. des Canadiens

N4

Canadie

RPA Crèche

Sq. Que

DM

A 4 - E 50

Villa des Vignes

Avenue

Av. St-Maurice du V

Av. du Ch. de Presles

CPAM

gnan

Avenue

Tennis

Parc La Fontaine

Sts-Anges Gardiens

Rue du Pl. Curtarolo

Maréchal

Leclerc

Sq. J. Biguet

Belvédère des Martinets

Es. de Gravelle

Gym.

Pl. Montgolfier

Verlaine

Franc

Rue de l'Avenir

Jemmapes

La

Rue de la Fédération

Rue de la Fontaine

Moliere

Al. des Corbeaux

Coll. E. Nocard

Pl. de l'Ecluse

Tennis

Pl. de Turenne

Sq.

Haklem

D 404

Rue

de la

Convention

Joffre

Centre Omnisport

Z. Art.

R. Duty

DN

ms

Rue de Reims

R. du 14 Juillet

la

Concorde

Ecluse de St-Maur

Île des Sts-Pères

Service de la Navigation

Av. Pierre Mendes

Usine des Eaux

rentonneau

Pl. R. Coty

Espace Culturel

de Normandie

R. Blanchet

Roger François

Rue de Gravelle

Michelin

Rue de Joinville

Pont de Maisons-Alfort

Georges

OMC Bibl.

Avenue

de Vincennes

R. Coty

Gambetta

A 86

République

Gr. S

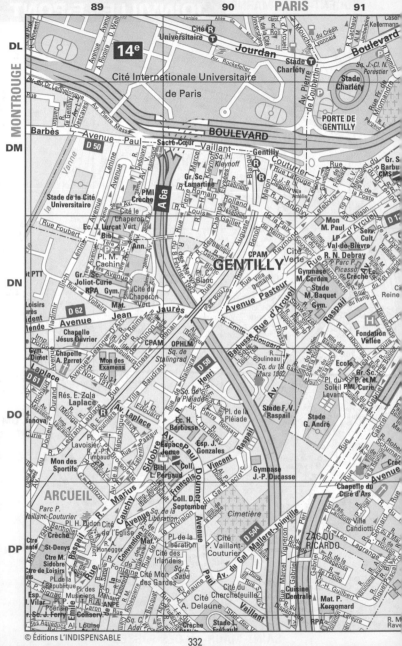

DL

DM

DN

DO

DP

13e

PORTE D'ITALIE

LE KREMLIN-BICÊTRE

IVRY-SUR-SEINE

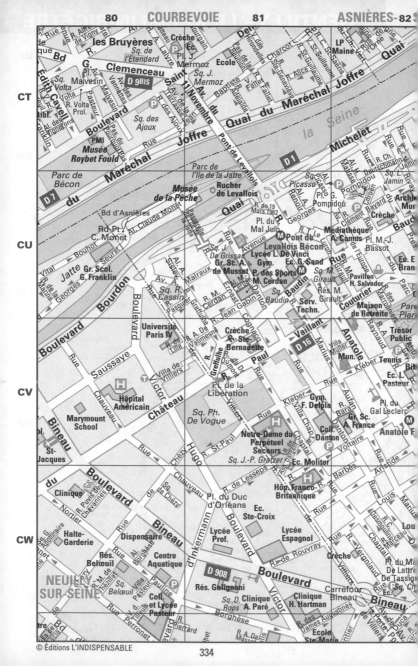

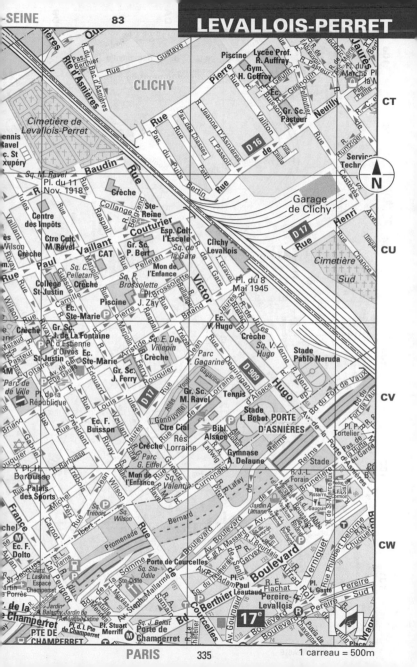

CLICHY

Cimetière de Levallois-Perret

Garage de Clichy

Clichy-Levallois

Cimetière Sud

Pl. du 8 Mai 1945

Stade Pablo Neruda

PORTE D'ASNIÈRES

Stade L. Bobet

Gymnase A. Delaune

Stade

Palais des Sports

Porte de Courcelles

Pereire-Levallois

17e

Porte de Champerret

PTE DE CHAMPERRET

1 carreau = 500m

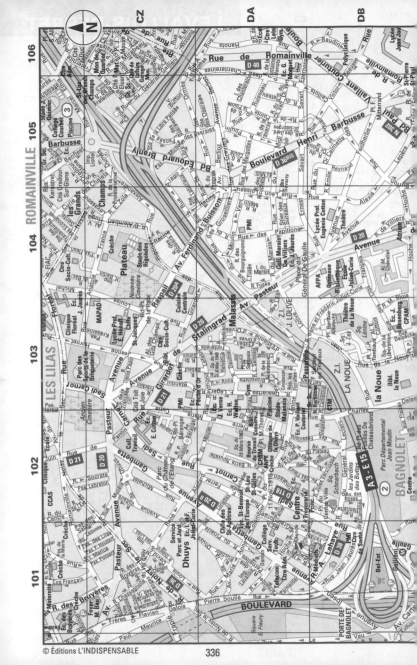

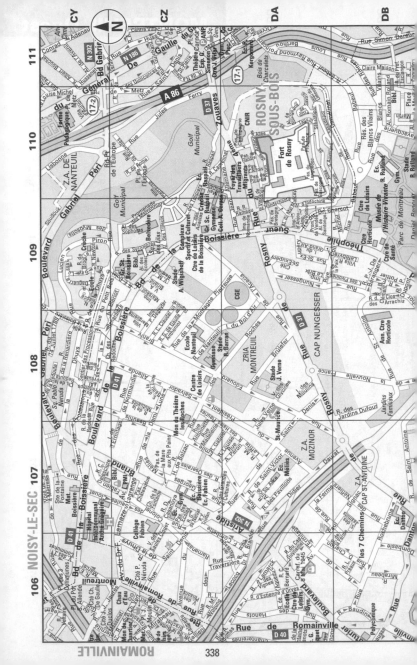

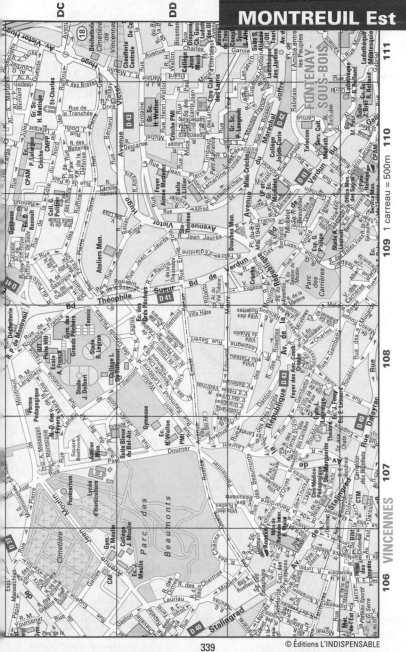

© Éditions L'INDISPENSABLE

1 carreau = 500m

FONTENAY-SOUS-BOIS

VINCENNES

111

110

109

108

107

106

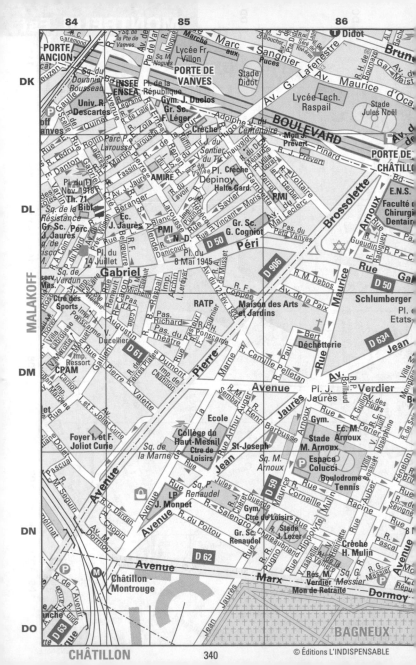

CHÂTILLON

© Éditions L'INDISPENSABLE

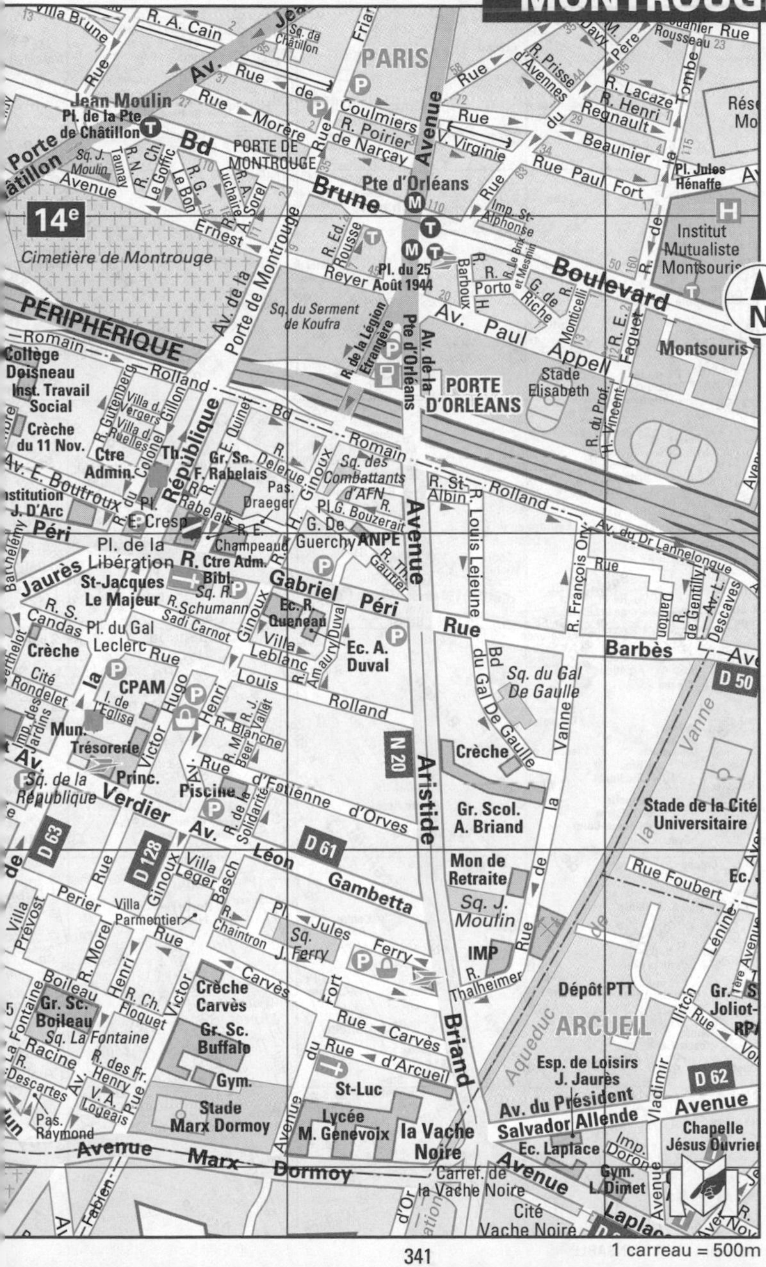

87 88

PARIS

Villa Brune
R. A. Cain
Sq. de Châtillon
Friar
Davi
R. Prisse d'Avennes
R. Lacaze
R. Henri Regnault
Rousseau
Résé Mo

Av. de Coulmiers
Rue Morère
R. Poirier
R. de Narçay
Rue
Virginie
Rue Paul Fort
Beaunier
Pl. Jules Hénaffe

DK

Jean Moulin
Pl. de la Pte de Châtillon
Bd
Brune
Pte d'Orléans
Imp. St-Alphonse

Porte Châtillon
Avenue
Sq. J. Moulin
R.N. Ch. Le Goffic
Ernest
PORTE DE MONTROUGE
Pte d'Orléans
Rue Porto et Riche
Institut Mutualiste Montsouris

14e
Cimetière de Montrouge
Av. de la Porte de Montrouge
Pl. du 25 Août 1944
Reyer Avenue
Boulevard
Montsouris

PÉRIPHÉRIQUE
Sq. du Serment de Koufra
Pte de la Légion Étrangère
Av. Paul Appell
Stade Elisabeth
Montsouris

Romain
Collège Doisneau
Inst. Travail Social
Rolland
Bd
Romain
Av. de la Porte d'Orléans
PORTE D'ORLÉANS
R. du Prof. H. Vincent

DL

Crèche du 11 Nov.
Ctre Admin.
Th.
Gr. Sc. F. Rabelais
Quinet
R. Delerue
Sq. des Combattants d'AFN
R. St-Albin
Rolland
Av. du Dr Lannelongue

Institution J. D'Arc
Péri
R. E. Crespin
R. Rabelais
Pas. Draeger
Ginoux
P.L.G. Bouzerait
R.E.
R. G. De Guerchy
ANPE
R. Thé Gautier

Jaurès
Pl. de la Libération
St-Jacques Le Majeur
Bibl.
Sq. R.
R. Schumann
R. Sadi Carnot
Champeaux
Gabriel Péri
Rue
Louis Lejeune
R. François Ory
Rue
R. de Gentilly

R. S. Candas
Pl. du Gal Leclerc
Crèche
CPAM
Rue Victor Hugo
Ec. R. Quesnel
Amaury Duval
Ec. A. Duval
Barbès
D 50

DM

Cité Rongelet
I. de l'Église
R. Blanche
R. Jean Vallet
Rolland
Bd du Gal De Gaulle
Vanne

Mun.
Trésorerie
Princ.
Sq. de la République
Verdier
Piscine
R. de Solidarité
d'Estienne d'Orves
N 20
Aristide
Crèche
Gr. Scol. A. Briand
Stade de la Cité Universitaire

GENTILLY

D 63
Av.
D 128
Villa Léger
Léon
Gambetta
Rue Foubert
Ec.

Villa Prévost
Perier
Villa Parmentier
Basch
Chaintron
Pl. Jules Ferry
Sq. J. Ferry
Ferry
Mon de Retraite
Sq. J. Moulin
la Vanne

Villa
Boileau
R. Henri Morel
R. Ch. Floquet
Carvès
Fort
IMP
R. Thalheimer
Dépôt PTT
Gr. S. Joliot-RP

DN

Gr. Sc. Boileau
Sq. La Fontaine
Crèche Carvès
Rue Carvès
Briand
ARCUEIL
D 62

R. Fontaine
R. Racine
R. des Fr. Henry
V.A. Loueati
Gr. Sc. Buffalo
Gym.
Rue d'Arcueil
Esp. de Loisirs J. Jaurès
Vladimir

Pas. Raymond
Stade Marx Dormoy
St-Luc
Lycée M. Genevoix
la Vache Noire
Av. du Président Salvador Allende
Ec. Laplace
Chapelle Jésus Ouvrier

Avenue
Marx
Dormoy
Carref. de la Vache Noire
Avenue
Gym. L. Dimet
Laplace

DO

Cité Vache Noire

341

1 carreau = 500m

CU
CV
CW
CX
CY
CZ

PUTEAUX

Courbevoie

Crèche
Crèche
Crèche
Ste Cécile
R. de l'Alma
R. de l'Alma
Crèche Ecole
Cimetière
R. St-Th. en Argonne
Parc du Vx Cimetière
St-Pierre Bd St-Paul
LP P. Painlevé
Parc de Tassig

M. Colombier
R. du Dr Schwartz
Pas. Tavry
Caron
Guyneme
Hérold
Sq. St Novokitch

R. de Rouen
R. Eugène
Crèche
R. Serpentine
R. Ste Homme
R. de Belfort
R. Baudin
Marché du Zodiaque
Sq. du Capricorne
Pl. Charles De Gaulle
Piscine
Patinoire
Pl. des Pléiades
Crèche
Rue des Impôts
Lycée G. Pompidou
Mun
La Fontaine
Fondation P. Pacquet

R. Henri
Sq. H. Régnault
Ecole
Av. Gambetta
D9
Parc de Freundenstadt
Charras
Parc des Ville
Pl. de l'Hôtel de Ville

Pl. de la Coupole
Av. de Leclerc
Pl. des Vosges
Al. A. Prothin
Parc Diderot
Rue Victor Hugo
Pl. V. Hugo
Stade du Gal Monclar

Pl. de la Défense
Rd-Pt de la Défense
Circulaire
Pl. de la Statue de la Défense
Ecole
Pl. des Frères Engheis
D7
Gal Hosp

Relais Jean XXIII
Rés. les Platanes
Gym.
Pl. de la Pyramide
Sq. Gallieni Rés. Gallieni
Esplanade de la Défense M
Pl. des Corolles
Sq. des Corolles
Place des Reflets
Pl. de l'Iris
Crèche de Seine
Bibliothèque
Sq. Vivaldi
R. des Blanchisseurs
Quai
Pl. des Dominos
Sq. des Saisons
Pl. Napoléon 1er
Jardin du Temple de l'Amour
Coll. A. Maurois
RPA
CPAM
Pl. du Gal Gouraud

Cours Michelet
A14
Gaudin
Pierre
Pont de Neuilly
Terrasse Bellini
Rés. Bellini
du la Seine
Boulevard
Crèche
Pl. Beffroy
du Château

Gr. Sc. la Rotonde
Boulevard
République
Crèche
Paul Lafargue
D14
D21
Jaurès
Complexe Sportif
Pont de Neuilly
Avenue
St-Jean Baptiste
Théâ
Bibl.

Maison des Anc. Combattants
Rés. Etudiants
Chapelle de l'Œuvre du Sacré-Cœur
Gym.
Piscine
Crèche
Sq. L. Blum
Bouton
Dion
de
Puteaux
Parc Lebaudy
Centre Aéré
Jardin La Roseraie
Tennis
R. du Gal Delanne
Coll. et Lycée de la Folie St-James
Parc de la Folie St-James
RPA Teulle
Eco

Crèche
Godefroy
Quai
de
Stade P. Bardin
Stade L. Rabot
D1
Centre Aéré
Bois de Boulogne
Porte de Neuilly
Boulevard

Sq. de Danse
N-D. de la Pitié
Pl. de la Vieille Eglise
R. de l'Eglise
Hall des Sports
Piscine
Rd-Pt St-James
Halte-Gard.
V. L. de Vinci
16e
Jar

Centre Hospitalier
Naturoscope
Gymnase
Île
Pont de Puteaux
Ste-Isabelle
Gr. Scol. Charcot
Pl. de Bagatelle
Porte de St-James
Porte de Bagatelle
Ferme de Bagatelle
Mare St-James
d'Acclim

Boulevard de Bagatelle
Richard
Wallace
Route
du

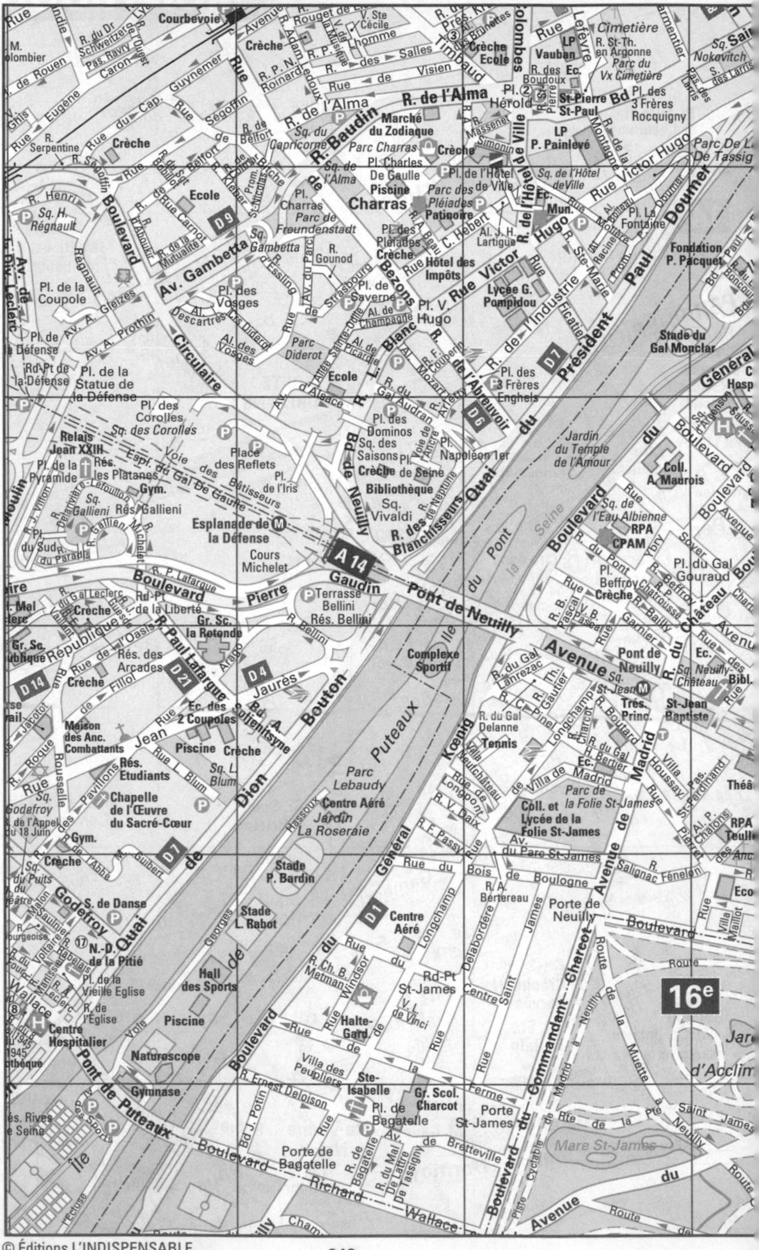

© Éditions L'INDISPENSABLE

1 carreau = 500m

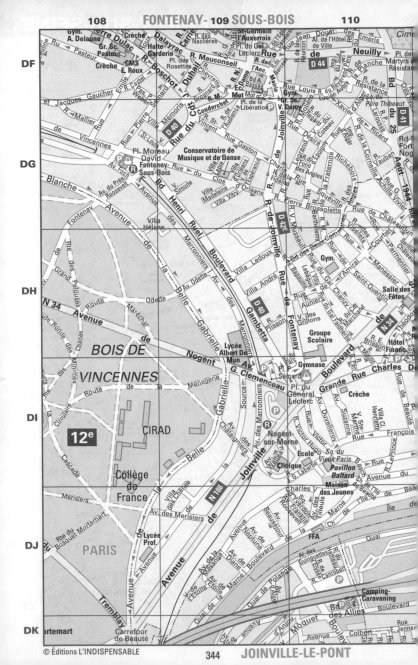

DF

DG

DH

DI

DJ

DK

BOIS DE VINCENNES

12ᵉ

CIRAD

Collège de France

PARIS

Conservatoire de Musique et de Danse

Lycée Albert De Mun

Groupe Scolaire

Nogent-sur-Marne

Pavillon Baltard

Maison des Jeunes

Camping-Caravaning

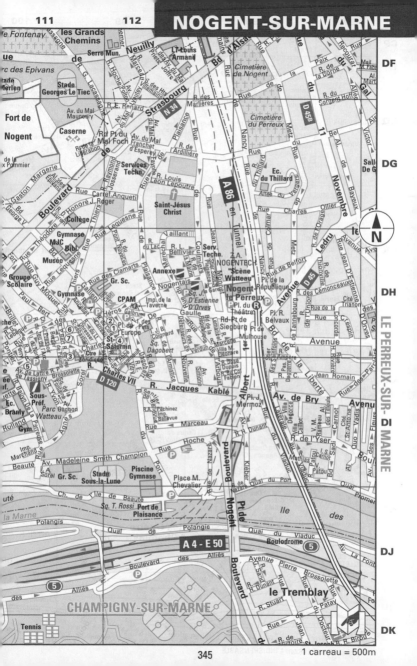

1 carreau = 500m

DF
DG
DH
DI
DJ
DK

LE PERREUX-SUR-MARNE

CHAMPIGNY-SUR-MARNE

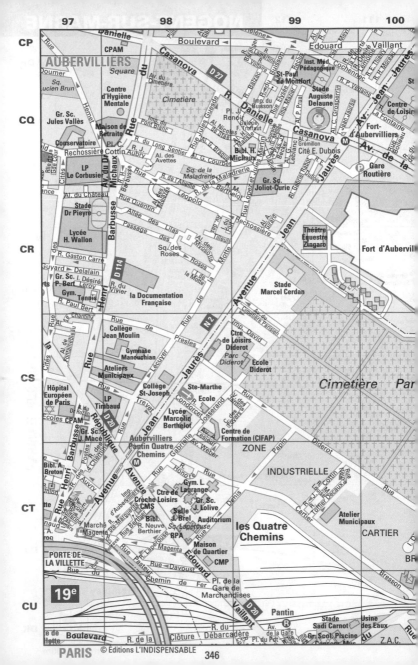

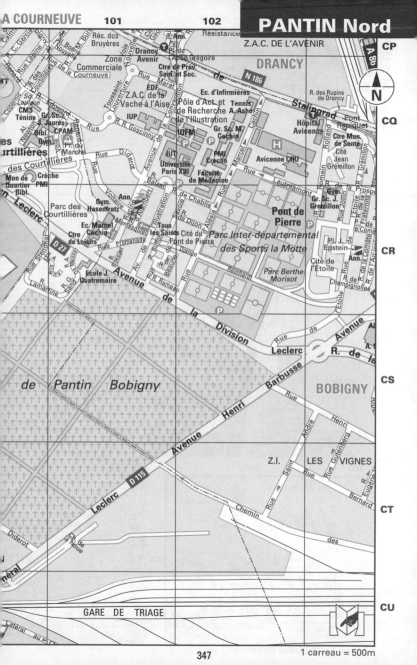

Z.A.C. DE L'AVENIR

CP

Rés. des Bruyères

Résistance

DRANCY

Zone Commerciale la Courneuve

Drancy Avenir

L'Abbé Grégoire

Ctre de Prév. Sani. et Soc.

de

N 186

A 86

R. des Rupins de Drancy

Ec. d'Infirmières

Stalingrad

Pont Repiquet

CQ

EDF

Z.A.C. de la Vache à l'Aise

Pôle d'Act. et de Recherche A. Ashé de l'Illustration

Tennis

Hôpital Avicenne

Ctre Mun. de Santé

CMS Ténine

Gr. So. J. Jaurès

IUP

IDFM

Gr. Sc. M. Cachin

H

Cité Jean Grémillon

Bibl.

CPAM

Gym.

IUT

Université Paris XIII

PMI Crèche

Avicenne CHU

es urtillières

des Courtillières

Pl. du Marché

Diderot

Balzac

Faculté de Médecine

Rue

Lautréamont

Gym.

Gr. Sc. J. Grémillon

Mon de Quartier

Crèche

PMI

Bibl.

Voltaire

Ann.

R. de Chablis

Etoile

Leclerc

Parc des Courtillières

Gym. Hasenfratz

de Dijon

Pont de Pierre

P

Cité de l'Etoile

Ctre de Loisirs

Ec. Marcel Cachin

Montesquieu

Tous les Saints

Cité du Pont de Pierre

Parc Inter-départemental des Sports la Motte

Ann.

CR

Ecole J. Quatremaire

Promenade

Av.

Django

Parc Berthe Morisot

Reinhard

Cité de Champignolles

Avenue de

R. R. Hameau

la

Division

Rue

de

Avenue

R. de

P

de Pantin Bobigny

Leclerc

R. de la

BOBIGNY

Barbusse

CS

Henri

Rue

Henri

André

Avenue

Z.I. **LES VIGNES**

Gutenberg

R.

Eugène

D 115

Saint

Rue

Bernard

Leclerc

Chemin

des

CT

Diderot

Cté de la Noue

Lateral

au

GARE DE TRIAGE

CU

1 carreau = 500m

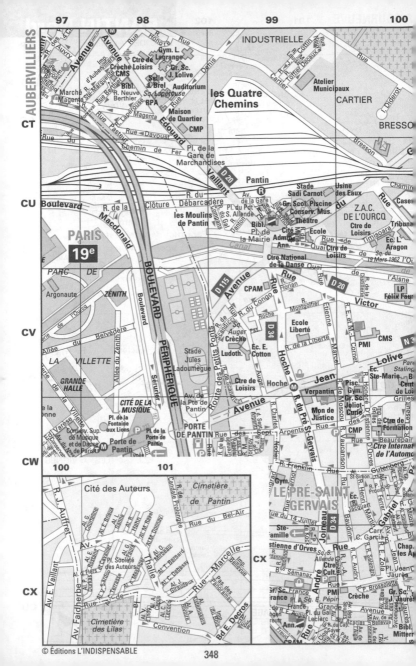

AUBERVILLIERS

97　98　99　100

Rue de Cal.
Avenue
Rue Honoré
Rue
Gym. L. Lagrange
INDUSTRIELLE
Ctre de Créche Loisirs
Gr. Sc. J. Lolive
les Quatre Chemins
CARTIER
CMS
Salle L. Brel
Auditorium
BRESSO
CT
Marché Magenta
Bibl. R. Neuve Berthier
Sq. Lapérouse
RPA
Maison de Quartier
Rue Pasteur
Rue Édouard
CMP
Chemin de Fer
Pl. de la Gare de Marchandises
Pantin

PARIS 19e

CU
Boulevard
R. de la Clôture
R. du Débarcadère
Av. de la Gare
Stade Sadi Carnot
Usine des Eaux
Macdonald
les Moulins de Pantin
Pl. du Pdt S. Allende
Gr. Scol. Piscine Conserv. Mus.
Z.A.C. DE L'OURCQ
Bibl.
Théâtre
Ctre de Loisirs
Cité
Pl. de la Mairie
Ecole
Ann.
Rue
Ctre de Loisirs
Ec. L. Aragon
Ctre National de la Danse
Quai
Sq. du 19 Mars 1962
Canal

PARC DE
Argonaute
ZÉNITH
Avenue
CPAM
R. Florian
D 20
R. de l'Aisne
LP Félix Faur
CV
Allée du Zénith
Belvédère
R. du Congo
Roche
R. Montgolfier
Etienne
Victor
LA VILLETTE
Sq. Auger Crèche
Ecole Liberté
CMS
GRANDE HALLE
Stade Jules Ladoumègue
Ludoth.
Ec. E. Cotton
R. de la Liberté
Marcel
PMI
Allée de la Villette
Ctre de Loisirs
Hoche
Jean
Verpantin
Pisc. Gym.
Ec. Ste-Marie
B
Ctre de Loi
Lolive
N 3

CITÉ DE LA MUSIQUE
Pl. de la Fontaine aux Lions
Av. de la Pte de Pantin
Avenue
Mon de Justice
Gr. Sc. Joliet-Curie
Grilles
CW
Conserv. Sup. de Musique et de Danse
Pl. de la Porte de Pantin
PORTE DE PANTIN
Rue des Sept Arpents
CMP
Ctre de Formation
Porte de Pantin
Musée
Beaurepair
Ctre Internat de l'Automo

100　101

Cité des Auteurs
Cimetière de Pantin
Gym.
LE PRÉ-SAINT-GERVAIS
R. J. Auffret
Rue du Bel-Air
Ste-Camille
Gabriel
Chap.
CX
Pl. Société des Auteurs
Thalie
Rue Marcelle
estienne d'Orves
Ctre Cult.
Pl. Jean Jaurès
Av. E. Vaillant
Rue Faidherbe
Cimetière des Lilas
Convention
Bd E. Decros
PMI
André
Crèche
Gr. Sc. Jaurès
Bibl. Mitter

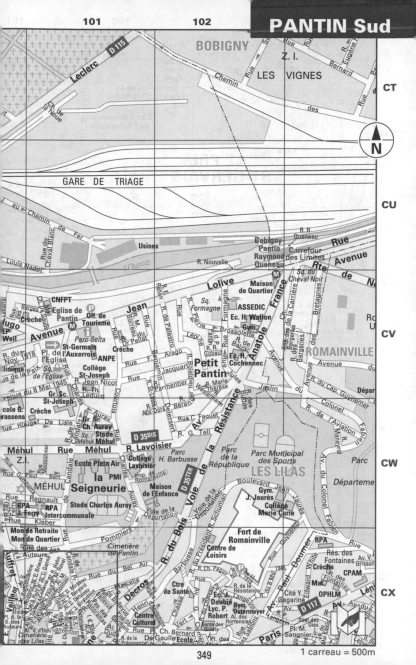

BOBIGNY

Z. I.

LES VIGNES

CT

GARE DE TRIAGE

CU

Usines

Bobigny-
Pantin
Raymond
Queneau

Carrefour
des Limites

Rte

Avenue

de

CNFPT

Église de
Pantin

Off. de
Tourisme

Jean

Lolive

Maison
de Quartier

Sq.
Formagne

ASSEDIC

Ec. H. Wallon
Gym.

France

Anatole

Maison
de Quartier

ROMAINVILLE

CV

Crèche

Avenue

Hugo

St-Germain
l'Auxerrois
l'Église
Sq.
de l'Église

ANPE

Collège
St-Joseph

Crèche

Petit
Pantin

Ec. H.
Cochennec

Avenue

Avenue

Gr. Sc.
St-Joseph

Crèche

Gr. Sc.
Ch. Auray

Stade
Méhul

Jaslin

Colonel

R. de l'Aviation

Dépar

Méhul

Rue

Méhul

D 35BIS

R. Lavoisier

Collège
Lavoisier

Parc
H. Barbusse

Parc
de la
République

Parc Municipal
des Sports

LES LILAS

Parc

Département

CW

Méhul
Z.I.

Écolе Plein Air

la PMI

Seigneurie

D 35TER

Maison
de l'Enfance

Voie

de

la

Résistance

Boulevard Jean

Gym.
J. Jaurès

Collège
Marie Curie

RPA
RPA
Intercommunale

Stade Charles Auray

Pommiers

Cimetière
de Pantin

Fort de
Romainville

RPA

Rés. des
Fontaines

Av. V.

Crèche

CPAM

CX

Mon de Retraite
Mon de Quartier
Cité des
Auteurs

R.
du Bois

Centre de
Loisirs

Ctre
de Santé

Centre
Culturel

Ec. J.
Daubié
Lyc. P.
Robert

Gym.
Ostermeyer

Cité Y.
Gagarine

OPHLM

Mat.

Paris

Léni

De Gaulle   Ecole

Pl. M.
Sangnier

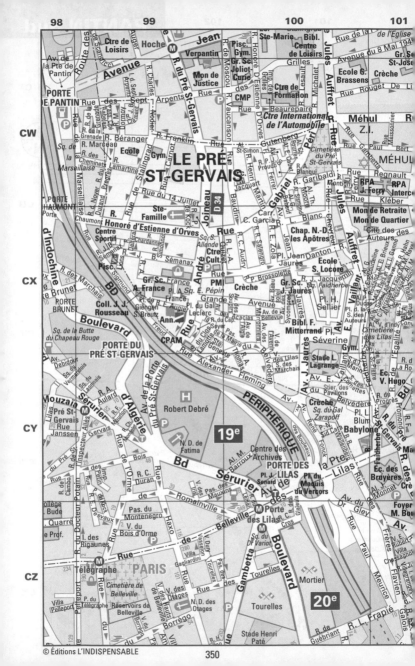

LE PRÉ ST-GERVAIS

19e

20e

PORTE DE PANTIN

PORTE HAUMONT

PORTE BRUNET

PORTE DU PRÉ ST-GERVAIS

PORTE DES LILAS

Robert Debré

PÉRIPHÉRIQUE

PARIS

Télégraphe

© Éditions L'INDISPENSABLE

Jose
Jean Nicot
Th.
Educq

r. Sc.
h. Auray
Stade
du Méhul
Méhul

PANTIN

D 35BIS

R. Lavoisier

la PMI
gneurie

Collège
Lavoisier

Imp. de
Romainville

Maison
de l'Enfance

Charles Auray
le

Charles Auray

Av. des Courtois
R. Parmentier
R. Westermann
R. Marie
Thérèse

R. Faguet
Rue C.

R. Alix-Doré
Rue Dessert
Rue Béran

Av. de la Résistance
Voie du Bois
R. G. Tell

R. des Buttes
du Jaslin

R. du Cap. Guynemer
Hygiène
Départementale

Colonel
R. de l'Aviation
Fabien
Maneyrol

S. des
Corbeurs

Parc
H. Barbusse

Parc
de la
République

Parc Municipal
des Sports

Parc
Départemental

CW

ROMAINVILLE

Voie de la
Déportation
Boulevard
Voie de la
Déportation
R. Schuman

Gym.
J. Jaurès
Collège
Marie Curie

Boulevard Jean Jaurès

Av. du Colonel Fabien

N

Pommiers
Cimetière
de Pantin

Rue du Bel Air

R. Barbusse
R. du Bois
R. Ch. Péguy
Rue

Fort de
Romainville

Centre de
Loisirs

RPA

Rés. des
Fontaines
Crèche

Rue Guynemer
Rue Paul Doumer

Av. V.
Grissom

CPAM

R. des
Fontaines

Av.
Lénine

CX

Marcelle
Decros

Cité Bellevue
Germain

R. de la
Prévoyance

Centre
Culturel
De Gaulle

Ctre
de Santé

Ec. J.
Daubié
Lyc. P.
Robert

Gym.
Ostermeyer
Al. des
Hortensias

Pl. Ch. Bernard
Ecole

Rue
Henri
Chasse

Av.
Jean
Langevin
Vert

Sente des
Œillets

Pl. des
Myosotis

R. de la
Résistance

OPHLM

Cité Y.
Gagarine

D 117

Av.
Lengerin

R. Edward
White

Av. du Président

R. Normandie
R. Niemen
Pl. des
Dies

R. de la
Labyrinthe

Lycée
Liberté

D 36BIS

Ecole
Pl. de
Völklingen

Paris

Pl. M.
Sangnier

R. Dumont
R. de la
Fraternité

Perception

Théâtre

CPAM

R. Hortense
R. Catinet

Av.
Leclerc

Crèche

Avenue

R. du 14 Juillet

Mairie
des Lilas

Bd
de la
Liberté

Bd
du
Gal

R. de la
Croix

R. Lacouteux

CAF

Sq. H.
Dunant

Ctre Culturel
H. Dunant

R. de
Lassigny
Romainville

Cuisine
Centrale

N.-D. du
St Rosaire
Fabien

R. St Paul
Gym.
Ecole
Romain

R. du
Centre

Rolland

R. du Mai Juin

Foyer Rés.
Voltaire

Piscine

Centre Sportif
Floréal

Mat.
Gr. Sc.
Cachin

Crèc

CY

Crèche

Pas. de
la Mairie

CCAS

Crèche

Clinique

Ecole

Av. du Mal de Lattre De

LES LILAS

Floréal

Clinique
Floréal

Ec.
J. Jaurè

BAGNOLET

Pas. de
Sablons

Rue
Noisy

D 21

le
Sec

Rue

Parc des
Sports de la
Briqueterie

Ancien
Cimetière

Rue
Hornet

Pas.
Krassine

MAPAD

Rue
D 20

Pasteur

Sadi Carnot

Pasteur

Avenue

Molière
de
Voltaire
Rue des
Rivières

Gambetta

Carnot
Rue

Pantin

Avenue

R. de la
Tranchée

R.
Denis Papin

Jeanne

Lycée Prof.
E. Hénaff

Chtle
St-Jacques

Rd-Pt
de la Paix

CZ

le Sec
Pl. du
Vel d'Hiv

R. David

Rue
Sadi

Coll.
Travail

E. Cotton

Cité Toit
et Joie

Rue
Curie

D 21

Avenue

Rue
Girardot

de

Bibl.
Socio-Cu

Ctre

Service
Parc et Jard.
Dhuys
Ec. I. et F.
Joliot-Curie

Parc
du Château
de l'Etang

Rue
Rd-Pt
Béranger
Av.
Béranger

PMI

Crèche

1 carreau = 500m

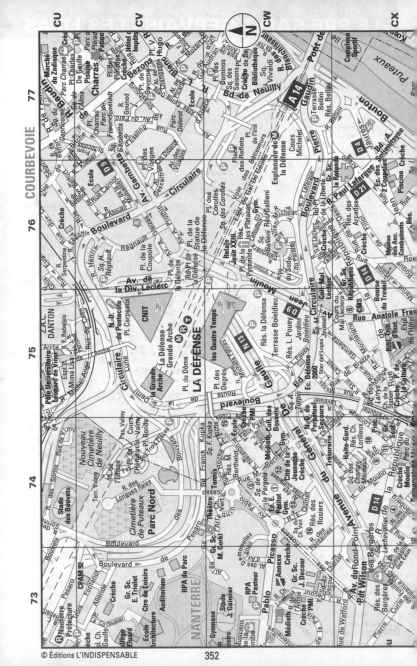

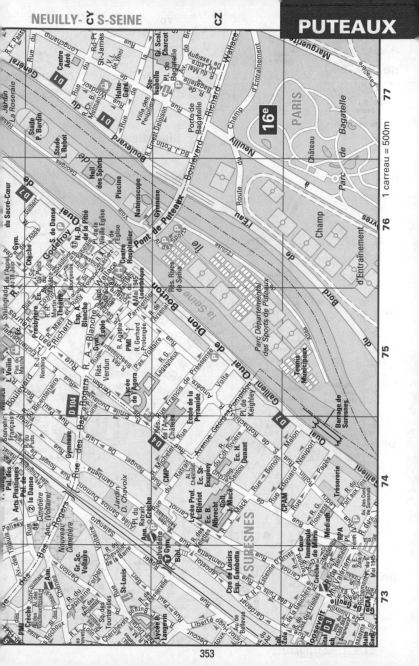

1 carreau = 500m

PARIS
16e

77
76
75
74
73

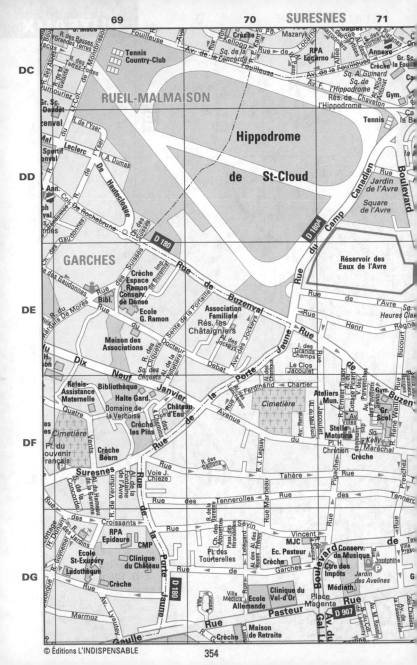

RUEIL-MALMAISON

Tennis Country-Club

DC

Hippodrome

de St-Cloud

DD

Réservoir des Eaux de l'Avre

GARCHES

Crèche Espace Ramon Conserv. de Danse

Bibl.

Ecole G. Ramon

Association Familiale

Maison des Associations

DE

Relais-Assistance Maternelle

Bibliothèque

Halte Gard.

Château d'Eau

Domaine de la Verboise

Crèche les Pins

Cimetière

Crèche Béarn

DF

Suresnes

RPA Epidaure

CMP

Ecole St-Exupéry

Ludothèque

Clinique du Château

Crèche

DG

Clinique du Val-d'Or

Ecole Allemande

Médiath.

Ctre des Impôts

Conserv. de Musique

MJC

Ec. Pasteur

Crèche

Place Magenta

Maison de Retraite

Crèche

SAINT-CLOUD Nord

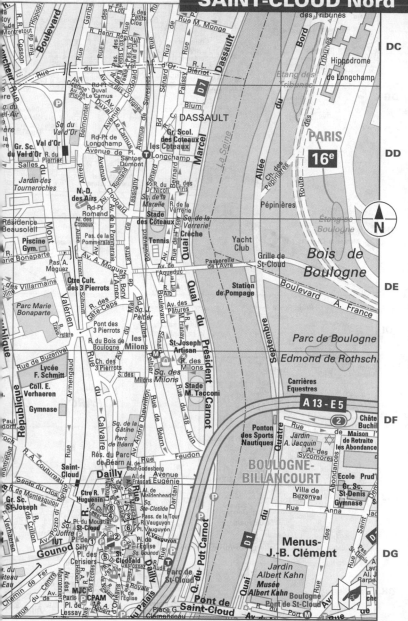

1 carreau = 500m

Voir agrandissement du centre page suivante

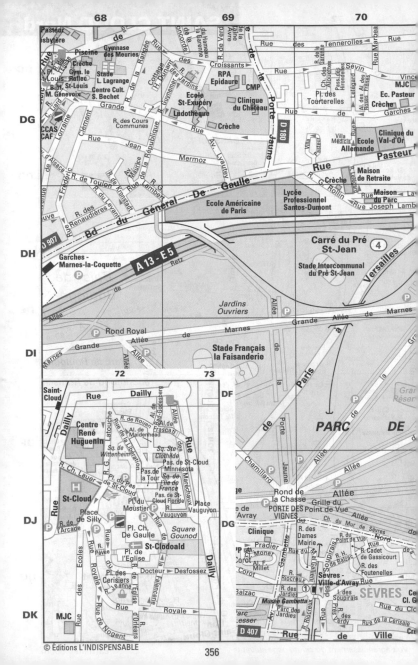

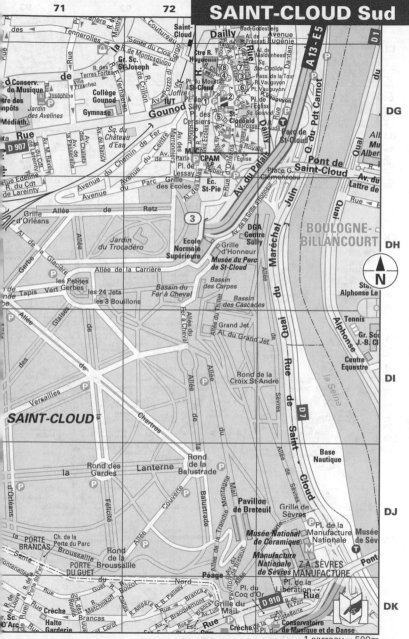

SAINT-CLOUD Sud

SAINT-CLOUD

BOULOGNE-BILLANCOURT

DG

DH

DI

DJ

DK

N

357

1 carreau = 500m

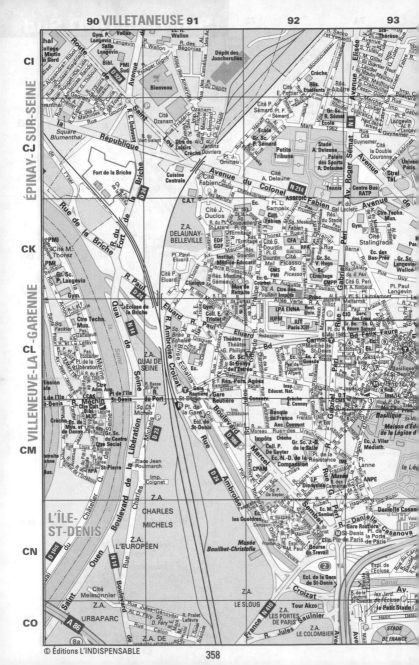

ÉPINAY-SUR-SEINE

VILLENEUVE-LA-GARENNE

CI

CJ

CK

CL

CM

CN

CO

L'ÎLE-ST-DENIS

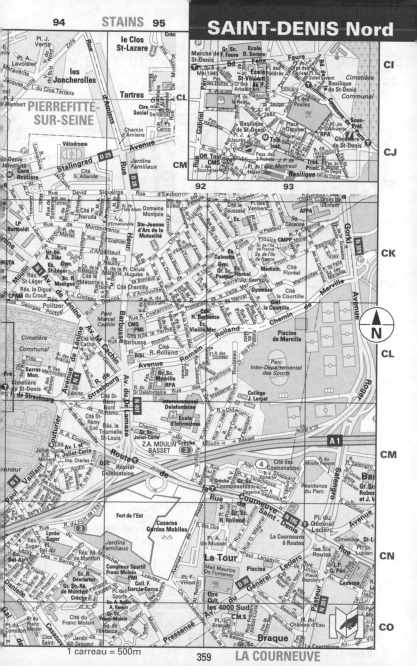

CI
CJ
CK
CL
CM
CN
CO

PIERREFITTE-SUR-SEINE

le Clos St-Lazare

les Joncherolles

Tartres

les 4000 Sud

Braque

La Tour

La Courneuve 6 Routes

les Six Routes

1 carreau = 500m

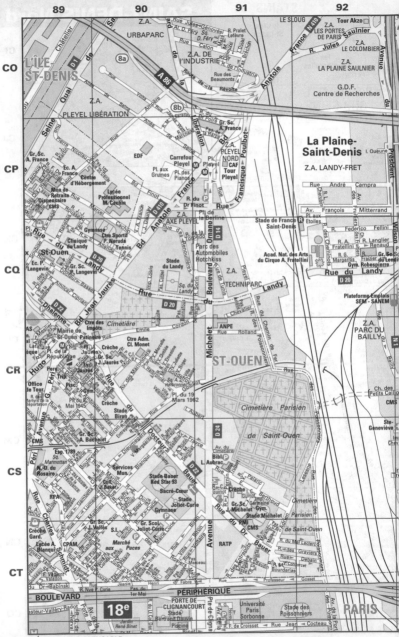

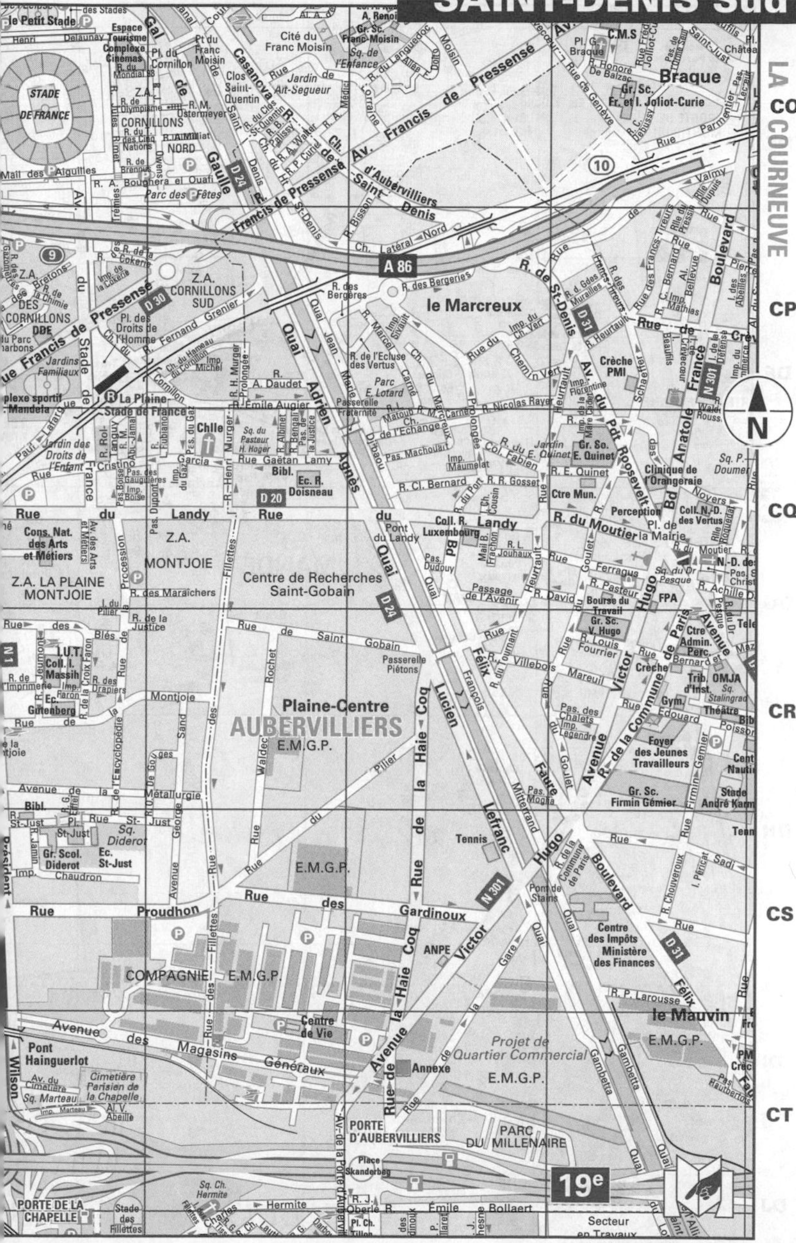

93 94

LA COURNEUVE

STADE DE FRANCE

Le Petit Stade
Espace Complexe Cinémas
Cité du Franc Moisin
Braque
C.M.S.
Gr. Sc. Fr. et I. Joliot-Curie

CORNILLONS NORD
Parc des Fêtes
Francis de Pressensé
Av. d'Aubervilliers
Saint-Denis

Z.A. CORNILLONS SUD
A 86
le Marcreux
R. des Bergères

CP

B La Plaine - Stade de France
Jardin des Droits de l'Enfant
Crèche PMI
Clinique de l'Orangerie

N

CQ

Cons. Nat. des Arts et Métiers
Z.A. LA PLAINE MONTJOIE
Z.A. MONTJOIE
Centre de Recherches Saint-Gobain
Coll. R. Landy
R. du Moutier
la Mairie

CR

I.U.T.
Coll. I. Massih
Plaine-Centre
AUBERVILLIERS
E.M.G.P.
Passerelle Piétons
Foyer des Jeunes Travailleurs
Gr. Sc. Firmin Gémier
Stade André Karm

Bibl.
Gr. Scol. Diderot
Ec. St-Just
Sq. St-Just
Tennis
Rue Proudhon
Rue des Gardinoux
ANPE

CS

COMPAGNIE E.M.G.P.
Centre des Impôts Ministère des Finances
le Mauvin

Pont Hainguerlot
Avenue des Magasins Généraux
Cimetière Parisien de la Chapelle
Centre de Vie
Annexe
Projet de Quartier Commercial
E.M.G.P.

CT

PORTE DE LA CHAPELLE
PORTE D'AUBERVILLIERS
Place Skanderbeg
PARC DU MILLENAIRE
19e
Secteur en Travaux

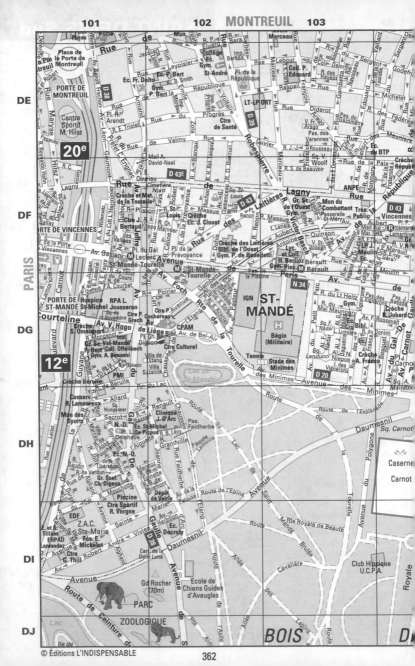

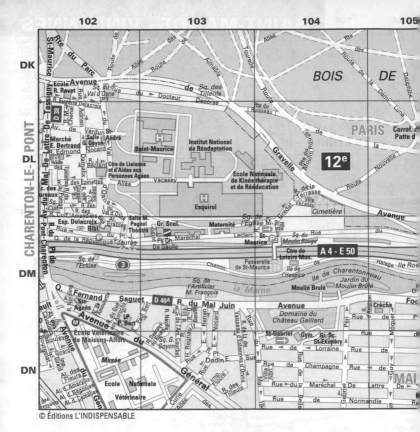

© Éditions L'INDISPENSABLE

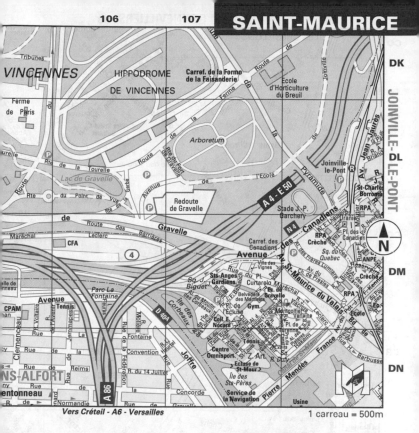

Vers Créteil - A6 - Versailles

1 carreau = 500m

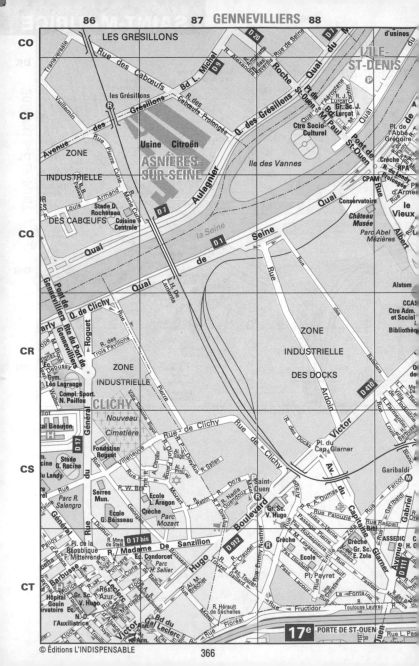

CO

LES GRESILLONS

VILLE-ST-DENIS

CP

ZONE

INDUSTRIELLE

DES CABŒUFS

Usine Citroën

ASNIÈRES-SUR-SEINE

Ile des Vannes

Ctre Socio-Culturel

Stade D. Rochéteau

Cuisine Centrale

Crèche

RPA

CPAM

Conservatoire

Château Musée

le Vieux

CQ

Quai

la Seine

Parc Abel Mézières

Alstom

de Seine

CR

Pont de Gennevilliers Rue du Port de Gennevilliers

Q. de Clichy

R. des Trois Pavillons

ZONE

INDUSTRIELLE

CCAS
Ctre Adm. et Social

Bibliothèq

ZONE

INDUSTRIELLE

DES DOCKS

Léo Lagrange

Compl. Sport. N. Paillou

CLICHY

Nouveau Cimetière

Rue de Clichy

Rue de Clichy

Pl. du Cap. Glarner

Victor

Av.

Garibaldi

CS

Stade G. Racine

Fondation Roguet

Serres Mun.

Ecole L. Aragon

Crèche

Parc Mozart

Saint-Ouen

Boulevard

Crèche

Garibaldi

ASSEDIC

Ecole G. Boisseau

Parc R. Salengro

Pl. de la République
F. Mitterrand

Madame De Sanzillon

Hugo

Ecole

Pl. Payret

Crèche
Gr. Sc. E. Zola

Avenue

CT

Barbusse

Hôpital Gouin

N.D. l'Auxiliatrice

Ec. Condorcet

Gr. Sc. V. Hugo

Bd du Gal Leclerc

Victor

R. Hérault de Séchelles

17e PORTE DE ST-OUEN

Rue L. Par

© Éditions L'INDISPENSABLE

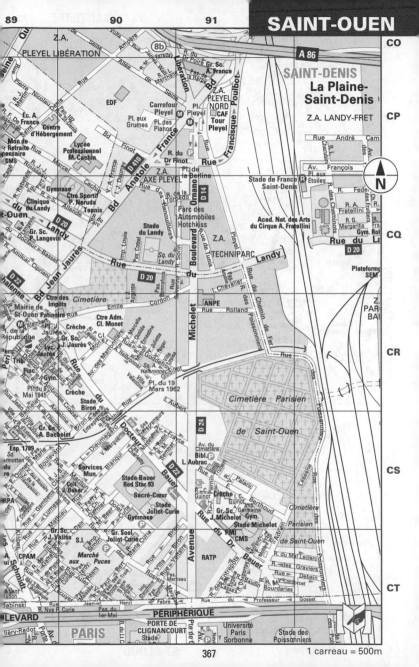

1 carreau = 500m

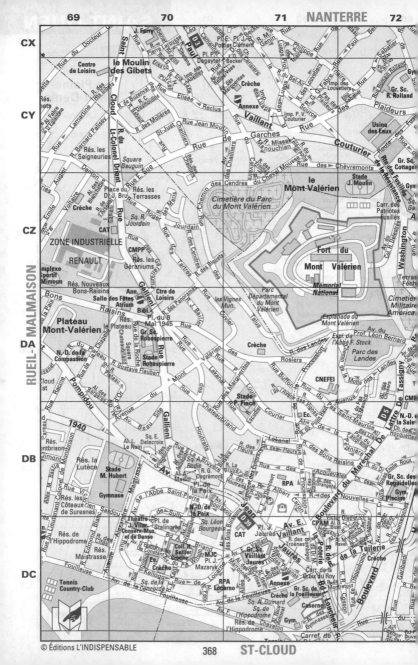

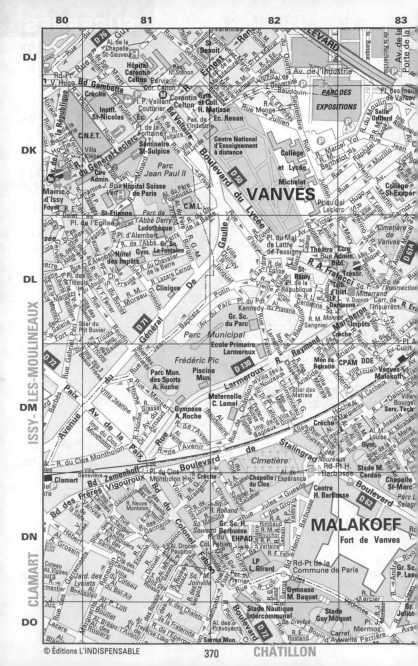

VANVES

MALAKOFF
Fort de Vanves

ISSY-LES-MOULINEAUX

CLAMART

CHÂTILLON

© Éditions L'INDISPENSABLE

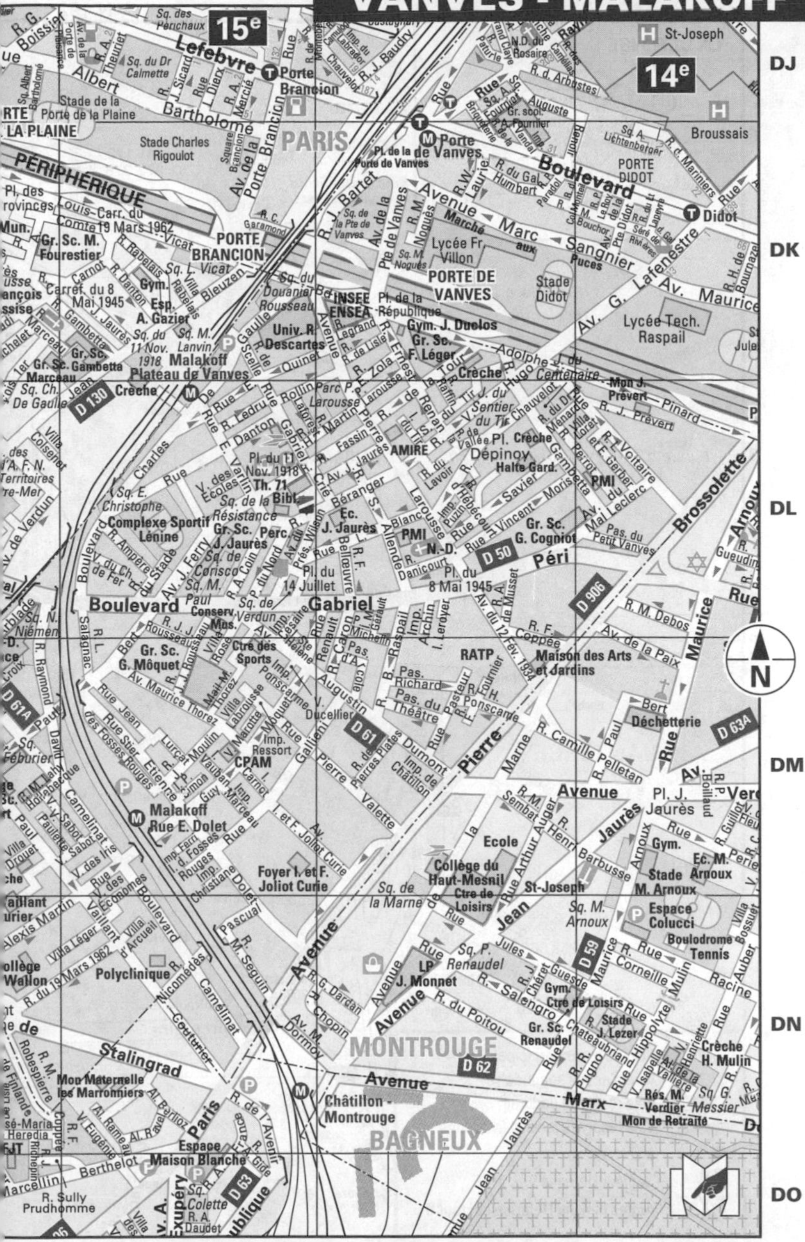

15e

14e

DJ

DK

DL

DM

DN

DO

St-Joseph

H

Porte Brancion

Porte de Vanves

PARIS

Lefebvre

Stade de la Plaine
Porte de la Plaine
LA PLAINE

PÉRIPHÉRIQUE

Stade Charles Rigoulot

PORTE BRANCION

Broussais

PORTE DIDOT

Didot

Boulevard

Sangnier

Marc

PORTE DE VANVES

Lycée Fr. Villon

INSEE ENSEA

Pl. de la République

Stade Didot

Lycée Tech. Raspail

Univ. Descartes

Gym. J. Duclos

Gr. Sc. F. Léger

Adolphe J.

Malakoff
Plateau de Vanves

Crèche

Av. Maurice

D 130

Parc P.

AMIRE

Pl. Crèche
Dépinoy
Halte Gare

PMI

Brossolette

Complexe Sportif Lénine

Gr. Sc. J. Jaurès

PMI

N.D.

Gr. Sc. G. Cogniot

D 50

Péri

D 906

Gabriel

Boulevard Paul

Conserv. Mus.

8 Mai 1945

RATP

Maison des Arts et Jardins

Gr. Sc. G. Môquet

Ctre des Sports

Bert

Déchetterie

D 634

CPAM

Théâtre

Pierre

Avenue

Pl. J. Jaurès

Gym.

Ec. M.

Malakoff
Rue E. Dolet

Foyer I. et F. Joliot Curie

Ecole

Collège du Haut-Mesnil
Ctre de Loisirs
St-Joseph

Stade Arnoux
M. Arnoux

Espace Colucci

Bouledrome Tennis

Polyclinique

LP J. Monnet

Sq. P. Renaudel

Gym.
Ctre de Loisirs

Gr. Sc. Renaudel

Crèche
H. Mulin

Avenue

Jean

MONTROUGE

Stalingrad

Mon Maternelle les Marronniers

D 62

Avenue

Marx

Châtillon - Montrouge

BAGNEUX

Mon de Retraite

Espace Maison Blanche

D 53

N

1 carreau = 500m

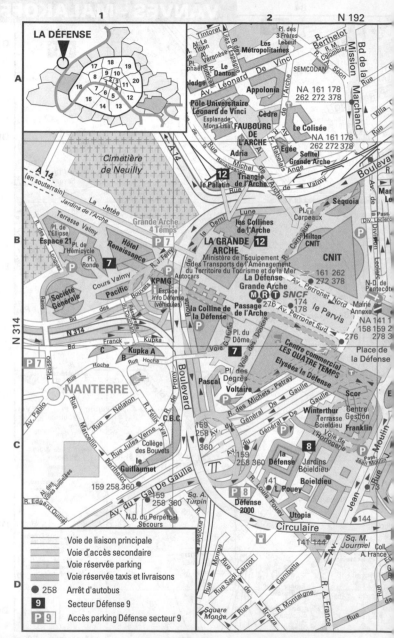

LA DÉFENSE

17	18		19	
8	9	10		20
	7	2/3	11	
16		6	5		12
15	14	13		

Légende :

- Voie de liaison principale
- Voie d'accès secondaire
- Voie réservée parking
- Voie réservée taxis et livraisons
- ● 258 Arrêt d'autobus
- 9 Secteur Défense 9
- P 9 Accès parking Défense secteur 9

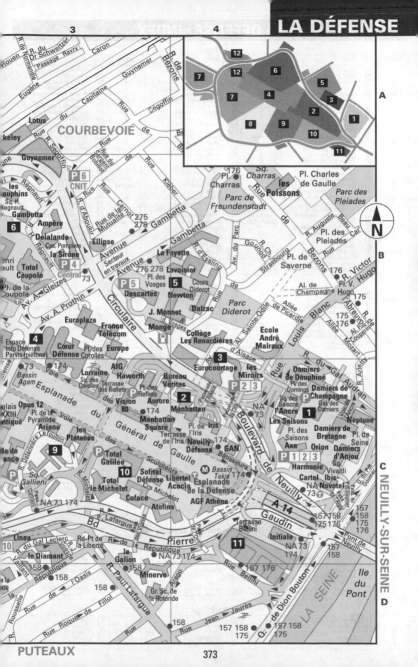

LA DÉFENSE : INDEX

Bus : 185 - 192 - 215 - 216 - 285 - 258B - 285R - 285BR 392 - 396

C2 **Agen** Rue d'
D3 **Alsace** Cour d'
D3 **Alsace** Cours d'
E5 **Ancienne Bergerie** Rue de l'
C3 **Angers** Rue d'
C4 **Aquitaine** Place d'
D5 **Arrivée** Rue de l'
D4 **Aubrac** Rue de l'
D3 **Auvergne** Avenue d'
C3 **Avignon** Rue d'
D2 **Baltard** Rue
E5 **Belle Epine** Carrefour de la
D4 **Bordeaux** Rue de
E3 **Bosse** Rue de la
D3 **Boulogne** Avenue de
D3 **Boulogne** Quai de
C2 **Bourgogne** Avenue de
D4 **Bresse** Rue de la
C3 **Bretagne** Avenue de
C4 **Caducée** Rue du
C3 **Carpentras** Rue de
B3 **Chambourcy** Rue du
D4 **Charentes** Avenue des
D5 **Charolais** Rue du
B3 **Château des Alouettes** Place du
C3 **Châteaurenard** Rue de
B3 **Chevilly-Larue** Boulevard de
C2 **Chevilly-Larue** Porte de
E4 **Circulaire Est** Boulevard
A2 **Circulaire Nord** Boulevard
D2 **Circulaire Ouest** Boulevard
E4 **Circulaire Sud** Boulevard
C4 **Cité** Avenue de la
E3 **Claires** Rue des
E3 **Concarneau** Rue de
C4 **Corderie** Rue de la
E4 **Corse** Rue de
B3 **Côte d'Azur** Avenue de la
D2 **Côte d'Ivoire** Avenue de la
C3 **Cottage** Cour du

D5 **Créteil** Porte de
E4 **Croissant** Rue du
D5 **Déchargeurs** Rue des
D1 **Delta** Boulevard du
C4 **Flandre** Avenue de
C5 **Fontainebleau** Avenue de
E3 **Four** Rue du
D3 **Franche-Comté** Avenue de
D4 **Grenoble** Rue de
C4 **Halles** Rond-Point des
B2 **Hochard** Rue Paul
B3 **Ile-de-France** Quai d'
B2 **Jardiniers** Rue des
D4 **Jour** Rue du
C5 **Languedoc** Rue du
D5 **Latérale** Rue
C3 **Lille** Rue de
D4 **Limousin** Rue du
E2 **Lindbergh** Avenue Charles
C4 **Lingerie** Rue de la
D4 **Long Boyau** Rue du
E3 **Lorient** Quai de
C3 **Lorraine** Avenue de
D4 **Lyon** Rue de
D3 **Lyonnais** Avenue du
C3 **Maraîchers** Avenue des
C3 **Marseille** Cour de
C4 **Menguy** Place Yan
C4 **Meuniers** Rue des
D2 **Mondétour** Rue
C2 **Montauban** Rue de
B3 **Montesson** Rue de
B3 **Montlhéry** Rue de
C3 **Montpellier** Rue de
B2 **Nantes** Rue de
C2 **Nice** Rue de
D4 **Nîmes** Rue de
D4 **Normandie** Avenue de
B3 **Orléanais** Avenue de l'
D4 **Paray-Vieille-Poste** Porte de

C4 **Paris** Place de
D2 **Pêcheurs** Place des
B3 **Pépinières** Avenue des
C3 **Perpignan** Rue de
D4 **Poitou** Rue du
D5 **Pompe** Rue de la
D2 **Pont des Halles** Rue du
C4 **Poste** Place de la
D5 **Prouvaires** Rue des
E4 **Provence** Rue de
E3 **Relais** Place du
D4 **Rennes** Rue de
C5 **République** Avenue de la
E3 **Rochelle** Rue de La
C2 **Roses** Rond-Point des
D4 **Rouen** Rue de
D5 **Routiers** Rue des
E3 **Rungis** Porte de
D4 **Saint-Antoine** Rue
D4 **Saint-Eustache** Rue
D5 **Saint-Hubert** Place
C2 **Saint-Pol De Léon** Rue de
D5 **Salers** Rue de
D4 **Savoies** Avenue des
C4 **Séminaire** Rue du
C5 **Stalingrad** Avenue de
D4 **Strasbourg** Rue de
D5 **Thiais** Rue de
D5 **Thiais** Porte de
C3 **Toulouse** Rue de
C4 **Tour** Rue de la
E5 **Transports** Rue des
C4 **Trois Marchés** Avenue des
C2 **Val de Loire** Quai du
B3 **Val d'Yvette** Rue du
C4 **Val-de-Marne** Rond-Point du
E3 **Vanne** Rue de la
E3 **Versailles** Rond-Point de
C3 **Viaduc** Avenue du
B3 **Villette** Avenue de la

MARCHÉ DE PARIS RUNGIS

Centre administratif	Produits laitiers et avicoles
Produits carnés	Produits de la mer
Produits de l'Horticulture	Entrepôts de distribution
Fruits et légumes	● Arrêt d'autobus
Alimentation générale	

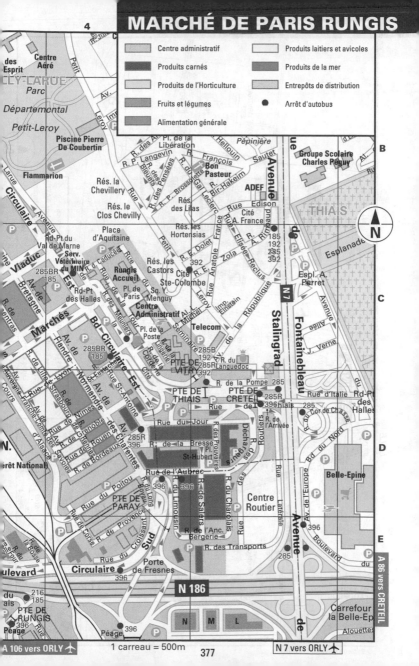

B

4

des Esprit
Centre Aéré
CLY-LARUE
Parc
Départemental
Petit-Leroy

Piscine Pierre De Coubertin

Flammarion

Circulaire

Viaduc

Rd-Pt du Val de Marne
285BR 185

Rés. la Chevillery
Rés. le Clos Chevilly

Place d'Aquitaine

Serv. Vétérinaire du MIN

Rd-Pt des Halles

Pl. de Paris

Centre Administratif

Marchés

Bd Circulaire Est

Pl. de la Poste

PTE DE VITRY

PTE DE THIAIS

PTE DE PARAY

Circulaire Sud

PTE DE RUNGIS

Péage

Pl. de la Libération

Bon Pasteur

Rés. des Lilas

Rés. les Hortensias

Rés. les Castors
Cité Ste-Colombe
Sq. Y. Menguy

Telecom

285B
192
285R
392

R. du Languedoc

PTE DE CRETEIL

Rue du Jour

Pl. St-Hubert

Rue de l'Aubrac

Centre Routier

Porte de Fresnes

ADEF

Cité A. France

185
192
285
392

392

Groupe Scolaire Charles Péguy

THIAIS

N

Esplanade

Espl. A. Perret

C

N7
Stalingrad
Fontainebleau

R. de la Pompe 285

285R

396 Thiais 285

Rue d'Italie Rd-Pt des Halles

Cor de Chasse

Belle-Epine

D

396

285

E

A 86 vers CRETEIL

Carrefour la Belle-Ep.
Alouettes

N 186

N M L

Péage ● 396

A 106 vers ORLY ✈

1 carreau = 500m

377

N 7 vers ORLY ✈

✈ CHARLES-DE-GAULLE

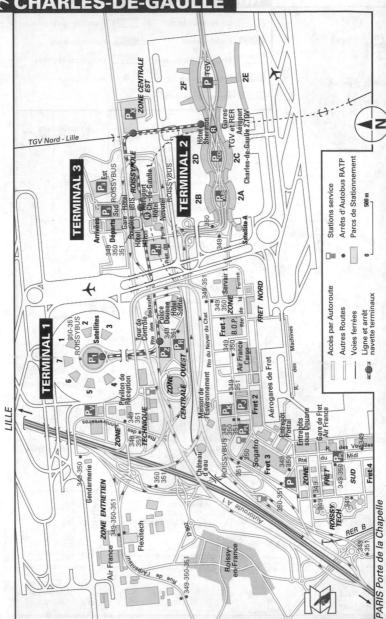

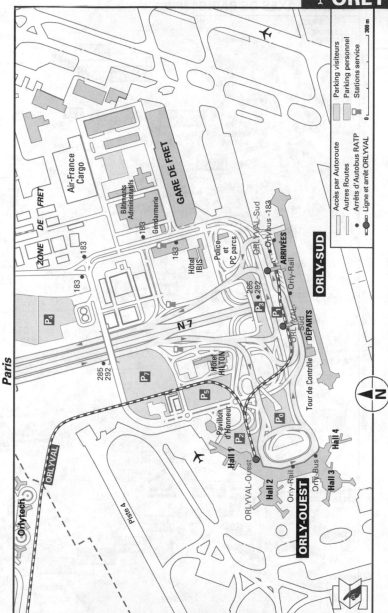

ORLY

Paris

ORLYVAL

Orlytech

ORLY-OUEST

Piste 4

Hall 2
Hall 1
ORLYVAL-Ouest
Orly-Rail
Orly-Bus
Hall 3
Hall 4

Pavillon d'Honneur
P5
P2
P0
Tour de Contrôle

ZONE DE FRET

Air-France Cargo

Bâtiments Administratifs
Gendarmerie

GARE DE FRET

P4

P7

Hôtel HILTON
Hôtel IBIS
Police et PC parcs

N 7

183
183
183
183
183
285
292
285
292
P3
P1

ORLYVAL-Sud
Orly-Rail
Orlybus - 183
ARRIVÉES
DÉPARTS

ORLY-SUD

N

Accès par Autoroute
Autres Routes
Arrêts d'Autobus RATP
Ligne et arrêt ORLYVAL

Parking visiteurs
Parking personnel
Stations service

0   300 m

379

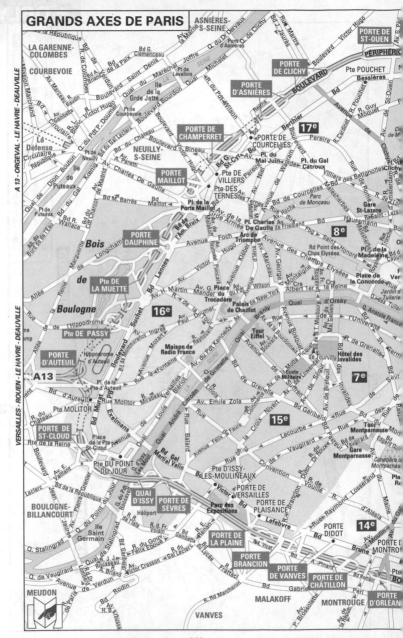

GRANDS AXES DE PARIS

380